DAVE EGGERS

L'OPERA STRUGGENTE DI UN FORMIDABILE GENIO

Traduzione di Giuseppe Strazzeri

OSCAR MONDADORI

Una parte di questo libro è apparsa sul "New Yorker" in una versione lievemente differente.

Altezza: 180 cm; peso: 77 kg; occhi: azzurri; capelli: castani; mani: più grassocce di quanto ci si potrebbe aspettare; allergie: solo alla forfora animale; posizionamento nel grafico dell'orientamento sessuale, dove 1 corrisponde a perfettamente eterosessuale e 10 a perfettamente gay:

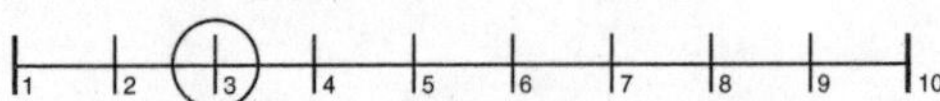

NOTA: *questa è un'opera di fantasia solo nei rari casi in cui l'autore non è stato in grado di ricordarsi le parole precise di alcune persone e le descrizioni esatte di determinate cose, e ha di conseguenza dovuto colmare le lacune come meglio poteva. In tutti gli altri casi, personaggi, avvenimenti e dialoghi sono reali, e non vanno considerati frutto dell'immaginazione dell'autore, anche perché, nel momento in cui scriveva queste righe, l'autore non disponeva di alcuna immaginazione per un tal genere di cose, e non avrebbe neanche lontanamente potuto concepire l'idea di inventare una vicenda di personaggi fittizi – sarebbe stato come guidare un'auto vestito da pagliaccio – specialmente dato che c'era così tanto da dire sulla sua vera, dolorosa ed evocativa storia personale, sulla gente che ha conosciuto, e ovviamente sui numerosi guizzi e impennate della sua mente complessa ed elettrizzante. Qualunque somiglianza con persone morte o viventi dovrebbe essere piuttosto evidente a coloro che dette persone hanno conosciuto, specie laddove l'autore è stato così gentile da fornire i loro veri nomi e, in alcuni casi, i loro numeri di telefono. Tutti gli avvenimenti descritti nel libro sono realmente avvenuti, anche se di tanto in tanto l'autore si è preso alcune piccole libertà relativamente alla cronologia, essendo questo un suo diritto in quanto americano.*

Titolo originale dell'opera: *A Heartbreaking Work of Staggering Genius*

I edizione Strade blu marzo 2001
I edizione Piccola Biblioteca Oscar marzo 2002

ISBN 978-88-04-50135-0

12 13 14 15 16 17 18 19 20

2008 2009 2010 2011 2012 2013

www.librimondadori.it

Piccola Biblioteca Oscar

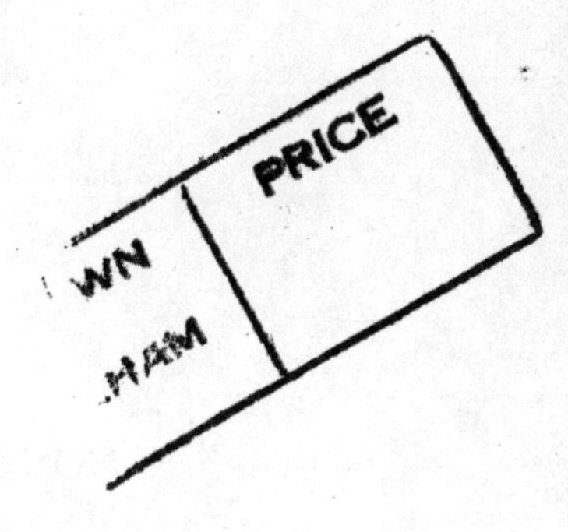

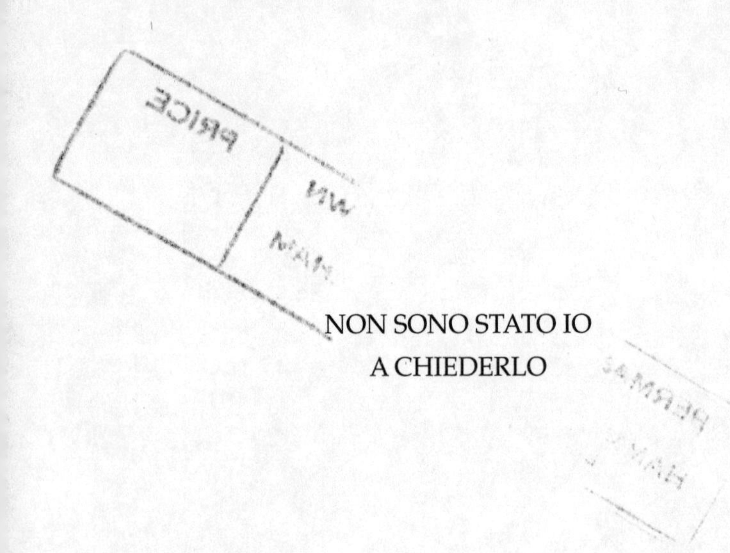

NON SONO STATO IO
A CHIEDERLO

L'opera struggente
di un formidabile genio

Prima di tutto:

Io sono stanco.
Io sono vero di cuore!

E inoltre:

Voi siete stanchi.
Voi siete veri di cuore!

Regole e suggerimenti per apprezzare al meglio questo libro

1. Non c'è un'irresistibile necessità di leggere la prefazione. Sul serio. Essa esiste soprattutto per l'autore, e per tutti coloro che, dopo avere finito il libro, per qualche ragione si siano trovati con niente altro da leggere. Se avete già letto la prefazione, e avreste preferito non farlo, ce ne scusiamo. Avremmo dovuto dirvelo prima.

2. Non c'è nemmeno alcuna impellente necessità di leggere la sezione dei ringraziamenti. Parecchi tra i primi lettori di questo libro (vedi pag. XXXVII) ne hanno suggerito l'accorciamento o l'eliminazione in toto, ma sono stati bellamente ignorati. Nonostante ciò, essa non è indispensabile alla trama, per cui, proprio come per la prefazione, se avete già letto la sezione dei ringraziamenti, e avreste preferito non farlo, ancora una volta ci scusiamo. Avremmo dovuto accennarvene preliminarmente.

3. Potete anche saltare l'indice, se non avete molto tempo a disposizione.

4. A dire il vero, parecchi di voi potrebbero provare il desiderio di saltare molta della parte centrale del libro, in particolare tra le pagine 203 e 295, che riguardano l'esistenza di un gruppo di ventenni la cui vita è decisamente difficile da rendere interessante, anche se a coloro che la stanno effettivamente vivendo lo sembra davvero.

5. In definitiva, i primi tre o quattro capitoli sono quelli che tutti voi potreste prendervi la briga di leggere. Ciò vi porterebbe a pagina 104 o giù di lì, che è poi una discreta lunghezza, più o meno quella di un racconto lungo. Questi primi quattro capitoli infatti affrontano un unico tema di indole generale in maniera abbastanza maneggevole, il che non si può certo dire per il resto del libro da quel punto in avanti.

6 Da lì in poi il libro è effettivamente piuttosto diseguale.

Prefazione alla presente edizione

Nonostante tutta la vanagloria dell'autore in altra sede, questa in realtà non è un'opera di pura nonfiction. Parecchie sezioni sono state infatti romanzate in vario grado, per scopi differenti.

DIALOGO: il dialogo ovviamente è stato quasi del tutto ricostruito. Esso, sebbene nella sostanza sia vero – con eccezione di ciò che è evidentemente non lo è, come ad esempio quando qualcuno spezza il continuum narrativo spazio-temporale per parlare fino alla nausea del libro stesso – è stato scritto sulla base di ricordi, e riflette sia i limiti della memoria dell'autore sia gli ammiccamenti della sua immaginazione. Tutte le parole e le frasi sono state passate a una a una per una sorta di nastro trasportatore e confezionate come segue: 1) ricordate; 2) scritte; 3) riscritte, per suonare più precise; 4) editate per adattarsi alla narrazione (pur rimanendo fedeli alla verità); 5) riscritte un'altra volta, per risparmiare all'autore e agli altri personaggi l'umiliazione di apparire immancabilmente stupide, come suonerebbero se ogni loro frase, introdotta pressoché costantemente dalla parola "tipo" – come per esempio in: «Ehi, tipo, è morta» – fosse semplicemente trascritta. Occorre tuttavia rilevare che i dialoghi più surreali del libro, come quello con i teenagers messicani o quello con la povera Deirdre, sono in assoluto i più vicini al vero.

PERSONAGGI, E LORO CARATTERISTICHE: l'autore, sebbene non ne avesse alcuna voglia, ha dovuto cambiare alcuni nomi, e occultare ulteriormente questi personaggi sotto falso nome. Il primo esempio in tal senso è costituito dal personaggio di nome John, il cui vero nome in realtà non è John, dato che la controparte in carne e ossa di John non desiderava affatto che certi lati oscuri della sua esistenza venissero palesati, anche se alla fine non ha opposto alcuna obiezione a che i suoi atti e le sue parole fossero messi in opera da qualcun altro. Specialmente se il personaggio in questione fosse stato, più che una copia vera e propria, una specie di amalgama. Cosa che poi è, di fatto. Ora, per far funzionare John e creare una narrativa sufficientemente governabile, la sua alterazione ha scatenato una specie di effetto domino che ha reso necessarie altre finzioni. Tra cui: in realtà Meredith Weiss, che è una persona reale, non conosce John così bene. La persona che nella realtà ha avuto la funzione di intermediario non era Meredith, bensì un'altra, la cui presenza avrebbe sminuito la connessione, e di sicuro anche il povero John, cosa che certo non potevamo permettere. Pertanto l'autore ha chiamato Meredith:

«Ciao.»

«Ciao.»

«Allora, ti secca fare (così e cosà) e dire (così e cosà) che in vita tua non hai mai detto e fatto?»

«No, figurati.»

E questo è quanto. Andrebbe notato, però, che la scena madre di Meredith, al capitolo V, non contiene alcuna manipolazione. Potete anche chiederglielo. Vive nella California meridionale.

Altrove, i cambiamenti di nome sono stati segnalati nel corpo del testo.

SPAZIO E TEMPO: prima di tutto, ci sono stati alcuni casi di scambio di luogo. Nel capitolo V in particolare ce ne sono due. La conversazione con Deirdre, in cui il narratore le dice che Toph ha sparato con un'arma da fuoco a scuola e poi è scomparso, non è in realtà accaduta quella notte e in quel posto, ma nel sedile posteriore di un'automobile, durante il trasferimento da una festa all'altra, la sera di Capodanno del 1996. Più avanti, nel medesimo capitolo, il narratore, con la medesima Meredith summenzionata, incontra alcuni giovani su una spiaggia di San Francisco. Questo episodio, sebbene del tutto veritiero, è effettivamente accaduto a Los Angeles. Inoltre in questo capitolo, come in pochi altri, è stata messa in atto una compressione temporale. Tale espediente è stato in gran parte esplicitato nel testo, ma intendiamo qui sottolineare che nell'ultimo terzo del libro molto sembra accadere in un lasso di tempo apparentemente breve. Sebbene la maggior parte degli avvenimenti sia di fatto avvenuta in un periodo piuttosto ristretto, alcuni fanno eccezione. Andrebbe notato tuttavia che i seguenti capitoli non presentano alcuna compressione temporale: I, II, IV, VII.

NOTA SU COLUMBINE: questo libro è stato scritto, come i dialoghi in esso inclusi, parecchi anni prima dei tragici eventi in quella scuola o altrove.[1] Nessuna superficialità è stata usata nel trattare questi episodi, intenzionalmente o no.

[1] L'autore si riferisce qui a un fatto di cronaca accaduto nella cittadina di Columbine, in Colorado, nel 1999. Due ragazzi delle superiori fecero irruzione nella loro scuola armati e, dopo avere ucciso parecchie persone tra studenti e insegnanti, si tolsero la vita. (*NdT*)

OMISSIONI: alcune grandiose scene di sesso sono state omesse, su richiesta di coloro che attualmente sono sposati o *impegnati*. È stata anche eliminata una scena fantastica – vera al cento per cento – che vedeva coinvolta la maggior parte dei personaggi principali del libro e una balena. Inoltre questa edizione presenta l'omissione di un certo numero di frasi, paragrafi e brani.

Tra cui:

pag. 31: Quando siamo a letto, sono poche le ore in cui Beth dorme e Toph dorme e mia madre dorme. Io resto sveglio per la maggior parte del tempo. Preferisco la parte più oscura della notte, dopo mezzanotte e prima delle quattro e mezzo, quando è più nuda, più vuota. In quel momento riesco a tirare il fiato, e a pensare mentre gli altri dormono, in un certo senso riesco a fermare il tempo, cosicché – ed è qualcosa che ho sempre sognato – mentre tutti gli altri sono congelati nel sonno, io possa impegnarmi al massimo per loro, fare tutto quello che c'è da fare, come gli elfi che fabbricano le scarpe mentre i bambini dormono.

Mentre me ne sto disteso, affondato nella stanza color ambra, mi chiedo se riuscirò ad appisolarmi al mattino. Penso di riuscirci, di riuscire a dormire magari dalle cinque alle dieci, prima che le infermiere arrivino a sistemare e pulire, per cui sono contento di rimanere sveglio.

Questo letto però mi sta uccidendo, con il materasso così sottile e questa sbarra attraverso la schiena che mi taglia in due la spina dorsale, torturandomi. Toph si agita e scalcia nel sonno. E dall'altra parte della stanza, il respiro di lei, irregolare.

pag. 104: E adesso come la mettiamo? Bill è venuto a farci visita, e io, Toph e lui stiamo guidando sul Bay Bridge, mentre discutiamo di Borsa. Stiamo parlando del fatto che, da quando Toph ha trascorso un fine settimana a Manhattan Beach con Bill e i suoi due coinquilini agenti di Borsa, adesso anche Toph vuole fare l'agente di Borsa. Bill ne è eccitato a tal punto da riuscire a stento a contenersi, e già vuole comprargli un paio di bretelle e un orologio con cronografo...

«Stavamo pensando che dato che Toph se la cava così bene con i numeri e roba del genere, sarebbe la carriera ideale per lui...»

Per poco non mi butto giù dal ponte con l'auto.

pag. 175: L'alcolismo e la morte rendono onnivori, amorali, disperati.

Ci credi per davvero?

A volte. Certamente. No. Sì.

pag. 187: ... Ma vedi, al liceo ho fatto una serie di quadri che ritraevano i membri della mia famiglia. Il primo era di Toph, da una foto che io stesso avevo scattato. Dato che per quel compito ci avevano chiesto di usare la quadrettatura, il dipinto, a tempera, risultò perfetto. Era incredibilmente somigliante. Gli altri non riuscirono altrettanto bene. Ne feci uno di Bill, ma la faccia era troppo rigida, gli occhi troppo scuri, e i capelli arruffati, un po' alla Giulio Cesare, cosa che non rispondeva per nulla alla realtà. Anche il dipinto di Beth, ricavato da una foto che la ritraeva nel suo vestito per il ballo delle debuttanti, era tutto sfasato, per cui mollai quasi subito. Quello di mamma e papà, preso da una vecchia diapositiva, li mostrava in barca, in una giornata grigia. La mamma occupa la maggior parte dell'immagine, e guarda dritto nell'obbiettivo, mentre il viso di mio padre è visibile da dietro la spalla di lei, a prua della barca, di profilo, inconsapevole del fatto che veniva scattata una foto. Anche in questo caso fu un disastro. Non riuscii a farli per nulla somiglianti. Quando videro il dipinto, lo disprezzarono e basta. Bill invece era furibondo, quando il suo venne esposto alla biblioteca pubblica. «Ma è legale?» chiese a mio padre. «Ha il diritto di farlo? Sembro un mostro!» In effetti aveva ragione. Era davvero mostruoso. Per cui, quando Ricky mi chiese di fare un ritratto di suo padre, io esitai, dato che ero rimasto così spesso frustrato dai miei limiti e dalla mia incapacità di ricreare la figura di qualcuno senza distorcerla orribilmente. A Ricky però dissi di sì, per rispetto, in un certo senso entusiasta all'idea che mi avesse fatto l'onore di commissionarmi un dipinto commemorativo. Mi procurò un ritratto fotografico in bianco e nero, sul quale lavorai per settimane e settimane, di fino. Quando ebbi concluso, la somiglianza mi parve incontestabile. Chiesi a Ricky di venirmi a trovare nell'aula di arte della scuola perché il dipinto era pronto. Dopo qualche giorno lui finì di mangiare prima del solito e venne. Io presi il dipinto e lo girai verso di lui, con ampio gesto e un immenso orgoglio, pronto a illuminarmi insieme a lui alla sua vista.

Invece disse:

«Oh. Oh. Non era esattamente come me l'aspettavo. Non è... come me l'aspettavo.»

Quindi lasciò l'aula e anche il ritratto.

pag. 166: *Perché le impalcature?*

Be', a me piacciono le impalcature. Almeno quanto gli edifici. Specialmente se sono delle belle impalcature, a loro modo, intendo dire.

pag. 189: Quando passavamo in auto accanto a un cimitero, schioccavamo la lingua, tanto eravamo increduli. Specie con quelli molto grandi e affollati, talmente osceni, con così pochi alberi e tutto quel grigio, che sembrano degli enormi posacenere. Toph non riusciva a guardare, mentre io guardavo solo per sapere, per confermare ciò che da tempo mi ero ripromesso, cioè che io non sarei mai finito in un posto del genere, e che non avrei mai sepolto nessuno in un posto del genere. Per chi erano tutte quelle tombe? A chi davano conforto? Non avrei mai permesso di essere sepolto in un posto del genere, sarei scomparso dalla circolazione, oppure...

Posso immaginare la mia dipartita: quando verrò a sapere di avere solo un tot di tempo da vivere – per esempio se mi becco l'Aids, come penso che mi capiterà perché se capita a qualcuno quello sono io, sicuro – e quando arriverà il mio momento, io semplicemente me ne andrò, dirò addio a tutti e me ne andrò a buttarmi nel cono di un vulcano.

Non che in realtà sembri esistere un luogo adatto per seppellire la gente, ma questi cimiteri municipali, o del resto qualunque cimitero, come quelli che si vedono lungo le autostrade, o quelli proprio nel centro dei paesi, con tutti quei corpi sepolti ognuno sotto la sua pietra – be', è una cosa davvero primitiva e anche un tantino volgare, no? Il buco, la scatola e la pietra sull'erba. E noi, per giunta, di questa procedura facciamo una gran cosa, la sentiamo giusta e di alto valore drammatico, di una bellezza austera, mentre ce ne stiamo in piedi accanto al buco, e la scatola viene calata giù. Tutto ciò ha dell'incredibile. Barbarico e basso.

Anche se in realtà devo ammettere di aver visto una volta un posto che sembrava davvero adatto. Stavo camminando – vorrei dire "marciando", come se stessimo facendo qualcosa di diverso dal camminare, ma dato che stavamo semplicemente camminando non userò il termine "marciare", che tutti si sentono invece in dovere di impiegare ogniqualvolta si trovano all'aperto e c'è una leggera pendenza – in un bosco proprio sopra il Carapa, un tributario del Rio delle Amazzoni. Mi trovavo in viaggio con alcuni giornalisti, due della rivista «Rettili», e con un gruppo di erpetologi e alcuni americani sovrappeso esperti di serpenti e dotati di equipaggiamento fotografico, ed eravamo tutti insieme nel mezzo della foresta, su un sentiero che si snodava in salita, alla ricerca di *Boa constrictor* e lucertole varie. Dopo circa quarantacinque minuti sotto quella foresta maculata, all'improvviso gli alberi sparirono e noi ci ritrovammo alla sommità del sentiero, in una radura sovrastante il fiume, e da quel punto si riusciva a vedere, ma per davvero, fino a qualcosa come centocinquanta chilometri di distanza. Il sole stava tramontando, e quell'immenso cielo d'Amazzonia era spennellato d'azzurro e arancio, pennellate spesse liberamente mescolate, come se il colore fosse stato steso con le dita. Il fiume scorreva lento sotto di noi, color caramello, e al di là si estendeva la foresta, la giungla, un gran caos verde broccoli a perdita d'occhio. E proprio di fronte a noi venti croci bianche, senza alcuna indicazione. Il cimitero del villaggio vicino.

Mi venne allora in mente che lì avrei potuto anche starci, e che se dovevo essere sepolto e il mio cadavere doveva imputridire sotto un metro di terra, in quel posto avrei potuto accettarlo. Con quella vista e tutto il resto.

Curiosa coincidenza peraltro, dato che proprio quel giorno stavo per lasciarci la pelle per via dei piranha.

Avevamo gettato l'ancora del nostro battello a tre ponti in un'insenatura del fiume, e le guide avevano cominciato a pescare i piranha usando delle bacchette alla cui estremità era legata una corda, utilizzando dei pezzetti di pollo come esca.

Quelle bestiacce risposero immediatamente al richiamo. In un attimo eccoli saltare sulla barca e zompare tutt'intorno protendendo quei loro piccoli musi cattivi.

E intanto, dall'altra parte della barca, la nostra guida americana, un barbuto di nome Bill, se ne stava tranquillo a nuotare. L'acqua color del tè conferiva alle sue membra un colore rossastro che rendeva ancora più sconcertante il suo bagno nel bel mezzo di un branco di piranha.

«Dài, venite dentro» disse.

Oddio, manco morto.

Tutti gli altri invece si gettarono, e in un attimo gli erpetologi grassocci erano a sguazzo in quel tè rosso sangue. Avevo sentito dire che le aggressioni dei piranha erano piuttosto rare (sebbene non impossibili), e che non c'era nulla da temere, per cui a un certo punto mi buttai anch'io in acqua, relativamente rincuorato dal fatto che se ci fosse stata una carneficina, almeno avrei avuto più possibilità di cavarmela che se mi fossi trovato in acqua da solo: mentre i pesci sarebbero stati intenti ad abbuffarsi con qualcun altro, io forse avrei potuto mettermi al sicuro a nuoto. Feci anche il calcolo di quanto avrebbero impiegato i piranha a divorare gli altri quattro, e di quanto tempo mi sarebbe occorso per guadagnare la riva. Dopo tre o quattro minuti, trascorsi in preda al panico, cercando di non sfiorare con i piedi il fondo melmoso del fiume e di ridurre al minimo i movimenti per non dare nell'occhio, uscii dall'acqua.

Più tardi provai una delle canoe delle nostre guide. Vedendo che alcuni degli erpetologi non ce l'avevano proprio fatta a mantenercisi in equilibrio, mi convinsi che io, snello e agile com'ero, sarei riuscito a remare senza ribaltarmi. Entrai nella minuscola barchetta, mi stabilizzai il più possibile e quindi cominciai a pagaiare. E per un qualche istante funzionò. Mi allontanai dall'imbarcazione principale seguendo la corrente, alternando i colpi di pagaia, immagine di grazia ed eleganza.

Ma dopo circa duecento metri la canoa cominciò ad affondare. Ero troppo pesante. Stavo imbarcando acqua.

Mi girai a guardare la barca dietro di me. Le guide peruviane mi osservavano divertitissime. Stavo affondando nell'acqua marrone, e la corrente mi stava portando sempre più lontano, e loro si godevano lo spettacolo, piegati in due dal ridere. Se la stavano spassando.

La canoa a un certo punto si ribaltò, e io caddi proprio nel mezzo del fiume, là dove era parecchio più fondo e di una tonalità marrone più scura. Non riuscivo nemmeno a vedermi le braccia. In qualche modo riuscii ad arrampicarmi sulla canoa rovesciata. Ero disperato.

Ero sicuro di essere spacciato. Certo, i piranha laggiù, accanto all'imbarcazione principale, non ci avevano toccato, ma lì nell'acqua alta, come essere sicuri che non avrebbero deciso di staccarmi almeno qualche bocconcino da un dito del piede? I piranha spesso staccano dita delle mani e dei piedi, e se fosse capitato avrei cominciato a sanguinare, e a quel punto...

Oddio, Toph.

Ero lì, e la canoa stava affondando sotto il mio peso anche da rovesciata, e presto mi sarei ritrovato immerso nell'acqua, in quel fiume infestato da piranha, e i miei movimenti scomposti li avrebbero attirati verso di me – io provavo disperatamente a muovermi il meno possibile, appena appena i piedi per mantenermi a galla – sarei stato divorato piano piano, a pezzi, cominciando dai polpacci e dalla pancia, e poi, una volta strappato il primo brandello di carne, con il mio sangue in lunghi nastri vermigli tutt'intorno, all'improvviso sarebbero accorsi i pesci, a centinaia, e io avrei guardato giù e avrei visto le mie estremità coperte da un orrendo turbinio di denti e di sangue, fino a che non sarei stato spolpato fino all'osso, e tutto questo perché? Perché dovevo mostrare agli altri che ero in grado di fare tutto quello che facevano le guide peruviane...

Pensai al povero Toph, povero ragazzo, a tremila miglia di distanza, a casa di mia sorella...

Come avevo potuto abbandonarlo?

pag. 185: Mia madre leggeva ogni sera un romanzo dell'orrore. Aveva letto praticamente tutti quelli della biblioteca. Quando si avvicinava il suo compleanno o il Natale, prendevo in considerazione l'idea di comprargliene uno nuovo, che so, l'ultimo Dean R. Koontz, o Stephen King o roba del genere, ma non potevo. Non me la sentivo di incoraggiarla. Non riuscivo nemmeno a toccare le sigarette di mio padre, non ce la facevo nemmeno a guardare le confezioni di Pall Mall nella dispensa. Io ero il tipo di bambino che non riusciva nemmeno a guardare i trailer dei film dell'orrore; per esempio quello di *Magic-Magia*, il film in cui c'è quella marionetta che uccide la gente, mi precipitò in un semestre di incubi ininterrotti. Per la stessa ragione non riuscivo neanche a buttare l'occhio su uno dei suoi libri, li voltavo per non essere costretto a vederne la copertina, con i titoli a rilievo e le chiazze di sangue, specialmente quelli di V.C. Andrews, con quelle illustrazioni turgide e quegli spaventosi ragazzini, in piedi, illuminati da una luce blu.

pag. 349: Bill e Beth e Toph e io stiamo guardando il telegiornale. C'è un breve servizio sulla nonna di George Bush. A quanto pare è il suo compleanno.

Discutiamo su quanto vecchia debba essere la nonna di un uomo ormai vicino ai settanta. Sembra quasi impossibile che sia ancora viva.

Beth cambia canale.

«È disgustoso» dice.

pag. 361: Viveva in una sorta di perpetuo presente. Le doveva essere sempre ricordato il contesto in cui si trovava, che cosa l'aveva portata lì, le origini e i parametri della sua attuale situazione. Ogni cosa doveva esserle spiegata decine di volte – Che cosa mi è capitato? Di chi è la colpa? Come sono arrivata qui? Chi è questa gente? – e l'incidente raccontato, riassunto a grandi linee, e lei che ogni volta ricorda e poi dimentica...

Non è che dimentichi. Non è capace di trattenere le informazioni...
Ma chi lo è, poi? Fanculo, lei era viva e lo sapeva. La sua voce aveva sempre il medesimo suono, i suoi occhi si sgranavano colmi di meraviglia sulle cose anche più piccole, che so, il mio taglio di capelli. Sì, lei ancora sapeva e aveva accesso alle cose che l'avevano accompagnata per anni – quella parte della sua memoria era ancora lì, intatta – e mentre da un lato avrei desiderato punire i responsabili, dall'altro mi piaceva quella situazione, e immaginavo che non mi sarei mai stancato di stare con lei, così vicino alla sua pelle e al sangue che vi scorreva sotto, e questo mi svuotava di ogni odio.
La musica dalla piscina cambiò.
«Oh, adoro questa musica» disse, facendo oscillare la testa a ritmo.

Infine, questa edizione rispecchia la richiesta dell'autore che tutte le epigrafi in precedenza selezionate – tra cui: "Che l'immortale sete del cuore sia completamente conosciuta e completamente dimenticata." (H. Van Dyke); "[Le mie poesie] possono ferire i morti, ma i morti mi appartengono" (A. Sexton); «Non tutti i ragazzi gettati ai lupi diventano eroi» (J. Barth); "Tutto sarà dimenticato e nulla sarà risarcito." (M. Kundera); "Perché non scrivere semplicemente quello che è accaduto?" (R. Lowell); "Ohhh, guardatemi, sono Dave, sto scrivendo un libro! Con tutti i miei pensieri dentro! La la la!" (Christopher Eggers) – vengano espunte, dal momento che egli non si è mai considerato il tipo di persona che utilizza epigrafi.

Agosto 1999

Indice

Ringraziamenti

L'autore desidera ringraziare prima di tutto e in modo particolare i suoi amici della Nasa e del corpo dei Marine degli Stati Uniti, per il loro grande sostegno e per l'aiuto incalcolabile fornito riguardo agli aspetti tecnici di questa storia. *¡Les saludo, muchachos!* L'autore desidera inoltre porgere i suoi ringraziamenti ai molti che hanno dilatato il significato stesso della parola generosità, permettendo che i loro veri nomi e le loro azioni apparissero in questo libro. Ciò vale doppiamente per i fratelli dell'autore, in special modo per sua sorella Beth, i cui ricordi in molti casi si sono rivelati più vividi, e triplamente per Toph (pronuncia: "tof"), per ovvie ragioni. Suo fratello maggiore Bill non viene invece menzionato perché repubblicano. L'autore desidera inoltre sottolineare che il colore rosso non gli si addice. Né il rosa, né l'arancione, né tantomeno il giallo – non è un tipo primaverile. Del resto, fino all'anno scorso pensava che Evelyn Waugh fosse una donna e che George Eliot fosse un uomo. Inoltre l'autore, assieme a tutti coloro che stanno dietro alla realizzazione di questo libro, desidera riconoscere che sì, forse ci sono fin troppi libri di memorie in circolazione, a questo punto, e che tali libri, relativi a cose e persone reali, al contrario di quelli che trattano di cose e persone inventate, sono intrinsecamente di scarso pregio e corrotti e sbagliati e malvagi e cattivi, ma vorrebbe anche ricordare che tutti noi saremmo in grado di fare di peggio, sia in veste di lettori che di scrittori. ANEDDOTO: nel bel mezzo della composizione di queste... queste... memorie, un conoscente approcciò l'autore in un bar-ristorante ad ambientazione western mentre stava mangiando un consistente piatto di costolette e patate fritte. L'individuo in questione gli si sedette di fronte, chiedendogli come andava, che cosa c'era di nuovo, a che cosa stava lavorando eccetera. L'autore disse che, be', ecco, stava lavorando a un libro, una specie di bla bla bla, ecco. Grandioso, disse il conoscente, che indossava una giacca sportiva fatta di quello che pareva essere (ma forse era la luce) una felpina violetta. Che genere di libro? chiese il conoscente. (Chiamiamolo, vediamo, sì, Oswald.) Di cosa si tratta? chiese Oswald. Be', ecco, disse l'autore, andandoci come faceva sempre con i piedi di piombo, è difficile da spiegare, più o meno una specie di libro di memorie. *Oh no!*, disse Oswald, interrompendolo rumorosamente (i suoi capelli, forse vi interesserà saperlo, erano scalati). *Non dirmi che ci sei cascato anche tu!* (e gli ricaddero sulle spalle, un po' alla Dungeons & Dragons). *Memorie! Avanti, non provarci anche tu con quel vecchio trucchetto!* E andò avanti così per un po', nel linguaggio colloquiale dell'epoca, finché, a dire il vero, l'autore non cominciò a sentirsi sinceramente mortificato. Dopo tutto forse Oswald con la sua felpina violetta e i pantaloni di velluto a coste marroni aveva ragione – forse scrivere un libro di memorie era *male*. Forse scrivere di eventi reali in prima persona, senza essere irlandesi e ultrasettantenni, era male. Aveva ragione lui! Nella speranza di riuscire a cambiare argomento, l'autore chiese a Oswald, il quale ha il medesimo cognome della persona che ha ucciso il presidente Kennedy, a che cosa *lui* stesse lavorando (Oswald era una specie di scrittore professionista). L'autore ovviamente si aspettava e al tempo stesso temeva che si trattasse di un progetto di grande rilevanza e ambizione – una ritrattazione della teoria economica keynesiana, una rielaborazione di *Grendel* (questa volta dal punto di vista delle conifere circostanti), o chissà che. Sapete invece cosa disse, quel tizio con i capelli scalati e la felpa violetta? Le sue parole furono: una sceneggiatura. Lui ovviamente non l'ha detto in corsivo, ma lo faremo noi qui: *una sceneggiatura*. Che genere di sceneggiatura? chiese l'autore, il quale non nutre alcun soverchio pregiudizio nei confronti delle sceneggiature e ama sfrenatamente il cinema eccetera, e il modo in cui il cinema mette uno specchio di fronte alla violenza della nostra società eccetera, ma comunque sentendosi all'improvviso tutto sommato un po' meglio. Risposta: una sceneggiatura «su William S. Burroughs e la cultura degli stupefacenti». Di colpo le nuvole si diradarono, il sole tornò a splendere e, una volta di più, l'autore comprese quanto segue: che anche se l'idea di raccontare una storia vera è in sé una cattiva idea, e anche se l'idea di scrivere di una morte di un familiare e delle conseguenti disillusioni può essere del tutto priva di attrattiva se non per i compagni di liceo dell'autore stesso e magari per pochi studenti di *creative writing* del New Mexico, esistono tuttavia idee *di gran lunga, ma di gran lunga peggiori.* In più, se l'idea che si tratti di fatti reali vi disturba, siete invitati a fare quello che l'autore stesso avrebbe dovuto fare, e che del resto scrittori e lettori avrebbero dovuto fare sin dall'inizio dei tempi:

FATE FINTA CHE SIA UNA FINZIONE.

Anzi, l'autore a questo punto vorrebbe farvi una proposta. Per coloro tra di voi che stanno dalla parte di Oswald: se invierete la vostra copia del libro, sia essa in copertina rigida o brossurata, egli vi invierà in cambio un floppy disk da 3.5" nel quale sarà inserita una versione digitale della presente opera, ma con tutti i nomi e i luoghi cambiati in modo che le uniche persone in grado di individuare chi è chi saranno coloro le cui esistenze sono state incluse nell'opera stessa, anche se con lievi alterazioni. Voila! Finzione! Inoltre, la versione digitale sarà interattiva, come ci si aspetta del resto che siano tutte le cose digitali (ehi, a proposito, avete sentito parlare di questi microchip di dimensioni molecolari? Quelli che possono fare in un secondo, e occupando uno spazio grande come un granellino di sale, cose tipo tutte le operazioni mai eseguite da tutti i computer del mondo sin dall'inizio dell'era digitale? Potete crederci? Be', è vero adesso come non mai: la tecnologia sta cambiando il nostro modo di vivere). Riguardo alla versione digitale, a tutti i neofiti voglio ricordare che hanno l'opzione di scegliere il nome del protagonista. Ve ne forniremo noi a decine, tra cui "lo Scrittore", "l'Autore", "il giornalista" e "Paul Theroux", o in alternativa potete fare da voi e inventarne uno. Anzi, usando la funzione "sostituisci" che il loro computer di certo prevede, i lettori dovrebbero essere in grado di cambiare tutti i nomi, dai personaggi principali ai cammei più fugaci. (Ciò può riguardare voi! Voi e i vostri amici!) Coloro che sono interessati a questa versione del libro sono invitati a spedire la loro copia a A.H.W.O.S.G. Offerte Speciali per lettori di narrativa, presso Simon & Schuster, 1230 Avenue of the Americas, New York, NY 10020. NOTA: questa offerta è vera. TUTTAVIA: i libri inviati purtroppo non verranno restituiti. INVECE: saranno inviati ai remainders assieme al resto. Passando ad altro: l'autore desidera riconoscere l'esistenza di un pianeta al di là di Plutone e desidera inoltre, sulla base della sua personale ricerca e fede, riaffermare la pianetitudine di Plutone. *Perché abbiamo fatto questo a Plutone?* Ce la siamo spassata, con il vecchio Plutone. L'autore desidera riconoscere che poiché questo libro di tanto in tanto è un po' ahah, avete il permesso di disfarvene. L'autore vorrebbe inoltre riconoscere i problemi che potreste eventualmente avere nei confronti del titolo. Egli stesso, del resto, nutre qualche riserva. Il titolo che vedete in copertina è stato il vincitore in una sorta di competizione fra titoli collettivi, che si è tenuta nei dintorni di Phoenix, Arizona, nel corso di un lungo fine settimana del dicembre 1998. Ecco le altre ipotesi, decadute per ovvie ragioni: *Opera straziante di morte e vergogna* (un po' troppo triste); *Opera sorprendente di forza e coraggio* (che suona un po' troppo Stephen Ambrose); *Ricordi di un ragazzo cattolico* (già sentito, temo); *Vecchio e negro in America* (azzardato, ha fatto notare qualcuno). Noi preferivamo di gran lunga quest'ultimo, per il fatto che allude sia all'invecchiare che a una sorta di americana alterità, ma è stato subito scartato dall'editore, per cui ci siamo ritrovati con *L'opera struggente di un formidabile genio*. E vi ha catturato l'attenzione, dite la verità. L'avete preso per quello che vi sembrava potesse valere, immediatamente. "Questo è proprio il libro che stavo cercando!" Parecchi di voi, in special modo quelli che sono alla perenne ricerca del sentimentaleggiante e del melodrammatico, saranno stati colpiti dal termine "struggente". Altri avranno pensato che l'elemento "formidabile genio" avesse tutta l'aria di una forte raccomandazione. Ma poi avrete pensato, Ehi, ma questi due elementi possono funzionare insieme? O stanno l'uno all'altro come il cioccolato e il burro di noccioline, come quadretti e pois, destinati a una mai pacifica coesistenza? E se il libro è davvero struggente, perché rovinare l'atmosfera con questa vanagloria? E se invece si tratta di una sorta di scherzo, perché fare uno sforzo in direzione del sentimento? Lasciando perdere poi la fasulla (no, non vera, vi prego) burbanza dell'intero titolo nel suo insieme. Alla fin fine, l'unica interpretazione logica dell'intento di un simile titolo è: a) è una battuta scema b) sostenuta da un interesse nei confronti di titoli modestamente innovativi (usati, sorge il sospetto, solo per stupire) che è d'altra parte c) compromessa dal suo intrinseco aspetto di battuta comunque scema, oltre a essere d) confusa dalla strisciante sensazione che l'autore faccia dannatamente sul serio e ritenga che il titolo sia una descrizione esatta del contenuto del libro, del suo intento e della sua qualità. Oh, al diavolo, cosa importa ormai? Un bel niente. Siete arrivati, siete entrati e che la festa cominci. L'autore desidera inoltre ammettere che in effetti nel 1996 egli ha votato per Ross Perot, e non se ne vergogna per nulla, dato che è un grande tifoso dei ricchi fuori di zucca, particolarmente quelli dal cuore troppo tenero, come Perot, sì, proprio lui. Parlando d'altro, l'autore si sente spinto a riconoscere che sì, il successo di un libro di memorie – e di fatto di qualunque libro – ha parecchio a che fare con il grado di attrattiva esercitata dal suo narratore. Per affrontare la questione, l'autore ci tiene a farvi sapere:

a) Che è una persona come voi.

b) Che, come voi, cade addormentato poco dopo essersi sbronzato.

c) Che di tanto in tanto fa sesso senza preservativo.

d) Che a volte cade addormentato mentre sta facendo sesso, ubriaco e senza preservativo.

e) Che non ha mai offerto ai propri genitori un servizio funebre dignitoso.

f) Che non ha mai finito l'università.

g) Che si aspetta di morire giovane.

h) Che, per il fatto che suo padre fumava, beveva e di conseguenza è morto, egli ha paura del cibo.

i) Che sorride quando vede giovani di colore con in braccio dei bambini.

In una parola: è un tipo attraente. E questo è solo l'inizio!

A questo punto l'autore vuole anche evidenziare i temi principali di questo libro. Essi sono:

A) L'INCONFESSATA MAGIA DELLA SCOMPARSA DEI GENITORI

È il sogno di qualunque bambino e adolescente. A volte nasce dal rancore. A volte dall'autocommiserazione. A volte invece è che si vorrebbe semplicemente più attenzione. Di solito tutti e tre questi fattori svolgono un ruolo. Il punto è che a chiunque prima o poi capita di sognare a occhi aperti che i propri genitori muoiano, e di come sarebbe essere orfani come Annie o Pippi Calzelunghe o, più di recente, come gli splendidi, tragici personaggi della serie tv *Party of Five*. Di solito ci si immagina che, in luogo dell'amore a volte dato in modo imprevedibile e a volte altrettanto imprevedibilmente negato da parte dei propri genitori, si venga, in loro assenza, sommersi dall'affetto e dall'attenzione dei propri concittadini, dei parenti, degli amici e degli insegnanti, che il mondo circostante insomma sia improvvisamente travolto da un'ondata di compassione e fascinazione nei confronti del povero orfanello, e che la sua vita diventi un misto di notorietà e pathos, il tipo di celebrità che nasce dalla tragedia: che è poi quello di gran lunga migliore. La maggior parte della gente sogna tutto ciò a occhi aperti, alcuni invece lo vivono; e questo aspetto del libro intende suggerire che la vita reale può essere come in *Pippi*. Pertanto una perdita incommensurabile porta con sé una lotta quotidiana, un indurimento emotivo, ma anche alcuni impagabili vantaggi, a cominciare da un'assoluta libertà, interpretabile e fruibile in molti modi. E anche se può sembrare inconcepibile la perdita di entrambi i genitori nel giro di 32 giorni – c'è quella frase nell'*Importanza di chiamarsi Ernesto* che recita: "Avere perso un genitore, Mr Worthing, può essere considerato un caso sfortunato. Ma perderne due è un imperdonabile atto di distrazione" – e per cause differenti (vero, in entrambi i casi si trattava di cancro, ma di natura piuttosto diversa, in termini di localizzazione, durata e origine), tale perdita è accompagnata da un innegabile quanto profondamente colpevolizzante senso di mobilità, di possibilità infinite, per il fatto di trovarsi all'improvviso in un mondo senza né capo né coda.

B) AMORE FRATERNO / BIZZARRO FATTORE SIMBIOTICO

Questo filo percorrerà l'intera opera, e in realtà doveva essere la conclusione a sorpresa alla fine del libro, la grande ricompensa finale, nel senso che mentre l'autore è alla disperata ricerca d'amore – e ci saranno alcuni episodi relativi a questa ricerca – e anche suo fratello è alla ricerca di qualcosa – ma delle cose che normalmente cercano i ragazzini della sua età (gomma da masticare e spiccioli?) – e insieme tentano di essere normali e sereni, invece alla fine probabilmente falliranno in qualunque rapporto di genere differente, dal momento che l'unica persona che ognuno dei due veramente ammira e ama è l'altro.

C) L'ASPETTO DI DOLOROSA E INCESSANTE AUTOCONSAPEVOLEZZA DEL LIBRO

Probabilmente si tratta di un aspetto che a questo punto risulta piuttosto ovvio. Intanto l'autore non possiede l'energia o, cosa ancora più importante, la capacità di far finta che il libro non sia solo lui che racconta delle cose, oltre al fatto che non è un bugiardo abbastanza scaltro da adottare una modalità narrativa sublimata in modo sufficientemente abile. Allo stesso tempo, egli intende essere chiaro ed esplicito sul fatto che questo è un libro di memorie autoconsapevoli, cosa che magari finirete con l'apprezzare, e che comunque costituisce il tema successivo.

C.2) LA COSCIENZA DELL'ASPETTO DI AUTOCONSAPEVOLEZZA DEL LIBRO

Se l'autore è ben consapevole del suo grado di autoreferenzialità, d'altro canto egli è anche cosciente della consapevolezza della propria autoreferenzialità. Inoltre, se voi siete di quelli che sono in grado di dire che cosa succederà prima che accada effettivamente, avrete già previsto il prossimo elemento: egli infatti intende essere chiaramente, ovviamente consapevole della sua conoscenza del fatto della sua autocoscienza di autoreferenzialità. Inoltre egli ha completa cognizione, molto più di voi, della totale gratuità di tutta l'operazione, e intende prevenire ogni vostra possibile accusa di futilità del presente libro, dovuta alla suddetta futilità, affermando che essa è semplicemente un trucco, un meccanismo di difesa, al fine di oscurare la rabbia e il dolore neri, accecanti, micidiali al fondo della sua intera vicenda, semplicemente troppo cupa e troppo accecante per poterne sostenere la vista – *distogliete... lo... sguardo!* – ma comunque utile, quantomeno per l'autore, anche se in forma condensata o esasperata, perché raccontarla al maggior numero di persone possibile lo aiuta, o almeno così egli crede, ad attutire il dolore e l'amarezza, e di conseguenza a facilitarne il deflusso dalla sua anima, esito che è alla base della prossima area tematica.

D) RACCONTARE IL MONDO DELLA SOFFERENZA COME MEZZO PER SPAZZARE VIA O ALMENO ATTUTIRE IL FATTORE DOLORE

Per esempio, più avanti l'autore indugia nel descrivere il suo fallimentare – anche se per un pelo – tentativo di essere scritturato per il programma *The Real World* nel 1994, quando cioè la terza stagione del programma sarebbe stata girata a San Francisco. A quel punto, l'autore cercò di fare le seguenti due cose, tra loro correlate: 1) liberarsi del proprio passato strombazzando ai quattro venti le vicende della sua vita recente e così – divulgando il proprio dolore e la propria straziante storia alle centinaia di migliaia di spettatori del programma – ricevere in cambio vere e proprie maree di solidarietà e sostegno, e non essere mai più solo in vita sua; 2) diventare famoso grazie al suo dolore, o perlomeno fare in modo che la sua sofferenza lo aiutasse a diventare famoso, senza tuttavia sottrarsi all'ammissione di una tale manipolazione del proprio dolore a scopo di lucro, dato che tale ammissione lo assolve immediatamente dalla responsabilità verso qualunque implicazione o conseguenza della suddetta manipolazione, poiché essere onesti e consapevoli sulle proprie motivazioni significa quantomeno che non si sta mentendo, e nessuno, a parte l'elettorato, ama un bugiardo. Tutti amiamo la totale sincerità, ancor più se comprende l'ammissione della propria: 1) mortalità; 2) propensione all'errore (fattori correlati ma non identici).

E) L'UTILIZZO DI TUTTO CIÒ COME MEZZO PER FERMARE IL TEMPO DATA LA SOVRAPPOSIZIONE CON IL FATTORE PAURA-DELLA-MORTE

e il corollario, che si spiega da sé, di E).

E.2) OLTRE ALL'UTILIZZO DI TUTTO CIÒ COME MEZZO PER FERMARE IL TEMPO, I RENDEZ-VOUS SESSUALI CON VECCHIE AMICHE O FIAMME DELLE SCUOLE MEDIE IN QUANTO MEZZO PER OTTENERE UNA CONTRAZIONE TEMPORALE E UNA RIVENDICAZIONE DI AUTOSTIMA

F) PARTE IN CUI L'AUTORE SFRUTTA O ESALTA, A SECONDA DEL VOSTRO PUNTO DI VISTA, I PROPRI GENITORI

G) L'INCONFONDIBILE SENTIMENTO CHE SI PROVA DOPO CHE QUALCOSA DI VERAMENTE BIZZARRO O DI STRAORDINARIO O DI STRAORDINARIAMENTE BIZZARRO, O DI BIZZARRAMENTE TERRIBILE ACCADE, E IN UN MODO CHE IMPLICA UN FATTORE DI *SCELTA*

Si tratta ovviamente di qualcosa accaduto all'autore. A seguito del doppio lutto e dell'assunzione del ruolo di tutore, egli si sentì improvvisamente *osservato*; ossia non poteva fare a meno di pensare, come potrebbe forse accadere a qualcuno che sia stato colpito da un fulmine, che in qualche modo era stato scelto, e che la sua vita da quel momento in poi sarebbe stata gravida di un nuovo scopo, della massima importanza, e che non poteva perdere tempo, che doveva agire conformemente al proprio destino, e che era assolutamente ovvio che... egli... *era stato scelto... per essere un leader*!

H) FATTORE LEGATO (FORSE) A UN CONGENITO FATALISMO

Questa parte del libro riguarda quell'ineludibile sensazione che si prova e si pensa quando accade l'impensabile, l'inesplicabile – la sensazione che, se questa o quella persona può morire, e se questo e quest'altro può accadere... be', allora nulla vieta che una qualunque cosa possa accadere anche a colui intorno al quale tutto questo è accaduto. Se la gente muore, perché non lui? Se la gente si spara addosso da auto in corsa, se getta sassi dai cavalcavia, perché non dovrebbe essere lui la prossima vittima? Se la gente si ammala di Aids, potrebbe facilmente capitare anche a lui. Lo stesso discorso vale per gli incendi domestici, gli incidenti d'auto, i disastri aerei, gli accoltellamenti, le pallottole vaganti, gli aneurismi, i morsi di ragno, i cecchini, i piranha, gli animali dello zoo.

Si tratta della confluenza dell'egocentrismo illustrato al punto G) e di una sorta di cupa prospettiva da cui uno viene investito quando tutte le regole dell'impossibilità e della decenza sono sovvertite. Di qui la sensazione che la morte sia letteralmente dietro a ogni angolo, e più specificamente, in ogni ascensore, e ancor più letteralmente, che ogni singola volta in cui le porte di un ascensore si aprono, dentro ci sia un uomo con un impermeabile, un uomo armato che esploderà un'unica pallottola che lo ucciderà all'istante e meritatamente, e che ciò accada sia in conformità con il proprio ruolo in quanto oggetto di cotanta ira in generale sia a causa dei propri innumerevoli peccati, tanto cattolici che karmici. Proprio come alcuni poliziotti – in particolare quelli che si vedono in tv – possono avere una certa familiarità con la morte e possono aspettarsela in qualunque momento – magari non necessariamente la propria ma la morte in generale – nella stessa condizione si trova l'autore, avendo una naturale inclinazione paranoide avallata da fattori ambientali che gli fanno ritenere non solo possibile ma *probabile* che qualunque cosa là fuori che smorza la vita come una candela, be', stia fiutando proprio lui, e che il suo numero è sempre lì lì per essere estratto, e la chiamata è ormai prossima, e la sua cartella della tombola è praticamente conclusa, e che lui si porta addosso un tirassegno sul petto e un bersaglio sulla schiena. È un vero spasso. Vedrete.

E infine:

I) IL FATTORE MEMORIA IN QUANTO ATTO DI AUTODISTRUZIONE

Può e dovrebbe essere una sorta di desquamazione, cosa che peraltro ciascuno dovrebbe periodicamente fare, essendo una procedura necessaria e rinvigorente come un trattamento facciale o un clistere. La rivelazione è tutto, non in sé e per sé, dato che le autorivelazioni sono perlopiù spazzatura – *oops!* – ebbene sì, ma poi la spazzatura ci tocca eliminarla, gettarla via, buttarla in un inceneritore e bruciarla, perché può servire da carburante. Carburante fossile. E che cosa ci facciamo col carburante fossile? Be', lo gettiamo in qualche container e lo bruciamo, è ovvio. No, in realtà non funziona proprio così. Ma capite cosa intendo dire. È infinitamente rinnovabile, lo si può usare senza alterare la capacità di crearne altro. L'autore cade addormentato poco dopo essersi ubriacato. L'autore ha rapporti sessuali senza preservativo. L'autore cade addormentato quando è ubriaco e fa sesso senza preservativo. Ecco. È già qualcosa. Avete qualcosa. Ma che cosa *avete*?

I.2) LA POSA FACILE E NICHILISTA (MA POCO CONVINCENTE), OSSIA: LA COMPLETA CONFESSIONE DEI PROPRI SEGRETI E DOLORI, SOTTO PARVENZA SEMINTELLETTUALE, LADDOVE INVECE L'AUTORE È PERLOPIÙ UN TIPO ALQUANTO RISERVATO, SEBBENE COMPRENDA L'UTILITÀ DI RENDERE DI DOMINIO PUBBLICO CERTI FATTI E CERTI AVVENIMENTI

I.3) IL FATTO CHE AL DI SOTTO, O FORSE ACCANTO AL MORALISMO E ALL'ODIO PER SE STESSI, ESISTA UNA CERTA SPERANZA, ISTILLATA BEN PRIMA CHE TUTTO ACCADESSE

Vi saranno inoltre i seguenti fili, nessuno dei quali, in linea di massima, necessita di alcuna spiegazione:

J) LA PARODIA DELLA SUBLIMAZIONE IN QUANTO PROVA DI UN FORZATO SOLIPSISMO

K) IL SOLIPSISMO IN QUANTO PROBABILE RISULTANTE DI UN FATTORE DI PRIVILEGIO ECONOMICO, STORICO E GEOPOLITICO

L) LA DIALETTICA DI TOPH: IL SUO RUOLO IN QUANTO FONTE DI ISPIRAZIONE E IMPEDIMENTO ALLA SCRITTURA DI UN LIBRO DI MEMORIE

M) LA DIALETTICA DI TOPH II: IL SUO RUOLO IN QUANTO MAGNETE E, IN CASO DI BISOGNO, IN QUANTO CUNEO NEI RAPPORTI CON LE DONNE

In modo similare:

N) LA DIALETTICA DELLA PERDITA GENITORIALE, OSSIA COME IL SUDDETTO FATTORE PORTI A SITUAZIONI CHE IMPLICANO DI NECESSITÀ LA CONQUISTA DI SIMPATIA E AD ALTRE CHE RICHIEDONO UNA RAPIDA VIA DI FUGA

Per non parlare di:

O) L'ASPETTO RELATIVO ALL'INEVITABILITÀ, DATA LA SITUAZIONE COL FRATELLO, DI UN'INTENSITÀ PRESSOCHÉ COSTANTE

P) L'AUTOCELEBRAZIONE IN QUANTO FORMA D'ARTE
Q) L'AUTOFLAGELLAZIONE IN QUANTO FORMA D'ARTE

R) L'AUTOCELEBRAZIONE MASCHERATA DA AUTOFLAGELLAZIONE IN QUANTO FORMA D'ARTE ANCORA PIÙ ELEVATA

S) L'AUTOCANONIZZAZIONE MASCHERATA DA AUTODISTRUZIONE CHE A SUA VOLTA DISSIMULA L'AUTOCELEBRAZIONE MASCHERATA DA AUTOFLAGELLAZIONE IN QUANTO FORMA D'ARTE PIÙ ELEVATA IN ASSOLUTO

T) LA RICERCA DI SOSTEGNO, VALE A DIRE UN SENSO DI COMUNANZA, SE PREFERITE, CON I PROPRI SIMILI, QUELLI DELLA PROPRIA ETÀ, DOPO CHE CI SI GUARDA ATTORNO E CI SI RENDE CONTO CHE TUTTI GLI ALTRI, TUTTI QUELLI PIÙ VECCHI, O SONO MORTI O DOVREBBERO ESSERLO

U) IL FATTO CHE L'ASPETTO T) COMBACIA PIUTTOSTO BENE CON G)

O, in forma grafica:

NOTA: il grafico qui rappresentato è parte di una mappatura assai più ampia, 45x60 cm (ma non in scala), che illustra l'intero libro, perlopiù in caratteri troppo piccoli per poter essere letti. In origine si ipotizzava di comprendere la carta nell'acquisto del libro, ma sapete come sono, queste case editrici. Essa è tuttavia disponibile per posta, all'indirizzo indicato altrove all'interno del libro, al prezzo di 5 dollari. Non ne resterete delusi. A meno che non siate tipi che di solito rimangono delusi, nel qual caso si tratterà dell'ennesima delusione.

L'autore vorrebbe inoltre dichiarare la somma corrispostagli per la scrittura di questo libro:

TOTALE (LORDO)	$100.000
DEDUZIONI	
Percentuale dell'agente (15%)	$15.000
Tasse (dopo pagamento percentuale agente)	$23.800
SPESE RELATIVE ALLA PRODUZIONE DEL LIBRO	
Parte dell'affitto per due anni (anticipo $600 & 1500 al mese) *appross.*	$12.000
Viaggio a Chicago (per ricerche)	$850
Viaggio a San Francisco	$620
Cibo (consumato in corso di scrittura)	$5800
Articoli vari	$1200
Stampante laser	$600
Carta	$242
Spese postali (invio manoscritto, per approvazione, a Beth, da qualche parte nella California settentrionale), a Bill (dirigente presso gli Uffici Amministrativi dello Stato del Texas, ad Austin), a Kirsten (San Francisco, sposata), Shalini (che vive a L.A. e sta benone), Meredith Weiss (stilista freelance, San Diego), Jamie Carrick (a L.A., membro del management del gruppo pop degli Hanson), Ricky (a San Francisco, operatore in una banca di investimenti-quotazioni in Borsa di aziende high tech ecc.)	$231
Copia della colonna sonora di *Xanadu*	$14,32
Ricerca di informazioni su file (tentativo fallito di recuperare due annate di periodici da un hard drive danneggiato)	$75
TOTALE NETTO	$39.567,68

Che poi non è davvero male, a ben pensarci, ed è comunque più di quanto l'autore, che non possiede animali domestici, sia in grado di spendere. Di conseguenza egli intende devolverne una parte a voi, o perlomeno ad alcuni di voi. I primi duecento lettori di questo libro che scriveranno dimostrando di avere letto e assorbito le nozioni che esso ha da impartire, riceveranno dall'autore un assegno di $5 emesso da una banca statunitense, probabilmente la

Chase Manhattan, che non è granché come banca – anzi non apriteci mai un conto. Ora: come provare che avete realmente comprato e letto il libro? Facciamo così: prendete il libro che vi viene chiesto di acquistare[2] – per favore allegate ricevuta o copia della stessa – e fatevi scattare una foto mentre leggete il libro o ne fate un uso magari migliore. Considerazione speciale verrà data a) alla presenza all'interno della foto di uno o più bambini, dato che, come tutti sanno, i bambini sono carini; b) all'inserimento nella foto di un bambino dalla lingua eccezionalmente grande; c) a foto scattate in località esotiche (sempre col libro, ricordatevi); d) a foto che ritraggono il libro nel momento in cui su di esso si sta strofinando un panda rosso, mammifero dall'aspetto a metà strada tra un piccolo orso e un procione, noto anche col nome di "panda minore", originario della Cina centrale e che si struscia di frequente contro le cose per marcare il territorio. NON DIMENTICATE DI: centrare voi stessi o qualunque altra cosa sia il soggetto della fotografia. Se usate un'autofocus con una lente da 35 mm, avvicinatevi più di quanto dovreste: dato che la lente è convessa, produce un effetto di allontanamento di circa due o tre metri. INOLTRE: tenete addosso i vestiti, per favore. I lettori abbastanza accorti da avere acquistato una copia di un certo trimestrale, già conoscono l'indirizzo per ricevere nel modo più rapido questo denaro quasi-gratis (sebbene esso sia valido probabilmente solo fino all'agosto del 2000), per cui saranno avvantaggiati dal punto di vista temporale. Altrimenti, spedite le vostre deliziose fotografie a:

A.H.W.O. S.G. Offerte Speciali, c/o Geoff Kloske
Simon & Schuster
1230 Avenue of the Americas
New York, NY 10020

---

[2] Va da sé che se avete preso questo libro in biblioteca, o se lo state leggendo in edizione paperback, siete molto, troppo in ritardo. Pensandoci bene, può darsi che lo stiate leggendo in un futuro molto, molto lontano – anzi, magari il libro viene adottato in tutte le scuole! Dite un po': com'è il futuro? Vi vestite tutti con delle specie di accappatoi? Le auto hanno forme più bombate? Esiste un campionato femminile di calcio? (*NdA*)

Se nel momento in cui l'autore riceverà la vostra lettera avrà già distribuito i duecento assegni, non è detto che la buona sorte non possa toccare anche voi. Se la vostra foto risulterà divertente o se il vostro nome o quello della località in cui vivete sono particolarmente ridicoli, e accluderete una busta preaffrancata, l'autore comunque metterà qualcosa (non soldi) nella suddetta busta e ve la spedirà, perché non possiede tv via cavo e ha un urgente bisogno di svago. Ora.[3] L'autore desidera riconoscere il vostro desiderio di cominciare una buona volta il libro, il corpo del libro, la storia, insomma. E lo farà, e, contrariamente a quanto ha affermato al punto D), egli vi darà, per un buon centinaio di pagine, una prosa fluida e naturale, che vi divertirà, vi commuoverà, e qui e là vi rincuorerà. Darà avvio a questa storia in men che non si dica, perché si rende conto di quando il momento è quello giusto e l'occasione è quella buona. Egli riconosce i bisogni e i sentimenti del lettore, il fatto che un lettore dispone soltanto di una certa quantità di tempo e di pazienza – questo apparentemente infinito cazzeggiare, questo interminabile schiarirsi la voce possono facilmente sembrare, o addirittura *diventare* una sorta di sprezzante inanità, un lasciare in sospeso il proprio lettore, e nessuno desidera che ciò accada (o sì?). Ragion per cui procederemo oltre, dato che l'autore, proprio come voi, desidera procedere oltre, andare al sodo, tuffarsi nella vicenda e ritornarci su, perché questa è una storia che va raccontata e che implica, così com'è, morte e redenzione, ira, bile e tradimento. E perciò vi ci tufferemo una buona volta, dopo alcuni brevissimi ringraziamenti finali. L'autore vorrebbe ringraziare gli uomini e le donne che coraggiosamente prestano servizio nell'esercito americano. Egli rivolge loro mille auguri e

---

[3] Interessante storiella: mio padre una volta mi ha raccontato di come lui e il suo amico Les avessero escogitato, nei momenti di stallo durante una riunione di lavoro o una deposizione (sia lui che Les erano avvocati [Les è ancora vivo e vegeto e fa l'avvocato]), di dire, invece di "Uhm", o "Uh...", "Ora", parola che raggiunge un duplice scopo: assolve alla medesima funzione sospensiva di "Uhm" o "Uh", ma invece di sembrare un'interiezione da scemi, crea attesa per ciò che sta per arrivare, spesso ignoto perfino a chi parla. (*NdA*)

spera che tornino a casa presto. Cioè, ovviamente se lo desiderano. Se invece gradiscono il posto in cui si trovano, l'autore spera che ci restino. Perlomeno fino al momento in cui effettivamente desiderino tornare. A quel punto dovrebbero tornare a casa immediatamente, col primo aereo disponibile. L'autore vorrebbe anche ringraziare i creatori dei cattivi e dei supereroi dei fumetti, i quali hanno inventato, o perlomeno reso popolare, il concetto di una persona comune e di maniere normali che si trasforma in un mutante a causa di un bizzarro incidente, con la conseguenza che il suddetto mutante è animato da una strana mescolanza di sordida amarezza e della speranza più sfrenata di compiere cose assolutamente bizzarre e senza senso, perlopiù in nome del bene. Nel fare tutto ciò i creatori di fumetti sembravano avere davvero qualcosa in testa. E ora, nello spirito di una *glasnost* interpretativa, l'autore vorrebbe risparmiarvi dei guai fornendovi una guida approssimativa a poco più della metà delle metafore presenti nel libro (pagina successiva).

GUIDA INCOMPLETA AI SIMBOLI E ALLE METAFORE

sole	= madre
luna	= padre
tinello	= passato
sangue dal naso	= decadenza
tumore	= presagio funesto
cielo	= emancipazione
oceano	= mortalità
ponte	= ponte
portafoglio	= sicurezza
	= padre
	= passato
	= classe
reticolo	= equivalente-trascendente
letto bianco	= grembo
mobili, tappeti ecc.	= passato
orsetto	= madre
Toph	= madre
bambole	= madre
Lago Michigan	= madre
	= passato
	= pace
	= caos
	= ignoto
madre	= mortalità
madre	= amore
madre	= rabbia
madre	= cancro
Betsy	= passato
John	= padre
Shalini	= promessa
Skye	= promessa
me	= madre

NOTA: non c'è nessun utilizzo simbolico della canzone *Any Way You Want It* dei Journey.

L'autore desidera anche riconoscere la sua propensione all'esagerazione. E inoltre, la sua propensione a spararle grosse per farsi bello o, il che è anche peggio, per conseguire quello che è di volta in volta il suo scopo. Egli vorrebbe altresì riconoscere di non essere l'unica persona sulla terra ad avere perso i genitori, e tanto meno l'unica persona sulla terra ad avere perso i genitori e ad avere ereditato un fratellino. Egli ci tiene però a precisare che è l'unica persona in tali condizioni ad avere un contratto per un libro. Egli vuole anche dare il giusto riconoscimento al distinto senatore dello Stato del Massachusetts. Nonché alla sovranità della Palestina. E alla logica intrinseca della regola del replay istantaneo. Intende anche riconoscere che egli è fin troppo consapevole delle pecche e delle manchevolezze del libro, in qualunque modo voi le consideriate, e che è il primo a congratularsi con voi per averle notate. E a pensarci bene, egli dopotutto desidera anche ringraziare suo fratello Bill, dato che in fondo suo fratello Bill è un brav'uomo. E anche l'editor di questo libro, Geoff Kloske, e l'assistente di Mr Kloske, Nicole Graev, a cui hanno evidentemente spostato le vocali, ma che resta comunque una persona squisita. E naturalmente Elyse Cheney la quale, purtroppo per lei, c'era fin dall'inizio di tutto questo. Anche C. Leyshon, A. Quinn, J. Lethem e V. Vida per aver saputo alleviare i suoi timori, per non parlare poi di Adrienne Miller, John Warner, Marny Requa e Sarah Vowell, la cui lettura del libro prima che esso fosse leggibile è stata oltremodo apprezzata (anche se, a pensarci bene, l'autore ha dovuto scucire alla Warner $ 100, il che rende i ringraziamenti appena indirizzatile in qualche modo superflui). E ancora una volta, tutte le persone presenti in questa storia, specialmente Mr C.M.E., che sa chi è. Infine l'autore vorrebbe altresì ringraziare gli uomini e le donne del servizio postale americano per aver portato avanti un compito ingrato con grande aplomb e, date la portata e le dimensioni dell'impresa, con stupefacente efficienza.

Eccovi il disegnino di una graffatrice: 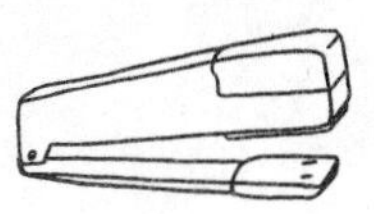

I

DI LÀ DALLA FINESTRA ALTA E STRETTA DEL BAGNO il cortile di dicembre è grigio e triste, gli alberi si stagliano calligrafici. Fuori, il vapore di scarico dell'asciugatrice si alza in pesanti volute, sfilacciandosi e avviluppandosi nel cielo bianco.

La casa è un bordello totale.

Mi tiro su i pantaloni e torno da mia madre. Attraverso il corridoio, supero la lavanderia e di lì passo in sala da pranzo. Mi chiudo la porta alle spalle, smorzando il rumore delle scarpe di Toph che rotolano dentro l'asciugatrice.

«Dov'eri?» dice mia madre.

«In bagno» rispondo.

«Mah...»

«Cosa?»

«Per un quarto d'ora?»

«Non è passato così tanto.»

«Anche di più. Si era rotto qualcosa?»

«No.»

«Sei caduto nella tazza?»

«No.»

«Ti stavi toccando?»

«Mi stavo tagliando i capelli.»

«Stavi perdendo tempo.»

«D'accordo, come vuoi tu.»

«Hai pulito?»

«Sì.»

Non avevo pulito, in realtà, e avevo lasciato capelli dappertutto, piccoli riccioli castani fradici e ritorti nel lavandino, ma sapevo che mia madre non l'avrebbe mai scoperto. Non può alzarsi a controllare.

Mia madre se ne sta sul divano. Ormai non si muove più. Una volta, fino a pochi mesi fa, si arrabattava ancora a camminare, guidare e andare in giro. Poi arrivò il periodo in cui trascorreva la maggior parte del tempo sulla sua poltrona accanto al divano, dandosi da fare di tanto in tanto, uscendo e cose del genere. Alla fine si piazzò sul divano, ma anche allora, almeno per un po', nonostante vi trascorresse gran parte della giornata, ogni sera alle undici era come se si fosse presa l'impegno di salire le scale, i piedi nudi ancora abbronzatissimi in pieno novembre, lenti e cauti sulla moquette verde, fino alla vecchia camera di mia sorella. Dormiva lì da anni, ormai – la stanza era rosa e pulita e il letto aveva il baldacchino, e del resto già da un pezzo mia madre era giunta alla conclusione che non poteva più dormire con mio padre per via della sua tosse.

L'ultima volta che è andata di sopra però risale a settimane fa. Adesso se ne sta sul divano, dal divano non si muove mai, sul divano sta accoccolata durante il giorno e sul divano dorme, la sera, avvolta nella camicia da notte, la tv accesa fino all'alba e una coperta che la ricopre da capo a piedi. La gente sa.

Supina sul divano per la gran parte del giorno e della notte, ogni tanto distoglie lo sguardo dallo schermo acceso e si gira a sputare un fluido verdastro dentro un recipiente di plastica. Il recipiente di plastica è un nuovo acquisto. Per parecchie settimane ha sputato il fluido verdastro in un asciugamano, non sempre lo stesso, ma parecchi a rotazione, tenendosene sempre uno sul petto. Ma l'asciugamano sul petto, come scoprimmo io e mia sorella Beth qualche tempo dopo, non era il luogo ideale in cui sputare il fluido verdastro, perché il problema era che il fluido verdastro aveva un odore terribile, molto più acre di quanto ci si potesse immaginare (certo uno si aspetta dell'odore, ma non *così*). Ragion per cui il fluido verdastro non poteva essere lasciato lì a impestare l'ambiente e a raggrumarsi sugli asciugamani di spugna (il fluido verdastro infatti si induriva formando una spessa crosta sugli asciugamani tanto che alla fine diventava impossibile lavarli. Per questo decidemmo che gli asciugamani da fluido verdastro dovevano essere monouso e comunque, anche utilizzandone ogni angolo, piegandoli e ripiegandoli, duravano al massimo pochi giorni, e le riserve si esaurivano presto anche dopo che ne avevamo fatto scorte da riempirci il bagno, gli armadi e il garage). Fu così che Beth si occupò della faccenda e nostra madre cominciò a sputare il fluido verdastro dentro un piccolo contenitore di plastica che pareva improvvisato e che assomigliava in tutto e per tutto a un componente di un condizionatore d'aria, ma che invece ci era stato procurato dall'ospedale e a quanto ne sapevamo era stato progettato appositamente per persone che sputano grandi quantità di fluido verdastro. È un recipiente di plastica a stampo color crema a forma di mezzaluna, che può essere tenuto a portata di mano quando ci si deve sputare dentro. Può essere sistemato intorno alla bocca di una persona distesa, proprio sotto il mento, in modo da permettergli o di sputare il fluido verdastro direttamente all'interno sollevando la testa, o di lasciarlo semplicemente colare lungo il mento perché si raccolga nel recipiente. Fu una grande scoperta, il recipiente di plastica a mezzaluna.

«Comodo quell'aggeggio, eh?» dico a mia madre passandole accanto, diretto in cucina.

«Oh sì, una vera sciccheria.»

Prendo un ghiacciolo dal frigo e torno in sala da pranzo.

A mia madre hanno tolto lo stomaco circa sei mesi fa. A quel punto, a dire il vero non c'era rimasto granché da togliere, dato che circa un anno prima gliene avevano tolto (mi piacerebbe a questo punto impiegare la terminologia medica se la conoscessi) la gran parte. Poi avevano legato il (non so che) al (non so che), sperando di avere eliminato la parte malata, quindi l'avevano messa in chemioterapia. Ma ovviamente non erano riusciti a eliminarla del tutto. Ne avevano lasciato un pezzetto e quella era cresciuta, si era reinsediata e aveva deposto le uova, ben nascosta, acquattata in un angolo buio dell'astronave. Mia madre per un po' era stata bene, aveva fatto la chemio, aveva comprato le parrucche e le erano anche ricresciuti i capelli, più scuri e più crespi. Ma sei mesi dopo i dolori erano tornati – *Che fosse indigestione*? Magari era solo indigestione, certo, quel ruttare e i dolori, quel piegarsi al tavolo di cucina durante la cena. Alla gente capita di fare indigestione e in questi casi prende un digestivo; ehi, mamma, *vuoi un digestivo?* – ma quando è entrata nuovamente in ospedale e "l'hanno aperta" – sono queste le parole che hanno usato – e l'hanno guardata, quella cosa li osservava, osservava i dottori, simile a migliaia di vermi che si contorcono sotto un sasso, brulicanti e lucidi, umidi e viscidi – *santiddio* – o magari no, non proprio come dei vermi, ma come un milione di minuscoli peduncoli, ognuno dei quali un'infinitesimale cittadella cancerosa, ricetto a una disordinata e sciamante popolazione del tutto indifferente a questioni di impatto ambientale e priva di qualsivoglia regola in materia di territorio. Quando il dottore l'ha aperta e la luce ha finalmente inondato quel mondo, i peduncoli cancerosi hanno avuto un moto sprezzante di fastidio dinanzi a quell'affronto. *Spegni. Quella cazzo. Di luce.* Ogni singolo peduncolo, pur essendo una cittadella a sé stante, fissò il dottore con un unico occhio, un unico occhio cieco e maligno al centro, che fissava imperioso, come solo l'occhio di un cieco può fare. *Fuori. Dai. Coglioni.* I dottori hanno fatto quello che hanno potuto, hanno asportato l'intero stomaco, hanno collegato quello che restava, una parte con l'altra, e poi l'hanno ricucita, lasciando la città com'è adesso e abbandonando i coloni al loro destino manifesto, con i loro combustibili fossili, i loro centri commerciali e le cinture suburbane, e poi hanno sostituito lo stomaco con un tubo e una sacca da flebo esterna. È carina, la sacca da flebo. Mia madre se la portava in giro in uno zainetto grigio – un affare dall'aria futuribile, ricorda una confezione di ghiaccio sintetico tappezzata da una serie di tasche da cibo liquido tipo quelle per i viaggi spaziali. Le abbiamo dato anche un nome. La chiamiamo "la sacca".

Mia madre e io stiamo guardando la tv. C'è quello spettacolo in cui degli atleti dilettanti che di giorno si occupano di marketing o edilizia gareggiano in giochi di forza e destrezza contro culturisti di entrambi i sessi. I culturisti sono perlopiù biondi e perfettamente abbronzati. Sono in splendida forma e portano nomi che evocano rapidità e indomabilità e che ricordano marche di auto e articoli elettronici americani tipo Firestar, Mercury e Zenith. È un programma favoloso.

«Che roba è?» chiede mia madre sporgendosi verso la tv. I suoi occhi, un tempo piccoli, taglienti e severi, adesso sono opachi, giallastri, cadenti, nervosi, e tutto quello sputare conferisce loro un'aria di costante esasperazione.

«Quello spettacolo in cui si menano» dico io.

«Mmmh» dice lei, quindi si gira e solleva un poco la testa per sputare.

«Sta ancora sanguinando?» chiedo succhiando il mio ghiacciolo.

«Sì.»

Sono tornate le emorragie nasali. Mentre ero in bagno lei si stava già tenendo il naso, ma in realtà non ce la fa a stringerlo bene, per cui adesso la aiuto io tenendole il naso chiuso con la mano libera. La sua pelle è oleosa, vellutata.

«Più stretto» dice.

«Va bene» dico io e stringo di più. La sua pelle scotta.

Le scarpe di Toph, di là, continuano a rotolare.

Un mese fa a Beth era capitato di svegliarsi presto, nemmeno lei sa bene perché. Aveva sceso le scale, frusciando a piedi scalzi sulla moquette verde fino al pavimento antracite dell'ingresso. La porta era aperta ma la zanzariera era accostata. Era autunno e faceva freddo, perciò chiuse la pesante porta di legno spingendola con entrambe le mani facendo scattare la serratura, quindi si diresse verso la cucina. Attraversò il corridoio e di lì passò in cucina: brina in minuscole ragnatele congelate agli angoli della porta scorrevole in vetro, brina sugli alberi nudi nel giardino posteriore. Aprì il frigorifero e ci guardò dentro. Latte, frutta, sacche di plastica con l'indicazione della data d'uso. Chiuse il frigorifero. Dalla cucina passò alla sala da pranzo, le tende che incorniciavano l'ampia finestra erano aperte e la luce fuori era bianca. La finestra era come uno schermo cinematografico illuminato da dietro. Strizzò gli occhi. Nel momento in cui mise a fuoco l'immagine, all'imbocco del vialetto d'ingresso, vide mio padre, a terra, in ginocchio.

Non è che la mia famiglia non abbia gusto. È solo che si tratta di un gusto un po' incoerente. Il dato in questo senso più rivelatore, anche se a dire il vero l'abbiamo trovata così, è la carta da parati nel bagno del pianterreno il cui motivo è costituito da una quindicina di slogan e frasi fatte piuttosto in voga al tempo della loro posa, tipo TOSTISSIMO!, TROPPO GIUSTO!, SEI UN GALLO – sistemate in modo da unirsi e mischiarsi in curiose combinazioni, per cui per esempio SEI UN GALLO incontrandosi con TOSTISSIMO crea un SEI UN GALLO TOSTISSIMO! Le parole sono stampate in rosso e nero su sfondo bianco a caratteri che imitano la scrittura a mano libera. Non si potrebbe immaginare niente di più brutto, eppure quella carta da parati è una bizzarria che di solito il visitatore apprezza in quanto testimonianza di una famiglia senza particolari preoccupazioni riguardo a banali questioni di decorazione d'interni e come documento di un'epoca della storia americana a un tempo felice, esuberante e stravagante quel tanto che basta a produrre una messe di carte da parati altrettanto esuberanti e fantasiose.

In realtà il salotto è piuttosto decoroso – pulito, ordinato, pieno di soprammobili di famiglia e di anticaglie, col suo tappeto orientale sistemato al centro del pavimento in parquet. Ma il tinello, l'unica stanza in cui abbiamo effettivamente trascorso del tempo, è sempre stato, nel bene e nel male, il riflesso autentico delle nostre genuine inclinazioni. È da sempre una stanza incasinata, con i mobili in perenne competizione tra loro, denti stretti e gomiti in fuori, alla conquista del premio all'Oggetto Più Improbabile. Per dodici anni le nostre sedie sono state color arancia sanguinella. Il divano della nostra giovinezza, a cui accadde di dover interagire con le sedie color sanguinella e con la moquette bianco sporco, era quadrettato in verde, marrone e bianco. In casa nostra il tinello ha sempre avuto l'aspetto della cabina di una nave, con la perlinatura alle pareti e le sei pesanti colonnine di legno che sostengono o fanno finta di sostenere il soffitto. Il tinello è piuttosto scuro e, a parte un generale decadimento della mobilia e dei muri, nei vent'anni che vi abbiamo trascorso non è cambiato granché. I mobili sono straordinariamente marroni e massicci, come quelli di una famiglia di plantigradi. C'è il nostro ultimo divano, quello di mio padre, lungo e rivestito di una sorta di vellutino marrone, e poi c'è la poltrona vicino al divano, che cinque anni fa ha sostituito le sedie color sanguinella, una poltrona-sofà a quadrati anch'essi marrone, di mia madre. Di fronte al divano c'è un tavolinetto ricavato da una sezione di tronco d'albero ancora rivestito della sua corteccia, benché coperta da un pesante strato di vernice lucida. L'abbiamo portato tanti anni fa dalla California e anch'esso, come la maggior parte dei mobili di casa, è indizio di una sorta di empatica filosofia della decorazione d'interni – per i mobili esteticamente svantaggiati noi siamo come quelle famiglie che adottano bambini disturbati e profughi da ogni parte del mondo – ne avvertiamo l'interiore bellezza e non riusciamo a dire di no.

Una parete del tinello era ed è ancora occupata da un caminetto in mattoni. Il caminetto dispone di una rientranza costruita per permettere l'impiego del barbecue dentro casa, ma noi non l'abbiamo mai usato, soprattutto perché quando ci trasferimmo ci dissero che in cima alla canna fumaria viveva una famigliola di procioni. Perciò la rientranza rimase inutilizzata per parecchi anni fino al giorno in cui, circa quattro anni fa, mio padre, posseduto dalla medesima curiosa ispirazione che un giorno l'aveva spinto a decorare, con un'opera durata parecchi anni, la lampada accanto al divano con ragni e serpentelli di gomma, vi piazzò un acquario. L'acquario, le cui misure erano state scelte tirando semplicemente a indovinare, calzava a pennello.

«Ehi *ehi*» disse nel momento in cui lo sistemò, inserendolo nella rientranza con un margine massimo di un centimetro per lato. «Ehi *ehi*!» furono dunque le sue parole, e alle nostre orecchie quell'espressione suonò un po' troppo alla Fonzie per provenire da un avvocato brizzolato che indossava calzoni con motivi Madras. «Ehi *ehi*!» diceva sempre dopo miracoli di questo genere, strabilianti per numero ed effetto – oltre al Miracolo dell'Acquario ci furono, per fare qualche esempio, il Miracolo di Attaccare la Tv allo Stereo per Ottenere un Suono Stereofonico, per non parlare poi del Miracolo di Far Correre i Cavi del Nintendo Sotto la Moquette Onde Evitare che il Bambino ci Inciampi Ogni Volta Eccheccazzo. (Mio padre era un Nintendodipendente.) Per attirare la nostra attenzione su ognuna di queste meraviglie si piazzava di fronte a chiunque capitasse nella stanza, intrecciava le mani e poi le alzava in segno di vittoria prima sopra una spalla e poi sopra l'altra, come un ragazzino che ha vinto i giochi della gioventù. A volte, come a sottolineare la propria modestia, inscenava questa pantomima con gli occhi chiusi e la testa reclinata, come a dire: sono stato davvero *io* a fare tutto ciò?

«Sfigato» dicevamo noi.

«Fanculo» ribatteva lui, dopodiché andava a farsi un Bloody Mary.

Il soffitto del salotto è macchiato in un angolo da chiazze concentriche gialle e marroni, ricordo delle forti piogge della primavera scorsa. La porta che dà in anticamera pende da uno dei suoi tre cardini. La moquette bianco sporco che ricopre il pavimento è logora e da mesi necessita di essere pulita. Le zanzariere alle finestre sono ancora montate – mio padre ha cercato di tirarle giù, ma quest'anno non ce l'ha fatta. La finestra del tinello dà a est, e dato che la casa è adiacente a una fitta macchia di olmi, riceve poca luce. La luce all'interno non cambia molto dal giorno alla sera e il tinello di solito è immerso nell'oscurità.

Sono di ritorno dal college per le vacanze di Natale. Bill, il nostro fratello maggiore, è appena tornato a Washington D.C., dove lavora per la Heritage Foundation – qualcosa che ha a che fare con l'economia dell'Europa orientale, privatizzazioni, riconversioni. Mia sorella è a casa dall'inizio dell'anno – ha deciso di rimandare l'ingresso alla facoltà di Legge e stare qui a godersela. Quando torno a casa io, lei esce.

«Dove vai?» chiedo io di solito.

«Esco» dice lei di solito.

Sto tenendo il naso ben stretto. Mentre il sangue scorre e cerchiamo di fermare l'emorragia, guardiamo la tv. Alla tv un ragioniere di Denver sta tentando di scalare un muro prima che un culturista di nome Striker lo afferri e lo tiri giù. In certi momenti del programma la tensione può raggiungere un livello notevole. C'è una fase con corsa a ostacoli, in cui i partecipanti corrono gli uni contro gli altri e contro il tempo, e ce n'è un'altra in cui si picchiano con delle specie di mazze dalle estremità rivestite di spugna, ed entrambi i momenti possono essere molto emozionanti, specie quando lo scarto tra i concorrenti è minimo, i partecipanti sono ben assortiti e la posta in gioco sostanziosa. Ma questa parte della scalata al muro... questa no, è troppo disturbante. L'idea di un ragioniere tallonato mentre cerca disperatamente di scalare un muro... nessuno potrebbe mai desiderare di essere inseguito, intanto che scala un muro, da mani che ti afferrano le caviglie proprio mentre cerchi di raggiungere la campana lassù in cima. Striker è determinato ad acciuffarlo e trascinarlo giù, quel ragioniere – ogni tanto balza in direzione delle sue gambe – gli ci vuole solo una buona presa, un bel balzo, una buona presa e uno strattone – e se Striker ci arriva prima che il ragioniere riesca a suonare la campana... è una parte davvero orribile del programma, questa. Il ragioniere si arrampica veloce, febbrile, guadagnando centimetro dopo centimetro, e per un secondo pare che ce la possa fare, dato che Striker si trova molto più in basso, almeno a una distanza due volte l'altezza di un uomo, ma poi succede che il ragioniere fa una pausa. Non riesce a decidere la sua mossa seguente. L'appiglio successivo è troppo distante dal punto in cui si trova. Così decide addirittura di *arretrare* e scende di una tacca per trovare una via più favorevole, e nell'istante in cui discende la suspense diventa intollerabile. Il ragioniere dunque scende e ricomincia subito a scalare il lato sinistro del muro, ma ecco che Striker si materializza dal nulla – *un secondo prima non era nemmeno nell'inquadratura!* – agguanta la gamba del ragioniere proprio all'altezza del tallone, uno strattone ed è finita. Il ragioniere vola giù dal muro (assicurato a delle funi, ovviamente) e discende lentamente a terra. È terribile. Non guarderò mai più questo programma, lo giuro.

Mamma preferisce quello in cui tre giovani donne se ne stanno sedute su un divano dalle tonalità pastello e descrivono gli appuntamenti al buio che hanno avuto con lo stesso uomo, raccontando se si sono divertite o hanno sofferto. Sono mesi che Beth e mamma guardano ogni sera quel programma. A volte i partecipanti hanno avuto rapporti sessuali tra di loro, ma per raccontarlo usano dei curiosi giri di parole. E poi c'è quel buffo conduttore col naso grosso e i riccioli neri. È un uomo davvero buffo e pare divertirsi parecchio a fare quel programma, riesce a tenere tutti su di giri. Alla fine dello spettacolo il single di turno sceglie una delle tre donne con cui desidera uscire di nuovo. E a quel punto il conduttore fa qualcosa di decisamente incredibile: pur avendo già sborsato dei soldi per i tre appuntamenti descritti nel corso della trasmissione e non avendo più nulla da guadagnarci, *dà ai due ragazzi dell'altro denaro per il loro appuntamento successivo.*

Mamma guarda lo spettacolo ogni sera; è l'unico programma che riesce a vedere senza addormentarsi, cosa che durante il giorno fa continuamente, appisolandosi e risvegliandosi. Ma di notte non dorme.

«Ma sì che dormi, la notte» dico io.

«Invece no» dice lei.

«Tutti dormono di notte» dico io – è una vecchia discussione tra di noi – «anche se non sembra. La notte è troppo, troppo lunga per stare svegli dall'inizio alla fine. Voglio dire, ci sono state volte in cui ero sicurissimo di non avere chiuso occhio, come quella volta in cui ero sicuro che i Vampiri delle *Notti di Salem...* – te lo ricordi, quello con David Soul? Con la gente impalata sulle corna d'animale? E insomma, avevo paura di addormentarmi e così avevo deciso di stare sveglio tutta la notte piazzandomi la tv portatile sulla pancia, per tutta la notte, con la paura che avevo di abbandonarmi al sonno perché ero sicuro che stavano solo aspettando il momento giusto, proprio quando mi sarei addormentato, per arrivare in volo fino alla mia finestra o lungo il corridoio e mordermi, lentamente...»

Mia madre sputa nella mezzaluna e mi guarda.

«Ma che diavolo stai dicendo?»

L'acquario è sempre lì, nel vano del camino, ma i pesci, quattro o cinque di quei pesci rossi affetti da elefantiasi con enormi occhi da insetto, sono morti da settimane. L'acqua, ancora illuminata dall'alto dalla lampada violetta, è grigia di muffa e di feci di pesce, nebulosa come una palla di vetro piena di neve che sia stata scossa. C'è una cosa che mi chiedo. Mi domando che sapore abbia quell'acqua. Tipo integratore alimentare liquido? Acqua di fogna? Sto pensando di chiedere a mia madre: *secondo te che sapore ha?* Ma non troverebbe questa domanda spiritosa. Non mi risponderebbe.

«Gli daresti un'occhiata?» dice riferendosi al naso.

Lascio andare la presa. Niente.

Osservo il naso da vicino. È ancora abbronzato dall'estate. La pelle è liscia, bruna.

E poi il sangue arriva, dapprima in un tenue rivoletto subito seguito da uno sbocco denso che si fa strada all'esterno, lentamente. Prendo un asciugamani e tampono.

«Sta uscendo ancora» dico.

I globuli bianchi sono bassi. Il sangue non si coagula bene, ha detto il dottore l'ultima volta, per cui bisogna evitare le emorragie. Qualunque emorragia potrebbe significare la fine, ha aggiunto. Va bene, abbiamo detto. Non eravamo preoccupati. Ci sembrava che le possibilità di versare del sangue fossero davvero poche, con lei che viveva praticamente sul divano. Io ci avevo persino scherzato su, dicendo: «Mi assicurerò che non ci siano oggetti appuntiti a portata di mano», ma lui non aveva riso. Mi ero anche domandato se mi avesse sentito. Avevo persino considerato la possibilità di ripetere la battuta, ma poi conclusi che probabilmente mi aveva sentito ma che non aveva apprezzato lo scherzo. O forse davvero non aveva sentito. A quel punto avevo riflettuto sull'opportunità di insistere in qualche modo sullo scherzo, di calcarlo ulteriormente, per così dire, con una battuta che rincalzasse la prima e creasse un effetto uno-due. Una cosa tipo *Basta duelli all'arma bianca*, o *Da oggi in poi niente più lancio di coltelli, eh, eh*. Ma questo dottore non è tipo da battute. Certe infermiere apprezzano, invece. Spetta a noi scherzare con i dottori e le infermiere. Spetta a noi ascoltare i dottori e di solito, dopo averli ascoltati, Beth fa ai dottori domande specifiche – *Quante volte al giorno deve prendere questa medicina? Possiamo metterlo direttamente nella sacca?* – e a volte aggiungiamo qualche commento più lieve, magari affiancandogli una battuta un po' arguta. È qualcosa che ho imparato dai libri e dalla televisione. Di fronte alle avversità bisognerebbe cercare di scherzare, c'è sempre qualcosa di cui ridere, ci dicono. Ma nelle ultime settimane non abbiamo trovato granché da ridere. Abbiamo cercato e cercato cose buffe, ma ne abbiamo trovate pochissime.

«Non riesco a far funzionare il mio gioco» dice Toph, emergendo dalla taverna. Una settimana fa era Natale e gli abbiamo comprato un sacco di nuovi videogiochi Sega.

«Cosa?»

«Non riesco a farlo funzionare.»

«L'hai acceso?»

«Sì.»

«Hai spinto la cartuccia fino in fondo?»

«Sì.»

«Spegnilo e riaccendilo.»

«Okay» dice e torna giù.

Di là dalla finestra del tinello, nel bel mezzo dello schermo, c'era mio padre, vestito come se stesse per andare al lavoro. Beth si fermò sulla porta tra la cucina e il tinello e guardò meglio. Gli alberi nel giardino di fronte alla casa erano enormi, con il tronco grigio, le braccia protese, l'erba sul prato ingiallita e chiazzata qua e là da foglie appassite. Mio padre non si mosse. Il suo abito, anche così in ginocchio e chino in avanti, gli stava largo sulle spalle e sulla schiena. Era dimagrito tanto. Una macchina passò, in un grigio indistinto. Mia sorella aspettò che si alzasse.

Dovreste vedere la zona dove una volta c'era lo stomaco di mia madre. È cresciuta come una zucca. Rotonda, gonfia. Strano. Le hanno asportato lo stomaco e parte dell'area circostante, se ricordo bene, ma anche dopo una simile operazione sembra incinta. Il rigonfio è visibile anche sotto le coperte. Immagino che sia il cancro, ma non ho chiesto a mia madre né a Beth. È così il gonfiore di un bambino denutrito? Non so. Non faccio mai domande. Prima, quando ho detto che facevo domande, ho mentito.

Il naso a questo punto sta sanguinando da dieci minuti buoni. Finora lei ha avuto solo un'emorragia nasale, all'incirca due settimane fa, e Beth non riusciva a fermarla, per cui sono state costrette ad andare al pronto soccorso. All'ospedale l'hanno tenuta dentro per due giorni. Il suo oncologo, che qualche volta ci andava a genio e qualche volta no, è venuto a visitarla, ha osservato dei grafici disegnati su dei riquadri di acciaio inossidabile e ha chiacchierato un po' con lei, seduto su una sponda del letto. È il suo oncologo da parecchi anni. Poi le hanno fatto una trasfusione e le hanno monitorato il livello di globuli bianchi. Avrebbero voluto trattenerla più a lungo, ma lei ha insistito per essere riportata a casa; era terrorizzata all'idea di rimanere lì, con gli ospedali aveva chiuso, non voleva...

Era uscita da lì in preda a un senso di sconfitta, di vulnerabilità, e adesso, al sicuro a casa, non voleva tornare in quel posto. Aveva fatto promettere a me e a Beth che non ce l'avremmo riportata mai più. Avevamo promesso.

«D'accordo» abbiamo detto.

«Sto parlando seriamente» aveva detto lei.

«D'accordo» abbiamo detto noi.

Le spingo la fronte il più indietro possibile. Il bracciolo del divano è morbido e cedevole.

Sputa. Ormai è abituata a sputare, ma nel farlo produce ancora dei gemiti sordi e strascicati come se stesse vomitando.

«Fa male?» chiedo.

«Cosa?»
«Sputare.»
«Ma no, scemo, dà sollievo.»
«Scusa.»
Una famiglia sta uscendo di casa, due genitori e un bambino piccolo in pantasci e parka in un passeggino. Evitano di guardare verso la nostra finestra. Difficile stabilire se sono al corrente. Può darsi che sappiano ma che vogliano essere discreti. La gente sa.

A mia madre piace tenere le tende aperte così può vedere il giardino e la strada. Durante il giorno fuori c'è tanta luce e sebbene tutta quella luminosità sia percepibile dall'interno del tinello, non sembra riuscire a penetrare davvero l'oscurità della stanza, a fornire un'apprezzabile illuminazione. Io non vedo granché di buon occhio questo fatto di tenere le tende aperte.

Certa gente sa. Ovviamente sa.

La gente sa.

Tutti sanno.

Tutti ne parlano. Aspettano.

Ma io ho i miei progetti per tutti loro, per i ficcanaso, gli indagatori, i compassionevoli, ho elaborato complicate fantasie per coloro che considerano noi grotteschi, patetici, e la nostra situazione carburante per pettegolezzi. Nella fantasia mi figuro strangolamenti – *ahiahi, credo che lei...* uggghhh! – colli spezzati – *che ne sarà di quei poveri raga...* crack! – mi immagino corpi raggomitolati per terra e sanguinanti, presi a calci mentre invano – *sant'iddio no, mi dispiace, giuro. Mi dispiace!* – implorano pietà. Li sollevo sopra la testa e poi li lascio cadere giù spezzandomeli su un ginocchio come fuscelli, le colonne vertebrali che schioccano come listelli di balsa. Non vedete? Spingo i miei nemici dentro vasche di acido e poi li osservo agitarsi e urlare mentre l'acido li brucia, li dissolve. Le mie mani frugano dentro di loro strappandogli la pelle, io estraggo cuori e intestini e li spargo ovunque. Schiaccio teste, decapito, mi do da fare con una mazza da baseball – la varietà e la gravità delle punizioni commisurate all'offesa e alla persona che l'ha commessa. A quelli che non mi piacciono e che non piacciono nemmeno a mia madre toccano le pene più spietate – di solito strangolamenti interminabili, compiaciuti, facce che passano dal rosso al violetto al malva. A quelli che conosco appena, tipo la famiglia che è appena passata, risparmio il peggio, mi limito a travolgerli con la mia auto.

Siamo tutti e due vagamente preoccupati per questo sangue dal naso, io e mia madre, ma per il momento ci diamo da fare nella convinzione che presto il naso cesserà di sanguinare. Mentre le stringo il naso lei stringe il contenitore a mezzaluna appoggiato sulla parte superiore del petto, proprio sotto il mento.

E proprio in quel momento ho un'idea geniale. Provo a farla parlare nel modo buffo in cui parla la gente con il naso chiuso.

«Per favore.»

«No» dice.

«Eddai.»

«Piantala.»

«Cosa?»

Le mani di mia madre sono forti, solcate di vene. Come il suo collo. Ha la schiena spruzzata di lentiggini. Tanto tempo fa faceva un trucchetto per cui sembrava che si stesse staccando un pollice, ma non era vero. Lo conoscete quel trucco? La falange superiore del pollice sinistro appare come fosse parte della mano destra, e la si fa scorrere su e giù lungo l'indice sinistro. È un trucco un po' inquietante, specie quando lo faceva mia madre, perché lo faceva imprimendo un forte tremito alle mani, con le vene del collo tese e gonfie e in viso l'espressione di una persona che stia veramente strappandosi un dito. Da bambini assistevamo allo spettacolo con un misto di gioia e di terrore. Sapevamo che non era vero e gliel'avevamo visto fare dozzine di volte, eppure il suo effetto su di noi era sempre uguale, perché mia madre, così magra e muscolosa, aveva una presenza fisica unica. Le facevamo fare quel trucco di fronte ai nostri amici, i quali ne erano a loro volta terrorizzati e stregati. Ma tutti i bambini la adoravano. Tutti la conoscevano per via della scuola, dato che dirigeva le recite scolastiche delle elementari, coinvolgendo ragazzini i cui genitori stavano per divorziare, e lei li conosceva, li amava e non si vergognava di abbracciarli, specie quelli più timidi. Intorno a lei aleggiava una sorta di naturale comprensione, una forma di completa assenza di dubbio su quello che faceva, che metteva gli altri a proprio agio e che era assai differente dai modi insicuri e distaccati di alcune madri. Naturalmente quando capitava che qualche ragazzo non le piacesse, lo sfortunato lo sapeva. Come per esempio Dean Baldwin, quel ragazzotto robusto e biondiccio che viveva in fondo all'isolato e che dalla strada, senza essere stato per nulla provocato, le mostrava il medio mentre passava in auto. «Ragazzaccio» diceva lei, e lo pensava davvero – aveva una sua durezza interiore con cui era meglio non scherzare – depennandolo dalla sua lista personale fino al momento in cui non le avesse chiesto scusa (cosa che sfortunatamente Dean non fece mai), dopo di che lei lo avrebbe abbracciato come qualunque altro ragazzino. Per quanto forte fosse fisicamente, gran parte della sua energia era nei suoi occhi, piccoli e azzurri, e quando li stringeva li socchiudeva con un'intensità assassina da cui si intuiva senza ombra di dubbio che, qualora costretta, non avrebbe esitato a mettere in atto l'implicita minaccia racchiusa in quel suo sguardo, e che per difendere quanto le era caro non si sarebbe fermata davanti a nulla e ti sarebbe passata tranquillamente sopra. Eppure portava tutta questa forza con estrema disinvoltura, ostentando anzi una certa noncuranza verso i propri muscoli e la propria carne. Si tagliava mentre affettava le verdure, si tagliava fino all'osso, di solito il pollice, e sanguinava dappertutto, sui pomodori, sul tagliere, nel lavabo, mentre noi, che le arrivavamo giusto alla vita, la osservavamo terrorizzati, attoniti, spaventatissimi all'idea che potesse morire. Ma lei invece faceva una smorfia, si lavava per bene il pollice sotto il getto dell'acqua, se lo avvolgeva in un tovagliolo di carta e continuava ad affettare, mentre il sangue lentamente inzuppava la carta del tovagliolo, irradiandosi, proprio come fa il sangue, dal centro della ferita verso l'esterno.

Accanto alla tv ci sono varie foto di noi da bambini, compresa una con Bill, Beth e me, tutti a meno di sette anni, dentro un canotto arancione e con un'espressione di panico dipinta sui volti. Sembriamo circondati dall'acqua, potremmo essere miglia e miglia al largo – e di sicuro così parrebbe dalle nostre facce. Ma naturalmente non potevamo essere che a pochi metri dalla riva, con nostra madre che ci sovrastava, l'acqua alle ginocchia, il suo costume intero, marrone con il bordo bianco, mentre ci faceva la fotografia. È la foto che conosciamo meglio, quella che vediamo da sempre ogni giorno, e i suoi colori – il blu del lago Michigan, l'arancione del canotto, la nostra pelle abbronzata e i capelli biondi – sono i colori che associamo mentalmente alla nostra infanzia. Nella foto ci teniamo tutti attaccati alle sponde del canotto e desideriamo solo scendere, desideriamo che nostra madre ci prenda in braccio prima che quell'aggeggio affondi o vada alla deriva.

«Come va l'università?» chiede.

«Bene.»

Non le dico che ho interrotto alcuni corsi.

«E Kirsten?»
«Sta bene.»
«Mi è sempre piaciuta. Cara ragazza. Ha fegato.»

Nell'istante in cui poso la testa sullo schienale del divano so che tutto sta per finire, sta per arrivare come qualcosa per posta, qualcosa che è già stata spedita. Sappiamo che si sta avvicinando, ma del quando non siamo sicuri: settimane? Mesi? Lei ha cinquantun anni. Io ne ho ventuno. Mia sorella ventitré. I miei fratelli ventiquattro e sette.

Siamo pronti. Anzi no, non lo siamo. La gente sa.

La nostra casa è costruita su una conduttura di scarico. La nostra casa sta per essere travolta da un tornado, piccola casa da paesaggio di trenino elettrico che galleggia inerte e patetica nell'imbuto nero e urlante dell'uragano. Siamo deboli, piccoli. Siamo Grenada. Uomini che si paracadutano dal cielo.

Siamo in attesa che infine tutto cessi di funzionare – gli organi, uno a uno, alzano le mani, impotenti – *Quando è finita è finita,* dice il sistema endocrino; *Ho fatto tutto quel che potevo,* dice lo stomaco, o quello che ne resta; *La prossima volta andrà meglio,* aggiunge il cuore, con un'amichevole pacca sulla spalla.

Dopo una mezz'ora rimuovo l'asciugamano e il sangue sembra essersi fermato.

«Penso che ce l'abbiamo fatta» dico.
«Sul serio?» chiede, guardandomi.
«Non ne viene più» dico io.

Noto la larghezza dei suoi pori, specie quelli sul naso. Da anni ha la pelle cotta dal sole, perennemente abbronzata, il che non è male, direi, considerate le sue origini irlandesi e il fatto che da giovane doveva essere chiara...

Ma ecco che il sangue ricomincia a scorrere, dapprima denso e lento, punteggiato da frammenti di crosticine, poi più fluido, di un rosso più vivo. Stringo nuovamente.

«Troppo» dice. «Così mi fai male.»
«Scusa» dico.
«Ho fame» dice una vocetta. È Toph. È in piedi dietro di me, accanto al divano.
«Cosa?» dico.
«Ho fame.»
«Adesso non posso darti da mangiare. Prendi qualcosa dal frigo.»
«Che cosa?»

«Non lo so, qualunque cosa.»
«Che cosa?»
«Non lo so.»
«Che cosa c'è?»
«Perché non vai a guardare? Hai sette anni, sei perfettamente in grado di guardare da solo.»
«Non c'è niente di buono.»
«E allora non mangiare niente.»
«Ma io ho fame.»
«E allora mangia qualcosa.»
«Ma che cosa?»
«Cristo, Toph, mangia una mela.»
«Non voglio la mela.»
«Vieni qui, tesoro» dice mia madre.
«Più tardi troviamo qualcosa da mangiare» dico.
«Vieni dalla mamma.»
«E che cosa troviamo?»
«Topher, torna di sotto.»
Toph torna giù.
«Ha paura di me» dice.
«Non ha paura di te.»
Dopo qualche minuto alzo l'asciugamano per guardare il naso. Sta diventando viola. Il sangue non si sta addensando. È ancora liquido e rosso.
«Non si coagula.»
«Lo so.»
«Cosa vuoi che facciamo?»
«Niente.»
«Cosa vuol dire "niente"?»
«Smetterà.»
«Non si sta fermando.»
«Aspetta un po'.»
«Stiamo aspettando da un po'.»
«Aspettiamo ancora un po'.»
«Io penso che dovremmo fare qualcosa.»
«Aspetta.»
«Quando torna Beth?»
«Non lo so.»
«Dobbiamo fare qualcosa.»
«Va bene. Chiama l'infermiera.»

Di solito chiamo l'infermiera quando abbiamo delle domande. La chiamo quando la sacca non gocciola bene, quando c'è una bolla nel tubo, o quando sulla schiena di nostra madre si formano dei lividi della dimensione di piatti da cucina. Per il naso l'infermiera suggerisce di esercitare pressione e di tenerle la testa all'indietro. Le dico che è esattamente quello che ho fatto fino a quel momento e che non ha funzionato. Suggerisce di usare del ghiaccio. La ringrazio, riattacco e vado in cucina e avvolgo tre cubetti di ghiaccio in un tovagliolo di carta. Porto il tutto di là e lo applico sul suo setto nasale.

«Ah!»

«Scusa» dico.

«È *freddo*!»

«È *ghiaccio*!»

«Lo so che è ghiaccio.»

«Be', il *ghiaccio* è *freddo*.»

Devo ancora fare pressione sul naso, per cui con la sinistra premo e con la destra le tengo il ghiaccio sul naso. È scomodo, e non riesco a fare entrambe le cose seduto sul bracciolo del divano e guardare allo stesso tempo la tv. Tento di inginocchiarmi sul pavimento accanto al divano. Funziona abbastanza bene, ma dopo un po' il collo comincia a farmi male, dato che mi tocca girarlo di novanta gradi per guardare la tv. Che casino.

Mi viene un'ispirazione. Salgo sul divano, proprio in cima ai cuscini, sullo schienale. Mi ci stendo sopra e i cuscini fanno pfffff nell'istante in cui mi ci abbandono con tutto il peso. Mi sporgo in avanti così che le mie mani e la mia testa sono rivolte nella medesima direzione, le mani esattamente sul naso di mia madre e la testa comodamente poggiata sullo schienale, con una perfetta visuale dello schermo. Perfetto. Mia madre mi guarda e alza gli occhi al cielo. Io le faccio segno di "okay" con i pollici alzati. Lei sputa del liquido verdastro all'interno della mezzaluna di plastica.

Mio padre non si mosse. Beth rimase in silenzio all'ingresso della sala da pranzo, in attesa. Era a circa tre metri dalla strada, in ginocchio, le mani a terra, le punte delle dita allungate come radici di un albero cresciuto sul ciglio di un fiume. Non stava pregando. Buttò la testa all'indietro per un momento guardando verso l'alto, non al cielo, ma agli alberi nel giardino dei vicini. Sempre in ginocchio. Era uscito per prendere il giornale.

La mezzaluna ormai è quasi piena. Nel recipiente si intravedono tre colori: verde, rosso e nero. Il sangue che le fuoriesce dal naso, adesso esce anche dalla bocca. Osservo il contenuto della mezzaluna, notando che i tre fluidi non si mescolano, dato che quello verde è più vischioso, mentre il sangue, così liquido, gli scivola sopra. Il liquido nero è tutto in un angolo. Forse è bile.

«Cos'è quella roba nera?» chiedo, indicando dalla mia postazione.

«Bile, probabilmente» dice lei.

Un'auto si infila nel vialetto d'ingresso ed entra in garage. La porta che mette in comunicazione il garage con la lavanderia si apre e poi si chiude, e un'istante dopo ad aprirsi e chiudersi è la porta del bagno. Beth è tornata.

Beth va in palestra, ultimamente. È contenta quando sono a casa dal college per il fine settimana perché così può andare a fare ginnastica. Ne ha bisogno, dice. Le scarpe di Toph continuano a rotolare, di là. Beth entra nella stanza. Indossa una felpa e pantacollant. Ha i capelli raccolti, ma di solito li porta sciolti.

«Ciao» dico.

«Ciao» dice Beth.

«Ciao» dice la mamma.

«Che ci fai lì sopra?» chiede Beth.

«In questo modo è più facile.»

«Che cosa?»

«Sangue dal naso» dico.

«Merda. Da quanto tempo?»

«Più o meno quaranta minuti.»

«Hai chiamato l'infermiera?»

«Sì, ha detto di metterci del ghiaccio.»

«L'ultima volta non è servito.»

«Avevi già provato con il ghiaccio?»

«Ma certo.»

«Mamma, non me l'avevi detto.»

«Io là dentro non ci torno.»

Mio padre, uomo da miracoli di serie B, ha fatto una cosa davvero incredibile. Ecco quel che ha fatto. Sei mesi fa circa, ci aveva messo tutti a sedere, Beth e me – Bill no, perché era a Washington D.C., e nemmeno Toph, che per ragioni piuttosto ovvie non era stato incluso nella conversazione – in sala da pranzo. Mia madre per qualche ragione non c'era e non ricordo esattamente dove si trovasse – ma comunque eccoci tutti lì, seduti il più lontano possibile dalla consueta nuvola di fumo che circondava lui e la sua sigaretta. La conversazione, se avesse seguito le procedure standard, avrebbe incluso un momento di riscaldamento, un po' di chiacchiere su questo e su quello, e sul fatto che ciò che stava per dire era molto difficile eccetera eccetera, e invece noi non ci eravamo ancora sistemati, non aspettandoci proprio che lui...

«Vostra madre sta morendo.»

Lascio che Beth prenda il mio posto a tenere il ghiaccio e a stringere il naso. Ignorando la mia trovata, si sistema sul bracciolo del divano invece che in cima allo schienale. L'asciugamano è zuppo. Il sangue è rosso e tiepido, contro il palmo della mano. Vado nella lavanderia e butto l'asciugamano nel lavandino, dove atterra con un tonfo. Scuoto la mano intorpidita e prendo un altro asciugamano e le scarpe di Toph dall'essiccatoio. Do l'asciugamano a Beth.

Vado in taverna a vedere che sta combinando Toph. Mi siedo sulle scale, il che mi consente una visione dall'alto della stanza, una cantina convertita in camera da letto e poi tornata a essere cantina.

«Ciao» dico.

«Ciao» dice Toph.

«Come va?»

«Bene.»

«Hai ancora fame?»

«Cosa?»

«Ho detto: hai ancora fame?»

«Cosa?»

«Piantala con questa scemenza.»

«Va bene.»

«Mi senti?»

«Sì.»

«Mi stai ascoltando?»

«Sì.»

«Vuoi ancora mangiare?»

«Sì.»

«Tra un po' ordiniamo la pizza.»

«Va bene.»

«Ecco le tue scarpe.»

«Si sono asciugate?»

«Sì.»

Vado di sopra.
«Bisogna svuotarla» dice Beth indicando la mezzaluna.
«Perché io?»
«Perché non tu?»
Sollevo lentamente il recipiente sopra la testa di mia mamma e vado in cucina. È pieno fino all'orlo. Il liquido ondeggia pericolosamente avanti e indietro. A metà strada dalla cucina me ne verso buona parte su una gamba, e mi chiedo quanto possa essere acido, con la bile e tutto il resto. *Mi brucerà i pantaloni?* mi chiedo. Mi fermo e aspetto per vedere se il fluido comincia a bruciare come un acido e mi aspetto anche del fumo, e che progressivamente mi si allarghi un buco sui pantaloni, come quando si viene a contatto con del sangue alieno.
Ma non succede niente. Decido comunque di cambiarmi i pantaloni.
Beth stringe per un po' il naso a mia madre. È seduta su un bracciolo del divano, accanto alla testa di mamma. Dalla cucina alzo il volume della tv. È passata un'ora.

Il naso continua a sanguinare, e Beth e io ci troviamo in cucina.
«Che cosa dobbiamo fare?» sussurra.
«Dobbiamo andare in ospedale, vero?»
«Non possiamo.»
«Perché?»
«Abbiamo promesso.»
«Oh, per favore.»
«Cosa?»
«Non può essere.»
«E invece sì.»
«Lo so, ma non dovrebbe.»
«Anche lei lo desidera, a questo punto.»
«Non è vero.»
«L'ha anche detto.»
«L'ha detto ma non ci credeva.»
«Io invece penso di sì.»
«Assolutamente no. È ridicolo.»
«L'hai sentita con le tue orecchie?»
«No, ma fa lo stesso.»
«Che ne pensi?»
«Penso che sia spaventata.»
«Sì.»

«E non credo che sia pronta. Voglio dire, tu ti senti pronta?»
«No, certo che no. E tu?»
«No, no, no.»

Beth torna in sala da pranzo. Io lavo la mezzaluna, la testa immersa in problemi di logistica. Allora, va bene, di questo passo, con il sangue che continua a fuoriuscire lento ma inarrestabile, quanto ci vorrà, effettivamente? Un giorno? No, no, meno – non è che dovrebbe perdere proprio *tutto* il sangue, ben prima che tutto il sangue fuoriesca, lei... voglio dire, non ci toccherebbe aspettare che *tutto* il sangue defluisca; piuttosto dopo un po', la situazione precipiterebbe e – *Cristo, ma quanto sangue?* Cinque litri? Meno? Potremmo saperlo. Potremmo chiamare di nuovo l'infermiera. No, no, non possiamo. Se chiediamo aiuto a qualcuno ce la faranno riportare in ospedale. E se non ce l'abbiamo portata pur sapendo che avremmo dovuto farlo, allora saremo degli assassini. Potremmo chiamare il pronto soccorso e chiedere in via del tutto ipotetica: "Buongiorno, sto facendo una ricerca per la scuola sulle emorragie e...". Cazzo. Avremo abbastanza asciugamani? Dio, no. Potremmo usare delle lenzuola, ne abbiamo un sacco. Magari è solo una questione di poche ore. Avremo abbastanza tempo? Quanto è abbastanza tempo? Parleremmo a lungo. Sì, ecco. Faremmo il punto. Ma come, seriamente, sobriamente o in modo buffo? Direi seriamente, per qualche minuto... Va bene va bene va bene va bene. Cazzo. E se rimaniamo a corto di cose da dire e...? Abbiamo già organizzato tutto per bene. Sì, certo, non ci sarebbe bisogno di entrare nei dettagli. Faremmo salire Toph. Lo faremmo salire? Certo che sì, ma... ma forse lui non dovrebbe esserci, no? Chi è che desidera essere presente quando si arriva davvero alla fine, del resto? Nessuno, nessuno. Però, ritrovarsi da sola... certo che non sarà sola, ci sarai tu, e ci sarà Beth, coglione. Cazzo. Dobbiamo chiamare Bill. Chi altro? Quali parenti? Nonni non ce ne sono, i genitori di lei sono morti da un sacco, i suoceri pure, sua sorella Ruth morta anche lei, sua sorella Ann non è morta ma è come se lo fosse, chi la vede più, si nasconde, quella hippie fuori di testa. Cazzo. Gente che non ci chiama da anni. Allora, gli amici. Quali? Quelli della squadra di pallavolo della Montessori... Merda, di sicuro dimenticheremo qualcuno... All'inferno, ci dimenticheremo qualcuno e quel qualcuno capirà. Dovrà capire. Fanculo, tanto ce ne stiamo andando, stiamo per lasciare comunque questo posto, fanculo – fare una chiamata in conference call? No, no – di cattivo gusto. Di cattivo gusto ma pratico, decisamente pratico, e forse potrebbe anche essere divertente, la gente che chiacchiera, un sacco di voci differenti, potremo usare il rumore come distrazione, il silenzio no, il silenzio no, non va bene – ci vuole rumore. Dobbiamo dirglielo in anticipo, avvertirli, ma cazzo, come? "La situazione sta precipitando", una frase del genere, vaga ma sufficientemente esplicativa, detta in modo discreto, tutto in forma implicita, dal telefono della cucina, in modo che nessuno possa sentire o dire qualcosa prima che la mamma si inserisca nella telefonata. Ecco, così funzionerebbe, tutti quanti in linea nello stesso momento... Devo chiamare la compagnia telefonica e attivare il servizio. Il nostro contratto prevede una roba del genere? Avviso di chiamata sì, ma conference call? – mi sa di no, anzi, no di sicuro, cazzo – un vivavoce, ecco di cosa abbiamo bisogno. Ecco che cosa occorrerebbe, un vivavoce. Posso andare a comprarne uno, giù al K-Mart, prendo la macchina di papà che va più veloce di quella della mamma, molto più veloce. Ha il cambio? No, no, che dici, è automatica, sono capace di guidarla, non l'ho mai guidata ma posso farcela, non c'è problema, macchina veloce, in un attimo eccomi in autostrada – ma cazzo, come niente ci vogliono venti minuti tra andata e ritorno, più il tempo per fare l'acquisto e poi magari non ce l'hanno – potrei chiamare, ma certo, coglione, chiama e chiedigli se hanno un vivavoce... Dovrei sapere che tipo di telefono è, per la compatibilità, ah, ecco, è un Sony e poi – ma perché cazzo dovrei andare *io*? Beth è stata qui tutto l'anno, ha avuto tutto il tempo del mondo, e dovrebbe andare lei, è chiaro, Beth, ci va Beth, ci va Beth – ma di sicuro Beth dirà che il vivavoce non è necessario, dirà di lasciar perdere – cazzo, forse è meglio mandare affanculo anche questa storia – fanculo. Fanculo. Fanculo. E poi, renderebbe davvero le cose più semplici? Ovviamente no, ci occorrerebbe comunque il contratto per avere il servizio di conference call – chiamiamo Bill e zia Jane e i cugini, Susie e Janie, le figlie di Ruth. E questo è quanto. La chiamata durerà più o meno una ventina di minuti, per cui potremmo portare Toph quassù per un po', una visitina alla mamma, una cosa rilassata, leggera, tranquilla tranquilla – così Toph sale per una ventina di minuti, e poi – no, no un momento: di quanto tempo stiamo parlando, qui? Quanto tempo abbiamo, con questo naso? Due ore, forse, probabilmente di più, di certo di più, magari anche un giorno intero – Cristo, ma nessuno ne sa niente? – la previsione più prudente per me è di due ore. No, un momento. Io fermerò il sangue dal naso. Lo fermerò. Sì, troverò un modo. Più ghiaccio. Risistemandola – reclinandola in senso contrario; gravità, certo. Stringerò il naso più stretto, più stretto questa volta.. Probabilmente non lo tenevo abbastanza stretto... cazzo. E se non funziona? Non funzionerà. Non ha senso passare le prossime ore a opporsi all'irreparabile; no, lo sappiamo e dobbiamo lasciare che accada – prima di tutto spegnere la tv, chiaro – ma non sarà una cosa troppo drammatica? Be', cazzo, a questo punto ce lo possiamo permettere – anche se ovviamente glielo dobbiamo chiedere, coglione che sei, dobbiamo chiedere alla mamma della tv, se deve stare accesa o spenta – è il suo programma – ma che idiozie stai a dire? "Il suo programma"... che volgarità, che mancanza di riguardo, che coglione che sei. Cazzo. E va bene, forse abbiamo un po' di tempo, ci possiamo sedere con lei, cazzeggiare, starcene semplicemente seduti, sarebbe carino – Cristo, non sarà una situazione *carina*, non con tutto quel sangue ovunque – tutto quel sangue renderà la situazione insostenibile – ma magari invece no, è talmente lento, il sangue – magari invece passeranno giorni, giorni e giorni perché tutto il sangue defluisca, ma forse è una buona cosa che defluisca lentamente, come un salasso – ma che cazzo dici come un salasso, *pezzo di idiota rincoglionito – col cazzo che è come un salasso...* Dovremmo dire alla gente com'è accaduto? No, no. Diremo: "È morta a casa", una frasetta del genere, affabile, la frase che si usa in questi casi, tipo quella volta, adesso che ci penso, che quel ragazzo del liceo si è sparato dopo la maturità, quello del corso di arte con gli occhi da Marty Feldman. Oppure quando quella donna malata di cancro alle ossa si è sbarrata in casa e ha dato fuoco a tutto quanto. Pazzesco. Coraggio o follia? Avrebbe reso tutto più facile, dare fuoco a tutto? Sì. No. "Morta a casa." Ecco cosa diremo. Nient'altro. La gente verrà a sapere comunque. Nessuno dirà nulla. Va bene, va bene, va bene.

Verso il contenuto del recipiente sopra i rimasugli accumulati nel tritarifiuti. Apro l'acqua e metto in funzione il tritarifiuti che ingoia il tutto. Riesco a sentire la voce di Beth in sala da pranzo.

«Mamma, dobbiamo andare.»

«No.»

«Sul serio.»

«No.»

«Dobbiamo.»

«Non è vero.»

«Che cosa intendi fare allora?»

«Stare qui.»

«Non è possibile. Stai sanguinando.»

«Avevi detto che saremmo rimasti qui.»

«Dài, mamma, ragiona.»
«Hai promesso.»
«È una follia.»
«Hai promesso.»
«Non puoi andare avanti a sanguinare così.»
«Richiama l'infermiera.»
«Abbiamo già richiamato l'infermiera e ci ha detto che dobbiamo andare in ospedale. Ci stanno già aspettando.»
«Chiamane un'altra.»
«Mamma, per favore. È un'idiozia.»
«Non chiamarmi idiota.»
«Non ti ho chiamato idiota.»
«E a chi lo dicevi?»
«A nessuno. Stavo solo dicendo che è una cosa davvero stupida.»
«Che cosa è stupido?»
«Morire di sangue dal naso.»
«Non morirò di sangue dal naso.»
«L'infermiera dice che è possibile. Anche il dottore.»
«Se torno là dentro non ne uscirò viva.»
«E invece sì.»
«No.»
«Santiddio.»
«Non voglio tornarci.»
«Non piangere, mamma.»
«Non parlarmi così.»
«Scusa.»
«Ti tireremo fuori.»
«Mamma?»
«Cosa?»
«Ne uscirai.»
«Voi mi *volete* là dentro.»
«Oddio.»
«Ma guardatevi un po', il gatto e la volpe.»
«Come?»
«La verità è che volete uscire a spassarvela.»
«Cristo...»
«È Capodanno e voi due avete i vostri progetti!»
«Va bene, sanguina. Stattene lì a sanguinare a morte.»
«Mamma, per favore...»

«Continua pure a sanguinare. Ma non abbiamo abbastanza asciugamani per tutto quel sangue. Vado a prenderne altri.»
«Mamma?»
«E poi rovinerai tutto il divano.»
«Dov'è Toph?» chiede.
«Giù.»
«Che cosa sta facendo?»
«Gioca.»
«Cosa farà?»
«Verrà con noi.»

Alla fine del vialetto d'ingresso c'era mio padre, inginocchiato. Beth lo guardò e per un secondo fu una scena con una sua bellezza, lui così in ginocchio, incorniciato nella grigia finestra invernale. Ma poi, in una frazione di secondo, comprese. Era caduto. Ormai cadeva dappertutto. In cucina, nella doccia. Spalancò la porta e corse fuori.

Ripulisco il sedile posteriore della station wagon e ci sistemo una coperta, quindi piazzo un cuscino contro la portiera e blocco la serratura. Torno in sala da pranzo.
«Come faccio a salire in auto?»
«Ti porto io» dico.
«Tu?»
«Sì.»
«Ma fammi il piacere.»
Prendiamo la sua giacca, un'altra coperta, il recipiente a mezzaluna, la sacca, un'altra camicia da notte, ciabatte, qualcosa da mangiare per Toph. Beth sistema tutto in auto.
Apro la porta della taverna.
«Toph, andiamo.»
«Dove?»
«All'ospedale.»
«Perché?»
«Per un esame.»
«Adesso?»
«Sì.»
«Devo venire?»
«Sì.»
«Perché? Non posso stare con Beth?»

«Viene anche Beth.»
«Posso stare da solo.»
«No che non puoi.»
«Perché?»
«Perché no.»
«Ma perché?
«Cristo Toph, sali!»
«Va bene.»
Non sono sicuro di riuscire a sollevarla. Non so quanto pesa. Potrebbe pesare una cinquantina di chili, magari sessanta. Apro la porta che dà sul garage e torno in sala da pranzo. Allontano il tavolo dal divano. Mi inginocchio davanti a lei. Le passo una mano sotto le gambe e l'altra dietro la schiena. Lei tenta di mettersi seduta.
«Non ce la farai mai se rimani in ginocchio.»
«Va bene.»
Mi alzo e mi chino verso di lei.
«Mettimi una mano intorno al collo» dico.
«Stai attento.»
Mi mette la mano intorno al collo. Scotta.
Mi ricordo di usare le gambe. Le tengo la camicia da notte tra la mia mano e il retro delle sue ginocchia. Non so come sia la sua pelle là dietro. Ho paura di cosa potrei sentire sotto la camicia da notte – lividi, macchie, buchi. Ci sono lividi o punti flaccidi, dove la carne è marcita? Mentre mi metto in piedi lei passa la mano libera dietro al mio collo, intrecciandola con l'altra. Non è pesante come pensavo. Non è ossuta come temevo. Aggiro la poltrona che si trova accanto al divano. Mi ricordo di mia madre e mio padre seduti insieme sul quel divano. Mi dirigo verso il corridoio e di lì in garage. Ha il bianco degli occhi giallastro.
«Non farmi picchiare la testa.»
«No.»
«Mi raccomando.»
«Ti ho detto di no.»
Attraversiamo la prima porta. Lo stipite di legno scricchiola.
«Ahi!»
«Scusa.»
«Ahiahiahi!»
«Scusa, scusa, scusa. Tutto bene?»
«Mmmmm.»
«Scusa.»
La porta del garage è aperta. L'aria all'interno è gelida. Lei proten-

de la testa e io supero l'ingresso. Penso a lune di miele e a matrimoni. Lei è incinta. Una sposina raggiante. Il tumore è un palloncino. Il tumore è un frutto, una zucca vuota. E lei è più leggera di quanto pensassi. Avrei creduto che il tumore avrebbe fatto peso. Il tumore è grande e rotondo. Lei lo copre con i pantaloni, lo ha sempre coperto con i pantaloni, quelli con l'elastico in vita, almeno fino all'ultima volta che ha indossato dei pantaloni, perché poi è passata alle camicie da notte. Eppure è leggera. Il tumore è un tumore leggero, cavo, un palloncino. Il tumore è un frutto che marcisce, già ingrigito in superficie. O un nido di insetti, infetto, nero, vivo, dai contorni confusi. Pieno di occhi. Un ragno. Una tarantola, le zampe disposte a raggiera, metastasizzate. Un palloncino coperto di terra, il colore è il colore della terra. O forse no, più nero, più luccicante. Caviale. Ecco, come caviale la forma, il colore e la dimensione delle sue parti. Mia madre ha avuto Toph piuttosto avanti negli anni. Ne aveva quarantaquattro. Durante tutta la gravidanza era andata ogni giorno in chiesa a pregare. Quando fu il momento le aprirono la pancia e lui era lì, perfetto.

Scendo i gradini che portano al garage e le viene da sputare. Quel suono gorgogliante. Non ha l'asciugamano né la sua mezzaluna. Il fluido verdastro le scende lungo il mento e atterra sulla camicia da notte. Un secondo getto le sale alla gola, ma lei tiene la bocca chiusa e le guance le si gonfiano. Ha del fluido verdastro sul viso.

La portiera è aperta e io la faccio entrare in auto di testa. Lei si rannicchia nelle spalle, cerca di farsi più piccola. Io strascico i piedi, cerco una presa migliore. Mi muovo al rallentatore. Mi muovo appena. Lei è come un vaso, una bambola. Un vaso gigante. Un frutto gigante. Un vegetale da primo premio. La faccio passare attraverso la portiera. Mi chino e la depongo sul sedile. Improvvisamente mi sembra una ragazzina, in quella camicia da notte che insiste a tirarsi giù per coprirsi le gambe. Si sistema i cuscini contro la portiera dietro di sé e vi si appoggia.

Quando è ben sistemata raggiunge l'asciugamano sistemato ai piedi del sedile, se lo porta alla bocca e ci sputa dentro, pulendosi poi il mento.

«Grazie» dice.

Chiudo la portiera e mi siedo ad aspettare al posto del passeggero. Beth esce di casa assieme a Toph, stretto nel suo cappottino invernale e con le manopole. Beth apre il portellone posteriore e Toph sale.

«Ciao, tesoro» dice la mamma, buttando la testa all'indietro e guardando all'insù verso di lui.

«Ciao» dice Toph.
Beth sale al posto di guida, si gira e batte le mani.
«Gita!»

Avreste dovute vedere il funerale di mio padre. C'erano tutti, insegnanti delle elementari, amici di mia madre, gente dell'ufficio di mio padre che nessuno conosceva, genitori di nostri amici, tutti raggomitolati e sbuffanti, con gli occhi vitrei dal freddo, occupati a scrostarsi sui tappetini la neve incollata alle scarpe. Era le terza settimana di novembre e tutto era prematuramente gelato, le strade coperte di ghiaccio come non si vedeva da anni.

Tutti i convitati avevano un'aria allibita. Tutti sapevano che mia madre era malata, e *da lei* si aspettavano una conclusione del genere, ma questa, questa era stata una sorpresa. Nessuno sapeva cosa dire o cosa fare. Non che fossero in molti a conoscere mio padre – non era un tipo che avesse granché socializzato, perlomeno in città, e aveva solo alcuni amici cari – ma loro sapevano di mia madre e si trovavano lì come se fossero al funerale del marito di un fantasma.

Eravamo piuttosto imbarazzati. Tutto era talmente frivolo, talmente orribile – ce ne stavamo lì e invitavamo la gente ad assistere alla nostra disintegrazione. Sorridevamo, stringevamo mani a tutti quelli che ci sfilavano davanti. *Oh, salve!* dissi alla signora Glacking, la mia insegnante di quarta elementare che non vedevo da almeno dieci anni. Aveva un bell'aspetto, era identica. Chiusi a gruppetto nell'ingresso, docili e con un'aria di scusa dipinta sul volto, ci preoccupavamo di mantenere l'atmosfera il più lieve possibile. Mia mamma indossava un vestito a fiori (la cosa più bella entro cui potesse tentare di celare il suo marchingegno intravenoso), e cercava di tenersi ben dritta e di ricevere le persone in arrivo, ma presto fu costretta a sedersi, il sorriso stampato in viso, buongiorno buongiorno, grazie grazie, e *lei* come sta?

Per un momento pensai di mandare Toph in un'altra stanza, un po' per il suo bene e un po' perché ai nostri ospiti venisse risparmiata almeno una parte di quell'orribile tableau, ma poi lui si allontanò da solo con un amichetto.

Il prete, uno sconosciuto grande e grosso vestito di nero, di bianco e di quello strano verde fluorescente che vestono i preti, non sapeva che pesci pigliare. Mio padre era ateo, per cui il prete, che conosceva mio padre solo per quello che gli era stato riferito non più di un'ora prima, parlò e parlò di come mio padre amasse il suo lavoro (*ah sì?* ci chiedemmo noi, non avendo alcuna idea che confermasse o smentisse quell'ipotesi) e il golf (e almeno su questo non potemmo che essere d'accordo). Poi Bill si alzò. Era ben vestito, aveva sempre saputo scegliere gli abiti, lui. Scherzò un poco, si produsse in qualche brillante facezia, forse anche un po' troppo brillante, e buttò lì qualche battuta, forse qualcuna di troppo, per scaldare l'ambiente (a quel tempo gli capitava di frequente di parlare in pubblico). Beth e io un paio di volte sfiorammo la mamma in un gesto di solidarietà, ancora più imbarazzati, senza contare il fatto che eravamo sempre a caccia di occasioni per divertirci un po' alle sue spalle e di prenderci gioco del suo zelo un po' pedante. Dopodiché ci dirigemmo verso l'uscita, mentre tutti osservavano mia madre procedere a passi lenti e sorridere a destra e a sinistra, felice di rivedere tutta quella gente che non vedeva da così tanto tempo. Ci fermammo quindi per qualche minuto nel foyer e annunciammo infine che a casa ci sarebbe stato un piccolo rinfresco, dato che tutti erano stati così carini a portare tutta quella roba, grazie davvero.

Molti vennero, gli amici di mia madre, quelli di mio fratello, di mia sorella, i miei amici del liceo e del college, tornati a casa per il giorno del Ringraziamento, e con tutti quanti là dentro, mentre fuori era buio e freddo, passai la maggior parte del tempo cercando di trasformare quello che era solo un tetro dovere in qualcosa di minimamente divertente. Accennai al fatto che ci sarebbe dovuta essere almeno un po' di birra – *Qualcuno dovrebbe andare a comprarne un cassa*, sussurrai a Steve, un amico del college – ma nessuno lo fece. Personalmente ritenevo che sbronzarci sarebbe stata un'ottima idea, non per la tristezza o roba del genere, ma solo perché, diamine, in fondo era una festa, o no?

Bill era arrivato da Washington D.C. con la sua ragazza che a noi non piaceva. Kirsten invece era gelosa che ci fosse Marny, una mia ex. Ci sedemmo in sala da pranzo e, ancora in giacca e cravatta, tentammo di distrarci un po' giocando a Trivial Pursuit, ma la cosa non funzionò, secondo me anche perché non c'era birra. Toph si mise a giocare con i suoi videogiochi giù in taverna. Mia madre era seduta in cucina, circondata dalle sue amiche della pallavolo intente a bere vino e a ridere forte.

Anche Les Blau era venuto. Era l'unico amico di mio padre che noi conoscessimo e di cui avevamo sentito parlare. Anni prima avevano lavorato nel medesimo ufficio legale e anche dopo che le loro strade professionali si erano separate avevano continuato, di tanto in tanto, a recarsi al lavoro a Chicago insieme. Mentre Les e sua moglie raccoglievano cappotti e sciarpe per andarsene, Beth e io lo fermammo sulla porta per ringraziarlo. Les era un uomo divertente e gentile e si mise a raccontarci di come mio padre guidava.

«Il miglior automobilista che abbia mai incontrato» diceva Les, ancora pieno di meraviglia. «Talmente sicuro e fluido. Incredibile. Prevedeva tutte le situazioni con grande anticipo, guidando praticamente con due dita sul volante.»

Beth e io ce la bevevamo tutta. Non avevamo mai sentito niente del genere su nostro padre, e non sapevamo niente di lui al di fuori di quello che avevamo visto con i nostri occhi. Chiedemmo di raccontarci dell'altro. Ci disse che chiamava nostro fratello Toph "il Cambusa".

«Giuro, per un sacco di tempo non ho saputo nemmeno il suo vero nome» ci disse scuotendo le spalle dentro al cappotto. «Sempre "il Cambusa".»

Les era grande, davvero grande. Non avevamo mai sentito quel termine. In casa nostra non era mai stato pronunciato. Mi immaginavo mio padre mentre lo diceva, mi immaginavo lui e Les in un qualche ristorante fuori Wacker, intenti a raccontarsi la barzelletta su Stosh e Jon, i pescatori polacchi. Avremmo desiderato che Les si fermasse un po' più a lungo. Volevo che Les mi dicesse che cosa mio padre pensava di me, di noi, del resto della famiglia, e se sapeva di essere nei guai, se aveva mai mollato (perché aveva mollato?). E poi, Les, spiegami, perché continuava ad andare al lavoro ancora pochi giorni prima di morire? Lo sai tu, Les? Lo sai che era ancora al lavoro quattro giorni prima di morire? Quando ci hai parlato l'ultima volta, Les? Sapeva già? Che cosa sapeva? Te l'ha detto? Che cosa diceva di tutta questa storia?

Chiediamo a Les se gli farebbe piacere venire a cena uno di questi giorni. Dice di sì, naturalmente, e di chiamare, in qualunque momento.

L'ultima volta che vidi mio padre non sapevo che sarebbe stata l'ultima volta. Era nel reparto di terapia intensiva. Ero tornato dal college per fargli visita, ma dato che era accaduto così poco dopo la diagnosi, non ci avevo fatto troppo caso. Doveva fare degli esami e delle cure, recuperare le forze e tornare di lì a pochi giorni. Io ero andato in ospedale con mia madre, Beth e Toph. La porta della sua camera era chiusa. La spingemmo, era pesante, e dentro ci trovammo lui che fumava. In terapia intensiva. Le finestre erano chiuse e c'era un nebbione, un gran puzzo, e nel bel mezzo mio padre, con l'aria contenta di vederci.

Nessuno parlò granché. Ci fermammo forse per una decina di minuti, rannicchiati tutti in fondo alla stanza, nel tentativo di stare più alla larga possibile dal fumo. Toph si nascondeva dietro di me. Sul macchinario accanto a mio padre c'erano due luci verdi che si accendevano e spegnevano alternativamente, mentre un'altra rossa rimaneva fissa e rossa.

Mio padre era a letto, la schiena appoggiata contro un paio di cuscini. Stava con le gambe incrociate e le mani intrecciate dietro la nuca. Sorrideva come se avesse vinto il premio più pazzesco mai messo in palio.

Dopo una nottata al pronto soccorso e una giornata in terapia intensiva, mia madre è in una bella stanza, grande, con ampie finestre.

«È la stanza dei terminali» dice mia sorella. «Guarda, danno tutto questo spazio per il paziente e i parenti, posti dove dormire...»

In effetti c'è un altro letto nella stanza, un grosso divano pieghevole su cui tutti ci sistemiamo, vestiti. Alla fine mi sono dimenticato di cambiarmi i pantaloni prima di uscire e la macchia adesso è diventata marrone e orlata di nero. È tardi. La mamma sta dormendo. Toph sta dormendo. Il letto pieghevole non è comodo. Le sbarre di metallo sporgono da sotto il materasso.

La luce sopra il letto di mamma è rimasta accesa, creandole un alone color ambra fin troppo drammatico intorno alla testa. Un macchinario dietro di lei ha tutta l'aria di una fisarmonica, se non fosse per il colore azzurrino. È verticale, si estende e si chiude con un suono di risucchio. C'è quel suono, assieme a quello del suo respiro, e il ronzio delle altre macchine e quello del riscaldamento, e il respiro di Toph, vicino e costante. Il respiro di mamma invece è disperato e irregolare.

«Toph russa» dice Beth.

«Lo so» dico.

«Ma è normale che un ragazzino russi a questo modo?»

«Non so.»

«Ascolta il suo respiro. È talmente irregolare. Passa così tanto tempo tra uno e l'altro.»

«È spaventoso.»

«Davvero. Passa qualcosa come venti secondi, ogni tanto.»

«Cazzo, è pazzesco.»

«Toph tira calci nel sonno.»

«Lo so.»
«Guardalo. Un sasso.»
«Lo so.»
«Ha bisogno di un buon taglio di capelli.»
«Già.»
«Comunque carina la stanza.»
«Sì.»
«Niente tv, però.»
«Strano, eh?»

Dopo che la maggior parte degli ospiti se n'era uscita, Kirsten e io eravamo andati nel bagno dei miei genitori. Il letto cigolava e in ogni caso non avremmo certo voluto dormirci, per l'odore che aveva, odore di mio padre, cuscini e muri impregnati del suo odore, il grigio odore del fumo di sigaretta. Andavamo di sopra solo per rubacchiare qualche soldo di resto lasciato in giro o per salire sul tetto attraverso la loro finestra – per salire sul tetto occorreva necessariamente passare dalla loro finestra. Tutti dormivano, al piano di sotto e nelle varie camere, e noi ci trovavamo nel ripostiglio di camera dei miei. Portammo coperte e cuscini nel disimpegno moquettato tra il guardaroba e la doccia, e disponemmo le coperte a terra proprio di fronte alla porta scorrevole a specchio del ripostiglio.

«Questa è strana davvero» disse Kirsten. Io e Kirsten ci eravamo incontrati al college e stavamo insieme ormai da diversi mesi, anche se per parecchio tempo eravamo stati, come dire, provvisori – ci piacevamo un sacco ma mi aspettavo che una persona talmente normale e carina prima o poi avrebbe capito con chi aveva a che fare – fino a che un fine settimana lei venne a casa con me e andammo sul lago, e le dissi che mia madre era malata, e che le avevano detto più o meno quanto le restava da vivere, e lei mi disse che era davvero strano, dato che sua madre aveva un tumore al cervello. Di lei sapevo che il padre era scomparso che lei era una bambina, e che aveva dovuto lavorare a tempo pieno fin da quando aveva quattordici anni, e sapevo anche che era una persona forte, ma poi c'erano state quelle parole mai udite prima che le uscivano dalla bocca, quelle piccole parole piene di ombre. Da quel momento le cose tra noi erano diventate più serie.

«Troppo strana.»

«Invece va bene così» dissi, cominciando a spogliarla.

Tutti dormivano, in ogni angolo della casa. Mia madre nella camera di Beth, la mia amica Kim sul divano in salotto, la mia amica Brooke sul divano in sala da pranzo, Beth nella mia vecchia camera da letto, Bill giù in taverna, Toph in camera sua.

Fummo silenziosi. In casa non era avanzato nulla, nemmeno una briciola.

Beth è la prima a ricordarsene, con un sussulto, nel bel mezzo della notte. Ultimamente ne eravamo vagamente coscienti, ma ce ne eravamo del tutto dimenticati fino a questo momento, alle tre e ventuno minuti del mattino, che domani – anzi oggi – è il compleanno di nostra madre.

«Merda.»

«Shhhh.»

«Non può sentire. Sta dormendo.»

«Cosa facciamo?»

«C'è un negozio all'angolo.»

Non scoprirà che ce ne eravamo quasi dimenticati.

«Certo. Palloncini colorati.»

«E fiori.»

«Ricordati il nome di Bill.»

«Certo.»

«Magari un peluche.»

«No, dai, fa troppo articoli da regalo.»

«Che altro si può fare?»

«Ahi!»

«Cosa?»

«Toph mi ha dato un calcio.»

«Si gira sempre nel sonno. A centottanta gradi.»

«Hai sentito?»

«Cosa?»

«Zitto! Non respira più!»

«Da quanto?»

«Non so, sembra un sacco di tempo ormai.»

«Oh, cazzo.»

«Aspetta. Ricomincia.»

«Dio, che roba!»

«È terribile.»

«Forse dovremmo aspettare di tornare a casa per festeggiare il suo compleanno.»

«No, dobbiamo fare qualcosa.»

«Non mi piace che questa stanza sia al pianterreno.»
«È vero, però è una bella stanza.»
«Non mi piacciono le lampade a faretto.»
«Hai ragione.»
«Che dici, chiudiamo le tende?»
«No.»
«Magari domattina?»
«No, perché?»

Alle quattro e venti Beth sta dormendo. Io sono seduto e osservo mia madre. Le sono ricresciuti i capelli. Per così tanto tempo è stata senza capelli. Ha avuto almeno cinque parrucche, ognuna triste come solo le parrucche sanno essere. Una era troppo grande. Una era troppo scura, una era troppo riccia. Una era platinata. E nonostante tutto avevano un aspetto del tutto naturale. La cosa strana era che i capelli che aveva in testa erano veri ma erano cresciuti molto più ricci di quelli che aveva prima, ancora più ricci della parrucca più riccia in commercio. E più scuri. Così adesso i suoi veri capelli sembravano una parrucca più di qualsiasi parrucca.

«Buffo il modo in cui ti sono ricresciuti i capelli» avevo detto una volta.
«Cosa c'è di buffo?»
«Be', il fatto che sono più scuri di prima.»
«No che non lo sono.»
«Certo che sì. Avevi i capelli quasi grigi.»
«Non erano grigi. Era la tinta.»
«Questo dieci anni fa.»
«Non sono mai stati grigi.»
«D'accordo.»

Mi stendo. Il respiro di Beth è pesante, tranquillo. Il soffitto sembra fatto di latte. Si muove, lentamente. Agli angoli è più scuro. Sembra fatto di panna. Le sbarre di metallo che attraversano e sostengono il materasso ci premono contro la schiena. Il soffitto è fluido.

Quando mio padre era in terapia intensiva, circa un giorno e mezzo prima che gettasse la spugna, venne un prete, presumibilmente per dargli l'estrema unzione. Dopo le presentazioni e gli accertamenti relativi allo scopo della sua visita mio padre lo liquidò in fretta, buttandolo fuori dalla sua camera. Quando più tardi il dottore ci raccontò com'era andata – era diventato una specie di leggenda per tutto il piano dell'ospedale – fece riferimento al famoso assioma che nega l'esistenza di atei in trincea: «Dicono che non esistano atei in trincea» disse, osservando il pavimento «ma...*fiuuu!*». Mio padre non aveva permesso al poveretto nemmeno di dire una preghierina, un'Ave Maria, niente di niente. Il prete era arrivato ben conscio del fatto che mio padre non era religioso, né affiliato a chiese di alcun genere. Pensando però di fargli comunque un favore, gli aveva offerto l'occasione per una sorta di pentimento, un biglietto vincente alla lotteria della redenzione. Ma il fatto era che mio padre aveva con le religioni di ogni specie la medesima pazienza che si ha con i venditori porta a porta a cui apriva, sorrideva con il suo sorriso un po' stolido, diceva un rapido no grazie, per poi richiudere la porta senza indugio. Il che fu esattamente ciò che fece con questo povero e ben intenzionato sacerdote: dispiegò il suo largo sorriso e, non potendo alzarsi per accompagnare egli stesso il poveraccio alla porta, disse semplicemente: «No grazie».

«Ma, signor Eggers...»

«No grazie, buongiorno.»

La tireremo fuori in un paio di giorni. Io e Beth abbiamo fatto voto di tirarla fuori di lì, abbiamo persino progettato di farla evadere contro il parere dei medici; la nasconderemo sotto un lenzuolo, faremo finta di essere dottori, indosseremo occhiali scuri e la porteremo in un batter d'occhio fino all'auto, poi io la aiuterò a salire e Toph se necessario inventerà qualche diversivo, che ne so, una danza o qualcosa del genere; poi salteremo tutti in macchina, ce la batteremo e la porteremo a casa, trionfanti – *Ce l'abbiamo fatta! Ce l'abbiamo fatta!* – e poi acquisteremo uno di quei letti da ospedale e lo sistemeremo in salotto, dove c'è il divano. Ci procureremo un'infermiera ventiquattr'ore su ventiquattro – anzi del letto e dell'infermiera si occuperà una donna, la signora Rentschler, che viveva dall'altra parte della strada, nella casa di cui mio padre osservava il giardino quella volta che era caduto in ginocchio, una signora trasferitasi tempo fa in un altro quartiere, ma adesso rieccola spuntare all'improvviso, parte del programma di terapia ospedaliera domestica, e sarà lei a organizzare tutto e ci abbraccerà e la adoreremo anche se in realtà non l'abbiamo mai conosciuta. Una delle infermiere sarà una donna di colore grande e grossa di mezza età di Chicago Nord con un accento del sud e porterà sempre con sé la Bibbia, e qualche volta piangerà anche, le spalle scosse dai singhiozzi. Ci sarà anche una giovane donna russa dall'aria triste che andrà e verrà come se fosse sempre arrabbiata e assolverà ai suoi doveri con fare brusco e un po' affrettato e qualche volta, quando non la osserviamo, si appisolerà. Ci sarà poi un'infermiera che verrà per un giorno e poi non ritornerà. Ci saranno donne, amiche di nostra madre, che verranno a farci visita, truccate e impellicciate. Ci sarà la signora Dineen, una vecchia amica di famiglia, che arriverà dal Massachusetts per una settimana perché vuole essere presente e fare visita alla mamma, e si fermerà a dormire giù in taverna e parlerà di spiritualità e cose del genere. Nevicherà in modo prodigioso. Le infermiere si occuperanno di lavare mia madre quando noi non ci siamo o mentre stiamo dormendo. Ci saranno veglie. Entreremo in camera a qualunque ora del giorno e della notte e se nostra madre non è sveglia ci immobilizzeremo per un istante e poi ci prepareremo al peggio e ci dirigeremo verso il letto per metterle le mani davanti alla bocca e vedere se sta ancora respirando. Un giorno ci farà chiamare sua sorella, Jane, e noi le pagheremo il volo, appena in tempo. Quando zia Jane arriverà al suo capezzale, dopo che saremo andati a prenderla all'aeroporto, nostra madre, ormai costantemente a letto da giorni, salterà su come un bambino svegliato da un brutto sogno e abbraccerà sua sorella, che farà un largo sorriso chiudendo gli occhi. Ci sarà un flusso continuo di visitatori, che si metteranno seduti con semplicità ai piedi del letto e chiacchiereranno di avvenimenti vari perché, perché le persone quando muoiono non vogliono parlare di morte, ma preferiscono sentire pettegolezzi su coppie che divorziano, e sui loro figli inseriti in programmi di riabilitazione o che lo saranno presto. Ci saranno dolci appena sfornati, ci sarà padre Mike, un giovane prete dai capelli rossi assegnatoci appositamente – com'è che assegnano i preti? Mi immagino qualcosa tipo i messaggi dalla centrale di polizia con cui vengono impartiti i comandi – "O'Bannan, guai su Waveland" – con i preti che borbottano scontenti quando tocca a loro. Padre Mike chiarirà immediatamente che lui non è lì per convertire nessuno, e dirà la messa mentre mia madre è a letto e rinuncerà al pane azzimo perché le manca lo stomaco, mentre la signora Dineen farà anche la comunione; io assisterò a una parte del rituale mentre mi scaldo una pizza surgelata in cucina. Ci sarà anche il rosario, trovato in fondo al ripostiglio al piano di sopra. Accenderemo candele profumate per coprire l'odore che ha la sua pelle da quando il fegato ha cessato di funzionare. Ci siederemo ai bordi del letto e le terremo le mani, che scotteranno. Di notte a volte si metterà improvvisamente a sedere e comincerà a parlare a voce alta di cose incomprensibili. Ognuna di quelle parole sarà da noi considerata l'ultima finché non verrà seguita da un'altra e un'altra ancora. Un giorno, quando Kirsten entrerà in camera, lei si alzerà all'improvviso chiedendo insistentemente se non vede anche lei l'uomo nudo che c'è dentro l'acquario. Noi tratterremo una risatina – saranno giorni ormai che insisterà su questa faccenda dell'uomo nudo – ma Kirsten, ostentando una certa serietà, andrà davvero verso l'acquario come per guardare, gesto che la mamma accoglierà alzando gli occhi al cielo e aprendosi in un largo sorriso di soddisfazione e di rivincita. E poi si rimetterà giù e da quel momento in pochi giorni la bocca le si asciugherà, le labbra si screpoleranno e si ricopriranno di crosticine, e l'infermiera ogni venti minuti circa le inumidirà con un cotton fioc. Ci sarà morfina. E tra i suoi capelli, che per qualche ragione continueranno ad apparire curiosamente soffici e brillanti, la pelle luminosa, itterica e abbronzata e le labbra scintillanti, lei sarà ancora bella. Indosserà il pigiama di satin che Bill avrà comprato per lei. Suoneremo della musica. Beth suonerà Pachelbel, e quando ci sembrerà un po' eccessivo metteremo della musica New Age commovente prodotta da zia Connie, sorella di mio padre, quella che vive a Marin County con un cacatua parlante. Il dosaggio della morfina non sarà sufficiente e dovremo chiamare ancora e ancora per averne dell'altra. Finalmente ne avremo a sufficienza e ci sarà permesso di scegliere da soli il dosaggio, e di lì a poco la somministreremo ogni volta che si lamenterà, permettendole di entrare in lei attraverso il tubo trasparente, e ogni volta che faremo così i suoi lamenti cesseranno.

Mentre la staranno portando via ce ne andremo, e quando torneremo anche il letto non ci sarà più. Rimetteremo il divano al suo posto, contro il muro, dov'era prima dell'arrivo del letto. A poche settimane di distanza un amico organizzerà un incontro tra Toph e i Chicago Bulls dopo gli allenamenti in quella palestra a Deerfield, e Toph porterà con sé le sue figurine, una o due per ognuno, ma soprattutto quelle degli esordienti, dato che valgono di più, per fargliele autografare e accrescerne ulteriormente il valore. Li osserveremo attraverso la finestra e poi, dopo l'allenamento, eccoli davanti a noi, nelle loro tute – escono apposta, gli è stato richiesto – e Scottie Pippen e Bill Cartwright chiederanno a Toph, firmando le figurine con il pennarello indelebile che si è portato da casa, come mai non sia a scuola, dato che sarà un mercoledì o un lunedì o un qualunque altro giorno, e Toph scuoterà semplicemente le spalle – io e Beth di tanto in tanto lo andremo a prendere a scuola, nel corso di quella primavera, quando ci sarà qualcosa di speciale o tanto così per fare, perché se da una parte vogliamo conservare un'aria di normalità, la metà delle volte ci diciamo vaffanculo, ed eccolo lì, in estasi per avere incontrato i Bulls, e adesso ha tutte queste figurine assurdamente preziose, tanto che tornando a casa discuteremo anche se farle convalidare da un notaio per assicurarci che la gente sappia che lui era lì. Bill cambierà lavoro per essere più vicino, da Washington a Los Angeles, proprio all'indomani delle rivolte, e svolgerà da lì la sua professione da *think-tank*. Sarà lui a gestire i soldi dell'assicurazione e della casa – non c'era rimasto più nulla da parte, davvero nulla – e Beth si prenderà cura dei conti, dei documenti e delle scartoffie varie, e dato che noi siamo i più vicini di età e nessuno solleverà serie obiezioni in merito, Toph starà con me. Ma prima dovrà finire la terza elementare, mentre io abbandonerò qualche corso e, anche se con qualche corso di meno, parteciperò alla cerimonia di laurea, con Beth e Toph e Kirsten, e dopo fuori a cena, ma tutto semplice, teniamo le cose semplici, nessuna esagerazione per carità. E dopo una settimana al massimo, mentre la gente, la gente adulta alzerà gli occhi al cielo facendo schioccare la lingua e scuotendo la testa, venderemo quella casa, e venderemo anche la maggior parte delle cose che contiene, e l'avremmo anche bruciata la cazzo di casa, avessimo potuto, e ci trasferiremo a Berkeley, dove Beth inizierà la facoltà di Legge e tutti ci risistemeremo da qualche parte, in una bella casa spaziosa a Berkeley, tutti noi, con vista sulla baia, vicino a un parco con un bel campo da baseball e abbastanza spazio per correre...

Accenna a un movimento e i suoi occhi si schiudono appena.

Balzo giù dal letto che cigola. Il pavimento è freddo. Sono le quattro e quaranta del mattino. Toph rotola nello spazio che occupavo pochi secondi prima. Mi dirigo verso mia madre. Mi sta guardando. Mi chino su di lei e le tocco un braccio. Scotta.

«Buon compleanno» sussurro.

Ma non sta guardando me. E i suoi occhi non sono aperti. Erano appena socchiusi, ma non sono aperti, adesso. Non sono sicuro se mi stanno vedendo. Vado alla finestra e accosto le tende. Fuori, gli alberi sono nudi e neri, silhouette appena schizzate. Mi siedo nella poltrona di pelle nuova di zecca sistemata nell'angolo e osservo lei e la macchina azzurrina che risucchia. La macchina azzurrina che risucchia, nel suo ritmico lavorio, sembra finta come un dispositivo di scena. Affondo nella poltrona e mi abbandono all'indietro. Il soffitto galleggia, latteo, con le sue decorazioni di stucco a semicerchi, e quei semicerchi si muovono, girano lentamente e il soffitto scivola come acqua. È come se avesse una profondità, anzi no, si muove avanti e indietro. O i muri sono liquidi? Forse questa stanza non è reale. Sono su un set. Non ci sono abbastanza fiori in questa stanza. Dovrebbe essere piena di fiori. Dove sono i fiori? Quando apre il negozio di articoli da regalo? Alle sei? Alle otto? Scommetto. Scommetto alle sei. Va bene, scommessa fatta. Mi soffermo a pensare quanti fiori posso comprare. Non so quanto costano, non ho mai comprato dei fiori. Vedrò quanto costano e poi comprerò tutti quelli che mi potrò permettere, trasportandoli dal negozio fino in questa stanza. Sarà un fuoco d'artificio.

Lei si sveglierà e li vedrà.

«Che spreco» sarà il suo commento.

Si muove e apre gli occhi. Mi guarda. Mi alzo dalla poltrona e sto in piedi accanto al letto. Le tocco un braccio. Scotta.

«Buon compleanno» sussurro, sorridendo, guardando giù verso di lei.

Non risponde. Non sta guardando me. Non è sveglia.

Mi siedo di nuovo.

Toph è steso sulla schiena, le braccia spalancate. Nel sonno suda sempre, non importa che temperatura ci sia nella camera. Quando dorme si muove e si rigira in cerchio nel letto, come le lancette di un orologio. Il suo respiro è chiaramente percepibile. Ha le ciglia lunghe. Le mani gli pendono fuori dal divano letto. Mentre lo osservo si sveglia. Si alza e viene verso di me seduto in poltrona e io allora gli prendo la mano e balziamo attraverso la finestra e poi ci alziamo in volo, alti sopra le silhouette confuse degli alberi e di lì verso la California.

II

DATE UN'OCCHIATA, PER FAVORE. RIUSCITE A VEDERCI? Riuscite a vederci, nella nostra utilitaria rossa? Immaginateci dall'alto, come se volaste sopra di noi in elicottero o sul dorso di un uccello, mentre la nostra automobilina sferraglia pancia a terra, arrancando su per la sua lenta traiettoria ma pur sempre a ottantacinque, novanta all'ora, avviluppandosi intorno alle interminabili, talvolta assurde curve in cui si snoda la Highway 1. Osservateci, perdio, sparati a fionda dal lato nascosto della luna, mentre ci gettiamo a braccia aperte verso tutto quello che ci spetta. Ogni giorno raccogliamo quel che ci viene incontro, ogni giorno veniamo ripagati di quanto ci è dovuto per ciò che meritiamo, e con gli interessi per giunta, con un pizzico di riguardo in più eccheccazzo – noi due siamo *in credito*, perdio – e così ci aspettiamo di tutto, letteralmente di tutto. Ci spetta tutto quello che vogliamo, un esemplare per ogni articolo, qualunque cosa ci sia nel negozio, un'ubriacatura di shopping di ore e ore, del colore che vogliamo, delle marche e nelle quantità che vogliamo, quando vogliamo, qualunque sia la cosa che vogliamo. Oggi non dobbiamo essere in nessun luogo particolare, per cui siamo diretti a Montara, una spiaggia a circa trentacinque minuti a sud di San Francisco, e in questo esatto momento stiamo cantando:

Era sola!
Non sapeva!
(parole inventate parole inventate parole inventate)
Quando ci sfioravamo!
quando ci (serie di parole in rima con "stesso")
tutto (parole inventate, parole inventate parole inventate)

Tutta la notte!
Tutta la notte!
Ogni notte!
E allora stringimi!
Strii-ngimi!
Baby stringimi!
Come tu mi vuoi!
Ecco quello che vuoi!
Come tu lo vuoiiiii!

Toph non conosce le parole, e anch'io le so maluccio, ma non ci potrete certo fermare per così poco. Sto cercando di fargli fare la seconda parte di *Tutta la notte*, mentre io faccio la prima, più o meno così:

IO *Tutta la notte!* (alto)
LUI *Tuu-uutta la notte!* (leggermente più basso)

Gli faccio cenno col dito quando arriva la sua parte ma lui mi osserva senza capire. Gli indico la radio, poi lui e poi la sua bocca, ma vedo che è ancora confuso e d'altro canto non è mica facile sbrigare questa faccenda senza precipitare giù dall'autostrada dritti nel Pacifico; e comunque sia, in effetti è come se a gesti gli stia suggerendo di mangiarsi l'autoradio. Però insomma, dovrebbe essere in grado di capirlo. Non sta collaborando. Oppure è scemo. Ecco, forse è scemo.

Fanculo – decido per l'assolo. Raggiungo le note di Steve Perry, mi produco anche nel vibrato alla Steve Perry. Ce la faccio perché sono un cantante eccezionale.

«So cantare o no?» grido.

«Cosa?» grida lui.

Ci sono anche i finestrini spalancati.

«Ho detto: so cantare o no?»

Scuote la testa.

«Come sarebbe a dire?» grido. «Io so cantare eccome.»

Toph tira su il finestrino.

«Che cosa hai detto? Non ti ho sentito.»

«Ho detto: so cantare o no?»

«No.» Sorride. «Non sai cantare per niente.»

Esito all'idea di esporlo a band come i Journey, perché l'apprezzamento della loro musica non farebbe altro che guadagnargli il ludibrio dei suoi coetanei. Sebbene di tanto in tanto opponga resistenza – è difficile che i bambini sappiano che cosa è bene per loro – gli ho comunque insegnato ad apprezzare tutti i veri precursori della musica contemporanea – Big Country, Haircut One Hundred, Loverboy – e si può ben dire fortunato. Il suo cervellino è il mio laboratorio, il mio deposito. Vi ci posso ammucchiare i libri che scelgo io, i programmi televisivi, i film, le mie opinioni su politici, eventi storici, vicini di casa, passanti. Toph è il mio corso aperto ventiquattr'ore su ventiquattro, la mia audience in cattività, obbligata a ingerire tutto quello che decido io. Ah, ragazzo fortunato! E nessuno me lo può impedire. Lui è mio, e nessuno me lo può impedire, nessuno può impedirci nulla. Non potete impedirci di cantare, non potete impedirci di fare pernacchie, non potete impedirci di tenere le mani fuori dal finestrino per testarne l'aerodinamicità nelle varie posizioni, o di spalmare il contenuto dei nostri nasi sul cruscotto. Non potete impedirmi, su un rettilineo, di dare il volante a Toph, che ha otto anni, mentre io mi tolgo il maglione perché improvvisamente si è messo a fare un caldo bestiale. Non potete impedirci di gettare sul fondo dell'auto la carta dei nostri bastoncini di carne salata o di lasciare nel bagagliaio la nostra biancheria spiegazzata per, cazzo, già otto giorni, perché abbiamo avuto altro da fare. Non potete impedire a Toph di dimenticare una confezione aperta di succo d'arancia sotto il sedile, dove fermenterà e imputridirà emanando un puzzo intollerabile all'interno dell'abitacolo, la cui origine rimarrà misteriosa per settimane, durante le quali bisognerà tenere i finestrini sempre aperti fino a che finalmente non si capisce cosa è stato e Toph non viene interrato in giardino fino alle orecchie con la testa cosparsa di miele – o almeno è quella la fine che si sarebbe meritato di fare – per il ruolo avuto in quella catastrofe. Non potete impedirci di guardare con commiserazione i tristi abitanti di questo mondo, tutti quelli che non hanno avuto in sorte il nostro fascino, che non sono stati messi alla prova dalle nostre tribolazioni, che sono privi delle nostre cicatrici e pertanto deboli, gelatinosi. Non potete impedirmi di dire a Toph di fare commenti sulle facce della gente per strada.

IO Da' un'occhiata a questo sfigato.

LUI Che mongolo!

IO Guarda quest'altro.

LUI Oddio!

IO Un dollaro se fai ciao a quel tizio.

LUI Quanto?

IO Uno.

LUI Non basta.

IO Va bene, cinque dollari per fare a quel tizio il segno col pollice all'insù.

LUI Perché il pollice all'insù?
IO Perché cazzo, non lo vedi, è uno davvero forte!
LUI Va bene, va bene.
IO E perché non l'hai fatto?
LUI Non ce la facevo.

È scorretto, lo so. La combinazione, voglio dire. Noi contro di loro (o contro di voi), è scorretto. Noi siamo un pericolo pubblico. Siamo temerari e immortali, noi. La nebbia si alza da dietro le cime rocciose e cala a onde sull'autostrada. Il blu irrompe poi da dietro la nebbia e all'improvviso, da quel blu, il sole comincia a urlare.

Sulla nostra destra c'è il Pacifico, e dal momento che ci troviamo a centinaia di metri al di sopra dell'oceano, spesso senza neanche uno straccio di guardrail tra noi e il mare, il cielo non si apre solo sopra di noi ma anche sotto. Toph non ama particolarmente gli strapiombi e non guarda giù, ma in realtà qui stiamo guidando in cielo, con le nuvole che arrivano a sfiorare la strada e il sole che fa capolino da dietro, e cielo e oceano sotto di noi. Solo da qui la terra sembra rotonda, solo da qui l'orizzonte si immerge nell'acqua alle sue estremità, solo da qui puoi vedere il mondo incurvarsi nelle sue regioni più lontane. Solo da qui puoi essere ragionevolmente sicuro di trovarti alla deriva su un grossa palla che ruota disordinatamente – a Chicago non te ne accorgi nemmeno, tutto è talmente piatto e rettilineo – e noi, noi, noi siamo stati *scelti*, ecco, proprio così, scelti, e tutto ciò ci viene dato perché ci spettava, e ce lo siamo guadagnato, tutto quanto – il cielo è blu per noi, è per noi che il sole fa scintillare le auto di passaggio come giocattoli, l'oceano ondeggia e si increspa per noi, sussurra e tuba rivolto a noi. Siamo in credito, vedete, tutto questo è nostro. Siamo in California, viviamo a Berkeley, e il cielo qui è più grande di qualunque altro cielo abbiamo mai visto – va avanti a perdita d'occhio, e lo vedi, infinito, dalla cima di ogni collina – colline, finalmente! – dietro a ogni curva delle strade di Berkeley e di San Francisco. Per l'estate abbiamo in subaffitto una casa in cima al mondo, nella parte alta di Berkeley, di proprietà di certi tizi, degli scandinavi, dice Beth, gente che deve avere soldi, per possedere una casa in quella posizione lassù, tutta finestre, luce e terrazzi, e da lassù vediamo ogni cosa, Oakland alla nostra sinistra, El Cerrito e Richmond a destra, di fronte, dall'altra parte della baia c'è Marin e sotto di noi Berkeley, tetti rossi e alberi a mazzi come cavolfiori e aquilegie, stranamente simili a razzi ed esplosioni, e tutta quella gente che vive sotto di noi, che gode di viste ben più umili. Noi vediamo il Bay

Bridge, sissignori, il Richmond Bridge, diritto e basso, il Golden Gate, tutto stecchini rossi e fili, con il blu del cielo nel mezzo e sopra e la terra scintillante di cristallo, quell'incrocio tra *Star Trek* e Rifugio Polare di Superman che è la città di San Francisco... e di notte tutta questa cazzo di area è un intreccio di sentieri di luce, con Alcatraz che brilla lontano, la marea alogena che arriva giù fino al Bay Bridge e fluisce avanti e indietro, come una fila interminabile di lucine natalizie, e poi naturalmente i dirigibili – così tanti quest'estate – e le stelle, non troppo visibili a dire il vero, con le luci della città e tutto il resto, ma ce ne sono comunque un bel po', tipo un centinaio, forse, non so, quante ve ne servono, poi? Dalle nostre finestre, dal terrazzo c'è una vista lobotomizzante, che toglie ogni bisogno di movimento e di pensiero – è tutta lì, di fronte ai nostri occhi senza bisogno di girare nemmeno la testa. Le mattine sono di un bianco celluloide e noi facciamo colazione in terrazzo, poi pranziamo sul terrazzo, e poi ceniamo anche sul terrazzo, e leggiamo e giochiamo a carte sul terrazzo, sempre con quella vista da cartolina, e appena sotto di noi tutta quella gente, un panorama fin troppo panoramico per essere vero, ma poi pensandoci bene, niente è davvero reale, ormai, dobbiamo ricordarcelo, ovviamente, certo. (O non sarà forse invece l'esatto opposto? Non sarà che tutto è *più reale*? Aha!) Dietro casa nostra, non troppo distante, c'è Tilden Park, una distesa infinita di laghi e alberi e colline, colline di mohair punteggiate da macchie di cespugli – tipo: mohair, mohair, mohair a perdita d'occhio e poi, una specie di ascella verde scuro, poi ancora colline di mohair che vanno avanti all'infinito come leoni addormentati, fino a... Specialmente in bicicletta, partendo da Inspiration Point (no; anzi sì), pedalando controvento all'andata e con il vento a favore al ritorno, le colline proseguono fino a Richmond, a miglia e miglia di distanza, dove ci sono industrie e impianti e serbatoi pieni di cose che danno o che tolgono la vita e la pista ciclabile va fin laggiù e per tutto il percorso la Baia è visibile in lontananza a sinistra, mentre le colline si susseguono a destra fino al Mount Diablo, la più alta di tutte, il re delle colline di mohair, venti miglia a est o nordest, non sono sicuro. I sentieri corrono paralleli tra loro e perpendicolari a filari di alberi, steccati, reti metalliche che recintano mucche, a volte pecore, e tutto ciò a pochi minuti da casa, la nostra casa dietro la quale parte anche un sentiero per escursioni che raggiunge giusto giusto quell'enorme roccione detto Grotto Rock che si protende a circa dieci metri dietro il nostro terrazzo sul retro e capita che mentre io e Toph stiamo facendo colazione sul terrazzo, con il sole che splende pazzo di gioia su di noi, con un largo sorriso e gli occhi pieni di lacrime d'orgoglio, all'improvviso fanno capolino degli escursionisti, uomini o donne, sempre in coppia, con i loro pantaloncini color kaki, le scarpe marroni e un berretto alla rovescia, emergendo dalla roccia sottostante e da lì in cima, con i pollici infilati nelle cinghie dei loro zaini, proprio di fronte a noi che facciamo colazione a dieci metri di fronte a loro.

«Salve» diciamo io e Toph, facendo cenno con la mano.

«Salve» rispondono quelli, sorpresi di vederci lì a consumare la nostra colazione, a tiro di sguardo.

Sono bei momenti. Poi però la situazione si fa lievemente imbarazzante perché alla fin fine loro sono là in cima al roccione, alla conclusione della loro scampagnata, e vorrebbero solo sedersi per un po' e godersi il panorama, ma non possono fare a meno di notare quelle due persone peraltro così scandalosamente attraenti, ossia io e Toph, seduti a neppure dieci metri da loro e intenti a mangiare cereali al gusto di mela direttamente dalla scatola.

Superiamo Half Moon Bay e Pacifica e Seaside, villette a schiera a sinistra e surfisti sulla destra, l'oceano di un rosa esplosivo. Passiamo tra eucalipti acclamanti e pini festosi, le auto hanno un riverbero violento mentre ci vengono incontro, e attraverso il parabrezza io cerco di vedere i visi che vi si celano, in cerca di un segno di comprensione, di fiducia, e quando l'ho trovato passano oltre. Alzo il volume della radio, che è già alto, ma del resto nessuno può impedirmelo. Picchietto lo sterzo a palme aperte, e poi con i pugni, nessuno può impedirmelo. Toph mi guarda. Io annuisco con una certa gravità. In questo mondo, nel nostro nuovo mondo, faremo faville. Renderemo omaggio a musicisti come i Journey, specie se questa che sento adesso è *Two-for-Tuesday*, il che inevitabilmente significa che una delle canzoni sarà:

Just a small town girl...

Certe volte sono preoccupato per l'espressione di Toph quando canto sul serio, con il vibrato e tutto il resto, compresi gli assolo di chitarra eccetera – un'espressione che a occhi inesperti potrebbe sembrare di terrore puro o di repulsione – ma che io so bene essere rapimento. E posso capirlo. Mi merito il suo rapimento. Sono un cantante eccezionale.

Abbiamo trovato una scuola per Toph, una piccola, curiosa scuola privata di nome Black Pine Circle che gli ha assegnato una borsa di studio completa, anche se avremmo potuto pagare la retta senza troppi problemi. Abbiamo un po' di soldi dalla vendita della casa, dall'assicurazione che nostro padre aveva fatto poco prima di morire. Le cose sono sotto controllo. Tuttavia, sempre per il fatto che siamo in credito, accettiamo di buon grado il regalo. È stata soprattutto opera di Beth, essendo Beth in credito più o meno quanto noi, ed essendo oltretutto favolosamente predisposta a spremere del denaro dalla nostra situazione. La stessa cosa ha funzionato per la retta dell'università, che in seguito al suo (dichiarato) stato di genitore single le è stata abbuonata. E a dire il vero, anche se non fosse gratis, Beth sarebbe comunque fuori di sé per la gioia di poter fare ritorno al campus già in autunno, pochi mesi più tardi, di scivolare di nuovo in quel mondo e farsene travolgere, scrollandosi di dosso tutto quello che era stato l'anno prima. È gaia, iperattiva, ed entrambi stiamo allegramente sperperando l'estate, sempre per il fatto che siamo in credito. Io e Toph perlopiù giochiamo a frisbee, e in questo momento siamo diretti in spiaggia. Io sto seguendo un corso di pittura su mobili e lo sto facendo con grande serietà. Passo buona parte del mio tempo a decorare mobili nel giardinetto sul retro e, mentre metto a frutto dodici anni di studi d'arte nella decorazione di mobili smessi, mi chiedo che cosa farò, in termini più ampi, futuristici, ossia cos'è che farò esattamente. I miei mobili vengono benone, mi pare – prendo mobili usati, in genere tavoli, li scartavetro e poi li ridipingo con facce di uomini grassi, caprette blu e calzini spaiati. Mi sono messo in testa di vendere questi tavoli, di trovare un negozio elegante giù in città e di venderli, diciamo per mille dollari l'uno, e quando sono al lavoro su uno dei miei tavoli, "totalmente immerso" in uno di loro, intento, se preferite, a risolvere i problemi specifici connessi a un nuovo pezzo – *questa riproduzione di un piede mozzato non sarà troppo banale, troppo commerciale?* – allora sembra proprio che quello che sto facendo sia nobile e significativo, e che alla fin fine mi renderà anche ricco e famoso. Rientro in casa nel pomeriggio, mi tolgo gli spessi guanti di gomma, e sul terrazzo, mentre il sole tramonta, permetto al mio interiore sfavillio di lasciare il posto alla sera. Può darsi che a un certo punto sarò costretto a cercarmi un lavoro, ma per il momento, perlomeno per l'estate, sto lasciando a entrambi il tempo di goderci tutto questo, questa mancanza di nulla al mondo, questa mancanza di umidità, questo tempo per guardarsi attorno. Toph andrà a una colonia estiva del campus di Berkeley organizzata dall'associazione sportiva universitaria e il suo spiccato talento in qualunque sport, dal lacrosse al football al baseball al frisbee, dicono chiaro che presto diventerà un professionista in almeno tre sport. Il che lascia pensare a nuove borse di studio, nuovi doni che ci piovono addosso da parte del mondo imbarazzato e dispiaciuto per noi. Beth e io facciamo a turno per portarlo avanti e indietro, su e giù per le colline, e così facendo perdiamo settimane come fossero bottoni, o matite.

L'auto sfreccia lungo le curve della Highway 1, balzando dalle rupi, tutta luce e metallo. Qualcuno potrebbe farci secchi. Qualunque cosa potrebbe farci secchi. Le possibilità si affollano nella mia mente. Potremmo essere sbalzati fuori strada e giù a capofitto nell'oceano. Fanculo, ce la caveremmo, io e Toph, con la nostra astuzia, la nostra agilità, la nostra presenza di spirito. Ah, sì. Se dovessimo scontrarci con un'auto a novanta all'ora sulla Highway 1, potremmo saltare dalla macchina appena in tempo. Certo che potremmo farcela, io e Toph. Siamo dei tipi svelti, noi, si sa, certo, certo. Perché vedete, dopo la collisione, nel momento esatto in cui la nostra Civic si inarcasse nel vuoto, immediatamente escogiteremmo un piano – no, no, che dico, già *sapremmo* all'istante qual è il piano – anche perché il piano sarebbe del tutto ovvio, un gioco da ragazzi: mentre l'auto si inabissa, aprire contemporaneamente le portiere, e intanto la macchina precipita, poi sporgerci ognuno dal suo lato, e intanto la macchina continua a precipitare, e poi, e poi, ah ecco, *poi stare per un attimo sospesi sul bordo dell'auto*, che intanto precipita, ognuno tenendosi alla portiera o al tetto, e poi, per una frazione, mentre l'auto si trova ormai a una ventina di metri dall'acqua, a pochi istanti dall'impatto, scambiarsi uno sguardo di consapevolezza – tipo: "*Sai cosa fare*"; "*Roger, fratello*" (non è che diremmo veramente queste parole, non ce ne sarebbe bisogno) – e poi, sempre simultaneamente, è ovvio, slanciarci all'indietro in modo da lasciare abbastanza spazio tra il nostro punto di impatto e quello dell'auto e poi, mentre la Civic si schianta nel vetro opaco del Pacifico, con tecnica da provetti tuffatori cambiare addirittura assetto mettendoci di testa, le mani ben tese davanti a noi, i corpi perfettamente perpendicolari all'acqua, le dita dei piedi puntate al cielo – *perfetto!* Ci inabisseremmo per poi tornare alla superficie con un arco impeccabile e infine riemergeremmo nel sole, scuotendo i capelli bagnati, guadagnando la riva a nuoto, mentre l'auto sprofonda in una nuvola di bolle.

IO Ehi, c'è mancato poco!

LUI Effettivamente.

IO Fame?
LUI Mi hai letto nel pensiero.

Toph è anche nella lega juniores, in una squadra allenata da due tipi di colore che rappresentano il numero uno e il numero due nella lista delle persone di colore che Toph abbia mai conosciuto in vita sua. La sua squadra (e in effetti anche i suoi allenatori) indossano un'uniforme rossa e si allenano in un campo all'interno di un parco circondato da pini a circa due isolati dalla nostra casa, e da lì il panorama è ancora più bello. Io porto un libro agli allenamenti, immaginandomi che gli esercizi di un gruppo di ragazzini tra gli otto e i dieci anni siano alquanto noiosi. In verità sono appassionanti. Ne osservo ogni movimento, come si raccolgono attorno all'allenatore per ricevere istruzioni, li osservo grattarsi i coglioncini come veri giocatori, li osservo mentre si dirigono alla fontanella a prendere un sorso d'acqua. Be', ovviamente non osservo tutti loro. Osservo Toph, seguo il suo berretto di feltro rosso troppo grande che si muove tra i vari esercizi, lo osservo quando arriva il suo turno, lo osservo prendere una palla bassa, girarsi e lanciarla all'allenatore in seconda, guardo solo lui, anche se sta semplicemente aspettando in fila, per vedere se parla con altri bambini, se va d'accordo con tutti, cerco di capire se è stato accettato dal gruppo, se – benché di tanto in tanto mi capiti di vedere un paio di ragazzini neri che fanno dei veri numeri – nella squadra ci sono due stelle, magari un ragazzino e una ragazzina alti, veloci e dotati oltre natura, miglia avanti a tutti gli altri, tranquilli, quasi pigri nel loro talento. Durante gli allenamenti aspetto il turno di Toph, e quando tocca a lui prendere un rasoterra o coprire la seconda base per un 4-3-2, quasi rimango secco dalla tensione.

Avrebbe dovuto prenderla, quella.

Bravo bravo bravo.

Oddio, ma PER FAVORE!

Non dico nulla, il che è tutto quello che posso fare per evitare casini. Lui prende tutto, può prendere tutto, sul serio – ci lavoriamo da quando ha non più di quattro anni – ma la battuta... perché i bambini non sanno battere? Magari ci vuole una *mazza più leggera*? Copri! Svelto con quella mazza! *Svelto ho detto*! Cristodiddio, che cosa hai servito, una bistecca? Colpisci la palla. *Ragazzo, colpisci un po' quella noce di cocco!*

Io non sono mai stato un granché a baseball, ma sono stato capace di fingere abbastanza da ottenere una volta un lavoro come allenatore e direttore nei campi estivi per metà del liceo e delle estati al college. Quando Toph era stato abbastanza grande, aveva cominciato anche lui a frequentare i campi con me ogni giorno, godendo timidamente della celebrità che gli veniva dal fatto di essere il fratello del direttore del campo, quel fico pazzesco.

Osservo, e le madri osservano. A dire la verità non so come interagire con le madri. *Sono una di loro?* Di tanto in tanto qualcuna cerca di coinvolgermi in una conversazione, ma è chiaro che non sanno bene come comportarsi. Quando una fa una battuta e tutte ridono, io guardo da quella parte e sorrido a mia volta. Se loro sghignazzano io ridacchio – non troppo, non voglio dare l'impressione di strafare, giusto quanto basta per dire: "Ho sentito. Rido assieme a voi. Condivido con voi questo momento". Quando però tutti hanno finito di ridere, allora sono nuovamente da parte, qualcosa di estraneo, e nessuno sa con certezza chi io sia. Nessuno è disposto a investire tempo sul fratello mandato a prendere Toph mentre sua madre è a casa a preparare la cena o è bloccata al lavoro o nel traffico pendolare. Per loro sono un baby-sitter part time. O forse un cugino. Il ragazzo un po' più giovane di una neodivorziata? Non gliene frega niente.

E infatti chi cazzo se ne frega? Non è che io voglia fare amicizia con queste donne. Perché dovrebbe interessarmi? Io non sono loro. Loro sono il modello superato e noi quello nuovo.

Attento, sospettoso, osservo Toph interagire con gli altri.

Perché ridono, quei bambinetti?

Di che cosa ridono? Del cappello di Toph? È troppo grande?

Chi sono quelle piccole teste di cazzo? Li spezzo in due, piccoli bastardi.

Ah, no.

Ah no, era solo quello. Solo quello. Eh, eh, eh.

Dopo l'allenamento camminiamo fino a casa giù per Marin Road, un mostro a quarantacinque gradi di pendenza. È quasi impossibile camminarci senza assumere una postura ridicola, ma Toph ha inventato una camminata che aggira il problema – si tratta di una camminata davvero forte, con le gambe piegate in modo piuttosto bislacco, le braccia che mulinano come se nuotasse o come se acchiappasse l'aria e la lanciasse dietro le spalle, in un modo che però, alla fin fine, lo fa apparire ben più normale del goffo spiattellamento delle piante dei piedi imposto normalmente dalla strada. È una camminata estremamente elegante.

Nel momento in cui arriviamo a Spruce, la nostra via, il terreno improvvisamente si appiattisce, e io affronto il problema, con la massima delicatezza di cui sono capace, della sua battuta, o meglio della sua inesistenza.

«E allora com'è che fai così schifo a battere?»

«Non lo so.»

«Forse hai bisogno di una mazza più leggera.»

«Dici?»

«Sì, magari ne compriamo una nuova.»

«Possiamo?»

«Sì, cercheremo una mazza più leggera o qualcosa del genere.»

Stiamo ancora guidando, diretti alla spiaggia. Quando guidiamo e arriva il momento in cui alla radio smettono di trasmettere rock and roll storico, di quello creato ed eseguito dai maestri della musica moderna, allora facciamo dei giochi con le parole. Ci deve essere rumore o musica o giochi. Niente silenzio. Adesso facciamo il gioco in cui uno deve dire il nome di un giocatore di baseball e l'altro deve dirne un altro il cui nome inizi con la lettera con cui comincia il cognome di quello precedente.

«Jackie Robinson» dico.

«Randy Johnson» dice.

«Johnny Bench» dico.

«Chi?»

«Johnny Bench. Il catcher dei Reds.»

«Ma sei sicuro?»

«Che vuoi dire?»

«Io non l'ho mai sentito.»

«Johnny Bench?»

«Sì.»

«E allora?»

«Allora magari te lo stai inventando.»

Toph colleziona figurine dei giocatori di baseball. Può dirti il prezzo corrente di ciascuna figurina in suo possesso – e sono migliaia, se si conta la collezione che ha ereditato da Bill. E tuttavia resta un ragazzino che non sa nulla di nulla. Mantengo la calma, anche se meriterebbe che gli sbattessi la zucca contro il finestrino. Dovreste sentire il suono che fa. Piace persino a lui.

Johnny Bench? Johnny checcazzo Bench?

«Credimi» dico. «Johnny Bench.»

Ci fermiamo a una spiaggia strada facendo. Mi fermo qui perché ho sentito parlare di spiagge come questa, perché in un'ampia insenatura a poche miglia da Montara ce n'è un'altra simile, con un'insegna che dice "Spiaggia nudisti". E improvvisamente sono solleticato dalla curiosità. Accosto e salto giù dall'auto...

«È questa?»

«Forse» dico, un po' confuso e incerto sul da farsi... e attraverso la provinciale fino all'ingresso da solo, quasi di corsa, senza aspettare Toph, immerso nei miei pensieri. *È giusto?* Ma sì. *No, non lo è.* So cosa fare, so cosa è giusto. *Questo è giusto?* Non c'è problema. *Non c'è nessun problema.* Spiaggia nudisti. *Benissimo. Spiaggia nudisti. Spiaggia nudisti.* Camminiamo insieme verso l'ingresso. Un uomo con la barba seduto su uno sgabello, con una scatola di metallo grigio in grembo, ci chiede dieci dollari a testa per entrare.

«Anche lui paga dieci dollari?» chiedo indicando il ragazzino che mi sta accanto con una felpa e un berretto da baseball con la scritta CALIFORNIA ANGELS indossato alla rovescia.

«Sì» dice l'uomo con la barba.

Lancio un'occhiata dietro l'uomo con la barba e giù per la scogliera, cercando di sbirciare la spiaggia là sotto e capire se ne vale la pena. *Venti dollari!* Per dieci dollari esigo che ci siano delle donne nude davvero notevoli, non tipo quelle dell'ora di disegno dal vero. *Nessun problema. È una cosa educativa. È naturale. Siamo in California! Tutto è nuovo. Niente regole. Il futuro!*

Sono quasi convinto. Mi avvicino al tizio con la barba, in modo che Toph non mi senta e cerco di capire come stanno le cose.

«Perciò, ecco, sono ammessi i bambini?»

«Ma certo.»

«Ma ecco, voglio dire, non è... *strano*?»

«Strano? Che cosa sarebbe *strano*?»

«Cioè, per un bambino piccolo? Non sarà un po' troppo?»

«Troppo cosa? Troppo *corpo umano*?» dice in un modo che fa sentire *me* quello strano, lui Mister Natural e io una specie di fascista dell'abbigliamento.

«Non importa» dico. Stupida spiaggia. Probabilmente niente più che un gruppetto di tizi barbuti tutti nudi, pallidi e ossuti.

Riattraversiamo la strada, torniamo sulla Civic rossa e riprendiamo a guidare. Superiamo i surfisti, attraverso la foresta di eucalipti che precede la Half Moon Bay, con gli uccelli che saettano sopra le nostre teste e poi ritornano, in cerchio – anche loro per noi, naturalmente – e poi le scogliere subito prima di Seaside e poi ancora pianura per un po', poi qualche altra curva e adesso, Dio, ma lo vedete che cazzo di cielo? Voglio dire, cazzo, ci siete mai *stati* in California?

Lasciammo Chicago in un lampo. Vendemmo la maggior parte della roba che avevamo in casa, tutta quella che non volevamo portare con noi, e facemmo venire una donnetta indaffarata che prezzò ogni cosa e informò le persone giuste (a quanto pareva era in possesso di una mailing list di compratori fanatici, appassionati ai beni di persone recentemente defunte) della vendita al 924 di Waveland. Dopo di che ci togliemmo di mezzo. Quando la faccenda fu conclusa e la roba sparita, tirammo su il poco che restava – alcuni pupazzi di supereroi appartenuti a Toph, delle tazze da caffè, pezzi sparsi di argenteria – impacchettammo quello che avevamo tenuto da parte – parecchia roba, una sessantina di scatole – assieme alle cose invendute, caricammo tutto su un camion, e adesso è in un garage di Spruce Street che abbiamo affittato. Bill tenne l'auto della mamma e pensò lui a venderla, Beth invece mise in vendita quella di papà per comprarsi una jeep, mentre io mi impegnai a finire di pagare le rate della Civic che avevo comprato assieme a papà poco tempo prima per poter tornare a casa dal college durante il fine settimana.

A Berkeley viviamo assieme a Beth e a Katie, la sua migliore amica – anche lei orfana, entrambi i genitori sono morti prima che compisse i dodici anni – e c'è anche Kirsten, la mia ragazza, che da sempre desiderava vivere in California e quindi è venuta anche lei. Tra tutti e cinque totalizziamo un solo genitore vivo – la madre di Kirsten – e quindi sulle prime eravamo davvero entusiasti della nostra indipendenza; noialtri orfani avremmo di sicuro ricreato una vita domestica da zero, e sarebbe stata senza precedenti. Ci sembrava davvero una grande idea, tutti noi in una casa, insieme – proprio come al college! Come in una comune! Condividere baby-sitting, pulizie, cucina! Grandi pranzi insieme, festa, allegria! La cosa resse per almeno tre o quattro giorni, dopo i quali ci apparve ovvio, per tutte le ovvie ragioni, che in realtà non era affatto una buona idea. Eravamo tesi come corde di violino per lo stress degli improvvisi e vari adattamenti a nuove scuole e nuovi lavori, e tutti cominciammo a punzecchiarci e a lamentarci di questo e di quello, di chi è quel giornale, e quante volte ti ho detto di non comprare il detersivo granulare per la lavapiatti, è una cosa che sanno tutti, perdio. Kirsten, con i suoi debiti per l'università da pagare e i suoi pochi risparmi, sta cercando freneticamente un lavoro, ma non ha un'auto. E non vuole che sia io a pagarle la sua parte di affitto.

«Non ti preoccupare, posso pagare io.»
«Non ti farò pagare il mio affitto.»
«Riecco la martire che è in te.»
Anche se posso pagare io, non lascerà che le cose si risolvano facilmente, nemmeno per l'estate. Per cui ogni mattina la porto alla metropolitana di superficie mentre accompagno Toph al suo campo estivo, e durante il tragitto io e Kirsten ridacchiamo e chiacchieriamo carichi di tensione, alla ricerca di un pretesto qualunque per aggredirci, esplodere, lasciarci andare, non sapendo neppure se vivremo ancora insieme questo autunno, se ora dell'autunno avremo trovato un lavoro, e se ora dell'autunno saremo ancora innamorati. La casa amplifica i nostri problemi, e le alleanze – io e Toph, Katie e Beth, Beth e Kirsten e Kirsten e Katie – e le scaramucce che ne derivano rendono quel posto claustrofobico, nonostante la vista e tutto il resto, mettendo così la sordina al clima di rilassato divertimento che io e Toph stiamo disperatamente cercando di creare.

Per esempio, ben presto scopriamo che dato che i pavimenti sono in legno e che la casa è poco ammobiliata, vi sono almeno due luoghi ideali per la scivolata col calzino. Il percorso migliore è senza dubbio dal terrazzo al vano-scala principale (*figura 1*) che permette, con uno slancio tutto sommato modesto, di scivolare per almeno dieci metri fino alla scala che porta al piano inferiore, di cui si può saltare la prima rampa, a patto di essere preparati a cadere e a fare una giravolta sulle spalle al momento dell'atterraggio il quale, se da manuale, andrebbe anche sottolineato con un "Yes! America" a braccia levate e schiena inarcata alla Mary Lou Retton.

fig. 1

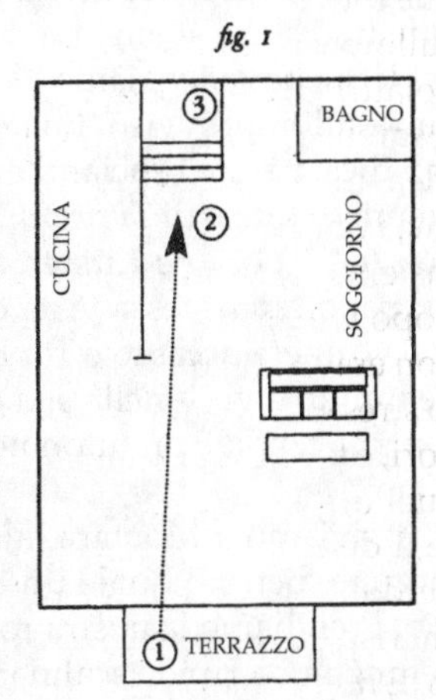

Il nostro gioco preferito tuttavia, è di far finta, a beneficio del vicinato e di chiunque si trovi a passare, che io stia frustando Toph con una cintura. Ecco come funziona: stando in salotto con la porta del terrazzo aperta, tengo la cinghia piegata in due alle estremità e do un violento colpo di sferza con uno schiocco non dissimile da quello che si produrrebbe se stessi staffilando le gambe nude di Toph con tutta la mia forza. A ogni schiocco Toph strilla come un maiale sgozzato.

CINTURA Whack!

TOPH (Strillo!)
IO E allora, ragazzo?
TOPH Scusa, scusa, scusa, non lo farò mai più!
IO Scusa?!? Giuro che alla fine non potrai più camminare!
CINTURA Whack!
(Urlo) eccetera eccetera.

E ci divertiamo un mondo. Stiamo attaccando la California, Toph e io, divorando tutto il possibile prima che l'autunno arrivi e ci rintani, per cui mentre Beth e Katie fanno quello che hanno da fare e Kirsten va a colloqui di lavoro, Toph e io andiamo giù per Telegraph Avenue e guardiamo i tipi strani. Camminiamo per il campus universitario alla ricerca del famoso tizio che se ne va in giro nudo, dei tipi con le magliette psichedeliche, degli Hare Krishna, degli Ebrei per Cristo, delle donne che gironzolano per strada in topless con l'aria di sfida, chiaramente in cerca di telecamere e di poliziotti che abbiano voglia di sollevare inique obiezioni. Non vediamo seni al vento e tanto meno troviamo il Tizio Nudo, ma un giorno vediamo davvero un vecchio completamente nudo, intento a chiacchierare tranquillo a un telefono pubblico, con indosso solo un paio di ciabatte. Mangiamo in un posto che si chiama Fat Slice, andiamo in macchina fino alla Berkeley Marina, e poi al parco che c'è alla fine del molo, verde e ondulato, proprio là, praticamente nel bel mezzo della Baia, tiriamo fuori mazze, guantoni, palloni e frisbee, sempre in macchina per ogni evenienza, e ci mettiamo a giocare e a rotolarci per terra. Ci sono passeggiate da fare, negozi da girare e tagli improbabili di capelli da provare fino a che silenziosa, lenta, arriva la notte, niente tv a casa, e poi nel letto, dove leggiamo e chiacchieriamo, seduti insieme sul suo lettino – all'improvviso, una sera: «È strano sai, già me li ricordo appena» dice, parole brucianti e inarrestabili, e allora un'altra ora insieme, un'ora di foto e di *Ti ricordi? Ti ricordi? Vedi che ti ricordi, ma certo che ti ricordi* – e poi io e Kirsten andiamo a dormire in una camera che dà sul panorama, stessa vista che c'è dal salotto e dal terrazzo, con Beth nella camera accanto e Toph che dorme – dorme che è un sogno: due, tre minuti e via – nella sua cameretta ricavata in quattro e quattr'otto con una tenda e un futon nello spazio tra le due camere da letto.

Arriviamo a Montara, alla spiaggia, e parcheggiamo accanto a un furgone dietro il quale un tizio biondo si sta togliendo una muta da sub. Prendiamo la nostra roba e scendiamo giù dall'alto della scogliera lungo una ripida scalinata, col Pacifico che ci saluta di cuore.

Guardateci, stesi l'uno parallelo all'altro, Toph che tiene su la camicia perché si vergogna a togliersela. Ecco cosa ci diciamo:

«Ti annoi?»

«Sì» dice.

«Perché?»

«Perché te ne stai lì steso a non fare niente.»

«Sono stanco.»

«E io mi annoio.»

«Perché non vai a costruire un bel castello di sabbia?»

«Dove?»

«Laggiù, vicino all'acqua.»

«Perché?»

«Perché è divertente.»

«Quanto mi dai?»

«Come sarebbe a dire quanto mi dai?»

«La mamma mi pagava.»

«Per fare castelli di sabbia?»

«Sì.»

Mi fermo a riflettere. Sono un tipo lento.

«Perché?»

«Perché sì.»

«E perché perché sì?»

«Non lo so.»

«E quanto ti dava?»

«Un dollaro.»

«Ma è pazzesco.»

«Perché?»

«Pagarti per farti giocare con la sabbia? Come a dire che non giochi con la sabbia a meno che io non ti paghi?»

«Non so. Forse.»

L'oceano è troppo freddo, la discesa al mare troppo ripida e la risacca troppo forte per nuotare. Siamo seduti, guardiamo l'acqua e la schiuma che corre pazzamente tra le nostre trincee e le nostre gallerie. Toph non è il miglior nuotatore del mondo e le onde sono davvero alte e io ho un flash improvviso – vedo un altro Toph che annega, a pochi metri dalla riva. È stato trascinato nella corrente, l'onda è arrivata e l'ha spazzato via – fottuta risacca. Io corro e salto e nuoto come un delfino per raggiungerlo – che diamine, ero nella squadra di nuoto! So nuotare e tuffarmi, rapido e forte! – ma è troppo tardi, mi immergo ancora e ancora, ma è tutto grigio, laggiù, la sabbia turbina, l'acqua è nebulosa ed è troppo tardi, ormai – è stato trascinato a centinaia di metri dalla riva... quando riemergo riesco a vedere per l'ultima volta il suo braccino sottile e abbronzato che si agita per l'ultima volta e poi... più nulla. Non avremmo mai dovuto nuotare qui, non...

«Ehi.»

Certo, possiamo sempre nuotare in piscina...

«*Ehi.*»

«Cosa, cosa c'è?»

«Ma che cos'hai ai capezzoli?»

«In che senso?»

«Non so, sporgono.»

Lo guardo dritto negli occhi.

«Toph, voglio dirti qualcosa. Qualcosa sui miei capezzoli. Voglio dirti dei miei capezzoli e più in generale dei capezzoli dei maschi della nostra famiglia. Perché un giorno, figliolo (facciamo spesso questo gioco, e lui mi dà corda, il gioco in cui io lo chiamo figliolo e lui mi chiama papà, e ci parliamo un po' come tra padre e figlio, scherzandoci su ma al tempo stesso sentendoci intimamente a disagio a usare quei termini), un giorno i miei capezzoli saranno i tuoi capezzoli. Un giorno anche tu avrai capezzoli che protrudono in modo innaturale dal tuo petto, capezzoli che si irrigidiranno alla più lieve sollecitazione, impedendoti di indossare altro che pesanti magliette di cotone.»

«Ma va'.»

«Sì, Toph» dico osservando l'oceano con fare pensoso, come a cercarvi il futuro. «Erediterai questi capezzoli, come erediterai una struttura ossuta e scheletrica che non si riempirà fino a dopo i vent'anni, oltre al fatto che la pubertà ti coglierà in scandaloso ritardo e ben presto quella lunga chioma bionda e liscia che ti fa assomigliare vagamente a un River Phoenix giovane, quella chioma dicevo, si infittirà, si indurirà, diventerà più scura e si arriccerà in modo talmente intricato e selvaggio che al tuo risveglio ti sembrerà di avere fatto tre permanenti e di aver poi guidato per sei ore in una decapottabile. Lentamente ma inesorabilmente diventerai brutto, e la tua pelle sarà solcata da un'acne talmente feroce che, a parte la generica brufolosità che ti devasterà le guance e il mento, sottopelle ti verranno anche delle palline – il tuo dermatologo le chiamerà "cisti" – che ogni paio di settimane si formeranno negli interstizi esterni delle tue narici, e saranno talmente grosse e rossastre che gli estranei trasaliranno a dieci metri di distanza e i bambini vedendoti ti indicheranno e scoppieranno a piangere.»

«No.»

«Oh, sì.»

«Non esiste. Scommetto che sarò diverso, io.»

«Prega fin d'ora.»

C'è vento, ma quando si sta stesi ad ascoltare la sabbia, fa caldo, caldo, caldo. Toph è seduto e mi sta seppellendo i piedi.

C'è così tanto da fare. Cerco di non pensare a tutto quello che sta per arrivare, a tutte le faccende che occorrerà sbrigare quando comincerà la scuola e al fatto che tutto ciò diventerà reale, ma c'è una cosa – ossia che Toph deve andare da un dottore e ottenere un certificato – che mi passa per la testa e in un attimo la mente mi si ingolfa, cazzo, devo mettere insieme un curriculum, dobbiamo trovare un posto dove vivere dopo l'estate, e come faremo a portare Toph a scuola se trovo un lavoro che comincia presto? Beth farà storie, sarà troppo occupata, finiremo con l'ammazzarci? Con che frequenza verrà a trovarci Bill da L.A.? Quanto dovrei/potrei/vorrò reggere Kirsten? Rimarrà ancora a lungo nella mia vita? Si tranquillizzerà, una volta trovato un lavoro? Dovrei schiarirmi i capelli? Quella pasta dentifricia sbiancante funzionerà per davvero? Toph ha bisogno di un'assicurazione medica, e anch'io. Magari sono già malato. Sta già crescendo dentro di me. Qualcosa, che ne so, una qualunque cosa. Una tenia. L'Aids. Devo darmi da fare, devo darmi da fare al più presto perché io morirò presto, prima dei trent'anni. Sarà accidentale, la mia morte, anche più accidentale della loro. Cadrò per qualche ragione, cadrò come è caduta lei quella volta che fui io a trovarla. Avevo sei anni ed era mezzanotte, e la trovai che era caduta dalle scale e si era spaccata la testa sul pavimento color lavagna. L'avevo sentita gemere ed ero uscito sul corridoio, sulla moquette verde, e dalla cima delle scale avevo visto una figuretta in vestaglia, accartocciata al piano di sotto. Avevo sceso le scale con cautela, in pigiama, passo dopo passo, tenendomi al corrimano, e non avevo la più pallida idea di chi fosse quella persona laggiù, quasi sapendo ma senza saperlo, e quando mi fui avvicinato abbastanza la udii, era la sua voce che diceva: «Volevo guardare i fiori». «Volevo guardare i fiori» disse, tre o quattro volte di seguito. «Volevo guardare i fiori.» E poi sangue sul pavimento nero, sangue che le impastava di marrone i capelli. Svegliai mio padre e dopo un po' arrivò l'ambulanza. Tornò a casa con una spessa fasciatura intorno alla testa e per settimane non fui nemmeno sicuro che fosse lei.

Volevo che fosse lei, credevo che fosse lei, ma c'era pur sempre la possibilità che lei fosse morta e che al suo posto avessero mandato qualcun altro. Avrei creduto a qualunque cosa.

Fa troppo freddo per stare a torso nudo. Mi alzo e allora anche Toph si alza e corre, io lancio il frisbee sopra la sua testa di un buon quindici metri ma il fresbee, grazie al mio lancio perfetto, galleggia nell'aria, lentamente, e Toph lo raggiunge in tutta tranquillità, lo supera, si ferma, si gira e lo acchiappa tra le ginocchia.

Dio se siamo bravi. Ha solo otto anni ma insieme siamo un favola. Giochiamo sul bagnasciuga e corriamo a piedi nudi, saltellando e scivolando sulla sabbia fredda e bagnata. Facciamo quattro passi prima di ogni lancio e quando lanciamo il mondo trattiene il respiro. Lanciamo talmente lontano e con una precisione e una bellezza quasi assurda, ridicola. Siamo la perfezione, l'armonia, giovani e lievi, scattanti come indiani. Quando corro riesco a sentire la contrazione dei miei muscoli, lo sforzo delle cartilagini, il moto dei miei pettorali, il pulsare del sangue, tutto funzionante a meraviglia, un corpo nel suo massimo splendore, d'accordo, magari un po' magrolino, appena appena sotto il peso forma, con qualche costola un po' troppo visibile e che a ben pensarci a Toph potrebbe anche sembrare un po' strana, dargli l'impressione di un anemico, potrebbe spaventarlo, ricordargli la perdita di peso di nostro padre, del modo in cui le sue gambe, quando sedeva a tavola a fare colazione vestito di tutto punto, quell'autunno, quando aveva smesso la chemioterapia ma andava ancora al lavoro, le sue gambe, dicevo, erano come stecche di legno infilate nei pantaloni di panno, sottili stecche di legno nascoste da pantaloni di panno grigio, divenuti troppo grandi. Dovrei fare ginnastica. Dovrei iscrivermi a una palestra. Comprare una panca. O almeno qualche peso. Dovrei. Devo. Devo offrire a Toph l'esempio di un corpo che sprizza virilità senza pecche. Occorre che io sia all'acme della salute e della forza perché possa instillare fiducia e fugare il dubbio. Occorre che sia indomabile, una macchina, una perfetta fottuta macchina. Mi iscriverò in palestra. Farò jogging.

Lanciamo il frisbee più lontano di quanto un frisbee sia mai stato lanciato. Prima va più in alto di quanto un frisbee sia mai andato, al punto che nel bel mezzo dell'azzurro ci sono solo il lume opalescente del sole e il piccolo disco bianco, poi vola più lontano di quanto un frisbee sia mai stato visto volare, mentre noi ci allontaniamo di miglia e miglia, da una scogliera all'altra, chilometri di spiaggia piena di gente, per ogni lancio. La cosa più importante è la traiettoria, lo sappiamo, come sappiamo che la distanza dipende sia dalla velocità che dalla traiettoria, e che devi lanciare il disco con tutta la forza che hai, riuscendo allo stesso tempo a imprimergli una corretta traiettoria, ascendente, diritta e costante, non troppo alta, non troppo bassa, perché se lanci con la giusta traiettoria ascendente, la spinta porterà il frisbee a quasi il doppio della distanza normale, e per la seconda metà del percorso si abbasserà in placida direzione discendente, praticamente come servito su un piatto d'argento, nel senso che tu ti occupi della prima metà del lancio, e per la seconda metà ci pensa lui, e quando la spinta in avanti rallenta e rallenta e termina, e quello plana come un paracadute, è proprio allora che noi ci facciamo sotto, con passi rapidi che sfiorano la sabbia bagnata, e quando alla fine cade, ci cade in mano, perché noi eravamo là ad aspettarlo.

Sembriamo professionisti che giocano insieme da anni. Donne dal seno generoso si fermano a guardarci. Anziani ci osservano scuotendo la testa, strabiliati. Chi è religioso cade in ginocchio. Nessuno ha visto mai niente del genere, prima d'ora.

III

LA LISTA DEI NEMICI SI STA ALLUNGANDO, RAPIDA, INESORABILE. Tutta questa gente che ci intralcia, che ci fa perdere tempo, senza avere idea né curarsi di chi siamo e di che cosa è accaduto. Come quel tizio petulante che ha venduto a Toph l'antifurto per la sua bicicletta, per esempio – la sua bici nuova di zecca, l'avevamo comprata l'anno scorso per il suo compleanno, subito prima di lasciare Chicago – quel tizio si meritava una lezione – aveva detto che era il migliore antifurto di cui disponevano, «Invincibile, non c'è da preoccuparsi» aveva detto – e dopo una settimana avevano già rubato la bicicletta. E quell'idiota nel furgoncino, che ha fatto retromarcia addosso alla nostra piccola Civic, con noi dentro, a un semaforo nel bel mezzo di Berkeley, io obbligato ad assistere a quel disastro, il furgoncino che ci saliva sul tetto della macchina stile stunt car, Toph acquattato, io costretto a guardare inerme... E ci sarebbe da fare qualcosa anche per (o meglio *a*) quella tipa giù al treno, ossuta e dall'aria severa, con i capelli così tirati che sembrava una mezza cipolla, che stava seduta di fronte a noi e ci ha guardato con disapprovazione quando ho messo a riposare i piedi in grembo a Toph, nemmeno fossi un molestatore di bambini... E la segretaria della scuola, con la sua aria di biasimo quando arriviamo in ritardo... E quell'altra donna, la vicina che abita di fronte, una megera con un figlio ciccione che ogni volta che usciamo di casa smette di occuparsi del suo giardino e ci pianta gli occhi addosso. E i nostri padroni di casa di Berkeley Hills che si sono tenuti la cauzione, invocando danni che secondo loro avremmo arrecato a ogni angolo della casa. E soprattutto quei tizi delle agenzie immobiliari. Gente crudele, feroce, subumana. Teste di cazzo inaudite.

«Dove lavora?»
«Non ho ancora un lavoro.»
«Studente, allora.»
«No.»
«E questo è... suo figlio?»
«Fratello.»
«D'accordo, le faremo sapere.»

Non avevamo idea di dove rivolgerci. La nuova scuola di Toph non faceva servizio di scuolabus, per cui fin dall'inizio sapevo che sarebbe toccato a me portarlo avanti e indietro. Così, verso la fine di luglio, quando iniziammo a cercare un posto in cui vivere a partire dall'autunno, decidemmo di procedere ad ampio raggio e considerammo praticamente ogni quartiere di Berkeley, Albany e Southern Oakland. Calcolammo che tra il mio reddito – supponendo che a un certo punto questa parola si sarebbe tradotta in realtà – e i soldi erogati dai servizi sociali per Toph – lui ha diritto a un sussidio mensile equivalente a quanto si presume avrebbero dato ai miei genitori – eravamo in grado di sostenere una spesa intorno ai mille dollari al mese, e su questa base ci mettemmo all'opera.

E fummo subito colpiti dalla realtà piuttosto squallida della nostra nuova vita. Non più colline, non più panorami. Quel subaffitto non era stato altro che un caso bizzarro. Niente più garage, lavatrice, asciugatrice, lavastoviglie, tritarifiuti, ripostiglio o vasca da bagno. Alcuni degli appartamenti che visitammo non avevano nemmeno la porta nelle camere da letto. Stavo malissimo, mi sentivo direttamente responsabile; iniziai a cercare senza Toph, per risparmiargli quella catastrofe. Era il nostro declino. A Chicago avevamo una casa, una casa piuttosto spaziosa, con quattro camere da letto, un giardino, un torrentello che scorreva proprio dietro casa, enormi, giganteschi alberi secolari tutt'intorno, una collinetta, un pezzetto di bosco. Poi c'era stato il subaffitto, la casa dorata in cima alla collina, con le sue vetrate e la sua luce, proprio di fronte alle montagne, all'oceano e a tutti quei ponti. E adesso, in parte a causa dell'inevitabile implosione del nostro ménage – Katie non vuole vivere con tutti noi, Kirsten e io abbiamo bisogno di un po' di "separazione", io e Beth, come tutti i fratelli con una storia alle spalle, ci siamo resi conto che se avessimo continuato a occupare le stesse quattro mura prima o poi uno di noi sarebbe stato rinvenuto maciullato e sanguinante – avevamo tutti accettato situazioni ridimensionate e un po' più umili. Beth avrebbe vissuto da sola, Kirsten con una coinquilina pescata sugli annunci economici, e

Toph e io avremmo trovato un bilocale, e avremmo tutti cercato di vivere vicini ma non troppo.

Io avrei voluto un loft. Per anni mi ero figurato la mia residenza postuniversitaria come uno spazio ampio e nudo, soffitti alti e vernice scrostata, mattoni a vista, tubi e condutture, un enorme spazio aperto in cui avrei potuto dipingere, dipingere e conservare enormi tele, e sistemare qua e là roba di ogni genere, che so, un cesto da pallacanestro o una piccola pista da hockey. Magari vicino alla baia, a un parco, al treno, al supermercato, a tutto insomma. Mi decisi a rispondere a qualche annuncio nell'area di Oakland.

«Com'è il quartiere?»

«Be', un po' originale. Ma il terreno ha un cancello.»

«Un cancello, eh? E c'è un parco?»

«Un parco?»

«Sì, non c'è un parco nelle vicinanze? Sa, con me c'è un bambino di otto anni.»

«Lei ha voglia di scherzare.»

Anche quando accettammo l'idea di vivere in un appartamento qualunque giù a valle, la gente si dimostrò scostante e ingenerosa. Mi aspettavo di essere accolto da quella gente a braccia aperte, di essere travolto dalla loro gratitudine per il fatto che noi, tragici messi inviati da Dio in persona, ci fossimo degnati di scendere dalle nuvole prendendo in considerazione l'eventualità di abitare in uno dei loro insipidi edifici. Quella che invece sperimentammo fu qualcosa di terribilmente vicino alla totale indifferenza.

Qualche tempo prima avevamo visto un annuncio – due camere da letto, giardino sul retro, North Berkeley – e avevamo chiamato. L'uomo al telefono sembrava convintissimo e decisamente non scortese. Ma poi, in un mattino caldo e tutto blu, andammo a trovarlo. Quando uscimmo dalla nostra utilitaria rossa e ci dirigemmo verso di lui che aspettava in piedi sulla veranda di casa, ci parve turbato.

«Questo è suo fratello?»

«Sì.»

«Ohh» disse, con estrema difficoltà, come se quella "O" fosse un gigantesco uovo che egli fosse costretto a inghiottire. «Diavolo, io credevo che foste più grandi. Quanti anni avete?»

«Io ne ho ventidue e lui nove.»

«Sul modulo avevi detto che avevate tutti e due un reddito. Non vedo come questo sia possibile.»

Gli spiegai come funzionava la faccenda dei servizi sociali. Gli spiegai la questione dell'eredità. Cercai anche di farlo in modo allegro e disinvolto, ammettendo che si trattava di una situazione un po' anomala, ma a ogni modo, tutto è bene quel che finisce bene e...

L'uomo ci ascoltava con la testa inclinata e le braccia conserte. Eravamo ancora sul vialetto d'ingresso. Non eravamo stati invitati a entrare in casa.

«Sentite, ragazzi, non voglio farvi perdere tempo. Sto cercando una coppia, magari di anziani.»

Il vento faceva giungere fino a noi il profumo di quei fiori bianchi che crescono dappertutto, quelli a cespuglio. Come si chiamano, rododendri?

«Riuscite a capirmi, vero?» chiese.

A metà agosto, ormai disperato mi recai in una casetta in mattoni a pochi isolati dal nuovo appartamento di Beth. La proprietaria era un donnone nero di mezza età, non molto diversa dalla lettrice di Sacre Scritture che si occupava di mia madre verso la fine. La casa era perfetta. O meglio, non lo era proprio per niente, ma era di gran lunga meno imperfetta di tutte quelle che avevamo visto fino ad allora. Il figlio della donna aveva da poco lasciato la casa per andare al college – era una madre single – e lei aveva deciso di sbaraccare e trasferirsi nel New Mexico. La casa era più o meno delle dimensioni giuste per noi, in una bella posizione su una strada punteggiata di verde. C'era un giardinetto sul retro, una veranda, un capanno, persino una serra, niente lavastoviglie o lavatrice, ma a quel punto non importava, con la scuola che iniziava di lì a poche settimane... quando si informò sulle questioni finanziarie io decisi di giocare tutto.

«Mi preoccupa sapere che non ha un lavoro.»

«Senta» sbottai. «Possiamo pagare. Abbiamo soldi. Possiamo pagare anche tutto un anno in anticipo, se preferisce.»

Spalancò gli occhi.

Così compilammo l'assegno. A quel punto ogni nozione di risparmio era andata a farsi benedire. Eravamo cresciuti in una casa dove tutto era centellinato, in cui non c'erano paghette, e chiedere cinque dollari a nostro padre comportava una serie di smorfie, sospiri e piani di restituzione dettagliati. Nostra madre era anche peggio, non faceva la spesa a Lake Forest, dove tutto era orribilmente caro, ma guidava per venti, trenta, quaranta chilometri fino a grandi magazzini come Marshall's o T.J. Maxx, in cerca di occasioni e di roba all'ingrosso. Una volta all'anno ci stringevamo tutti quanti nella Pinto e andavamo in un posto a ovest di Chicago, Sinofsky's, dove per quattro, cinque dollari ognuno di noi comprava dozzine di magliette da rugby leggermente difettate, con qualche buco qua e là, bottoni di troppo, colletti logorati dai candeggi, striature di rosa stinto. Eravamo cresciuti con una sorta di bizzarra dissonanza cognitiva: sapevamo di vivere in una graziosa cittadina – cosa che i nostri cugini dell'Est avevano più volte sottolineato – ma allora, se le cose stavano davvero così, perché nostra madre continuava a lamentarsi che non avevamo i soldi nemmeno per comperare delle graffette? «Come diavolo faccio a comprare anche solo *il latte* per domattina?» strillava dalla cucina a mio padre. Lui, pur rimanendo senza lavoro spesso e volentieri, non pareva mai particolarmente impressionato dalla preoccupazione di lei; anzi sembrava sempre in grado, alla fine, di far funzionare le cose. E tuttavia eravamo sempre come preparati all'evenienza di una povertà improvvisa, pronti a essere cacciati di casa nel bel mezzo della notte e a finire in uno di quegli appartamenti che si vedono dall'autostrada, alla periferia della città. Diventando così *uno di quei ragazzi.*

Il che ovviamente non accadde mai, e ora, anche se certo non possiamo dirci ricchi e le entrate sono assai limitate, Beth e io ci siamo liberati una volta per tutte del senso di colpa legato all'atto dello spendere. Quando si tratta di decidere tra convenienza e comodità, la scelta non si pone. Mentre mia madre avrebbe fatto un viaggio di mezz'ora per trovare un pomodoro a metà prezzo, io sono pronto a pagarlo dieci dollari pur di non dover salire in macchina. È una questione di carenza di energie, perlopiù. La fatica ha il potere di allentarmi il portafoglio e, nel caso di Beth, ha il potere di allentare il libretto degli assegni legato al conto corrente di Toph. Con i sacrifici abbiamo chiuso, Beth e io abbiamo deciso, almeno finché non saranno davvero necessari, finché per evitarli ci vorrà il denaro che, almeno per il momento, possediamo. Anche le spese consistenti, quelle per cui abbiamo bisogno del consenso di Bill, vengono approvate senza molta resistenza.

Abbiamo retto non più di un mese senza lavatrice e asciugatrice. Ogni fine settimana Toph e io riempivamo quattro sacchi da spazzatura di biancheria da lavare, ne agguantavamo due a testa – i suoi più piccoli – ce li caricavamo sulle spalle e ci trascinavamo, simili a due contadinelli, fino alla lavanderia a gettone in fondo alla strada dietro l'angolo. Visto che in natura non è dato trasportare due sacchi di plastica troppo pieni in una sola volta, sistematicamente dopo mezzo isolato Toph ne lasciava cadere uno. Abbandonando in strada il sacco rotto da cui fuoriuscivano su tutto il marciapiede calzoncini e magliette dei Chicago Bulls, correva verso casa a prendere un sacco nuovo. Dopo qualche secondo ricompariva sulla sua bicicletta.

«Che fai?»

«Aspetta, fammi provare...» diceva, pensando di riuscire a tenere in equilibrio i sacchi di plastica sul sellino e sul telaio, cosa che ovviamente non funzionava per un cazzo, per cui eccoci venti minuti più tardi a raccogliere biancheria sporca dal marciapiede e impigliata nella catena della bici a venti metri da casa. Il giorno dopo chiamammo Bill e, levando alti lamenti a ogni sua obiezione, alla fine ottenemmo di acquistare una lavatrice e una asciugatrice.

Usate, quattrocento dollari in tutto, rumorosissime, e per giunta scombinate – una beige e una bianca. Ma, Dio santo, sono splendide, splendide macchine.

La casa è circa la metà di quella in cui abitavamo, ma è molto luminosa ed è spaziosa, di spazio ce n'è in quantità. I pavimenti sono in parquet, e dato che la prima stanza è stata eletta a cucina, c'è spazio sufficiente, nel caso in cui uno ne avesse voglia, di correre da un'estremità all'altra della casa senza incontrare né un muro né una porta. Di fatto, indossando un paio di calze, è possibile, in linea teorica, correre dal retro della casa attraverso la cucina e, una volta arrivati al parquet del salotto, si può saltare, scivolare e arrivare a destinazione praticamente senza mai perdere velocità (*figura* 2).

fig. 2

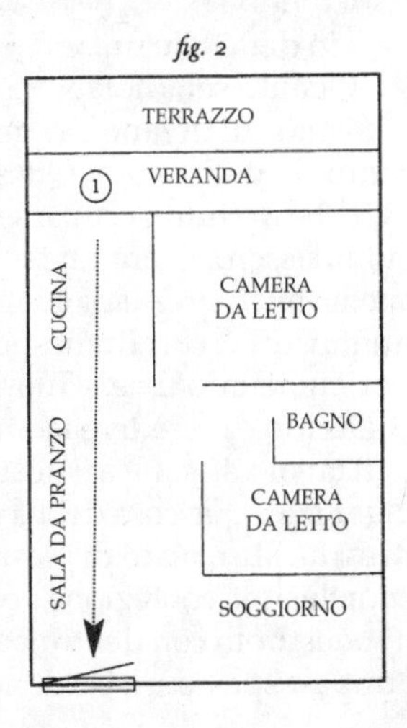

Qui ci sentiamo temporanei, inquilini a termine, villeggianti, per cui facciamo ben poco per familiarizzare con la gente del vicinato. Tra le persone che abitano vicino a noi c'è una coppia di anziane lesbiche, un'altra coppia di anziani cinesi, una coppia lui nero lei bianca intorno ai quaranta e, alla porta accanto, Daniel e Boona, sandalati e imperlinati, non sposati – a quanto pare solo amici – entrambi assistenti sociali o qualcosa del genere. Altrimenti nel quartiere vi è un assortimento di madri single, divorziati, vedove, vedovi, donne single che vivono con uomini single, donne single che vivono con donne single e, a pochi isolati di distanza, c'è persino Barry Gifford. Solo in un posto del genere possiamo sentirci integrati. Solo in un posto del genere possiamo sembrare dei tipi comuni.

Ridipingiamo l'intero appartamento. Toph e io sbrighiamo tutto in una settimana, con i rulli, saltando gli angoli, le cornici e ottenendo alla fine l'effetto di una casa strampalata, di un astrattismo alla Rothko. Optiamo per una tonalità azzurrina in sala da pranzo, mentre il salotto lo facciamo in un bordeaux intenso. La mia camera è color salmone, la cucina di un giallo spento, mentre lasciamo quella di Toph bianca – fino a che un giorno, la sera prima del suo decimo compleanno, nel bel mezzo di un sarabanda di incubi, a scopo decorativo e protettivo dipingo due enormi supereroi, per l'esattezza Wolverine e Cable, sui muri di camera sua, uno che vola giù dall'alto e l'altro in piedi sopra il suo letto. Toph dorme per l'intera durata del lavoro, mentre la vernice sgocciola sul copriletto e sulla sua gamba sinistra scoperta.

La casa è nostra, dunque, ma è un vero casino.

Discutiamo il problema.

«È che fai schifo» dico.

«No, sei tu che fai schifo.»

«E tu fai schifo schifissimo schifo.»

«Come?»

«Ho detto che tu...»

«Quanto sei idiota.»

Siamo sul divano e ci guardiamo in giro. Litighiamo per decidere a chi tocca pulire cosa. Questione ancor più cruciale, discutiamo su chi avrebbe dovuto occuparsene a monte, prima che le cose da fare si accumulassero. C'era un tempo, ricordo a Toph, in cui condizione indispensabile per guadagnarsi la sua paghetta era che lui svolgesse un minimo di lavori domestici.

«Paghetta?» dice. «Tu non mi hai mai dato una paghetta.»

Decido di rivedere la mia strategia.

Il tavolo da caffè è il nostro purgatorio domestico, il punto di transito per qualunque cosa debba essere mangiata, usata o rotta. Giace coperto di carta, libri, piatti di plastica, una mezza dozzina di utensili da cucina sporchi, una confezione aperta di barrette Rice Krispie e un contenitore in polistirolo con dentro patatine fritte che uno di noi due ha decretato "troppo spesse e viscidone" per potere essere consumate. C'è anche una confezione di pretzel che è stata aperta da una certa persona che non sa aprire una confezione di patatine come si deve per cui vi pratica dei buchi a metà con un coltello da bistecca. Nella stanza ci sono inoltre almeno quattro palloni da basket, otto palle da lacrosse, uno skateboard, due zaini e una valigia, ancora mezza piena, che è lì da mesi. Vicino al divano, sul pavimento ci sono tre bicchieri che un lontano giorno contennero del latte ma che ora ne conservano solo dei resti solidificati. Il salotto e il suo stato perpetuo di smantellamento è precisamente il problema che stiamo cercando di risolvere.

Ho appena terminato di declamare il mio discorso ufficiale sullo Stato del Tinello, travolgente per ampiezza di vedute, futuribile per strategia e in generale di grande ispirazione, e la questione può ora passare all'esame della commissione inquirente. E benché la suddetta commissione stia considerando la faccenda da ogni prospettiva e affrontando questioni come l'origine dei vari elementi che generano sciatteria e l'individuazione della persona più atta a mettere in atto le raccomandazioni della commissione stessa, quanto a una soluzione definitiva siamo a un punto morto.

«Ma è quasi tutta roba tua» dice.

Ha ragione.

«Immateriale!» aggiungo io.

In precedenza, durante le negoziazioni, io, in quanto membro anziano della commissione, avevo proposto un piano secondo cui il membro più giovane, proprio in virtù del fatto di essere giovane, di avere bisogno di grandi lezioni di vita e di essere senza dubbio desideroso di dar prova di solidarietà nei confronti dei suoi pari, avrebbe pulito il salotto non solo questa volta ma regolarmente, magari due volte alla settimana, in cambio di una paga di due dollari esentasse e inoltre della garanzia, qualora il compito fosse stato eseguito in maniera soddisfacente e in tempi ragionevoli, di non essere pestato a morte nel sonno dal membro più anziano. Ma il membro più giovane, ostentando insolenza oltre che una palese mancanza di buon senso e di una qualsivoglia nozione di bipartisanship, non apprezza questo piano. E lo rifiuta in toto.

«Scordatelo» sono le sue precise parole.

Ciononostante, con grande magnanimità e spirito di fruttuoso compromesso, il membro più anziano propone immediatamente un piano alternativo e alquanto generoso, secondo cui Toph, trovandosi nello splendore della giovinezza e avendo estremo bisogno di esercizio fisico, potrebbe pulire la casa sì regolarmente, ma solo una volta alla settimana, e in cambio di non due bensì tre (diconsi tre!) dollari alla settimana esentasse, insieme alla garanzia che se tutti questi compiti verranno eseguiti in maniera soddisfacente e in tempi ragionevoli, il membro più giovane non verrà sepolto fino al collo nel giardinetto sul retro, abbandonato a se stesso e alle sue urla di disperazione intanto che un branco di cani affamati gli fa la testa a brandelli. Di nuovo, dimostrando fino a che punto possano giungere la sua ottusità e miopia, Toph ricusa l'offerta, questa volta senza commento alcuno, ma limitandosi a levare gli occhi al cielo, e il suo netto rifiuto di prendere in considerazione alcun piano alternativo è causa dello scambio acceso di cui è stato fornito qualche dettaglio nei paragrafi precedenti e che continua più o meno come segue:

«Lo sai quanto fai schifo?» chiedo a Toph.

«No, quanto?» risponde lui, con espressione ostentatamente annoiata.

«Tanto» dico.

Siamo chiaramente in stallo, due parti che mirano al medesimo risultato, così pare, ma senza la minima speranza di mettersi d'accordo su come arrivarci.

«Sai di che cosa abbiamo bisogno?» dice Toph.

«Di cosa?»

«Di un robot domestico.»

Non è colpa sua. Sebbene sia un ragazzino in linea di massima pulito – scuola Montessori, con tutti quegli altri bimbetti a modino con le loro classettine col pavimento a listelle di legno – lo sto lentamente ma irrimediabilmente convertendo alla mia filosofia, che è poi la filosofia del sudiciume, e il risultato comincia a profilarsi in tutta la sua crudeltà. Tanto per fare un esempio, abbiamo un problema di formiche. E questo perché non abbiamo ancora colto la differenza fra casino cartaceo e casino da cibo avanzato. Lasciamo in giro roba da mangiare, lasciamo avanzi nei piatti dentro al lavandino, e quando poi alla fine mi decido a fare i piatti, prima di tutto mi tocca lavar via le formiche, quelle piccoline nere, dai piatti e dalle posate, giù per lo scarico. Dopodiché gassiamo di Raid la lunga colonna di formichine che si stende dal lavandino lungo il piano cucina, giù per il muro e attraverso le crepe del parquet, e naturalmente quando riceviamo ospiti nascondiamo l'arma del delitto. Sapete com'è, siamo a Berkeley.

Ci sono cose che aiutano a motivarci. Un giorno un amico di Toph, Luke, undicenne anche lui, è entrato in casa e ha esclamato: «Cristo, ma come fate a vivere così?», e per una settimana circa ci siamo messi a pulire come matti, abbiamo approntato piani di manutenzione domestica e comprato prodotti per la casa. Ben presto però abbiamo perso l'ispirazione e siamo ritornati al punto di partenza lasciando che la situazione si deteriorasse definitivamente. Se lanciamo dei rifiuti nella pattumiera, mancandola, il rifiuto in questione, in genere il torsolo di un frutto, rimane là dove è atterrato per alcune settimane fino a quando qualcuno, tipo Beth o Kirsten, facendo un gran scena sullo scandalo inaudito della cosa, non lo tira su o lo butta via. Loro si preoccupano per noi. Io mi preoccupo per noi. Sono preoccupato all'idea che in qualunque istante qualcuno – la polizia, l'assistenza sociale, un ispettore sanitario, qualcuno, insomma – possa fare irruzione e arrestarmi, o magari anche solo mettermi con le spalle al muro, insultarmi, e poi prendersi Toph e portarlo da qualche parte dove la casa è sempre pulita, il bucato viene fatto bene e con regolarità, e la figura, o le figure parentali, siano in grado di cucinare eccetera eccetera con continuità, un posto dove non succedono cose come corrersi dietro punzecchiandosi il culo con rametti raccolti nel giardino sul retro.

Rincorrerci colpendoci con oggetti vari è tutto sommato la sola cosa a cui siamo entrambi interessati, e così il resto delle nostre operazioni domestiche ne risente. Ciondoliamo più o meno tutto il giorno, inciampando continuamente in qualcosa che dovremmo saper fare (come sgorgare la tazza del water, come lessare le pannocchie di mais, codice fiscale e data di nascita esatta di nostro padre), e così ogni giorno che Toph va a scuola e io al lavoro, e torniamo in tempo per una cena che cuciniamo e mangiamo prima delle nove, in modo che Toph possa andare a letto entro le undici e non avere quei cerchi blu intorno gli occhi, chiaro segno di malnutrizione, come ha avuto per tutti quei mesi l'anno scorso – chissà come mai – ci dà l'impressione di essere stati capaci di un sensazionale gioco di prestigio – una fuga dalle fauci della morte, la Statua della Libertà nascosta in una manica.

Entro la metà dell'autunno ci assestiamo in quella che può definirsi una routine. Al mattino, poco dopo che io sono andato a letto, Toph si sveglia, diciamo fra le tre e le quattro e mezzo del mattino, impiega una decina di minuti per farsi la doccia, altri dieci per vestirsi, una mezz'ora per preparare e consumare la colazione e finire i compiti e almeno tre ore e mezzo quattro per guardare i cartoni animati. Alle otto e quarantacinque mi sveglia. Alle otto e cinquanta mi sveglia ancora. Alle otto e cinquantacinque mi sveglia per la terza volta e, sgridandolo perché è in ritardo, lo accompagno a scuola in auto. Parcheggio la nostra utilitaria rossa accanto alla scuola, sul lato che a mezzo di quattro foglietti sul parabrezza e una nota ufficiale mi è stato detto che non può essere usato per il carico e lo scarico dei bambini. Quindi prendo a mia volta un pezzo di carta dallo zaino di Toph e scrivo a mia volta un biglietto.

Cara Signora Richardson,
sono spiacente per il ritardo di Chris. Potrei sforzarmi di inventare una qualche scusa relativa ad appuntamenti e malattie, ma la verità è che ci siamo svegliati tardi. Va' un po' a capirci qualcosa...
Distinti saluti *Il fratello di Chris*

Noi siamo sempre in ritardo e con le cose sempre fatte a metà. Tutti i moduli scolastici devono essermi spediti due volte e io per qualche ragione devo spedirli in ritardo. Le bollette vengono pagate entro novanta giorni minimo. Toph entra nei gruppi sportivi sempre per il rotto della cuffia e spesso per lui occorre fare delle vere e proprie eccezioni. Non riesco a capire se la nostra inettitudine derivi dalla nostra situazione o solo dalla mia mancanza di organizzazione, anche se ovviamente io biasimo senza remissione la prima. La nostra relazione, perlomeno quanto a parametri e regole, è meravigliosamente flessibile. Lui deve fare certe cose per me perché io sono il suo unico genitore, e io devo farne certe altre per lui. Ovviamente, quando sono chiamato a fare cose che non ho nessuna voglia di fare, non è che debba proprio farle, perché alla fin fine io non sono veramente un suo genitore. Quando qualcosa non viene fatto, scrolliamo entrambi le spalle, perché tecnicamente nessuno dei due ne è responsabile, dato che in fondo siamo solo due ragazzi, certo anche fratelli, anche se ci somigliamo appena, il che rende tutto ancora più implausibile. Quando però occorre dare la colpa a qualcuno, Toph mi permette di puntare il dito su di lui, e se lui oppone resistenza, non mi occorre far altro che fissarlo in un certo modo che fondamentalmente significa "siamo soci, piccolo idiota, e ieri, quando ero sfinito e afflitto dalla congiuntivite, tu hai voluto a tutti i costi quelle cazzo di figurine, dovevi averle assolutamente per il giorno dopo, perché tutti a scuola avrebbero portato delle nuove figurine da mostrare durante l'intervallo e siccome avevo paura che tu rimanessi tagliato fuori per il fatto che sei un quasi orfano con le orecchie a sventola che vive in un appartamento in affitto e probabilmente crescerà come uno di quei deviati a cui piacciono le armi e le uniformi, o peggio ancora, un giorno ti troverò nascosto sotto le coperte intento a leggere *Brodo caldo per l'anima* e a compiangerti, allora mi sono vestito e sono andato in quel negozio di fumetti che resta aperto fino alle otto e ti ho comprato due bustine di figurine e una aveva dentro anche un ologramma, e fine della storia, tutti ti hanno invidiato e la tua vita è proseguita nel suo corso di agio, comfort, relativa popolarità, e magico incanto" – e a quel punto di solito cede.

Dopo aver parcheggiato di fronte alla scuola, tento di farmi dare un bacio. Lo circondo con un braccio, lo tiro verso di me e gli dico quello che ultimamente mi ritrovo a dire un po' troppo spesso:

«Il tuo cappello puzza di piscia.»

«Non è vero» dice lui.

Ma è vero.

«Annusalo.»

«No, non voglio annusarlo.»

«Dovresti lavarlo.»

«Non puzza.»

«Invece sì.»

«Perché mai dovrebbe puzzare di urina?»

«Che ne so, magari ci hai pisciato sopra.»

«Ma piantala.»

«Non dirmi piantala. Ti ho ripetuto mille volte di non dirlo.»

«Scusa.»

«Forse non dovresti sudare così tanto.»

«Perché?»

«Dev'essere il tuo sudore che puzza di piscia.»

«Ciao, eh?»

«Come?»

«Ho detto ciao. Sono già in ritardo.»

«Va bene. Ciao.»

Esce dall'auto. Deve bussare al portone della scuola per entrare, e quando la porta si apre la segretaria tenta di lanciarmi lo sguardo di disapprovazione secondo copione ma tanto io, come sempre, non sto guardando in quella direzione e non posso vederla, ah no. Toph sparisce all'interno dell'edificio.

Lungo la strada che mi conduce a chissà quale trascurabile mansione assegnatami per quel giorno o per quella settimana in qualche punto dell'afosa Bay Area orientale, mi trastullo col pensiero di mettere in piedi un servizio scolastico a domicilio. Non mi piace questa faccenda di tutto il tempo che lui passa a scuola lontano da me a imparare sa Dio cosa. Ho calcolato che i suoi insegnanti lo vedono ogni giorno più o meno quanto lo vedo io, e sono convinto che ci sia qualcosa di fondamentalmente sbagliato in questa situazione; sento la gelosia insinuarsi dentro di me, gelosia nei confronti della scuola, degli insegnanti, dei genitori che vanno a scuola a dare una mano...

Da qualche settimana lavoro per una ditta che si occupa di indagini geologiche, e ricreo mappe topografiche, linea dopo linea, usando archeologici programmi da disegno per Mac. Si tratta di un lavoro piuttosto monotono, ma anche rilassante e meditativo, nella sua totale assenza di pensiero e di preoccupazione, nel profondo senso di sicurezza esistenziale infuso dall'immacolato ufficio di Oakland, con le sue fontanelle da ufficio, i distributori di bibite e la morbida moquette. Il mio lavoro temporaneo prevede pause, un intervallo per il pranzo, se uno vuole può anche portare il walkman, ogni tanto può fare un'interruzione di una quindicina di minuti, sgranchirsi le gambe, leggere... Insomma è un incanto. Il lavoratore temporaneo non deve nemmeno far finta di avere a cuore il destino dell'azienda, né loro devono far finta di dovergli alcunché. E alla fine, proprio quando il lavoro, come qualunque altro lavoro, sta per diventare noioso, quando il lavoratore temporaneo ha appreso tutto quello che c'era da apprendere e ha munto i suoi bravi diciotto dollari l'ora e qualsivoglia benefit d'accatto che la sua posizione possa avergli garantito, quando insistere significherebbe una specie di morte, oltre a dimostrare una terribile mancanza di rispetto nei confronti del proprio tempo – il che accade di solito dopo due o tre giorni – ecco che, meravigliosamente, il compito è esaurito. *Fantastico*.

Beth, con la sua dotazione di nuovi occhiali da sole e jeep nuova fiammante, va a prendere Toph all'uscita di scuola, e lui passa il pomeriggio nel suo appartamentino, disteso assieme a lei sul futon a studiare fino a che non arrivo. A quel punto Beth e io facciamo del nostro meglio per litigare su una qualche questione particolarmente vitale e urgente.

«Avevi detto sei in punto.»

«Avevo detto sei e mezzo.»

«Avevi detto le sei.»

«Perché mai ti avrei detto le sei?»

Dopo di che, sbrigata questa incombenza, ci lascia andare a cena.

Cena di cui non ci preoccuperemmo affatto se non vi fossimo costretti. Né io né Toph, sebbene siamo stati cresciuti dalla medesima madre a tredici anni di distanza, abbiamo mai sviluppato alcun interesse nei confronti del cibo, e ancor meno nella sua preparazione. Entrambi i nostri palati del resto, già dall'età di cinque o sei anni, erano stati completamente devastati a colpi di caramelle alla frutta e hamburger. E sebbene vagheggiamo l'esistenza di una semplice pillola, una sola al giorno, che possa risolvere i nostri problemi nutrizionali giornalieri, riconosco l'importanza di cucinare ogni giorno, pur non comprendendone assolutamente la ragione. Perciò cuciniamo circa quattro volte alla settimana, il che per noi è un impegno addirittura eroico. Quello che segue è il menu da cui di volta in volta selezioniamo le nostre pietanze, e ogni piatto è attentamente modellato su quelli che nostra madre, pur cucinando pasti più variati e sostanziosi per noi e nostro padre, preparava in particolar modo per noi, a turno:

1. SPANCIATA DI CARNE IN SALSA

Sottili strisce di lombata affettate e saltate in salsa di soia Kikkoman finché non scuriscono, servite con tortillas e mangiate con le mani – ogni tortilla viene suddivisa in piccoli pezzi e ogni pezzo serve a raccogliere una, due, magari anche tre, ma non più di tre strisce di carne per volta – servite con patate fritte, arance e mele affettate nell'unico modo logico, ossia dapprima tagliate a metà per la larghezza, poi per la lunghezza, a dieci fettine l'una, disposte in un recipiente a parte.

2. POLLO IN SALSA

Petto di pollo a fettine, fatto saltare in salsa di soia Kikkoman, piccante, finché non diventa quasi croccante e servito con tortillas e mangiato come sopra. Accompagnato da patate fritte – va specificato a questo punto, esclusivamente di marca Ore-Ida-Patatine-Surgelate, le sole nel loro genere a diventare realmente croccanti nel forno – accompagnate anche da arance e mele a fette, servite a parte.

3. POLLO CROCCANTE

Per gentile concessione del takeaway Church's Fried Chicken di San Pablo e di Gilman. Carne bianca molto cotta, accompagnata a una porzione di panini bianchi e purè di patate, e con l'aggiunta, una volta a casa, di una piccola insalata di lattuga iceberg e cetriolo a fette, scondita.

4. IL MURO DIROCCATO

Un hamburger a cottura media con bacon e salsa barbecue. Per gentile concessione di quel locale a Solano dove, bisognerebbe aggiungere, usano fin troppa salsa barbecue, il che, come è risaputo, produce l'effetto immediato di inzuppare il panino trasformandolo in una specie di pappa d'avena immangiabile, ed ecco un bell'hamburger rovinato, il tutto nel giro di pochi minuti – un processo così veloce che anche se l'hamburger viene prontamente prelevato e il cliente tenta di salvare il panino («Separali! Svelto! Togli il panino dalla salsa! E adesso gratta col coltello! Gratta!») è sempre troppo tardi, il che rende necessario, a casa, il rifornimento di panini sostitutivi, che vengono quindi pesantemente tostati per aumentarne la resistenza agli effetti degenerativi della salsa. Servito con patate fritte e frutta, come sopra.

5. LA GUERRA ITALO-MESSICANA

Tacos: carne trita saltata in salsa di pomodoro marca Prego (ricetta tradizionale) servita con tortillas ma senza fagioli, salse improbabili, pomodori, formaggio, *guacamole* e qualunque cosa sia quella sostanza cremosa e biancastra che talora capita di rinvenire nelle incarnazioni inferiori e meno puriste di questo piatto. A parte: panini pronto-forno marca Pillsbury e lattuga iceberg. Scondita.

6. (In realtà non abbiamo mai dato un nome a questo piatto.)

Pizza con salamino piccante. Marca Tombstone, Fat Slice, Pizza Hut oppure Domino nel caso il prezzo sia davvero imbattibile. Con insalatina verde già pronta.

7. IL VECCHIO E IL MARE

Calamari fritti congelati marca Mrs. Paul, una confezione per ciascuno ($ 3,49, mica spiccioli) serviti con Crispers!, panini pronto-forno e arance a fette o mele. Talvolta accompagnato anche da melone.

8. GAVIN MACLEOD E CHARO

Per lui: formaggio alla griglia servito con una fetta di sottilette Kraft tra due fette di pane di segale, tostate in padella e tagliate diagonalmente. Per l'altro lui: *Quesadillas*: una sottiletta Kraft tra due tortillas, preparata al tegame. Con melone a fette.

NOTA: Nessuna erba aromatica è disponibile a eccezione dell'origano, che viene sparso con moderazione sui due seguenti piatti: a) pizza con il salamino piccante e b) pane di segale a fette passato nell'origano, alla Tufnel. Inoltre non è disponibile nessuna verdura all'infuori di carote, sedano, cetrioli, fagiolini e lattuga iceberg, i quali vengono serviti solo ed esclusivamente crudi. È assolutamente non disponibile il cibo che nuota nei suoi stessi escrementi. Per esempio non è disponibile la pasta, specie quella sorta di rigurgito incasinato noto con il nome di lasagne. Inoltre, tutti gli alimenti che combinano più di due o tre ingredienti mescolati insieme indiscriminatamente, compresi tutti i sandwiches, fuorché quelli al salame, non vengono mangiati bensì evitati. Tutti i pasti vengono accompagnati da un bicchiere di latte con l'1% di grassi, tenendo la bottiglia del latte sempre a disposizione sul pavimento vicino al tavolo per riempire i bicchieri comodamente. Non sono disponibili bevande alternative. Qualunque cibo non presente nel menu non è disponibile. Qualunque lamentela sarà affrontata con la massima severità.

«Ehi, ho bisogno d'aiuto» dico quando ho bisogno di una mano a cucinare.

«Va bene» dice lui e viene ad aiutarmi.

A volte mentre cuciniamo cantiamo. Cantiamo usando parole comuni, sul versare il latte o prendere la salsa di pomodoro, ma le cantiamo con voce impostata come cantanti d'opera, dato che sappiamo anche cantare così.

A volte mentre cuciniamo ingaggiamo duelli con cucchiai di legno o bastoncini appositamente introdotti in casa per simili occasioni. È una mia segreta missione, la cui origine è a volte chiara e a volte no, mantenere sempre le cose in movimento, intrattenere il ragazzo, tenerlo in piedi. Per qualche tempo ci siamo inseguiti per casa con la bocca piena d'acqua minacciandoci a vicenda di sputarcela addosso. Naturalmente nessuno di noi due avrebbe mai pensato di farlo sul serio, di sputare dell'acqua addosso all'altro dentro casa, finché una sera, una volta che l'avevo bloccato in un angolo della cucina, lo feci davvero. Da allora le cose sono alquanto degenerate. Gli ho schiacciato in faccia mezzo melone. Gli ho spalmato una manata di banana sul petto, gli ho gettato in faccia un bicchiere di succo di mela. È uno sforzo non da poco, io credo, fargli capire che per quanto sia mio desiderio proseguire sulle orme dei nostri genitori, di tanto in tanto io e lui dobbiamo cercare di sperimentare. Divertendoci sempre, come in un infinito e affascinante concorso a premi televisivo. Dentro di me c'è sempre una vocina, eccitata, cinguettante, che mi spinge a mantenere la situazione sempre allegra, addirittura sopra le righe, e di conservare alto l'umore. Dato che Beth non fa altro che tirare fuori vecchi album di foto, in lacrime, e chiedere a Toph come sta, io sento di dover ipercompensare tenendo entrambi sempre occupati. Sto facendo della nostra vita un videoclip, un gioco a premi in prima serata – un sacco di tagli veloci, angolature di ripresa esagerate, divertimento, divertimento, *divertimento*! Una campagna di distrazione e di revisionismo storico in piena regola. Volantini lasciati cadere dietro le linee nemiche, fuochi d'artificio, danze ridicole, giochi di prestigio. *Ehi, e quello che era? Guarda un po' là! Dove sarà sparito?*

In cucina, quando vengo colto dall'ispirazione, tiro fuori il coltellaccio da tacchino di famiglia, assestandomi sulle gambe disposte ad "A", mi acquatto e quindi levo il coltello sopra la mia testa in stile samurai.

«Hiyyyyyyy!» grido.

«Piantala» dice lui indietreggiando.

«Hiyyyyyyy!» grido ancora, avanzando verso di lui, dato che minacciare dei bambini con un coltello dalla lama di trenta centimetri è piuttosto divertente. Del resto, da sempre i giochi più divertenti alludono a una qualche sorta di minaccia o di incidente, come quando era ancora un bebè e io me lo portavo in spalla e facevo finta di avere le vertigini o di inciampare.

«Non fa ridere» dice lui, indietreggiando verso la sala da pranzo.

Io metto via il coltello, che produce un suono metallico ricadendo nel cassetto.

«Papà lo faceva sempre» dico. «Inaspettatamente. Faceva questa faccia con gli occhi strabuzzati e faceva finta di volerci tagliare la testa a tutti quanti.»

«Sembra buffo.»

«Lo era davvero» dico io. «Era davvero buffo.»

A volte mentre cuciniamo mi racconta che cosa è successo a scuola.

«Che cosa è successo oggi?» chiedo.

«Oggi Matthew mi ha detto che spera che tu e Beth siate su un aeroplano e che quell'aeroplano cada e che tu e Beth moriate proprio come mamma e papà.»

«Mamma e papà non sono morti in un incidente aereo.»

«È quello che gli ho detto anch'io.»

Ogni tanto telefono ai genitori dei compagni di Toph.

«Sì, ha detto proprio questo» dico.

«Mi creda, è già abbastanza difficile così» aggiungo.

«No, sta bene» continuo, rincarando la dose su questo imbecille incompetente che sta tirando su un pericoloso deviante. «Solo non capisco perché Matthew debba dire cose del genere. Insomma, perché crede che debba desiderare che io e Beth moriamo in un incidente aereo?»

«No, Toph sta bene. Non si preoccupi per noi. Noi stiamo bene. Io sono preoccupato per lei... Insomma, forse dovreste preoccuparvi per il giovane Matthew» dico.

Povera gente, che altro si può fare?

Durante la cena, nel corso del campionato di baseball, guardiamo i Bulls alla tv via cavo. Altrimenti, poiché dobbiamo sentirci perennemente occupati, facciamo uno dei giochi della nostra interminabile serie a rotazione (Monopoli, Scarabeo, Trivial Pursuit, scacchi) con il piatto della cena vicino alla scacchiera. Abbiamo provato a mangiare in cucina, ma da quando abbiamo comprato il set da ping-pong è piuttosto difficoltoso.

«Togli la rete» dico.

«Perché?» chiede lui.

«Per la cena» dico io.

«Toglila tu» dice lui.

Così, di solito va a finire che mangiamo sul tavolino da caffè in salotto. Se il tavolino è pieno di roba mangiamo per terra. Se anche il pavimento del salotto è coperto di piatti del giorno prima, mangiamo sul letto.

Dopo cena facciamo altri giochi per il nostro divertimento e a edificazione del vicinato. In aggiunta al gioco di schioccare la cinghia descritto in precedenza, c'è quello che prevede che Toph faccia finta di essere il figlio e io il genitore.

«Papi, posso prendere la macchina?» chiede lui mentre io sono seduto a leggere il giornale.

«No figliolo, non puoi» dico io senza distogliere lo sguardo dal giornale.

«Ma perché?»

«Perché ho detto di no.»

«Ma papiiiiii!»

«Ho detto di no.»

«Ti odio! Ti odio! Ti odio! Ti odio! Ti odio!»

Poi esce dalla stanza precipitosamente sbattendo la porta con violenza.

Pochi secondi dopo la riapre.

«Com'era?»

«Buona, buona» dico. «Questa era piuttosto buona.»

Oggi è venerdì, e il venerdì Toph esce di scuola a mezzogiorno, per cui in genere anch'io torno a casa prima del solito, quando posso. Siamo in camera sua.

«Dove sono?»

«Lì dentro.»

«Dove?»

«Dentro alla montagnetta.»
«Dentro all'affare di cartapesta?»
«Già.»
«Quando è stata l'ultima volta che li hai visti?»
«Non so. Un bel po'. Forse una settimana fa.»
«Sei sicuro che siano ancora là dentro?»
«Sì, ne sono quasi certo.»
«E come fai a esserne sicuro?»
«Perché di tanto in tanto escono a mangiare.»
«Ma tu non li vedi mai?»
«No, a dire il vero mai.»
«Che animali domestici del cazzo.»
«Sì, è vero.»
«Che dici, li restituiamo?»
«Possiamo?»
«Credo di sì.»
«Stupidi iguana.»
Stiamo attraversando il giardino di quella casa dai muri coperti di muschio, lungo i due isolati che ci separano dal parco con il campetto da gioco.
«Ora, perché corri fin laggiù quando lanci?»
«Fin laggiù dove?»
«Avevi un lancio facile facile a campo libero ma invece per farlo sei andato fin laggiù. Guarda. Ti faccio vedere come hai fatto... Vedi?»
«Vedi cosa?»
«Sono andato tutto da quella parte. Tipo per quattro metri.»
«E allora?»
«Proprio come hai fatto tu.»
«Io non ho fatto così.»
«E invece sì.»
«E invece no.»
«E invece sì, ti dico.»
«Va bene, va bene, giochiamo.»
«Devi imparare che...»
«Va bene, l'ho imparato.»
«Cretino.»
«Fighetta.»
Il gioco, inevitabilmente si conclude come segue.
«Eddai, perché te la prendi tanto?»

«...»
«Lo sai che quando giochi perdi proprio il controllo?»
«...»
«Eddai. Parla. Di' qualcosa.»
«...»
«Ho il diritto di dirti come si fa.»
«...»
«Su, non fare il piccolo bastardo depressivo.»
«...»
«Ma qual è il tuo problema? Devi proprio camminarmi a due metri di distanza? Mi sembri un idiota.»
«...»
«Tieni, porta questa roba. Io vado a comprare qualcosa.»
«...»
«...»
«La porta è aperta? Io non ho la chiave.»
«Ecco.»

17.30
«Vado a fare un sonnellino.»
«E allora?»
«Ho bisogno che tu mi svegli tra un'ora.»
«A che ora?»
«Alle sei e mezzo.»
«Va bene.»
«Sul serio però. Devi svegliarmi.»
«Va bene.»
«Se non mi svegli mi arrabbio da morire.»
«Va bene.»

19.40
«Cristo!»
«Cosa?»
«Perché non mi hai svegliato?»
«Che ore sono?»
«Le otto meno venti!»
«Oddio» dice lui, mettendosi una mano sulla bocca.
«Siamo in ritardo.»
«Per cosa?»
«Per la festa della tua scuola, idiota!»

«Oddio» dice lui un'altra volta, coprendosi nuovamente la bocca con la mano.

Abbiamo venti minuti. Siamo vigili del fuoco e c'è un incendio in corso. Io corro da questa parte, lui dall'altra. Toph schizza in camera sua a cambiarsi. Dopo pochi minuti busso alla sua porta.

«Non entrare.»

«Dobbiamo andare.»

«Aspetta.»

Attendo dietro la porta chiusa, che dopo poco si apre. Si è vestito.

«Che diavolo è quella roba? Non puoi metterti questi vestiti.»

«Cosa?»

«Non esiste.»

«Cosa?»

«E non fare il cretino. Cambiati, ritardato!»

La porta si chiude. Si sente un gran aprire di cassetti e uno scalpiccio di piedi. La porta si riapre.

«Hai voglia di scherzare?»

«Cosa?»

«Così è anche peggio della roba che avevi addosso prima.»

«Cosa c'è che non va?»

«Ma guardati. È tutta piena di macchie d'unto indelebili. E poi è troppo grande. Ed è una felpa. Non puoi indossare una felpa. E non hai un altro paio di scarpe?»

«No. Qualcuno non me le ha mai comprate.»

«Cos'è che non ho fatto?»

«Niente.»

«No, spiegami. Cos'è che non ho fatto?»

«Niente.»

«Fanculo.»

«Fanculo tu.»

«Vatti a cambiare!»

La porta si chiude, per un minuto, quindi si riapre.

«Così va me... Ma che diavolo...? Ma non sai infilarti una camicia nei pantaloni? Nessuno ti ha insegnato a infilarti una dannata camicia nei pantaloni? Sembri un coglione.»

«Perché?»

«Hai nove anni e devo ancora aiutarti a infilare la camicia nei pantaloni!»

«Lo so fare da solo.»

«Lascia, faccio io. Abbiamo solo cinque minuti. Cristo, ma com'è che siamo sempre in ritardo? Sono sempre ad aspettarti. Non muoverti. Dov'è la cintura? Dio se fai schifo.»

19.40-19.50

«Perdio, siamo sempre in ritardo. Ma perché diavolo non sai vestirti da solo? Tira giù il finestrino, fa un caldo dannato qua dentro. Come sarebbe a dire che non vuoi? Stiamo arrostendo, qua dentro. E guardati la patta. È aperta. Abbottonati. Ritardato.»

«Ritardato.»

«Ritardato.»

«Ritardato.»

Ci stiamo precipitando giù a San Pablo sulla corsia di sinistra, poi sulla destra, superando maggiolini e Volvo con i loro stupidi adesivi.

«Ero vestito benissimo.»

«Benissimo? Dio santo, non eri affatto vestito benissimo. Apri ancora un po' il finestrino. Sembravi proprio un ritardato. Ancora un po'. Non puoi vestirti in quel modo per una festa scolastica. È così che si veste la gente perbene. Questa è una di quelle occasioni particolari, ragazzo mio. Come dire, non puoi starmi sempre sul collo, hai capito? Sono cose ovvie. Voglio dire, non puoi starmi sempre addosso, ti pare? Ogni tanto devi anche sforzarti di darmi una mano, ometto mio. Io sono esausto, lavoro troppo, sono sempre stanco morto, e non posso perdere tempo a vestire qualcuno che ha nove anni e dovrebbe essere perfettamente capace di vestirsi da solo. Cristodiddio, Toph, una volta ogni tanto fammi tirare il fiato, va bene? Posso tirare il fiato una volta ogni tanto? Un pochettino di fiato? Un po' d'aiuto? Cristodiddio...»

«Hai appena oltrepassato la scuola.»

19.52

La festa è ancora in corso, va avanti fino alle nove e non alle otto come avevo pensato, e tutt'e due siamo decisamente troppo ben vestiti per l'occasione. Entriamo. Toph si tira subito fuori la camicia dai pantaloni.

I muri sono coperti di temini corretti sulla schiavitù e di ritratti inquietanti disegnati dai bambini della prima elementare.

Varie teste si girano. Questa è la nostra prima festa scolastica e la gente non sa esattamente come prenderci. Sono sorpreso, immaginavo che tutti sarebbero stati avvisati del nostro arrivo. I bambini vedono Toph e lo salutano.

«Ciao Chris.»
Dopo di che guardano me e strizzano gli occhi.
Hanno paura. Sono invidiosi.
Noi invece siamo patetici. Anzi no, siamo delle star.
Siamo o tristi e penosi oppure inediti e interessanti. Le due possibilità si fanno strada nella mia mente mentre entriamo. Tristi e penosi, o inediti e interessanti? Tristi/penosi, o inediti/interessanti? Tristi/penosi? Inediti/interessanti?
Siamo tragici, insoliti e vivi.
Camminiamo tra le fila di bambini e genitori.
Siamo sfortunati ma giovani e virili. Camminiamo per i corridoi e il campo da gioco e siamo più alti degli altri, radiosi. Siamo orfani. E in quanto orfani, celebrità. Siamo come bambini stranieri di uno scambio umanitario con un paese in cui ancora esistono orfani. Russia? Romania? Di certo un posto esotico e duro. Siamo le splendide stelle di un buco nero urlante, i soli nascenti sorti dalle tenebre, dal vuoto rapace che avvolge e inghiotte, una tenebra che divorerebbe chiunque appena meno forte di noi. Ma noi siamo bizzarri, spettacoli, soggetti da talk show. Catturiamo l'immaginazione di chiunque. Ecco perché Matthew vuole che io e Beth moriamo in un incidente aereo. I suoi genitori sono vecchi spelacchiati, noiosi, occhialuti, fatti di legno e di grigiore, sono scatoloni di cartone piegati e messi via, morti al mondo. Siamo stati a casa loro a cena, non molto tempo fa, accettando un invito poco prima che Matthew se ne uscisse fuori con la sua idea dell'incidente aereo. E ci eravamo annoiati fino alle lacrime in quel loro aborto di casa, con i pavimenti in parquet e i muri nudi. La figlia maggiore aveva addirittura suonato il pianoforte per noi, e suo padre era così fiero di lei, pover'uomo pelato. Non avevano tv, né giocattoli, era un posto in cui mancava l'aria, una bara...
Ma noi! Noi sì che abbiamo un aspetto fantastico! Abbiamo uno stile, confuso e sbracato ma terribilmente intrigante per quanto è singolare. Noi siamo il nuovo e tutto il resto è vecchio. Siamo noi gli eletti, ovviamente, le api regine con i loro fuchi – mentre gli altri presenti a questa festa scolastica sono vecchi, andati da un pezzo, tristi, senza speranza. Gente rugosa, che non ha più rapporti sessuali occasionali, in cui invece io sono il massimo. Hanno chiuso con certe cose; persino pensarli mentre fanno sesso è una cosa priva di ogni attrattiva. È gente che non è più in grado di correre senza sembrare ridicola, che non è in grado di allenare una squadra di calcio giovanile senza gettare discredito su se stessi e lo sport. Gente finita. Ca-

daveri ambulanti. Specie quell'imbecille che fuma lì in cortile. Toph e io siamo il futuro, un futuro spaventosamente luminoso, un futuro che arriva da Chicago nella forma di due ragazzi terribili che vengono da chissà dove, emarginati e dati per spacciati, naufraghi, dimenticati, eppure, eppure invece eccoli qui, ancora a galla, ancora più coraggiosi e temerari di prima, certo un po' ammaccati e con la barba lunga e con le gambe dei pantaloni un po' lise e le pance piene di acqua salata, ma ormai inarrestabili, insormontabili, pronti a prendere a calci i culi cicciosi del grigio, occhialuto, piriforme, deprimente genitorame di Berkeley.

Potete immaginarvi la scena?

Percorriamo l'aula. Nella classe di Toph, sul muro, ci sono delle ricerche sull'Africa. La sua non c'è.

«Dov'è la tua ricerca?»

«Non so. Forse alla signora Richardson non è piaciuta.»

«Mmmmh.»

E chi è questa signora Richardson? Sicuramente un'idiota. Voglio che questa "signora Richardson" sia presa e condotta al mio cospetto!

La scuola è piena di bambini graziosi ma eccentrici, dall'aria delicata e dai lineamenti curiosi. Proprio come io e i miei amici, cresciuti nelle scuole pubbliche, ci eravamo sempre immaginati gli allievi delle scuole private, ossia ragazzini un po' troppo preziosi le cui innate peculiarità vengono esaltate anziché imbrigliate, ovviamente nel bene e nel male. Bambini che pensano di essere pirati e vengono incoraggiati a vestirsi secondo quella parte anche a scuola, bambini che programmano al computer e fanno collezione di riviste di argomento militare, bambini grassi con teste spropositate e lunghi capelli, bambine magre con i sandali e mazzi di fiori in mano.

Dopo una decina di minuti ci siamo già stufati. Del resto, la ragione principale per cui sono venuto è andata a farsi benedire.

Sì, ero venuto per beccare.

Mi aspettavo di flirtare un po'. Mi aspettavo una schiera di madri single da corteggiare. Il mio traguardo, che ritenevo in tutta onestà realistico, era quello di incontrare un'attraente madre single, riuscire a far fare amicizia a Toph e suo figlio, e fissare degli appuntamenti per farli giocare insieme, appuntamenti durante i quali noi due saremmo andati al piano di sopra a divertirci un po'. Mi aspettavo sguardi carichi di significato e frasi velatamente allusive. Nella mia fantasia, il mondo delle scuole e dei genitori trasuda intrighi e debosciatezza, e dietro la facciata di serietà e di buone intenzioni, le sue famiglie a regola d'arte, dietro il ricevimento genitori e le domande rivolte all'insegnante di storia su Harrie Tubman, tutti quanti in realtà se la spassano.

Ma Dio santissimo se sono brutti! Passo in rassegna il gruppetto che indugia in cortile. I genitori sono tipi interessanti solo in quanto tipici esemplari della berkeleytudine. Indossano tutti pantaloni cascanti e dipinti a mano, ma veramente a mano, e nessuno si pettina. Perlopiù hanno passato la quarantina. Tutti gli uomini sono bassi e con la barba. La maggior parte delle donne presenti sono abbastanza anziane da avermi potuto mettere al mondo, e si vede pure. Sono scoraggiato dalla mancanza di possibilità. Per età sono più vicino alla maggioranza dei bambini. Anche se ecco laggiù una mammina, dalla testa un po' piccola, a dire il vero, e con una lunga chioma nera e liscia, fitta e scomposta come una coda di cavallo. Assomiglia in tutto e per tutto a sua figlia, stesso ovale, stessi occhi scuri. L'avevo già notata qualche volta portando Toph a scuola e avevo immaginato che fosse single. Il padre non c'è mai.

«Adesso vado a chiederle se esce con me.»

«No, ti prego per favore, no» dice Toph. Pensa che potrei farlo sul serio.

«Non ti piace sua figlia? Potrebbe essere divertente. Potremmo uscire tutti insieme!»

«No, no, ti scongiuro, no.»

Ovviamente no. Non ho mica quel fegato. Ma lui ancora non lo sa. Camminiamo per i corridoi decorati con ornamenti di carta e lavoretti degli studenti. Là incontro la signora Richardson la quale è alta, nera e con un'aria severa, gli occhi dilatati e pieni d'ira. Incontro anche l'insegnante di scienze che assomiglia un sacco a Bill Clinton ma balbetta. In classe con Toph c'è una ragazzina che è già più alta dei suoi genitori e più grossa di me. Dico a Toph che voglio che le sia amico e che la renda felice.

Una donna vicino a noi ci osserva. La gente ci guarda. Ci guarda e si fa domande. Si chiede se sono un insegnante, non sapendo come identificarmi esattamente, pensando che, dato che ho la barba lunga e indosso un paio di vecchie scarpe, forse potrei molestare i loro bambini. Forse ho un aspetto minaccioso. La donna, quella che ci sta guardando, ha lunghi capelli grigi e porta dei grossi occhiali. Indossa una gonna a fiori che le arriva fino ai piedi e un paio di sandali. Si protende verso di noi, indica me, poi Toph e ancora me, sorride. A quel punto ci sistemiamo ai nostri posti e cominciamo a leggere il copione.

MADRE Salve. È suo figlio?
FRATELLO Uh... no.
MADRE Fratello?
FRATELLO Sì.
MADRE (*strizzando gli occhi come per accertarsi*) Eh, si vede proprio.
FRATELLO (*pur sapendo che in realtà non è vero e che lui ha un aspetto severo e attempato mentre suo fratello risplende di giovinezza*) Eh sì, lo dicono tutti.
MADRE Vi state divertendo?
FRATELLO Certo, come no.
MADRE Va all'università qui?
FRATELLO No, ho terminato gli studi qualche anno fa.
MADRE E vivete da queste parti?
FRATELLO Sì, a qualche chilometro a nord, vicino ad Albany.
MADRE Con i vostri genitori?
FRATELLO No, da soli.
MADRE Ma... e i vostri genitori dove si trovano?
FRATELLO (*riflettendo, riflettendo, riflettendo tra "Non ci sono", "Non ce l'hanno fatta a venire" e "Non ne ho la più pallida idea"*) Oh, be', loro sono morti qualche anno fa.
MADRE (*afferrando il braccio di* FRATELLO) Oh, mi dispiace.
FRATELLO Non si preoccupi (*ma desideroso in realtà di aggiungere, come talvolta fa: "Non è stata colpa sua". Adora quella battuta, specie quando rincalzata da: "Oppure sì?"*).
MADRE E dunque lui vive con lei?
FRATELLO Sì.
MADRE Oddio, questa sì che è interessante.
FRATELLO (*pensando allo stato di casa loro, quello sì interessante per davvero*) Be', ci divertiamo. In che classe è suo... sua...
MADRE Mia figlia. In quarta. Si chiama Amanda. Se non è troppo indiscreto, potrei chiederle come sono morti?
FRATELLO (*di nuovo impegnato a fare il novero delle possibilità di divertimento suo e del fratellino. Incidente aereo. Incidente ferroviario. Terroristi. Lupi. Già in passato ha inventato delle storie in merito e si è molto divertito, anche se il livello di divertimento del fratello minore resta non accertato*) Cancro.
MADRE Ma... contemporaneamente?
FRATELLO A circa cinque settimane l'uno dall'altro.
MADRE Omioddio.
FRATELLO (*con un'inspiegabile risatina*) Eh sì, una cosa piuttosto bizzarra.

MADRE E quanto tempo fa è successo?
FRATELLO Qualche inverno fa.
(FRATELLO *pensa quanto gli piace l'espressione "qualche inverno fa". È nuova, ha un sapore drammatico, vagamente poetico. Per qualche tempo era semplicemente "l'anno scorso". Poi è diventata "un anno e mezzo fa". Adesso, con grande sollievo di* FRATELLO, *è diventata finalmente "qualche anno fa". "Qualche anno fa" ha una sua connotazione di rassicurante distanza. Il sangue si è asciugato, le croste si sono indurite, si sono staccate. Prima era diverso. Poco prima di lasciare Chicago i* FRATELLI *andarono dal barbiere per fare tagliare i capelli a* TOPH, *e* FRATELLO *non si ricorda esattamente come venne fuori la cosa, e* FRATELLO *sperava in realtà che non venisse fuori affatto, ma quando invece venne fuori,* FRATELLO *rispose: «Qualche settimana fa». A quella frase la donna che tagliava i capelli si fermò, attraversò il salone in stile antico ed entrò nella stanza sul retro, dove si fermò per qualche minuto. Quando ne riemerse aveva gli occhi rossi.* FRATELLO *si sentì malissimo, perché si sente sempre malissimo, ogniqualvolta innocenti e benevole domande poste da sconosciuti provocano le sconcertanti risposte che egli è costretto a dare. Come se qualcuno chiedesse del tempo e venisse informato di un inverno radioattivo. E tuttavia la cosa non è priva di vantaggi. In questo caso per esempio* FRATELLO *ha rimediato un taglio di capelli gratis.*)
MADRE (*ancora stringendo il braccio di* FRATELLO) Bravo. Lei è davvero in gamba. Che fratello in gamba.
FRATELLO (*sorridendo e chiedendosi che diavolo significhi, dal momento che spesso gli viene detta questa frase. Alle partite di pallone, alle feste di beneficenza della scuola, sulla spiaggia, alla mostra delle figurine da baseball, al negozio di animali. A volte la persona che proferisce la frase conosce alla perfezione la loro vita, a volte per nulla.* FRATELLO *non comprende la frase in questione, né cosa significhi né quando è entrata nell'uso standard della gente. "Che bravo fratello che sei!"* FRATELLO *non aveva mai sentito questo modo di dire, ma adesso salta fuori dalla bocca di gente di ogni tipo, sempre modulata allo stesso modo, con le stesse parole, e la stessa inflessione, in una sorta di cadenza ascendente:*

Che diavolo significa? A ogni modo sorride, e se Toph è vicino gli dà un buffetto sul braccio o fa finta di farlo inciampare – guardateci un po' mentre facciamo gli scemi! Leggeri come l'aria! – e poi FRATELLO *dice le parole che pronuncia ogni volta che la gente se ne viene fuori con quella frase, parole che sembrano avere il potere di allentare la tensione cresciuta all'improvviso e il teatrale disagio montante sotto la tessitura della conversazione, e che però allo stesso tempo intendono rilanciare la palla all'interlocutore dato che spesso* FRATELLO *vorrebbe che le persone riflettessero su quello che dicono. Le sue parole, magari dette con una graziosa scrollata di spalle o un sospiro, sono:* Eh, del resto, che ci vuole fare?

(MADRE *sorride e stringe ancora una volta il braccio di* FRATELLO, *accarezzandolo.* I FRATELLI *a quel punto guardano in direzione del* PUBBLICO, *strizzano l'occhio e poi si scatenano in un favoloso numero di danza alla Bob Fosse, con un gran scalciare e passi magistrali, qualche lancio per aria con ripresa, una profusione di scivolamenti sulle ginocchia per tutta la lunghezza del palcoscenico, e poi ancora qualche salto, pavoneggiamenti vari e infine un salto mortale con incrocio a mezz'aria da un trampolino nascosto con atterraggio su un ginocchio, perfettamente sincronizzati, proprio di fronte all'orchestra, le mani protese verso il pubblico, un ampio sorriso e il fiato corto. La folla di alza ed esplode in un'ovazione. Cala il sipario. Tutto applaudono, in piedi.*)

FIN

E mentre la folla pesta i piedi reclamando la riapertura del sipario, usciamo di soppiatto dalla porta di servizio e ce la battiamo come due supereroi.

IV

OH, POTREI ESSERE FUORI, STASERA. È venerdì sera e dovrei essere giù in città, anzi dovrei essere fuori ogni sera, in compagnia di altri ragazzi, preoccupato solo di ravviarmi i capelli, versare birra, darmi da fare perché qualcuno prima o poi mi tocchi i genitali, ridere con e di altri. Kirsten e io ci stiamo prendendo una pausa, cosa che già abbiamo fatto un paio di volte e che probabilmente faremo per un'altra dozzina in futuro, il che significa che entrambi vediamo altre persone alla luce del sole. Per cui sì, potrei essere fuori, adesso, a godermi in senso specifico questa forma di libertà e in senso più generale la libertà della gioventù, vibrante della pienezza offerta dalla mia età e dal luogo in cui vivo.

E invece no.

Sarò qui, a casa. Io e Toph cucineremo, come al solito.

«Mi passi il latte?»

«Ce l'hai proprio lì davanti.»

«Ah già. Grazie.»

E poi giocheremo a ping-pong, quindi andremo in macchina in quel posto dalle parti di Solano a noleggiare un film, e sulla strada di casa compreremo un po' di schifezze al 7-Eleven. Oh certo, potrei essere fuori a esultare delle delizie della carne mia e di quella altrui, potrei essere in qualche posto a bere e a mangiare e a strusciarmi di qua e di là, intento a riflettere su questa o su quella persona, a salutare con la mano alzata, a fare cenni a questo o a quello con un'alzata spavalda del mento, piazzato sul sedile posteriore dell'auto di chissà chi, a scorrazzare su e giù per le colline di San Francisco fino a Market Street, ad ascoltare un gruppo per poi comprare della birra nel suo bravo sacchetto di carta, le bottiglie che tintinnano lievemente le une contro le altre, il viso che irradia felicità sotto il cono di luce dei lampioni lungo il marciapiede che porta alla festa di questo o di quest'altro, ciao, ciao, grazie per essere venuto, e poi mettere la birra in frigo, tenendosene una per subito, ciao, ehilà, sì, come no, e poi in coda per il bagno, a fissare con aria assente l'onnipresente poster di Ansel Adams, credo che sia il Yosemite, se non sbaglio, e parlare con quella ragazza con i capelli corti che aspetta come te in corridoio, parlarci, che ne so, di qualunque cosa, di denti, per nessuna ragione particolare, lasciandosi trasportare dal filo casuale della conversazione, e finire con il chiederle di mostrarmi le sue otturazioni, ma no, ma sì dai, ti faccio vedere io le mie prima, se vuoi, ah, ah, ecco, libero, no, no, vai tu per prima, no, dopo di te, e poi quando esco dal bagno lei è ancora lì, nel corridoio, e non aspettava il suo turno per andare in bagno ma aspettava me, e a un certo punto andiamo a casa insieme, a casa sua, perché lei vive da sola in un ampio, immacolato appartamento pitturato di fresco che ha arredato assieme a sua madre, e poi dormiamo insieme nel suo lettone bianco supermorbido, e l'indomani facciamo colazione nella sua alcova inondata di luce, due passi in spiaggia con il giornale della domenica sottobraccio e poi torniamo a casa senza fretta, senza mai...

Cazzo, invece non abbiamo nemmeno una baby-sitter.

Beth e io pensiamo sia prematuro lasciare Toph con qualcuno che non sia della famiglia: potrebbe farlo sentire indesiderato e solo, portandolo alla devastazione della sua già fragile psiche e di lì alla sperimentazione di droghe per inalazione e all'affiliazione a qualche gang tipo *I ragazzi del fiume*, una di quelle in cui si abbonda di camicie di flanella a scacchi e si scarseggia di scrupoli, con tanto di autoincisione di tatuaggi e riti di iniziazione in cui si beve sangue d'agnello, inevitabile anticamera all'assassinio mio e di Beth nel sonno. Ragion per cui quando esco, quell'unico giorno alla settimana che io e Beth abbiamo scelto di comune accordo, Toph prende le sue cose, le infila nello zaino, se lo sistema per bene sulle spalle, e va a casa sua dove passa la notte assieme a lei, nello stesso letto.

La regola di non avere baby-sitter è solo una delle tante, ma tante, necessarie a tutelare la nostra esistenza, impedendole di andare alla deriva. Per esempio, Beth non può tenere Toph se ha ospite qualcuna delle sue smunte e moleste amichette – Katie, in quanto orfana, sa come va il mondo, ma le altre decisamente no – a sbevazzare o anche a non sbevazzare, dato che non riescono a fare a meno di disquisire di cose che farebbero meglio a evitare, tipo le preferenze sessuali dei rispettivi fidanzati, il grado di gravità dell'ultima sbronza, in quella sorta di ostentata maniera da hinterland che sembra diffondere la stupidità per osmosi. Inoltre, ogniqualvolta io o Beth abbiamo una storia con qualcuno, quel qualcuno non può essere presentato immediatamente a Toph, e Toph non deve essere coinvolto in stronzate tipo partite di football, visite allo zoo o rodei, giusto per essere mostrato al proprio partner o alla propria partner del momento. No, ci deve essere un periodo di attesa di modo che, nel momento in cui Toph ne fa la conoscenza, quel qualcuno sia effettivamente una persona che lui abbia la possibilità di rincontrare, evitandogli così nel corso degli anni la tortura della presentazione di dozzine, quarantine, centinaia di persone – e tutte presentategli come persone speciali – col rischio prima o poi di confonderli e di confondersi, e col pericolo di crescere privo di senso della proprietà e d'identità, senza la chiara nozione di un nucleo familiare stabile e immutabile, e finendo così per diventare un individuo fragile, volubile e di conseguenza pericolosamente sensibile al fascino equivoco dei vari ashram, kibbutz e gesucristi vari. Per quel che riguarda le mie storie, se esco con una tipa e l'appuntamento è in prima serata per qualcosa che pure Toph potrebbe trovare divertente, allora Toph può venire. Se il soggetto in questione esprime perplessità all'idea di portare anche Toph, ne consegue che trattasi di persona assai malvagia. Se la ragazza ritiene che portare Toph a cena con noi significa che lei mi piace meno, e che mio fratello serva come un sorta di cuscinetto, si dimostra sostanzialmente fuori strada, palesemente egocentrica e ovviamente assai malvagia. Se quando viene a casa continua a fare commenti sullo stato dell'appartamento, tipo: "O mio Dio, ma c'è della roba da mangiare sotto questo divano!", o anche solo: "Bel buco da scapoli!", o, peggio ancora, mette in discussione una qualunque decisione di tipo parentale presa in sua presenza, o anche in sua assenza, la ragazza viene prima di tutto fulminata con lo sguardo di fronte a Toph, e poi, quando Toph non può sentire, viene opportunamente redarguita, per poi diventare per mesi e mesi materia di scandalizzata conversazione con Beth sulla gente che crede di sapere tutto e invece non sa niente, e come osano parlare questi imbecilli storditi che non hanno mai dovuto lottare un giorno in vita loro e che non oserebbero mai mettere in discussione i propri genitori ma si sentono in diritto di mettere in discussione me, noi, solo perché siamo inesperti, giovani e coetanei. Ovviamente, se la fanciulla non chiede nulla in merito ai genitori defunti, viene giudicata indifferente, scortese, vacua, immatura o egoista. Se invece lo fa, ma dà per scontato che si sia trattato di un incidente d'auto...

«Chi ti ha detto che è stato un incidente d'auto?»

«Non so, l'ho immaginato.»

«Hai... cosa?»

... anche in questo caso è un essere malvagio; a ogni modo non è consentito neppure fare troppe domande perché...

«Non vuoi parlarne?»

«Ma proprio adesso, con te?»

«Sì, per favore.»

«In un bar?»

«Non devi tenerti tutto dentro da solo.»

«Oh, Cristo...»

... vuol dire che si è avventurata in territori che non le competono, e da questo genere di situazione non c'è ritorno. Se vuole che io faccia uno sforzo e vada io da lei a Stanford invece di venire lei qui, le viene ricordata, con la gentilezza e con tutto il rigore necessari al caso, la vasta, incommensurabile discrepanza tra le nostre rispettive situazioni, essendo la sua caratterizzata da un'aerea leggerezza fatta di tv via cavo nonstop, di "guardiamo un film", di "usciamo a cena", di "andiamo qui" e "andiamo là", di caffè e di bevute quando e come le pare, e gite a Tahoe e campeggi e shopping e paracadutismo e quant'altro ogniqualvolta le passa per la testa, mentre la mia, in un contrasto talmente netto da sembrare tagliato col coltello – cerchiamo di essere chiari su questo punto (Lily, cara, la questione dovrebbe esserti ormai lapalissianamente chiara) – è sovraccarica di responsabilità, priva di scopo, stressante, spartana, sempre con l'acqua alla gola, limitante, faticosa, un mondo di giovani ginocchia che hanno bisogno di punti di sutura, giovani pasti da preparare, giovani menti da aiutare in complicate ricerche sull'Africa Orientale, per non parlare degli orrendi ricevimenti dei genitori e delle minacciose e bizzarre missive inviateci dai Servizi Sociali – CHRISTOPHE (SIC) EGGERS SI È SPOSATO DI RECENTE? INDICARE SÌ O NO NEGLI APPOSITI SPAZI E INVIARE IL PRESENTE MODULO IMMEDIATAMENTE. IL MANCATO INVIO DEL MODULO DETERMINA L'INTERRUZIONE IMMEDIATA DEI SUSSIDI – la mia intera esistenza votata a opporsi al suo altrimenti inevitabile oblio, a tentare quella che a buon diritto potrebbe essere definita la più grande meta negli annali della storia di tutti i tempi. Se la ragazza in questione non riesce a capire tutto ciò, dimostra di essere persona assai malvagia. Se dice di capire ma si chiede perché io non possa *comunque* cercare di fare uno sforzo, anche solo un tentativo in più, ciò non fa altro che comprovare quanto in realtà lei non capisca e non capirà mai e poi mai, finché magari un giorno non le accadrà qualcosa di indicibile – lei preghi che niente le succeda, ma chissà, forse un giorno accadrà – qualcosa per cui l'intera tessitura della sua vita si smaglierà, e allora all'improvviso non ci sarà più margine d'errore possibile, nessuno spazio per cazzeggiamenti inconcludenti e lussuosissime perdite di tempo – senza contare quanto è difficile mantenere un atteggiamento sicuro di sé quando a dire il vero so benissimo che potrei affrontare lo sforzo di venirla a trovare a Stanford o magari a metà strada, se solo la storia tra di noi valesse tanto, e se già al nostro secondo appuntamento lei non avesse esternato il desiderio di essere sculacciata. Essendo tuttavia io stesso in cerca di comprensione, spesso mi ritrovo coinvolto con altri individui invischiati in ogni genere di meccanismo familiare, gente i cui genitori sono morti, morenti, o almeno divorziati, forse nella speranza che queste persone sappiano quello che so io e pertanto non mi tormentino sui dettagli, su questa faccenda del dare e del prendere, su quello che sono disposto a *concedere*. Per quanto riguarda Toph, se io e la ragazza pomiciamo per un po' sul divano color prugna del salotto dopo che lui è andato a letto e lei vuole rimanere per la notte e non capisce che non può, perché Toph non deve svegliarsi al mattino e trovare una sconosciuta che dorme nel letto di suo fratello, allora se ne deduce che è troppo giovane e irriguardosa, oltre a non comprendere quanto sia importante garantire a Toph un'infanzia il più semplice possibile, ragion per cui cessa di essere frequentata. Se non sa come parlare con Toph, se lo tratta come una sorta di cane con problemi uditivi o, peggio ancora, come un *bambino*, non viene più frequentata e viene ridicolizzata presso Beth. Se invece tratta Toph come un adulto, va bene, a patto che ciò non la induca a dire cose inappropriate alla sua età in sua presenza, tipo: "Ma sai quanto costano i preservativi da Walgreen's?". Se poi, anche in ottemperanza alle suddette regole, a Toph non piace, qualunque sia la ragione – lui non lo dice mai, ma si fa capire abbastanza bene (ritirandosi in camera sua all'arrivo di lei) – allora la persona in questione entra gradualmente in dissolvenza, a meno che ovviamente non si tratti di una ragazza eccezionalmente attraente, nel qual caso quello che il piccolo testa di cazzo ha da dire non ha nessuna importanza. Se per esempio porta a Toph in regalo una confezione di palline da ping-pong di cui aveva constatato la mancanza, allora significa che è una persona buona, non malvagia, e di conseguenza viene amata incondizionatamente. Se viene a cena e mangia sul serio una delle nostre ricette di tacos messicani senza tutta quella merda che la gente di solito ci mette dentro, è a tutti gli effetti una santa ed è la benvenuta in qualsiasi momento. Se riconosce che il nostro modo di tagliare le arance, ossia per la larghezza anziché per la lunghezza, è l'unico modo logico possibile, oltre a essere l'unico esteticamente soddisfacente, e mangia tutta la fetta anziché succhiare il succo e lasciare una specie di anemone schifoso nel piatto, allora è perfetta e di lei si parlerà in tono di gioia radiosa – ricordi Susan? Susan sì che ci piaceva – per i mesi a venire, anche se non viene più frequentata, essendo un po' troppo magra e schizzata.

Non è che siamo esigenti. Al contrario, siamo uno spasso, siamo rilassati, semplici. Ah ah. Oh sì, proprio dei tipi divertenti. Non c'è ragione di agitarsi, tutte queste regole valgono per noi e noi soltanto, non vengono mai espresse e discusse. Noi siamo, in tutta sincerità, eccezionalmente disponibili, gioviali, tranquilloni, anche se in sua presenza più che altro ci impegniamo non tanto a divertirla quanto a divertirci noi a sue spese. *Ma lo facciamo in un modo buffissimo!* Con noi ogni cosa ha un tono informale; lo dimostra il fatto che accettiamo chiunque e soprattutto che Toph fa amicizia con chiunque pressoché all'istante. Certo, aiuta mostrarsi interessati agli iguana o saper pronunciare delle parole intere ruttando, ma anche senza tali caratteristiche Toph è in grado di riconoscere la difficile posizione di una persona al suo primo appuntamento, e proprio per questo cerca di rendere le cose più facili esibendo su esplicita richiesta le sue figurine, portando bibite fredde, sedendosi accanto all'ospite, anzi praticamente in braccio, tanto è felice di avere compagnia, al punto che è capace, se va in camera sua e riesce a metterci le mani prima che arrivi l'ora di andare a letto, approfittando magari del fatto che il fratello è in bagno per cui non può opporsi, di intavolare una partita a Trivial Pursuit, a patto ovviamente di applicare le regole semplificate, ossia una fetta di torta per ogni risposta corretta.

Al momento mi vedo con una donna di ventinove anni. La ventinovenne in questione, una donna-donna vera, è la direttrice editoriale del settimanale per cui faccio un po' di graphic design e qualche illustrazione. Anche se mi è ben chiaro il fatto che la nostra storia non ha futuro, specie dopo che mi è comparsa davanti con un berretto di vellutino color porpora, continuo la nostra relazione, gloriandomi della capacità di rapportarmi a questa donna-donna di sette anni più anziana di me. È una donna intelligente, con lunghi capelli biondi e sottili rughe d'espressione, del Midwest, credo del Minnesota, che sa come ordinare e come bere dei veri cocktail. E ha ventinove anni. Mi ero ricordato di dirvi che ha ventinove anni? Questa la considero una cosa decisamente opportuna, intendo dire il fatto che io, impegnato a portare sulle spalle il peso di Toph e del mondo, e dopo avere attraversato così tante traversie da sentirmi già vecchio, abbia una storia con una donna di sette anni più anziana. Ma è ovvio!

Quanto alle sue motivazioni, mi risultano poco chiare, ma ho una mia teoria: a ventinove anni lei, come molte persone intorno alla trentina, si sente alla deriva, vecchia, quasi che le sue possibilità fossero ormai svanite, e l'unico modo di riguadagnare anche solo una scheggia di quella dissipata giovinezza risedesse nel tuffarsi in una storia con un giovane scoppiante di virilità come me.

Ma Dio se me la facevo sotto, all'idea di vederla nuda. Prima di arrivare a quel punto mi ero chiesto spesso se l'avrei trovata cascante e rugosa come una prugna secca. Non avevo mai visto il corpo nudo di una persona sopra i ventitré anni, e quando quella sera uscimmo, senza Toph, bevvi uno specifico cocktail alla vodka che non avevo mai assaggiato, e a un certo punto ci ritrovammo mano nella mano a un tavolo nascosto in un angolo, fingendo di ascoltare l'ex cantante di non so più quale gruppo fondamentale della scena punk di Los Angeles che cantava in sottofondo blah blah blah, 14 dollari di musica di sottofondo, mica male, dopo di che andammo a casa sua ed ero pronto a qualunque orrore e non sapevo come avrei reagito se avessi sentito la sua carne foruncolosa o piena di vene varicose, e quando siamo entrati in casa sua ero felice che fosse così buio e ancora più buio in camera sua. Ma poi è saltato fuori che non era affatto grinzosa e appassita, anzi le sue carni erano sode e piene, cosa di cui mi ero sentito rallegrato e sollevato, e al mattino, nella luce bianca era diafana e morbida, i suoi capelli erano ancora più biondi e più lunghi di come me li ricordassi, sparsi sulle lenzuola candide e per qualche minuto è stato davvero bello... Ma poi sono dovuto andare. Era la prima volta che passavo la notte fuori casa da quando ci eravamo trasferiti in California, e anche se Toph era da Beth, volevo essere a casa presto, nel caso tornassero prima del previsto, altrimenti avrebbe scoperto che avevo passato la notte fuori e non avrebbe capito e sarebbe finito a vendere crack o a cantare in qualche gruppo di pop melodico nello stato della Florida. Mi sono vestito e sono uscito, passando accanto alla camera della sua coinquilina, e poi in auto, trionfante, sono tornato dall'altra parte del ponte, le navi che scorrevano avanti e indietro sotto di me, e sono anche arrivato in tempo. La casa era vuota e io

mi sono ficcato nel letto, riaddormentandomi subito, e quand
è tornato a casa suo fratello era lì e ovviamente era sempre st
dato che non era andato da nessuna parte.

Ma stasera niente da fare. Sono uscito mercoledì per cui per il rest
della settimana sono a casa, occupato a tenere il mondo insieme.

«Ora di dormire.»

«Che ora è?»

«Le dieci.»

«Sono le dieci?»

«Sì.» (Espirazione rumorosa.) «Sono le dieci passate. Tra un secondo ti voglio trovare a letto.»

Va a letto e si infila sotto le coperte. Mi siedo accanto a lui, appoggiandomi alla testiera. Bill ha comprato quella testiera mesi fa – ogni volta che viene in città dobbiamo andare con lui a comprare dei mobili, e ogni volta cerca di saturarci la casa di anticaglie prese a un ingrosso che sta vicino all'autostrada – ma purtroppo la testiera non si adattava al letto di Toph, per cui è andata a finire che abbiamo semplicemente piazzato quel gran tavolone di legno tra il letto e il muro, per bellezza. Una testiera che interpreta la parte della testiera.

Raccolgo il nostro libro dal pavimento. Leggiamo ogni sera, a volte anche per un bel po', di solito per una quindicina di minuti, che è poi per me il massimo senza cadere addormentato, ma comunque abbastanza per dare a Toph un certo qual senso di agio, stabilità, pace e benessere che lo traghetti dolcemente nel regno del sonno dei bimbi...

Stiamo leggendo *Hiroshima* di John Hersey. Vero, è pieno di orrore, indiscriminata sofferenza, pelle umana che casca come formaggio grattugiato, ma vedete, ho deciso che per quanta ilarità e divertimento possa esistere in questa casa, è importante fornire anche un corpus di insegnamenti tanto severi quanto duraturi. A volte, a cena, apro a caso l'enciclopedia, un enorme tomo che abbiamo comprato da un ragazzo magrolino che le vendeva porta a porta, e ne leggo una voce. Prima c'è stato *Maus*, prima ancora *Comma-22*, anche se poi non l'abbiamo finito, perché con tutti quegli astrusi (per lui) riferimenti e tutti quei personaggi, ci voleva un'ora a girare una pagina. Di *Hiroshima* salto le parti decisamente raccapriccianti e Toph ascolta con la più totale concentrazione perché è un esserino perfetto, entusiasta del nostro esperimento almeno come lo sono io, animato dal desiderio di essere il ragazzino ideale, il nuovo modello di ragazzino, proprio come io desidero essere il nuovo modello di genitore ideale. Dopo che ho letto e spiegato con cura il significato di questa o di quella parola e il contesto storico (tutto più o me-

è sempre bello stendersi per un minuto sul suo piccolo
otto le coperte e io sopra, così bello tiepido...

«Nooo.»
«Svegliati.»
«No, no, no.»
«Vai nel tuo letto.»
«No, per favore. Ci stiamo tutti e due.»
«Via, via, per favore.»
«E va bene.»

Gli rotolo sopra, cercando di fami il più pesante possibile, quindi mi alzo. Vado in bagno e poi torno in camera sua mentre mi lavo i denti, canticchiando e accennando un passo di danza. Mi fa il pollice alzato per prendermi per il culo. Torno di là e sputo nel lavandino, quindi ritorno in camera da letto. Mi appoggio alla porta.

«E allora, giornatona oggi, eh?»

«Già» dice lui.

«Voglio dire, con tutte le cose che sono successe. Una giornata piena.»

«Eh sì. La mattinata a scuola, poi basket, la cena e la festa a scuola, quindi il gelato e un film... diavolo, in effetti sembra quasi troppo perché tutta questa roba possa succedere in un solo giorno, come se una gran quantità di giorni si sia fusa formando un unico affresco ininterrotto di tempo, allo scopo di ricreare una parvenza di come in effetti si vive, senza gli alti e i bassi necessari a ritmare la storia.»

«Dove vuoi arrivare?»

«Da nessuna parte. Voglio dire, va benissimo così. Magari non è del tutto credibile, ma in generale funziona abbastanza bene.»

«Guarda che tu hai trascorso un sacco di giorni così. Non ti ricordi la gita con il campeggio per il tuo compleanno? E quella volta al lago Taohe con quel tuo amico con la testa grossa? Semmai, questo è stato un giorno anche più banale del solito. È appena una caricatura, questa, uno scheletro dell'esperienza – voglio dire, ti renderai conto anche tu che è una scheggia, uno strato sottile come un wafer. Il racconto anche solo di cinque minuti di pensiero interiore può prendere una vita intera, il che fa anche arrabbiare se ti fermi a pensare – come farò io una volta che ti sarai addormentato – a questo fatto di cercare di rendere qualcosa, un momento o un posto, e di ritrovarsi poi con un risultato talmente debole, mono, bidimensionale rispetto agli eventi da cui è costituito.»

«E così ti sei ridotto a lamentartene. O peggio, a escogitare trucchetti per superare la frustrazione che provi.»

«Eh sì, effettivamente.»

«Gli espedienti, i campanelli, i fischietti, i diagrammi. *Ecco il disegno di una graffatrice*, roba del genere.»

«Già.»

«A essere del tutto sinceri, tuttavia, quello che vedo io non è tanto un problema di forma e stronzate del genere, quanto un problema di coscienza. Il fatto è che tu in primo luogo sei completamente paralizzato dal senso di colpa, all'idea di raccontare tutta questa roba, specie quella più lontana nel tempo. In un certo senso ti senti obbligato a farlo, ma sai anche che mamma e papà ti odierebbero per questo, che ti crocifiggerebbero con le loro stesse mani...»

«Lo so, lo so.»

«Ma ripensandoci, dovrei dire, e sono sicuro che lo direbbero anche Beth e Bill, d'accordo, magari non Bill ma Beth di sicuro sì, che il tuo senso di colpa e la loro disapprovazione è qualcosa di assolutamente medio, da classe media, da Midwest. È una superstizione non troppo dissimile da quella degli indigeni che temono che la macchina fotografica possa rubargli l'anima. Combatti un senso di colpa che viene sia dal cattolicesimo sia dalla famiglia nella quale sei nato. Tutto era un segreto, da noi, il fatto che papà andasse agli Alcolisti Anonimi era qualcosa che non si doveva menzionare mai, persino dopo che aveva smesso di andarci. Tu non hai mai raccontato a nessuno dei tuoi amici quello che succedeva a casa nostra. E adesso pencoli tra il ribellarti e il reiterare questo stato di repressione.»

«In che senso?»

«Be', pensi di essere così aperto, guardi a noi due come a una sorta di Nuovo Modello e credi, per via delle nostre particolari circostanze, di poterti disfare delle vecchie regole per inventarne di nuove man mano che andiamo avanti. Allo stesso tempo però finora hai fatto parecchio il difficile, sei stato molto severo, e per quanto ti vanti del contrario alla fin fine conservi quasi tutte le abitudini e le regole imposte dai nostri genitori. Specialmente la segretezza. Per esempio, solo di rado mi lasci invitare degli amici, perché non vuoi che vedano il casino che regna sempre in casa e il modo in cui viviamo.»

«Be'...»

«Lo so, lo so e lo capisco. Hai paura di sentire bussare alla porta, un giorno, e trovarti di fronte gli assistenti sociali o qualcosa del genere. Ma ripensandoci non è che hai paura, e lo sai bene. In cuor tuo hai pronte tutte le scuse e le spiegazioni, e hai anche un piano per farmi evadere dall'orfanotrofio, se mai arrivassimo a quel punto, hai persino deciso dove potremmo rifugiarci, come vivremmo, i nuovi nomi, le plastiche facciali e tutto il resto. Ma prima di tutto se chiunque, dei servizi sociali o meno, tentasse mai di darci noia, di invadere quello che ritieni il tuo terreno, il tuo personale progetto, perderesti totalmente le staffe, andresti fuori di testa.»

«Non è vero.»

«In tal caso permettimi di ricordarti una scenetta giusto della settimana scorsa, tra te e una delle tue migliori amiche.

"E allora lui era da Luke per tutto il tempo ma non ha chiamato. Più o meno per cinque ore. Avevo già cenato ed ero lì che aspettavo e giuro che stavo andando fuori di testa. E lui niente, volatilizzato. È una cosa che mi manda davvero in bestia. Deve imparare una buona volta che il mio tempo vale quanto il suo e che non posso aspettare tutto il giorno la sua telefonata. Giuro che lo faccio secco."

"Eddai, poveraccio, lascialo vivere."

"Cosa?"

"Sono sicura che gli dispiace."

"Mi stai dicendo cosa..."

"No, è che penso..."

"Vedi, questa poi è davvero una stronzata da parte tua, il fatto che tu pensi di poter intervenire su questa faccenda solo perché sono giovane. Voglio dire, non contraddiresti mai una mamma quarantenne, giusto?"

"Be'..."

"E allora non contraddirmi. Perché io sono in realtà una mamma quarantenne. Per te e per chiunque altro, io sono una mamma quarantenne. Non dimenticarlo mai."

«Povera Marny, una delle nostre migliori amiche. Lei non voleva dire niente di male, era solo un'osservazione innocente, e probabilmente è l'ultima persona al mondo che potrebbe peccare di insensibilità, ma vedi, tu sei sempre pronto a litigare. Hai dentro quella rabbia da genitore single, quella difensività da madre nera abbandonata dal marito, che va ad aggiungersi alle tue naturali tendenze aggressive. Voglio dire, stanotte, quando finalmente andrai a dormire, te ne starai lì steso e penserai a quello che faresti al malcapitato che decidesse di entrare in casa nostra e farmi del male. Ti figurerai ogni possibile modalità di omicidio in mia difesa. Le tue visioni saranno vivide, di una violenza orripilante, tu e la tua mazza da baseball, con te che scarichi contro chiunque osi invadere il nostro santuario la frustrazione che provi per tutto questo, per la nostra attuale situazione, con tutti i suoi ostacoli e parametri prefissati e i prossimi dieci, quindici anni delineati, più o meno già sviscerati, senza contare più in generale la rabbia che provi non solo da quando mamma e papà sono morti – sarebbe comodo se fosse tutto lì – ma che invece è iniziata ben prima, lo sai bene cosa intendo dire, la rabbia che scorre nelle ossa dei bambini che crescono in famiglie incasinate, semiviolente e alcolizzate, in cui il caos è all'ordine del... Be'? Cosa c'è da ridere?»

«Hai del dentifricio sul mento.»

«Dove?»

«Non lì, più in basso.»

«Qui?»

«Più giù.»

«Il punto è che con me...»

«Sembrava una cagata d'uccello.»

«Va bene. Ah ah. A ogni modo, con me hai la favolosa opportunità di raddrizzare i torti della tua infanzia, hai l'opportunità di fare tutto meglio – portando avanti le tradizioni che hanno un senso e rigettando quelle che non ce l'hanno – che è poi quello che ogni genitore ha la possibilità di fare, ovviamente, superando i propri genitori, facendo meglio di loro, ed evolvendo rispetto a loro – ma in questo caso la meta è ancora più elevata e ha un più alto significato, perché devi farlo con me, che sono la loro progenie. È un po' come concludere un progetto che qualcun altro non ha potuto portare a termine, a cui ha rinunciato, affidandolo a te, l'unico che potesse salvare la situazione. Ci sono fino a questo punto, grand'uomo? E la cosa migliore, almeno per te, è che finalmente hai l'autorità morale a cui anelavi, e che spesso hai esercitato fin da quando eri molto giovane, quando andavi in giro per il campo da gioco stigmatizzando gli altri bambini perché dicevano le parolacce. Non hai bevuto alcol fino all'età di diciotto anni, non ti drogavi perché dovevi essere più puro, dovevi avere qualcosa di più degli altri. E adesso la tua autorità morale è raddoppiata, triplicata. E la impieghi a più non posso. Quella ventinovenne, per esempio, la mollerai tra un mese perché fuma.»

«Il berretto. Non dimenticare il berretto porpora.»

«Non è quella la ragione per cui la scaricherai.»

«Va bene, però avrò le mie ragioni. Fammi il piacere. Ovvie ragioni. È davvero difficile sentire quei suoni, annusare quegli odori, stare a guardare quel leccar di cartine, quel succhiar di tubetti...»

«Sì, ma è il modo in cui glielo dirai, il modo in cui la farai vergognare, menzionando il fatto che non solo i tuoi sono morti di cancro e tuo padre in particolare di cancro ai polmoni, ma anche che tu non vuoi che lei fumi davanti a tuo fratello, blah, blah, blah, ed è il modo in cui lo dirai, in cui farai sentire quella povera donna come se fosse una lebbrosa, specialmente per il fatto che si rolla le sigarette da sé, cosa che ammetto essere in un certo senso doppiamente triste, ma vedi, il punto è che tu desideri farla sentire una paria, una forma di vita inferiore, perché è proprio questo che dentro di te tu pensi che lei sia, lei e chiunque abbia una qualche forma di dipendenza. Adesso senti di avere l'autorità morale di giudicare le persone e, per via delle tue recenti esperienze, di potere concionare su qualunque cosa e di poter fare la parte della vittima che si prende la sua rivincita, ruolo che ti conferisce un potere che discende dalla compassione e dalla situazione di oggettivo svantaggio. Adesso puoi fare la duplice parte del frutto del privilegio e della deprivazione. Per il fatto che riceviamo un assegno dei servizi sociali e viviamo in una casa che fa schifo pensi a noi come classe sociale svantaggiata e credi di conoscere le difficoltà del povero – quanta insolenza! – ma questo ruolo dello sfigato ti piace perché accresce il tuo status sugli altri. Sei nella posizione di sparare da dietro dei vetri antiproiettile.»

«Ma quanta energia! Hai bevuto ancora Coca-Cola prima di andare a letto?»

«E poi, povero papà. Perché non lo tieni fuori da tutto questo? Voglio dire...»

«Dio santo, per favore. Adesso non dirmi che non posso parlare di...»

«Non so. Immagino di sì, vedi tu, se ti pare il caso.»

«Mi pare.»

«Va bene.»

«Non riesco a liberarmene.»

«Bene, allora te ne starai sveglio più o meno tutta la notte, come del resto ogni notte, a fissare lo schermo del computer. Ricordi quando eri al college? Frequentavi quel corso di scrittura creativa e hai scritto della morte di mamma e papà che non erano passati nemmeno due mesi, un intero paragrafo in cui descrivevi gli ultimi respiri della mamma e tutta la classe è rimasta secca e non sapeva esattamente come diavolo comportarsi, tutti lì con l'aria di dire "be', checcazzo...", e non sapevano se parlare della storia, stropicciando nervosamente le fotocopie tra le mani, o se mandarti direttamente ai servizi psichiatrici. Ma, fin da allora, questo non ti ha distolto, determinato com'eri a farle queste cose, a riprodurre quel periodo, a prendere quel terribile inverno e a scriverci quello che tu speri sia qualcosa capace di spezzare il cuore.»

«Senti, adesso sono stanco.»

«Adesso sei stanco, eh? Sei stato tu a cominciare. Io ero pronto a dormire già mezz'ora fa.»

«Va bene.»

«Va bene.»

«Notte.»

Lo bacio sulla fronte liscia e abbronzata. L'odore di piscio. Ha il segno dell'abbronzatura, una U pallida là dove la cinghietta del suo berretto, che indossa sempre alla rovescia, gli copre la fronte.

«Dai» dice.

E io faccio quel giochino in cui gli strofino forte la schiena attraverso la coperta per riscaldare il letto.

«Grazie.»

«Notte.»

Lascio la luce accesa, chiudo la porta per metà e vado in tinello. Raddrizzo il tappeto, un persiano rovinato che abbiamo ereditato da casa. È sbiadito e sciupato, proprio come quello lungo e sottile in cucina, che si sta sfilacciando nodo dopo nodo. Toph e io ci corriamo sopra, e i fili spuntano dalla trama arricciandosi come viticci. Non so cosa fare per rimetterli in sesto. Mi chiedo se non sia il caso di proteggerli, di farli restaurare, e ovviamente so che non lo farò mai. Rimetto al suo posto un filo blu vermiforme lungo una ventina di centimetri.

Sistemo quindi la fodera del divano. Anche il divano era perfetto e candido nella nostra casa di Chicago, e qui è diventato sudicio in poco tempo, con quelle striature nere agli angoli dove poggiamo le biciclette, i cuscini ingialliti e macchiati di succo di frutta e di cioccolato. Abbiamo affittato una macchina per pulire la tappezzeria, ma il risultato è stato risibile. Il divano proseguirà nel suo declino, come tutte le cose che abbiamo ereditato. La manutenzione è impossibile. C'è una pila di scarpe vicino alla porta che mi dovrei decidere a sistemare, il pavimento andrebbe spazzato, ma mi scoraggio prima ancora di cominciare – la sporcizia è intrinseca a questa casa, è negli stucchi e negli infissi, negli angoli, nella moquette, nelle crepe della struttura. Ci sono buchi nelle tavole tutte storte del parquet. Ho provato con un aspirapolvere, me ne sono fatto prestare uno dai vicini e ha anche funzionato bene, ma già il giorno seguente il pavimento era di nuovo impolverato e pieno di roba. Ormai mi limito a scopare.

Prendo uno dei ghiaccioli di Toph dal freezer. C'è gente dai vicini. Esco sulla veranda. Daniel e Boona, che abitano alla nostra sinistra, hanno amici, saranno una decina là sul patio.

«Ehi, laggiù» dice Daniel. È sempre amichevole, Daniel, sempre allegro, attento, interessato. Quanto mi dà sui nervi.

Ha qualche anno più di me e vive con Boona, che avrà più o meno trent'anni e dirige un istituto per donne maltrattate. I loro amici hanno l'aspetto di dottorandi di Berkeley.

«Ciao» dico.

«Dai, vieni!» mi dice.

«Sì, vieni a bere qualcosa» dice Boona.

«No, non posso» dico. Fa caldo, è uscita la luna.

Parlo del lavoro che ho da sbrigare, di Toph che è a letto eccetera. Mento su una telefonata che sto aspettando, perché non ho nessuna voglia di andare da loro, incontrare i loro amici, spiegare la nostra storia, perché viviamo qui, l'intera faccenda.

«Eddai, solo un bicchiere» dice Daniel. Mi chiede sempre di andare da loro. Per quanto siano entrambi amichevoli e accoglienti, provo maggiore affinità con la coppia lui nero/lei bianca che sta alla nostra destra, con le loro immobili tende bianche, le loro porte tranquillamente chiuse, i due dobermann. Raramente rivolgono la parola a qualcuno e stanno alla larga dallo sguardo degli altri. È talmente più facile, così.

Ringrazio Daniel e torno dentro.

Mi ritiro nel salotto che ho dipinto di bordeaux. Le pareti sono piene di foto dei nostri genitori, dei nonni, dei bisnonni, e dei vari diplomi, menzioni, ritratti, ricami, acqueforti. Mi siedo sul divano che ho trovato nel capanno sul retro, un coso in velluto marrone con le molle rotte e le gambe di legno scheggiate. La maggior parte dei mobili antichi che avevamo sono qui: le sedie, il tavolinetto, la bella scrivania in ciliegio. È buio, qui dentro. Dovrei tagliare le siepi sul davanti della casa perché sono cresciute al punto che quasi non entra più luce dalle finestre anche durante il giorno, e l'atmosfera è talmente cupa, con questa perenne tonalità rubino e i muri color sangue. Non ho ancora trovato una lampada che si adatti alla stanza.

Molti oggetti hanno patito il trasloco da Chicago fino alla casa sulla collina e dalla collina a qui. Cornici spezzate, frammenti di vetro che tintinnano dentro le scatole. Ne abbiamo persa, di roba. Sono quasi certo che manca un tappeto, un intero tappeto. E un sacco di libri, tutti quelli della nonna. Li tenevo nel capanno sul retro, in scatoloni, fino a che un giorno, dopo qualche mese, sono entrato e ho visto che c'era stata una perdita dal tetto e la maggior parte dei libri era fradicia e ammuffita. Cerco di non pensare ai pezzi antichi – la libreria di mogano graffiata, il tavolinetto tondo pieno di ammaccature, la sedia ricamata con una gamba spezzata. Vorrei salvare e conservare tutto, ma allo stesso tempo vorrei anche che tutto sparisse, incapace come sono di decidere se è più romantica la conservazione o il decadimento. Non sarebbe fantastico bruciare tutto? O buttarlo per strada? Mi dà fastidio dover essere io – perché non Bill o Beth? – quello costretto a trascinarsi dietro tutte queste cose di luogo in luogo, le scatole, le dozzine di album fotografici che vanno a riempire minuscoli ripostigli e capanni ammuffiti.

Lo so che sono stato io a offrirmi di tenere questa roba, a volere che Toph ci vivesse in mezzo perché continuasse a ricordare... Forse potremmo metterla da qualche parte finché non avremo una casa vera e propria. Oppure venderla in blocco e ricominciare daccapo.

«Ehi» grida lui dalla sua stanza.

«Cosa?»

«Hai chiuso la porta d'ingresso?»

Di solito lo fa lui.

«Ci penso io.»

Vado all'ingresso e giro il chiavistello.

V

(Dov'è tuo fratello)

FUORI È TUTTO NEROBLU E STA DIVENTANDO BUIO. Un uomo sta salendo le scale. Ha la barba lunga, indossa dei sandali e un poncho fatto quasi sicuramente di canapa. Non voglio parlare con quell'uomo. Ho già parlato al tizio del California Public Interest Research Group. (CalPIRG). Ho fatto una donazione alla coppia del Rifugio per le Donne Maltrattate e al ragazzino di quell'associazione giovanile, alle donne del Partito dei Verdi, ai ragazzi del Club dei Giovani e a quel paio di impettite adolescenti della fondazione SANE/FREEZE. La berkeleytudine di Berkeley, sulle prime così affascinante, sta cominciando a venirmi a noia.

Il campanello suona.

«Vai tu» dico. «Io non ci sono.»

«Ma sei lì a un passo.»

«E allora?»

«E allora?»

«*Topher.*»

Si alza, scalzo. Mi lancia un'occhiataccia.

«Digli che sei solo in casa» dico. «Digli la verità, che sei un orfano.»

Toph apre la porta e dice qualcosa all'uomo, il quale un istante dopo si trova nel bel mezzo del nostro salotto. *Che cosa ti avevo...*

Ah, ma è Stephen, il baby-sitter.

Stephen è uno studente di dottorato di Berkeley, inglese o scozzese. O irlandese. È un tipo silenzioso che annoia Toph fino alle lacrime e se ne va in giro con una bicicletta al cui manubrio ha attaccato un enorme cestino di paglia. Beth l'ha trovato all'università, tramite un volantino attaccato in bacheca.

«Ehi» dico.
«Ciao» dice.
Porta la bicicletta in salotto.
Vado in camera mia a cambiarmi, quindi gli spiego che sarò a casa per mezzanotte.
«A dire la verità, non è che potresti fermarti fino all'una?»
«Non c'è problema.»
«Bene. Diciamo l'una allora.»
«Va bene.»
«Magari poi arrivo prima.»
«Okay.»
«Dipende da come va.»
Aggiungo che Toph deve andare a letto alle undici.
Questa è la terza volta che ci rivolgiamo a Stephen, chiamato a sostituire Nicole, la quale ci piaceva molto – a Toph piaceva almeno quanto io speravo di piacere a lei – ma che purtroppo si è laureata pochi mesi fa e ha avuto la temerarietà di trasferirsi altrove. C'è stata poi Janie, la studentessa di Berkeley che insisteva perché portassi Toph nel suo appartamento su Telegraph Avenue, e che è andata benissimo fino al giorno in cui, dopo che lei e Toph avevano giocato a calcio in corridoio con un palloncino gonfiabile – Toph tornava sempre da quelle ore di baby-sitting inondato di sudore – aveva detto, tanto per fare la spiritosa: «Lo sai che sei un tipo davvero divertente, Toph? Una volta si potrebbe uscire insieme, che ne so, farci un paio di birre...»
Da cui l'avvento di Stephen.
Do un bacio a Toph sulla sua testolina coperta da un berretto da baseball portato alla rovescia. Il berretto puzza di piscia.
«Il tuo cappello puzza di piscia» dico.
«Non è vero» dice lui.
Ma è vero.
«Invece sì.»
«Come fa a puzzare di piscia?»
«Non so, forse ci hai pisciato sopra.»
Sospira e mi toglie le mani dalle spalle.
«Non ci ho pisciato sopra.»
«Magari per sbaglio.»
«Stai zitto.»
«Non dirmi di stare zitto. Te l'ho detto mille volte.»
«Scusa.»

«Stephen» chiedo, «annuseresti questo cappello e mi diresti se secondo te puzza di piscia?»

Stephen non prende sul serio la domanda. Sorride nervosamente ma non accenna ad avvicinarsi per annusare il cappello.

«Va bene, allora» dico. «Ci vediamo più tardi. Toph, noi... noi ci vediamo domani, immagino.»

E poi a razzo giù per le scale e dentro l'auto, e mentre sto uscendo in retromarcia dal vialetto d'ingresso ecco sopraggiungere la solita euforia.

Libero!

Sono sopraffatto da questa sensazione. Ridacchio da solo, do un paio di manate sullo sterzo, faccio le smorfie e piazzo la cassetta giusta nello stereo...

L'effetto questa volta dura dieci o dodici secondi.

Nell'esatto istante in cui giro l'angolo, infatti, mi convinco, in un flash preveggente – succede tutte le volte che lo lascio da solo – che Toph verrà ucciso. Ovvio. Quel baby-sitter era un tipo bizzarro, troppo silenzioso, troppo modesto. Ma i suoi occhi rivelavano un piano. Ovvio. Talmente ovvio fin dal principio. Ma io non ho saputo leggere i segni. Toph mi aveva detto che Stephen era un tipo strano e mi aveva più volte parlato della sua risata inquietante, dello strano cibo vegetariano che si portava da casa e si cucinava da noi, e io non avevo dato alcun peso alla faccenda. Se succede qualcosa la colpa è mia. Cercherà di fare del male a Toph. Cercherà di molestarlo. Mentre Toph è immerso nel sonno farà cose strane con della cera e delle funi. Le possibilità mi sfilano davanti come cartoline pedofile – manette, assi di legno, abiti da pagliaccio, pelle, videocassette, nastro isolante, coltelli, vasche da bagno, frigoriferi...

Toph non si sveglierà mai più.

Dovrei fare inversione immediatamente. È un'idiozia. Non possiamo permetterci di correre simili rischi. Non devo farlo per forza, non devo uscire per forza. È sciocco, puerile, futile. Devo tornare indietro.

Ma sì che devo uscire. Non c'è pericolo.

Si che c'è invece.

Ma vale la pena correrlo.

Apro il finestrino e alzo il volume. Supero due auto in una volta, entro in autostrada e corro verso il Bay Bridge a cento all'ora sulla corsia di sinistra, lungo il fiume.

Passo il pedaggio, il semaforo, la rampa d'uscita, sono sul ponte.

Adesso non posso più fare inversione. Sulla mia sinistra i cantieri di Oakland e un cartellone che invita al risparmio idrico.

Tornerò a casa e troverò la porta aperta, spalancata. Il baby-sitter non ci sarà più e tutt'intorno sarà silenzio. E io improvvisamente capirò. Tutto avrà un'aria terribilmente sbagliata. Sui gradini che portano alla camera di Toph ci sarà del sangue. Sangue sui muri, impronte di mani ovunque. Un biglietto scherzoso per me da parte di Stephen, magari una videocassetta di tut... E la colpa sarà mia. Il suo corpicino martoriato, bluastro... Il baby-sitter se ne stava di fronte a me, sapeva esattamente quello che voleva fare... Erano lì tutti e due e io sentivo che c'era qualcosa che non andava, capivo che c'era un elemento che non quadrava, lo sapevo che la faccenda non tornava, eppure... *me ne sono andato.* E che cosa dice di me questa storia? Che razza di mostro... Tutti sapranno. Io capirò e non cercherò di difendermi. Ci sarà un'indagine, un processo, uno di quei processi spettacolo...

Come è avvenuto il suo incontro con quest'uomo, il baby-sitter?

Avevamo trovato un biglietto attaccato su una bacheca.

E quanto è durato il colloquio con lui?

Dieci, venti minuti.

E l'ha ritenuto sufficiente?

Sì, credo di sì.

In realtà lei non sapeva nulla di preciso su quest'uomo, giusto?

Sapevo che era scozzese. O inglese.

O irlandese.

Poteva essere anche irlandese.

E lei ha lasciato suo fratello per recarsi dove?

Al bar.

Al bar. E cosa c'era di così importante in questo bar?

Amici, gente, birra.

Birra.

C'era un'offerta speciale, se non sbaglio.

Un'offerta speciale.

Sulla birra. Solo su alcune marche.

Oh, credetemi, io volevo semplicemente uscire. Non mi importava per fare cosa. Dovete capire che a quel punto io uscivo solo una sera alla settimana e basta, a volte ogni dieci giorni, per cui quando potevo trovare qualcuno per Toph, magari una delle sere in cui sembrava che dovesse accadere chissà che, mi ci gettavo a pesce, uscivo presto così potevo stare fuori per un po', facevo venire il baby-sitter intorno alle sei, sette o giù di lì, e scorrazzavo per la città, cenavo con chiunque avesse voglia di cenare fuori, a volte magari gli altri erano semplicemente a casa di qualcuno, di solito da Moodie, e guardavano la tv mentre si preparavano, e io ero lì, sul divano con la mia birra gelata ad assaporare ogni singolo minuto, non sapendo quando sarebbe successo di nuovo, e tutti erano rilassati, ignari di quanto quei momenti significassero per me, anche quando mi comportavo un po' da fissato ed ero un po' troppo impaziente e ridevo un po' troppo forte e bevevo un po' troppo in fretta, sperando che qualcosa accadesse, sperando di andare in qualche posto interessante, di fare qualunque cosa, insomma, che rendesse la serata significativa, perché valesse tutto lo stress, la costante preoccupazione, le visioni... A volte mi sentivo totalmente straniato, passavo intere settimane senza uscire con gente della mia età.

Sul ponte, folate di vento trasversale mi investono. Alzo il volume. Da sinistra, in lontananza, a circa mezzo miglio a sud, delle navi cisterna galleggiano sulla baia nera, in attesa di ormeggiare a Oakland.

È più coraggioso restare o andare?

Un tradimento. A quest'ora ci saranno già le ambulanze. Ci saranno le luci. Il quartiere sarà illuminato come in un carnevale silenzioso. Solo le luci, le voci un sussurro. Tutti che si chiedono dove mi trovi io. *Dove sono i genitori del ragazzino? Loro cosa? E allora dov'è il fratello? Come?*

A destra c'è Treasure Island, poi Alcatraz, e poi lo stretto, l'oceano. Attraversiamo il tunnel come capsule spaziali, le auto cambiano corsia, affamate, bramose, sparate attraverso la galleria, con veloci scarti improvvisi, simili a enormi scarafaggi, e dopo il tunnel c'è la città, migliaia di chiodini luminosi piantati nella notte di carta nera.

La bara sarà piccola. Io sarò al funerale, ma tutti sapranno. Mi porteranno in tribunale e mi condanneranno e finirò sulla sedia elettrica. Oppure mi impiccheranno. Sì, impiccato, perché sarò io a desiderare il dolore, lento, prolungato, le vene che bruciano, scoppiano...

E quell'imbarazzante erezione, proprio negli ultimi istanti...

Nella luce marrone del cavernoso locale, Brent è ancora alle prese con il nome del suo gruppo musicale. Al momento si chiamano Gli Dei Odiano il Kansas, nome ispirato a un romanzo di fantascienza degli anni Sessanta, ma sono già sei mesi che ce l'hanno, e tutti sono d'accordo nel dire che è ora di voltare pagina. Si estraggono pagliuzze per decidere tra una delle alternative scribacchiate su un lungo e sottile pezzo di carta, una specie di piccolo cartiglio:

Scott Beowulf
Van Gogh Dog Go
Jon & Ponzio Pilato
Jerry Louis Farrakhan
Pat Buchanitar
Kajagoogubernatorial Process
Spike Lee Major Tom Dick e Harry Connick, Junior Mints
Questi sono più o meno i nomi che girano, frutto della fusione di due o più elementi culturali, idealmente uno alto e uno basso, con il compiaciuto e assolutamente insignificante risultato che ne consegue. Ci sono del resto altre band, perlopiù locali, che hanno piantato la propria bandiera in questo territorio, come JFKFC, Thomas Jefferson Slave Apartment, Prince Charles Nelson Reilly.

Io, Brent e tutti gli altri siamo al secondo piano del bar intenti a osservare i crani delle centinaia di persone sotto di noi e a bere birra della casa. Sappiamo che è birra della casa perché proprio lì, dietro il bancone, ci sono tre enormi contenitori di rame con dei tubi che fuoriescono. La birra si fa così.

Ci sono tutti: Brent, Moodie, Jessica, K.C., Pete, Eric, Flagg, John, tutta gente del liceo o ancora più indietro, delle scuole elementari, alcuni di prima ancora, tutti di Chicago, appena laureati e trasferitisi qui, testimonianza vivente di una sorta di inesplicabile migrazione di massa di circa una quindicina di noi e dell'arrivo, prima o poi, a San Francisco, mese dopo mese, per ragioni differenti e per nessuna in particolare. Di sicuro nessuno è venuto per approfittare del mercato del lavoro, che è tutto fuorché elettrizzante. Per adesso ci arrangiamo col lavoro temporaneo e con qualunque cosa capiti. Jessica fa la babysitter a Santa Rosa, K.C. insegna in una prima media di una scuola cattolica femminile, Eric sta facendo il dottorato a Stanford, e Pete, in quanto membro di una non meglio identificata Associazione Gesuita di Volontariato, vive con una mezza dozzina di soci a Sacramento, dove lavora per il sindacato carcerati, all'interno dello staff editoriale del rinomato periodico «Il Carcerato Californiano».

La presenza di queste persone è surreale quanto confortante. Di fatto costituiscono l'unico legame che io e Toph abbiamo ancora con la nostra città natale, dato che, anche se è trascorso meno di un anno da quando abbiamo lasciato Chicago, abbiamo già perso i contatti con tutti gli amici di famiglia e anche con le amiche di mia madre. Il che è piuttosto strano, secondo me e Beth. Ci saremmo aspettati una maggiore attenzione nei nostri riguardi, e di venire per così dire controllati nel corso della nostra evoluzione. Ma va bene così. Quelle conversazioni telefoniche e quegli scambi epistolari dei primi tempi, quando avvenivano, avevano sempre un non so che di goffo, falso, la preoccupazione dell'interlocutore così palpabile, così malamente celata, così palesemente accompagnata da un'implicita sfiducia nei nostri confronti.

Questa gente invece, questi amici, creano per noi e per Toph tutto un mondo, volenti o nolenti, di finti cugini, falsi zii e false zie. Mangiano con noi, vengono in spiaggia con noi; le ragazze, K.C. e Jessica, ci comprano arnesi da cucina, di tanto in tanto compaiono e raddrizzano un po' la situazione, rifanno i letti, puliscono i piatti abbandonati nel lavello e nelle camere da letto, sono sempre disponibili per domande relative alla bollitura del granturco e a come scongelare la carne. E tutti conoscono Toph da quando è nato, lo hanno tenuto in braccio quando era piccolo e pelato, per cui non fanno storie sulla sua presenza al cinema, ai barbecue e in ogni occasione sociale. E anche lui li conosce, ne riconosce la voce al telefono, l'auto nel vialetto d'ingresso, si ricorda gran parte delle battute del nostro saggio di fine anno, quello che avevamo provato tutti insieme in cantina per mesi e mesi. A quel tempo Toph aveva forse quattro o cinque anni ma voleva sempre essere presente e scongiurava nostra madre di farlo rimanere fino alla fine a guardare, seduto in cima alle scale, divertendosi un mondo. Sapeva ogni battuta a memoria.

Per questo tento di attirare questa gente a Berkeley il più spesso possibile e di ospitarli in casa, per il mio divertimento ma anche per una sorta di continuità, per avere una specie di famiglia allargata, ciascuno con il suo ruolo: la zia che sa cucinare, quella che sa cantare, lo zio che è capace di fare giochetti tipo mettersi una pila di monetine sul gomito e con uno scatto del braccio farsele cadere in mano. E loro vengono e stanno, e non sempre per loro scelta. Moodie, tanto per dirne uno, è sempre da noi, e di recente è rimasto anche a dormire sul divano del salotto perlomeno tre sere a settimana. Siamo amici almeno dai tempi del liceo, quando condividevamo la puzza di piedi scambiandoci gli ultimi ritrovati contro l'acne – da cui entrambi eravamo terribilmente flagellati – e bevevamo Miller Genuine Draft nello scantinato-camera da letto di casa sua. Sfruttando il successo del nostro business di false carte di identità – eravamo stati i primi in città a utilizzare l'allora nuovissima tecnologia Macintosh, soppiantando rapidamente i nostri competitor che ancora usavano polaroid e cartoncini – avevamo avviato in un ripostiglio di casa mia un piccolo studio di graphic design dal nome Gigantic Design Associates, con tanto di carta da lettera a stampa laser e biglietti da visita con lettering a rilievo lucido ($ 39.99 per 500 biglietti) con consegna a domicilio, simile al servizio di falsificazione a disposizione dei nostri clienti, i quali volevano un lavoretto rapido ed economico e non facevano caso se il documento era zeppo di errori come...

«Grazie.»

John mi ha appena portato una birra.

John poi lo conosco da sempre.

Come al solito ha una splendida abbronzatura. A lui piace essere abbronzato.

È cresciuto nel mio quartiere e i nostri genitori erano amici. Lo conosco da prima di tutti gli altri. Ci sono foto di noi due che mangiamo seduti sotto il tavolo da cucina, di me che bevo con una cannuccia l'acqua dei canarini. Insieme, a nove, dieci anni, scrivevamo interminabili lettere alla Lego in cui suggerivamo migliorie al design e nuove idee per prodotti futuri. Io ero figlio dei suoi genitori quanto lui lo era dei miei, e anche alle medie e più tardi, quando avevamo ormai meno cose in comune, siamo sempre stati incredibilmente legati, appiccicati l'uno all'altro.

Anche i suoi sono morti. A sua madre, una donna alta, bionda, rumorosa, era venuto un cancro quando eravamo al secondo anno di liceo, un gran casino che lo aveva portato a rifugiarsi ancor di più in seno alla nostra famiglia. Cinque anni dopo, trascorso un mese alla University of Pennsylvania, si era trasferito in Illinois per essere più vicino al padre, che pure non stava bene per via di un ictus, ed era in cura per una forte depressione... E dopo un anno se n'era andato anche lui per un aneurisma, e tutti eravamo talmente incasinati – erano passati pochi mesi dalla morte di mio padre e quell'anno era stato per entrambi davvero nero e non è che ci vedevamo molto – vederci ci faceva stare solo peggio, ci faceva solo tirare su col naso e dare colpi di tosse...

Dopo il funerale di suo padre, John era tornato a scuola nel giro di pochi giorni. Era mercoledì.

«Sei tornato» gli avevo detto.

«Sì» aveva detto lui.

Del resto, non è che avesse altri posti dove andare.

«Cosa è successo alle tue nocche?» Erano piene di tagli e scorticature.

«Ho rotto una finestra. Sai com'è.»

«Già.»

E adesso è qui, e per ora sta a Oakland. Dopo la laurea ha tentato per un po' di vivere a Chicago, ma si è stancato di incontrare sempre e solo gente della sua università di Champaign. Erano tutti lì, l'intera scuola. Talmente pochi ce la fanno a uscire dallo stato. Per la maggior parte della gente Chicago è come il regno di Oz, qualunque cosa al di fuori è come la Cina, come la luna.

«E come sta Toph?»

«Bene» dico.

Pinze, manette...

«Dov'è?» chiede.

Trielina, vaselina...

«A casa. Con il baby-sitter.»

Altri strumenti. *Roba scozzese!*

«Ah.»

Cambio argomento.

«Come va la ricerca di lavoro?»

«Non so. Bene, credo. Ho avuto una riunione con un consulente professionale.»

«Un che?»

«Un consulente professionale.»

«Cosa significa?»

«Un tizio che ti aiuta a capire...»

«Okay, ci sono, ma come funziona esattamente?»

«Be', tu gli parli dei tuoi interessi e lui ti fa fare un test.»

«Come, a risposta multipla?»

«Sì. Ci vogliono circa tre ore.»

«E lui ti dà un test per capire che tipo di lavoro vuoi?»

«Esatto.»

«Stai scherzando.»

«Perché dovrei scherzare?»

Osserviamo le persone sotto di noi, vestite con roba di seconda mano acquistata alla missione o, al doppio del prezzo, a Haight. Portano camicie attillate di fibre sintetiche con due bottoni slacciati, magliette logore con il logo di compagnie sconosciute, le teste rasate o con chiome studiatamente scompigliate alla Westerberg. Ci sono giovanotti di Stanford in camicie oxford azzurrine e capelli corti spalmati di gel. Ci sono donne piccine con scarpe enormi, avvolte in confortevoli camicioni con gli orli ribattuti.

Tutti parlano. Ognuno è venuto qui con i suoi amici e sta chiacchierando. Colleghi di lavoro, gente che si vede ogni giorno e si dice cose dette un milione di altre volte. Proprio come noialtri, tutti hanno in mano un bicchiere di birra appena spillata.

«Ordiniamo da mangiare?» diciamo/dicono.

«Non so. Che dite?» diciamo/dicono.

Da qui, dal secondo piano del bar, vedo le bocche muoversi ma le parole non sono altro che un brusio continuo e monotono, una specie di muggito punteggiato da occasionali squittii tipo: "Oddio!".

Siamo in troppi, sono in troppi. Troppi, troppo simili. Che ci fanno tutti qui? Questo starsene in piedi, seduti, parlare. Non c'è neppure un tavolo da biliardo, delle freccette, niente. Semplicemente un gran cazzeggiare, perdere tempo, bere birra da boccali di vetro spesso...

Ho messo a repentaglio la mia vita per questo?

Urge che accada qualcosa. Qualcosa di grosso. La conquista di qualcosa, che ne so, di un edificio, una città, un paese. Dovremmo tutti armarci e conquistare dei piccoli stati. Oppure dovremmo organizzare dei tafferugli. Oppure no, delle orge. Ecco, ci dovrebbe essere un'orgia.

Tutta questa gente. Dovremmo chiudere le porte, abbassare le luci e spogliarci tutti insieme. Potremmo cominciare noi, K.C. e Jessica, e poi via alla grande. Allora sì che ne varrebbe la pena, allora sì che tutto troverebbe una sua giustificazione. Potremmo spostare i tavoli, portare dei divani, dei materassi, dei cuscini, degli asciugamani, degli animali di peluche...

Ma tutto questo... tutto questo è osceno. Come possiamo starcene qui, a parlare di nulla, invece di correre come un'unica fiumana di gente verso qualcosa, qualcosa di enorme, e ribaltarlo? Perché ci diamo la briga di venire fin qui in così gran numero, se poi non appicchiamo nemmeno un incendio e non facciamo a pezzi tutto quanto? Come osiamo starcene qui senza chiudere le porte, sostituire le lampadine a luce bianca con altre rosse, e dare inizio a un'orgia di massa in un gioioso mescolarsi di braccia gambe e seni?

Che spreco.

Di cosa mai potremmo parlare?

Pete salta su.

«Ehi, laggiù» dice, con una traccia dell'accento inglese coltivato negli anni di liceo, «dimmi un po', come va il giovane Toph?»

«Benone» dico.

«Ma dov'è?»

Io adoro Pete, e so che non intende dire nulla di male, ma perché diavolo mi fa questa domanda? Perché questa domanda per la seconda volta in una sera? Proprio come il tormentone "Ma che bravo fratello!", "Dov'è tuo fratello?" è diventato una specie di frase obbligata, pur essendo priva di ogni logica interna. Perché mi chiedi, mentre sono qui che bevo e cerco di organizzare orge, dov'è mio fratello? Che risposta si attendono Pete e John? Che razza di domanda. Un conto è: "Come sta tuo fratello?". Ha senso e si può rispondere facilmente: "Toph sta bene". Ma perché chiedere dove?

«A casa» dico.

«Ah. E con chi?»

Rasoi, seghe elettriche, congelatori...

«Devo andare.»

Mi faccio largo verso il bagno.

Che razza di domande. La gente dovrebbe pensare prima di parlare. Possibile che i miei amici siano tutti degli idioti?

In bagno c'è un tizio che piscia nel lavandino. Nel momento in cui noto che c'è un tizio che piscia dentro al lavandino, quel qualcuno nota che sto notando, e ovviamente pensa che io stia guardando il suo pene – cosa peraltro non vera – penzolante oltre l'orlo del lavandino simile a un pulcino appena nato, violaceo e rugoso, in cerca d'acqua.

Vorrei andarmene immediatamente, ma mi rendo conto che agli occhi di questo tizio una fuga mi renderebbe ancora più sospetto, come se fossi entrato in bagno *specificamente* per vedere il suo pene appoggiato sul bordo di porcellana del lavandino e dopo averlo fatto – *okay, lo vedo* – mi fossi sentito libero di uscire. Mi infilo in un gabinetto e mi chiudo la porta alle spalle. E proprio davanti ai miei occhi ecco uno dei nostri adesivi.

AL DIAVOLO QUEGLI IDIOTI.
MIGHT MAGAZINE.

Moodie e io l'avevamo inventato mesi prima e l'avevamo passato ad amici e conoscenti chiedendo loro di attaccarli all'interno di bagni, sui muri, sui lampioni, sulle auto. Doveva essere il primo passo di una campagna marketing trimestrale che aveva il compito di portare sulla bocca di tutti la parola "Might". *Ma che cos'è questo Might?* si sarebbero chiesti tutti, incuriositi. *Non so esattamente, ma quando la faccenda si chiarirà, mi interesserà sapere di che cosa si occupano.*

C'era stata un'accesa discussione per decidere come doveva essere la scritta sugli adesivi. Per noi la questione era ovvia, del resto, e per quello che ci riguardava spiegava tutto chiarissimamente:

AL DIAVOLO QUEGLI IDIOTI.

Adesso però, osservando quell'adesivo appiccicato storto sul muro di mattoni, mi rendo conto che c'è un problema: non è del tutto chiaro chi è che deve andare al diavolo. Chi sono gli idioti che dovrebbero andare al diavolo? Oh, cazzo. Certo, era nostra intenzione rimanere sul vago, di modo che "idioti" fosse interpretabile come chiunque: altre riviste, i datori di lavoro, i genitori, gli hippie, il supermercato all'angolo. Adesso però dentro di me fa capolino una terribile domanda: non staremo mica dicendo implicitamente che il lettore dovrebbe mandare al diavolo *noi*?

Oddio, certo che sì. In fondo, dopo avere pregato il lettore di mandare al diavolo quegli idioti, si legge "Might Magazine". Quegli idioti siamo diventati noi! Non c'è altra interpretazione possibile!

Disastro. Abbiamo coperto la città con adesivi che dicono alla gente di mandarci al diavolo. Avremmo potuto formularlo meglio in così tanti altri modi, che so, per esempio:

MIGHT MAGAZIN DICE:
AL DIAVOLO QUEGLI IDIOTI.

Oppure:

«AL DIAVOLO QUEGLI IDIOTI»
DICE MIGHT MAGAZINE.

Oppure:

AL DIAVOLO QUEGLI IDIOTI
("QUEGLI IDIOTI" NON SI RIFERISCE ALLE PERSONE
CHE OPERANO DIETRO LA DICITURA MIGHT MAGAZINE,
OSSIA COLORO CHE HANNO PRODOTTO L'ADESIVO,
CHE SONO INVECE BRAVE PERSONE E NON DOVREBBERO ESSERE
MANDATE AL DIAVOLO.)

Tutto ciò è terribile, è l'Armageddon. Abbiamo già stampato cinquecento di questi affari. Mi chino verso la tazza e cerco di staccare l'adesivo – giuro che li toglierò tutti, uno a uno, a mano! – ma ne viene via solo un pezzettino minuscolo. Continuo a insistere senza alcun progresso apprezzabile, le unghie nere di colla appiccicosa. E non mi sono nemmeno abbassato la patta.

Quando esco dal bagno, il tizio con il pene-pulcino-violaceo non c'è più e quando faccio ritorno alla nostra postazione accanto alla balaustra, metà della gente se n'è andata. C'è Deirdre da sola, in piedi.

Chiacchieriamo di futilità per un paio di minuti, prima che...

«E come sta tuo fratello?»
«Bene, grazie.»
«Non mi ricordo come si chiama.»
«Toph.»
...stai a vedere che...
«E dov'è?»
Cristo, 'sta gente. Guardo in basso verso tutti quegli idioti, laggiù.
«Toph? Oh, non lo vedo da settimane.»
«Cosa intendi dire?»
«Voglio dire che a quest'ora credo che si trovi non so se in Sud o in Nord Dakota.»
«Cosa?»
«Sì, guarda, ha dato di matto. Un bel giorno ha preso e se n'è andato. In autostop. In giro per il paese con degli amici.»
«Stai scherzando.»
«Vorrei.»
«Mi spiace davvero tanto.»
«Oh, non ti preoccupare. Credo che in parte sia colpa mia, del resto. Era un po' incazzato con me. Tipiche dinamiche adolescenziali.»
«Cosa intendi dire?»
Continuo a guardare giù, osservo un uomo di mezza età con un berretto e una giacca di pelle nera che chiacchiera con due ragazze dall'aria di studentesse universitarie e, poveretto, non sa che per lui è finita, per sempre, altro che berretto e tutto il resto. Lancio un'occhiata a Moodie per assicurarmi che non stia ascoltando. Mi ucciderebbe. Vedo che non sta prestando attenzione, per cui guardo Deirdre in viso, sia per dare forza drammatica al racconto sia per assicurarmi che stia ancora ascoltando.

Mi ascolta eccome, per cui vado avanti. Non sono sicuro del perché lo faccio. La gente mi pone domande e io, prima che possa formulare una risposta orientata verso la verità, mento. Mento sul modo in cui i miei genitori sono morti – «Ricordi il bombardamento dell'ambasciata americana in Tunisia?» – sulla mia età – dico sempre di avere quarantuno anni – sull'età di Toph, sulla sua altezza; quando la gente chiede di lui ottiene le menzogne più elaborate – che ha perso un braccio, che ha un cervello da neonato, che è un ritardato, uno scocciatore (quest'ultima la dico solo in sua presenza), che è impiegato alla marina mercantile, che è in carcere, in riformatorio, o che ne è appena uscito, che spaccia crack – «Vecchio Toph, gli basta un po' di crack e dovreste vedere come gli si illumina il faccino!» – che gioca nella Continental Basketball Association.

«Si è cacciato nei guai a scuola.»

«Che genere di guai?»

«Sai che non si dovrebbero portare armi a scuola, no?»

«Certo.»

«Be', è quello che gli avevo detto io. In poche e semplici parole. Lo sanno tutti. Puoi giocarci in casa, nel tuo quartiere, fai pure quello che ti pare, ma non portarla a scuola perché le regole sono regole. Giusto?»

«Aspetta un momento. Toph ha un'arma?»

«Ma certo.»

«E quanti anni ha?»

«Nove. Quasi dieci, veramente.»

«Ah. E dunque l'hanno beccato con la pistola?»

«Be', a dire il vero è andata anche peggio. Devi sapere che Toph ha un caratteraccio e questo ragazzino, Jason non so che, lo scocciava e lo scocciava cantando la stessa canzoncina da ore, una canzone che a Toph non piace affatto, per cui a un certo punto è scattato e bang, in un attimo ha estratto la pistola e ha premuto il grilletto.»

«Oh mio Dio.»

«Puoi dirlo forte.»

Poi la rassicuro, le dico che no, il piccolo Jason non è morto, che adesso sta bene, è uscito dal coma proprio la scorsa settimana. E ovviamente che ho revocato a Toph il permesso di usare la sua pistola, che l'ho pestato fino a fargli perdere conoscenza, con tale impegno che a un certo punto ho sentito qualcosa che gli si spezzava in una gamba, non so, forse un tendine, infatti si è messo a urlare come un maiale sgozzato ed è caduto a terra e non si rialzava più per cui l'ho dovuto portare al pronto soccorso. E poi, mentre eravamo in ospedale uno dei dottori deve avere fatto la spia per cui a un certo punto è arrivata la polizia e...

«E che cosa hai detto della gamba, alla polizia?»

«Be', quello è stato facile. Gli ho detto che lui e un suo amico giocavano a menarsi con degli asciugamani bagnati.»

«E ti hanno creduto?»

«Naturale. Naturale. Neanche ti immagini cosa è disposta a credere la gente, quando viene a sapere di noi e della nostra storia. Sostanzialmente sono pronti a bere qualunque cosa, a credere a qualunque fandonia, perché sono presi in contropiede, si chiedono se quello che stanno ascoltando è la verità, se la nostra storia in generale è vera, ma d'altra parte non possono essere sicuri e hanno un sacro terrore di offenderci.»

«Eh già» dice lei, e ancora non ci arriva. Decido di andare fino in fondo.

«A ogni modo, Toph si è beccato tre settimane di stampelle e ovviamente era incazzato con me, ma questa volta per davvero, e a un certo punto... puff, nell'istante in cui si è tolto le stampelle era già sparito.»

«In autostop.»

«Esatto.»

«Mi spiace davvero tanto. Se c'è qualcosa che posso fare...»

«Ecco, forse una cosa...»

«Cosa?»

«Non parlarne a Moodie.»

«Va bene.»

«Sai, si preoccupa.»

Moodie mi ucciderà, lo so. Meglio filarsela. Lei glielo dirà e Moodie mi farà fuori. Mi prenderà a pugni. Come quella volta al liceo, dopo la festa della scuola, al lago, quando ero ubriaco e gli sono caduto addosso giù da un albero. Mi darà un cazzotto come quella volta – uno solo ben assestato, in pieno sterno, un semplice e rapido messaggio – sei un testa di cazzo – che ho sentito ancora per mesi dopo, ogni volta che inspiravo.

Trovo la mia macchina e guido per la città, e tutti i semafori verdi mi osservano e sembrano prendersi gioco di me – è stata una brutta cosa, quello che ho fatto a Deirdre, un analista sicuramente lo confermerebbe. Su per la Nona, attraverso Market, lungo Franklin e giù per Cow Hollow, dove abita Maida. Ai piedi della collina, dopo qualche isolato si scorge il suo appartamento al terzo piano. Maida vive all'ultimo piano di una casetta azzurra su Gough, a pochi isolati di distanza da Union Street, in un appartamento che lei stessa ha decorato assieme a sua madre, con tanto di presine e tendine e un centinaio circa di cuscini troppo imbottiti. La mia idea è di finire nel suo letto. Che è enorme e dotato di testiera.

Parcheggio dall'altra parte della strada e alzo lo sguardo per vedere se ci sono luci accese in casa sua. Buio. Sulla scala antincendio, il solito piccolo gufo di plastica. Sta dormendo. No, no, ecco una debole luce che proviene dalla cucina. Forse la tv. Potrebbe essere ancora sveglia. Potrebbe essere uscita e poi tornata a casa e potrebbe essere ancora in piedi. Sono solo le undici e mezzo. *Oh, essere là dentro!* No, no, che stupidaggine. Aggiro l'isolato. Non ho scuse per essere lì a quell'ora. Faccio inversione e torno. Devo escogitare qualcosa.

Mi fermo nel vialetto d'ingresso dietro la sua macchina e con un balzo supero i gradini di legno della veranda. Suono il campanello. Le dirò che voglio dormire lì stanotte. Le dirò che ho bisogno di dormire lì stanotte. Che sono rimasto chiuso fuori casa. Scusa, è una cosa talmente imbarazzante, le dirò ridacchiando. Eh, eh, eh. Una di quelle cose bizzarre che capitano, dirò. Passavo da queste parti, ero in città e poi mi sono ricordato che Toph è da Beth, dirò. Scusa. *Come stai? Stavi dormendo?*

Mi farà entrare. Andremo in spiaggia, come abbiamo fatto l'altra volta, quell'altra volta in cui mi sono fatto vivo da lei a mezzanotte, bisognoso. Quando le ho chiesto se veniva in spiaggia con me era già in pigiama, ma l'idea l'aveva entusiasmata, si era rivestita, e mentre si vestiva io avevo fatto scorta di banane, biscotti ai fichi e una bottiglia di vino. Lei aveva portato delle coperte, e quando siamo saliti in macchina, col buio, e i sedili freddi, abbiamo acceso il riscaldamento, ci siamo stretti la mano e ci siamo sparati sul Golden Gate verso le Headlands, la strada nera che si snoda lungo le colline violacee, come seguendo la silhouette di un enorme corpo dormiente. Abbiamo superato le vecchie baracche di legno dell'esercito e le torrette di guardia sul Pacifico, diretti verso la spiaggia di Fort Cronkite. Abbiamo parcheggiato proprio accanto alle baracche scure, siamo usciti dalla macchina e dopo esserci tolti le scarpe abbiamo fatto una passeggiata fino a quel laghetto attraversato dal ponticello di legno grigio – c'era così tanto rumore, intorno – e l'oceano era nero e il vento soffiava dal mare. Ci siamo avvolti nelle coperte, ancora a piedi nudi, scaldandoci le mani sotto le ascelle l'uno dell'altra...

Non risponde.

Scuoterà la testa, quando mi vedrà, ma mi farà entrare. Premo il campanello un altro paio di volte. Mi giro e guardo la strada.

Un'auto nera e luccicante sale su per la collina e si ferma all'angolo. Al suo interno c'è una donna intorno ai trentacinque anni ben vestita, da sola alla guida. Tira il freno a mano e cerca qualcosa nella borsetta. Io mi trovo a non più di una ventina di metri. Sta per guardare verso di me. Alzerà lo sguardo in direzione della veranda e mi vedrà. Aprirà la portiera opposta alla sua e mi chiederà di salire da lei e di fare l'amore. *Speravo proprio che me lo chiedessi,* dirò con una certa dolcezza. Non mi importa cosa faremo, qualunque cosa andrà bene, e anche niente del tutto. Non importa. Un letto spazioso e caldo e le sue gambe intrecciate alle mie sotto le coperte. Io la prenderò in giro per le sue dita fredde e lei me le strofinerà contro le gambe per scaldarle.

Cose del genere accadono, a volte.

La donna trova quello che stava cercando nella borsetta, rilascia il freno, si dirige su per la collina e poi scompare dietro l'angolo. Maida non è in casa. Me ne vado.

In Union Street i bar hanno appena chiuso e c'è gente ovunque. Julie lavora come barista in un posto che si chiama Blue Light che, oltre a essere inondato per l'appunto di luce blu, è pieno di specchi e di gente che indossa mocassini e pantaloni bianchi. Julie e io ci siamo incontrati all'ultima festa di Moodie. Le farò un'improvvisata. Fingerò di cercare qualcuno oppure mi farò avanti decisamente e le dirò che sono venuto per lei, perché all'improvviso ho pensato a lei e volevo vederla. Le piacerà. Sarà sorpresa e lusingata. Potrebbe perfino dirlo: *Sono sorpresa e lusingata!*

Parcheggio cinque isolati più giù. Union Street scoppia di gente in mocassini e pantaloni bianchi. Gente che viene da Marin, da New York, dall'Europa. Alla porta il buttafuori non mi farà entrare. Ho lasciato la patente in auto.

«Ho bisogno di un documento.»

«Lo so, ma...»

«Spiacente. Smammare.»

«Io volevo solo...»

«Gira sui tacchi. E cammina.»

Ovviamente mi immagino nell'atto di ucciderlo. Per una non meglio precisata ragione con uno spadone a doppio taglio. Con cui spiccargli quel testone pelato.

«Senti... c'è Julie?»

«No.»

«Se n'è andata?»

«Non lavora, stasera.»

Mi dirigo di nuovo verso la mia auto, superando qualche altra dozzina di individui in mocassini e pantaloni bianchi. Ci sono anche due o tre sfigati vestiti di kaki. Se solo accadesse qualcosa. Non accade mai nulla. Dev'essere tutto un terribile ingranaggio, in cui passa solo il risaputo.

Mi infilo in un alimentari per telefonare. Chiamo Meredith. Meredith uscirà.

Risponde. Le chiedo che succede. Mi dice che non succede nulla. Le chiedo cosa fa di bello. Mi dice che non fa niente di bello. Le chiedo se le va di fare qualcosa insieme. Mi dice che le va bene.

Io e Meredith non siamo mai stati più che amici, e fin dal college, quando lei era a Los Angeles e io ero qui, ci siamo sempre sentiti per telefono. È qui in visita per una settimana e sta appena fuori Haight.

Vado a prenderla. Andiamo da Nickie's, un posto minuscolo, stipato di corpi umani accaldati.

«Si balla?»

«Prima devo bere un altro po'.»

... E dopo avere bevuto al banco, schiacciati come in una limousine da ballo delle debuttanti, balliamo. Goffamente, urtando la gente intorno a noi, sudando subito e vergognosamente. La gente affolla la pista, per cui siamo costretti a ballare vicinissimi. In cerca di un po' di spazio ci spostiamo in un angolo proprio sotto le casse. Qualunque cosa sia (Earth, Wind & Fire?) è assordante. Le frequenze sono massicce, invadenti, il basso pulsa potente provocando come delle ondate dentro i nostri cervelli per poi diffondersi ovunque, cancellando tutti i nostri pensieri, come se entrasse in casa con una decina di valigie e si installasse nella camera principale, spostando anche il mobilio, ci vibra dentro la testa facendo da colonna sonora alle nostre sinapsi e a tutto quello che è depositato là dentro, dai numeri di telefono ai ricordi dell'infanzia. Lasciamo che i nostri corpi si avvicinino e ovviamente l'unica direzione in cui guardare è in giù, al corpo di Meredith in torsione, alle sue membra che ora si allontanano e ora si avvicinano...

Ce ne andiamo. Al mare.

Il tragitto fino all'oceano è lungo.

A quest'ora il baby-sitter avrà fatto tutto quello che gli pareva, sarà montato in sella alla sua bicicletta col cestino e sarà tornato nella sua tana per raccontare tutto agli amici. Si staranno facendo due risate. Lui gli starà mostrando le polaroid...

No, Toph se la sarà cavata. Avrà fatto finta di essere addormentato o morto e poi, quando Stephen si sarà addormentato, dopo essersi ingozzato di roba direttamente dal frigo, gli sarà arrivato alle spalle e l'avrà colpito con qualcosa. Forse con la mazza da baseball. Quella che abbiamo comprato da poco, di metallo. Gli avrà rincagnato il capoccione con una bella mazzata e quando tornerò a casa troverò un eroe, stanco e pieno di lividi, ma pur sempre un eroe, e non me ne vorrà per averlo lasciato solo, capirà.

IO «Accidenti, a momenti ci ammazzavamo.»

LEI «Davvero!»
IO «Hai fame?»
LEI «Questo sì che è parlare».

Io e Meredith parcheggiamo e ci togliamo le scarpe. La sabbia è fredda. Mentre camminiamo verso la riva, vediamo dei falò qua e là sulla spiaggia. Sistemiamo un asciugamano vicino alle onde illuminate dai lampioni alle nostre spalle e ci sediamo, appoggiandoci l'uno all'altra. Ma al nostro slancio iniziale è accaduto qualcosa; proprio mentre eravamo sul punto di abbandonarci a un innocente gioco di dare e prendere piacere, a cui entrambi stavamo lavorando fino a questo momento e che solo venti minuti fa sembrava l'unica logica conclusione, ora che siamo qui tutta la faccenda ci pare una forzatura, una scemata, buoni amici che certe cose dovrebbero saperle. E allora parliamo del nostro lavoro. Al momento lei sta lavorando alla postproduzione del telefilm della serie *Flipper*.

«Davvero?» dico. Questa è nuova.

«È meglio di quanto sembra» dice.

Però quello che le piacerebbe è di fare film, avere uno studio tutto suo, produrre bei film, roba strana, fondare una specie di cooperativa, tipo la Factory di Warhol, con tutta la gente che va e che viene...

«Ma lo sai» mi spiega «che magari ci vogliono cinque, dieci anni per mettere insieme una cosa del genere? E costa talmente tanti soldi... Voglio dire, anche se cominciassi ora... non c'è niente di peggio dell'attesa. L'attesa di essere quello che vuoi essere. Il trascinarsi di giorno in giorno, i lavori temporanei tipo la postproduzione di *Flipper*...»

«Per qualsiasi cosa ci vuole un sacco di tempo.»

«Vero. Per sapere esattamente quello che vorresti fare, per sapere esattamente cosa faresti, dati i mezzi, con un po' di tempo a disposizione, tutti i progetti davanti a te, le idee chiare su quello che c'è da fare, e tutto ben progettato, dalle persone che bisogna coinvolgere a come dev'essere l'ufficio, a dove sistemare le scrivanie, i divani, la vasca da bagno...»

«Dovrebbe essere più facile.»

«Dovrebbe essere automatico. Istantaneo.»

«Ogni giorno una rivoluzione che sgombri il mondo, una rivoluzione pacifica, volta alla rigenerazione più che alla distruzione. Cominciare ogni giorno con un mondo nuovo di zecca... O meglio ancora, cominciare ogni giorno col mondo che conosciamo ed entro le nove, dieci del mattino, distruggerlo.»

«Ma hai detto...»

«Lo so. Mi sono appena contraddetto. Va bene allora, ci sarà un po' di distruzione, ma non sarà ai danni di nessuno né contro la volontà di nessuno.»

«Va bene, va bene, e...?»

«Diciamo che ogni giorno, ogni mattina, milioni di persone, a un segnale prefissato, buttano giù l'intera dannata baracca, città e paesi, con martelli e seghe e sassi e bulldozer e carri armati e roba del genere. Un colpo di spugna alla lavagnetta magica. Ci raduniamo nei pressi degli edifici come formiche, poi li imbraghiamo e li tiriamo giù, buttiamo giù tutto quanto, ogni giorno, così che il mondo, entro mezzogiorno, è ben piatto, ripulito di ogni edificio e ponte e torre.»

«Ogni tanto faccio dei sogni del genere, nei quali sposto delle cose enormi.»

«Sì, sì. E dopo avere tirato giù tutto, quando la tela è ritornata vuota...»

«Si ricomincia da capo. Ma non un inizio del tipo "Roma non è stata fatta in un giorno". E neppure stile ricostruzione della Germania. Voglio dire, ci svegliamo, buttiamo giù il mondo fino alle fondamenta, o anche più giù, e poi, per le tre del pomeriggio, ci ritroviamo con un mondo nuovo.»

«Per le tre?»

«Sì, due o tre, a seconda del clima, se è estate o inverno... dovremmo avere abbastanza luce per goderci il panorama. Intendo dire, credo che potremmo farne di cose. Cioè, immagina un po' se un centinaio di milioni persone o più, molte di più... Quante persone ci saranno al mondo, devono essere almeno due miliardi, giusto?»

«Due mi...»

«Sì, allora immagina di prendere tutte quelle persone e di spargere la voce che da oggi in poi ogni giorno creiamo tutto daccapo.»

«Intendi dire un mondo più giusto ed equo...»

«Sì, certo, maggiore giustizia e tutto il resto, ma a parte questo e tutte la ragioni politiche ed economiche per farlo, voglio dire, oltre a questo, in realtà, è la sensazione che... Voglio dire, immagina come dev'essere camminare sulle rovine. Non sarebbe una cosa fantastica? Non intendo dire cadaveri o roba del genere, intendo dire macerie, nel senso di cose a pezzi, spazzate via, in modo da trovarsi ogni giorno di fronte a un paesaggio nudo e puro – ci vorrebbero un sacco di camion e di treni per caricare tutta quella roba e portarla, che so, in Canada o da qualche altra parte...»

«E tutti i giorni si ricomincerebbe da zero, e tutti i giorni uno potrebbe dire, ehi, tiriamo su qualche edificio qua, e sì, laggiù sistemiamo un ippopotamo imbottito alto centocinquanta metri, e là, proprio di fonte a quella montagna, un enorme ehm... che cazzo ne so.»

«Certo, certo. Ma bisognerebbe poter accelerare le cose e rendere tutto un po' più facile di com'è, in termini di costruzioni e roba simile. Ci sarebbe bisogno di enormi robot o qualcosa del genere.»

«Come no, dei robot.»

«Guarda che dico sul serio.»

«Anch'io. Sono con te su tutta la linea.»

«Possiamo farcela.»

«Certo.»

«Dobbiamo riuscire solo ad attirare l'attenzione della gente.»

«Di tutti quelli che conosciamo.»

«Anche degli sfigati.»

«Come John.»

«Certo. Buona fortuna.»

«Lo so. Sai di cosa parlava stasera?»

«Perché, l'hai visto?»

«Sì.»

«Lo devo richiamare.»

«Diceva che ha sostenuto questi test, tipo test attitudinali, per sapere che tipo di lavoro dovrebbe fare, in modo che qualcuno gli dica cosa deve fare nella vita...»

«Cristo.»

«Lo so, è pazzesco.»

«Dobbiamo cambiarlo.»

«Ispirarlo.»

«Lui e tutti gli altri.»

«Mettere tutti assieme.»

«Tutta la gente.»

«Basta con le attese.»

«Azione attraverso le masse.»

«Fermarsi è un crimine.»

«Come esitare.»

«E lamentarsi.»

«Dobbiamo essere felici.»

«Sarebbe difficile non esserlo.»

«Dovremmo proprio impegnarci per non esserlo.»

«Abbiamo un compito preciso.»

«Abbiamo dei vantaggi.»
«Abbiamo una base da cui permetterci di rischiare.»
«Una rete sui cui cadere.»
«Questo si chiama lusso.»
«Lusso di spazio e di tempo.»
«Qualcosa di raro e prezioso.»
«Che quasi non ha precedenti nella storia.»
«Dobbiamo fare cose eccezionali.»
«Dobbiamo.»
«Sarebbe vergognoso non farle.»
«Prenderemo quello che abbiamo avuto in dono e uniremo la gente.»
«E cercheremo di non sembrare così terribilmente teste di cazzo.»
«Giusto. Da adesso in poi.»

Le dico quanto è buffo che si parli di tali faccende, dal momento che proprio in questo momento io mi sto già dando da fare per mettere insieme qualcosa che affronti tutto questo, che ispiri ad alte mete milioni di persone, e che con alcuni amici del liceo, Moodie e altri due, Flagg e Marny, stiamo mettendo in piedi qualcosa che farà piazza pulita di tutti gli equivoci che ci circondano, e le spiego come questa cosa ci aiuterà a sbarazzarci dei ceppi dei nostri supposti obblighi, delle nostre prospettive di carriera senza costrutto, e di come spingeremo – o al limite solleciteremo – milioni di individui a vivere esistenze d'eccezione e (alzandosi a questo punto in piedi per maggiore effetto) a fare cose eccezionali, a viaggiare per il mondo e ad aiutare la gente, a mettere fine a delle cose per costruirne altre...

«E come farete tutto ciò?» vuole sapere. «Con un partito politico? Una manifestazione? Una rivoluzione? Un colpo di stato?»
«Con una rivista.»
«Ah... ecco.»
«Sì» dico io, osservando l'oceano, cullandomi nell'ovazione che mi sta tributando. «Sarà una cosa enorme. Avremo una grande casa da qualche parte, oppure un loft, e sarà una galleria d'arte, e forse anche un dormitorio...»
«Come la Factory!»
«Sì, ma senza le droghe e i travestiti.»
«Certo. Una comune.»
«Un movimento.»
«Un esercito.»
«Che ammetterà chiunque.»
«Senza limitazioni di razza.»

«O di sesso.»
«Giovinezza.»
«Forza.»
«Potenziale.»
«Rinascita.»
«Oceani.»
«Fuochi.»
«Sesso.»

E improvvisamente le nostre bocche si incollano l'una all'altra. Tutto quel parlare di progetti e nuovi mondi... Siamo seduti mentre ci baciamo, con gli occhi aperti, quasi per ridere. Ma a un certo punto le nostre mani si muovono, cominciamo a crederci, i nostri occhi si chiudono, le nostre teste si muovono di qua e di là, e ci baciamo e un sacco di altre cose, ci baciamo come guerrieri che hanno salvato il mondo alla fine del film, gli ultimi due sopravvissuti, gli unici due in grado di salvare la situazione, e dato che siamo entrambi troppo sbronzi per tenere su la testa e gli occhi chiusi, ci stendiamo, e presto l'asciugamano sotto Meredith non è altro che una pelle di serpente accartocciata e noi ci siamo tolti i pantaloni, l'aria corre fresca sulle parti nude. E il sesso, è inevitabile, ci renderà più forti. Un manifesto proclamato sotto questo cielo pazzesco e con l'approvazione del mare che rimbomba...

Dalla spiaggia arrivano dei rumori. Strizzo gli occhi e riesco a scorgere delle persone dirette verso di noi in un'esplosione di suoni e di risate. Mi appoggio sul gomito e cerco di vedere meglio. È un gruppo di forse sei o sette persone, vestite con pantaloni scuri, scarpe e cappelli... spostiamo l'asciugamano da dietro la testa di Meredith sui nostri corpi nudi. Faremo finta di niente. Ci abbracceremo e ci lasceranno in pace, anche perché non si vede bene perché dovrebbero romperci le scatole.

Le voci si fanno più forti e più vicine.

«Aspetta che passino.»

«Quanto sono lonta...?»

«Shhhh...»

Lo scalpiccio dei passi si fa più forte, ormai è perfettamente udibile e poi, invece di passare oltre, improvvisamente ci sono addosso. Gambe ovunque. Guardo in su. Uno di loro ha preso i miei pantaloni e ci sta frugando dentro. Poi li butta verso l'acqua. Sono messicani, americani messicani, teenager. Quattro ragazzi e tre ragazze. No anzi, cinque ragazzi e due ragazze. Età incerta.

«Che cosa stavate facendo voi due?» chiede una voce.
«Cattivelli, cattivelli» dice un'altra.
«Dove sono i tuoi pantaloni, bel tipo?»
Finora solo voci femminili dal forte accento straniero. Nudi dalla vita in giù non possiamo nemmeno muoverci. Tengo l'asciugamano stretto intorno al nostro corpo, incredulo. Che cosa succede? L'inizio di qualcosa di molto, molto brutto. La fine, forse?
Cerco i miei boxer. Sono dentro i pantaloni vicino all'acqua. Prendo l'altro asciugamano, quello su cui eravamo coricati, me lo sistemo attorno ai fianchi e mi alzo in piedi.
«Che cazzo vo... Cazzo!» Qualcuno mi ha gettato della sabbia negli occhi. Ho gli occhi pieni di sabbia. Sbatto le palpebre freneticamente, come un epilettico. Barcollo e cado a sedere.
«Che cazzo...» ho le palpebre piene di sabbia. Non riesco più ad aprire gli occhi. *Resterò cieco.*
Le ragazze si gettano su Meredith.
«Ciao carina!»
«Ciao bambina!»
«Vaffanculo» dice Meredith, ancora seduta, la testa nascosta tra le ginocchia. Una delle ragazze la spinge.
Sono cieco. Continuo a sbattere le palpebre cercando di cacciare fuori la sabbia. Intanto mi chiedo se sono davvero diventato cieco e se tra poco moriremo tutti e due. Che razza di stupido modo di andarsene. *E così che muore la gente? Possiamo fregarli?* Mi rifiuto di farci uccidere da questa gente. *Hanno armi?* Per ora non se ne vedono. Toph, Toph. A furia di sbattere le palpebre e di lacrimare riesco a liberare un occhio. Mi rialzo in piedi, mi rimetto l'asciugamano alla vita, tenendolo con una mano come se fossi appena uscito dalla doccia.
Ci hanno circondato, alternandosi in maniera regolare, ragazzo-ragazza-ragazzo. Che strano...
Una delle ragazze mi arriva alle spalle e cerca di rubarmi l'asciugamano. Non ho capito che cosa vogliono. Immagino che il tipo che mi ha preso i pantaloni mi abbia già fregato il portafoglio. Che altro deve succedere?
«Vaffanculo!» Vorrei prenderla a pugni. Guardo in terra in cerca dei miei pantaloni. «Che cazzo volete?»
«Non vogliamo niente» dice una voce maschile.
«Ehi, non avete dei soldi?» gli fa eco un'altra, femminile.
«Non prenderete proprio un cazzo di niente» dico.
Ma chi sono? Uno di loro mi sorride. Un tipo piccoletto con un cap-

pellaccio. Qualcuno da dietro mi dà uno spintone, inciampo nell'asciugamani e cado sulla sabbia. Meredith si abbraccia le ginocchia. Devono avere fatto qualcosa anche ai suoi pantaloni.

Ci sono sopra, ghignanti. Si sentono delle risate. Sono sei. Uno di loro è andato via? Meredith sta piangendo? Tre ragazzi e tre ragazze. Le luci dei lampioni dietro di loro dà a ciascuno di loro tre o quattro ombre. Dov'è andato quell'altro? Ce n'è uno più alto, un altro di taglia media e quello piccolo con il cappellaccio che sembra più anziano. Le ragazze indossano gonne e giacche di pelle nera.

«Perché non ve ne andate fuori dai coglioni una buona volta?» dice Meredith.

La domanda resta sospesa per un minuto, blandamente. Che domanda idiota, Questo di certo è solo l'inizio, e...

«Va bene, andiamocene» dice quello basso.

E cominciano – oh, Cristo – ad allontanarsi. Perciò non dovevamo fare altro che chiedere? Non ci posso credere.

Il piccoletto, il più anziano del gruppo, si gira verso di noi.

«Ehi tu, senti, ci stavamo solo divertendo un po'. Scusa.»

E poi trotta per riunirsi al gruppo.

E poi è finita.

Sono spariti e io mi sto incazzando di brutto. Quei rottinculo! La mia testa adesso è limpida e forte e irrorata di sangue. Qualcosa è accaduto. Siamo vivi, abbiamo vinto, siamo forti! Hanno avuto paura. Li abbiamo spaventati. Ci hanno temuto. Abbiamo vinto. Gi abbiamo detto di andarsene e loro se ne sono andati. Sono il Presidente degli Stati Uniti. Le Olimpiadi.

Trovo i boxer nella sabbia, li indosso, sono gelati. Poi i pantaloni, Meredith si sta rimettendo i suoi. Mi tasto le tasche.

«Cazzo.»

«Il portafoglio?»

«Sì.»

Quei tizi stanno tornando da dove sono venuti e sono ormai a un centinaio di metri. Sono scalzo e correre mi dà una bella sensazione, le mia gambe sono forti e leggere. Ho la testa limpida e acuta. Sono armati? Toph, Toph. Si metterà male, adesso? No, no. Sono una forza della natura. Sono Capitan America. Quando ho percorso metà della distanza che mi separa da loro comincio a gridare.

«Ehi!»

Niente. Come se si fossero dimenticati di tutto, increduli quasi.

«Ehi. Un momento, maledizione!»

Alcuni si fermano e si girano.

«Un momento!» dico.

Tutti si fermano, in attesa, osservandomi mentre mi avvicino. A una decina di metri mi fermo, con le mani sui fianchi e il fiatone.

«Va bene, chi di voi mi ha preso il portafoglio?»

Patetico trucchetto. Si guardano l'un l'altro.

«Nessuno» dice quello con il cappellaccio. Potrà avere trent'anni. Si gira verso i suoi amici. «Qualcuno gli ha preso il portafoglio?» Tutti scuotono la testa in segno di diniego. Bastardi.

«Sentitemi bene» dico. «Che cazzo pensavate di fare? Qualcuno pagherà caro se non sistemiamo questo cazzo di storia.»

Nessuno dice nulla. Faccio un cenno al corto, quello più anziano.

«Devo parlare con te? Sei tu il capo?»

Le parole mi vengono alla bocca prima di rendermene conto. *Sei tu il capo?* Sono queste le parole che ho appena pronunciato. Niente male. Ecco come parla la gente. Avrei dovuto magari lasciare perdere il "sei" e limitarmi a dire indicandolo: "Il capo?".

Annuisce. A quanto pare il capo è lui.

Mi faccio da parte per poter parlare in privato. Come a dire vieni un po' qui. Mi segue. Così si fa. Da vicino è ancora più basso. Guardo in giù verso di lui, la sua faccia dura e abbronzata.

«Senti un po', io non so perché voialtri siate venuti a romperci i coglioni, ma so che adesso il mio portafoglio è sparito.»

«Non siamo stati noi a prenderti il portafoglio, amigo.»

Ha detto amigo? Questa poi è bizzarra, tipo alla poliziesco televisivo, come si chiama, *21 Jump Street*, ha davvero detto ami...

«Ascolta» proseguo. «Io vi ho visto tutti in faccia. Posso identificarvi, ognuno di voi, e allora sarete in un mare di merda.»

Pare considerare la cosa per un istante. I miei occhi sono due fessure. Sono *io* il capo! Aha!

«E allora che vuoi?»

«Voglio indietro il mio cazzo di portafoglio, ecco cosa voglio.»

«Ma noi non ce l'abbiamo.»

Il tipo alto sente quello che stiamo dicendo. «Non ce l'abbiamo noi il tuo cazzo di portafoglio!»

«Be'» dico ad alta voce a tutti loro, «prima che veniste a scassarci le palle io un portafoglio ce l'avevo. Poi siete arrivati voi, avete cominciato a fare gli stronzi e adesso il portafoglio non ce l'ho più. E ai poliziotti del cazzo basta sapere questo.»

I poliziotti. I *miei* poliziotti.

Quello basso mi guarda e mi dice: «E dai, non ce l'abbiamo noi il tuo portafoglio. Giuro. Che cosa vuoi che facciamo?»

«Credo che adesso vi toccherà tornare indietro e aiutarmi a trovarlo, perché se non lo fate io chiamo i poliziotti, e i cazzo di poliziotti vengono ad arrestarvi, e saranno *loro* a scoprire dove cazzo si trova il mio portafoglio.»

Il piccoletto mi guarda da sotto la tesa del suo cappello e poi si rivolge ai suoi amici.

«Andiamo» dice.

E mi seguono.

Rifacciamo il tragitto all'inverso, io cammino di lato onde prevenire ulteriori attacchi, fino al punto in cui è successo il tutto. Meredith è in piedi, si è rivestita e ha in mano uno degli asciugamani. Non sa che pesci pigliare. Tornano?

«Va bene, adesso mettetevi a cercare. E spero per voi che lo troviate...» faccio una pausa mentre una delle ragazze mi lancia un'occhiata piena di disgusto, «perché in caso contrario siete fottuti.»

Si sparpagliano e cominciano a cercare, frugando nella sabbia con la punta dei piedi. Io me ne sto da parte, in un punto da dove posso tenerli d'occhio tutti insieme, le mani sui fianchi, intento a controllare la situazione. Sono io il coordinatore, sono io il capo. Sollevano da terra e scuotono l'asciugamano su cui eravamo seduti. Ognuno di loro lo fa almeno un paio di volte. Poi tornano a cercare tutt'intorno, raccogliendo di tanto in tanto dei bastoncini e lanciandoli in acqua.

«Vaffanculo!» dice una delle ragazze. «Non abbiamo noi quel cazzo di portafoglio. Non abbiamo fatto niente, noi.»

«Col cazzo che non avete fatto niente! Si chiama aggressione, idiota! A chi pensi che crederanno i poliziotti? A due normalissime persone tranquillamente sedute sulla spiaggia, o a voialtri? Spiacente, ma la cazzo di verità è questa qui. Ve la prenderete nel culo!»

Sono io il poliziotto, un poliziotto amichevole ma inflessibile. Gli sto dando una mano, in effetti. Credo che in realtà uno di loro abbia il portafoglio e che stiano semplicemente prendendo tempo. Devo escogitare un modo per spaventarli e riprendermi il maltolto. Potrei... Dovrei? Forse non dovrei... va bene, lo dico:

«Intendo dire, non so esattamente come siete messi quanto a green card e tutto il resto, ma le cose potrebbero davvero mettersi male per voi.»

Nessuna reazione.

Continuano a cercare. Meredith comincia a cercare anche lei ma non glielo permetto. «No, devono cercare loro.»

Una delle ragazze si mette a sedere con aria triste.

«Spero davvero che riusciate a trovarlo quel cazzo di portafoglio» dico pensando che sia meglio che continui a parlare. Decido poi di giocare il mio ultimo asso. «Era il portafoglio di mio padre, quello che avete rubato.» Non so quanto spingermi avanti con questa storia, ma dato che voglio indietro il portafogli a ogni costo...

«E mio padre è appena morto» dico. «È tutto quello che ho di lui.»

Ed è la verità. Aveva così poche cose sue, effetti personali, e noi abbiamo venduto i vestiti, gli abiti... Il portafoglio è l'unica cosa che ho tenuto, a parte una piccola scatola contenente dei documenti, dei biglietti da visita e dei fermacarte della sua scrivania.

Continuano a cercare. Io osservo le tasche dei loro pantaloni in cerca di qualche rigonfio rivelatore. Mi chiedo se si lascerebbero perquisire.

«Senti, amico» dice a un certo punto quello basso, «noi non l'abbiamo preso, cazzo. Che cosa vuoi?»

Lo so benissimo cosa voglio: voglio il mio portafoglio e poi voglio loro in galera e li voglio infelici. Io voglio tutti loro, tutti e sette, o cinque, o quanti sono, in grigie uniformi ruvide che li tormentino mentre dormono inquieti su sudicie brandine, le loro stupide teste piene di inutile pentimento per le loro azioni, le guance rigate di lacrime che implorano perdono, non tanto da parte del loro carceriere o di Dio, ma da parte mia. Se ne pentiranno amaramente. Le loro minuscole testoline imploderanno nel senso di colpa e nel rimorso. Lo splendido, logoro, morbido portafoglio di pelle di mio padre morto...

«Qui non c'è» dice.

«E allora è meglio che veniate con me» dico. «Perché dobbiamo trovare un telefono. Voi racconterete ai poliziotti la vostra versione dei fatti e io dirò la mia e vedremo che succede. Ma se ve la filate siete fottuti, perché allora sì che sarà chiaro che i ladri siete voi.»

Ci guardiamo negli occhi. Il capo si avvia verso il parcheggio, seguito dai suoi.

Meredith prende da terra il secondo asciugamani e lo scuote. Camminiamo dietro di loro per non perderli di vista. Tre in tutto... Io posso occuparmi di due. O anche di tutti e tre. Sono immenso, io! Sono Capitan America!

Nessuno fiata. Le nostre ombre, moltiplicate dai fari, si incrociano e si sovrappongono sulla sabbia. Il fruscio dei nostri piedi. Poche le luci provenienti dalle case sulla spiaggia. Quella specie di mulino a vento alla fine del Golden Gate Park è proprio di fronte a noi, nero.

Quando arriviamo al parcheggio, quello che pensavo fosse un telefono si rivela essere una cassetta attaccata a un palo.

Stiamo immobili per un secondo sotto la luce. Mi guardo attorno, in direzione delle case dall'altra parte della Great Highway, con le vetrate rivolte all'oceano, in cerca di aiuto, che so, di qualcuno sulla veranda di casa, di un ciclista, di un passante che stia facendo jogging. Ma tutti dormono.

«Va bene, dobbiamo attraversare la strada» dico. «Adesso attraverseremo insieme e cercheremo un telefono.»

Sono sempre io ad avere in pugno la situazione. Siamo una squadra. Io sono il loro leader, sono il caporeparto. Tutti sembrano obbedire.

Mi incammino, aspettandomi che si girino e si dirigano con me in direzione della statale. Ma intanto che mi avvicino vedo che non accennano a muoversi. All'improvviso mi ritrovo in mezzo a loro.

E tutto cambia.

«Vaffanculo» dice quello alto, sferrandomi un pugno in testa. Praticamente non ho il tempo di muovermi, ma lui manca il colpo. Un altro pugno, da dietro. Niente. Poi una gamba si materializza e un piede mi prende in pieno inguine. Cado in ginocchio. Fisso l'asfalto. Gomme da masticare, macchie d'olio...

Quindi scappano agitando le braccia e le gambe come enormi ragni, sghignazzando.

«Vaffanculo» gridano.

Il calcio non era troppo forte. Posso ancora respirare. Ed ecco, mi rialzo! Mi rialzo e comincio a inseguirli. Sono nel bel mezzo del parcheggio e li vedo alla mia destra, a una ventina di metri, salire su... cosa? Cazzo! Due automobili ferme nel mezzo della strada, pronte a scattare.

Come facevano a sapere? Come facevano?

Mentre raggiungo la strada le portiere si chiudono e le macchine partono proprio nella mia direzione. La prima auto è una vecchia decappottabile verde scuro con la capote nera e un cofano gigantesco. Alla guida c'è una delle ragazze di prima. Ma porca di una troia. Una fuga in piena regola! Mi fermo sulla strada mentre mi si fanno incontro. Voglio prendere i loro cazzo di numeri di targa.

Le auto vengono verso di me, dapprima piano, poi più veloci. Ce li ho in pugno. Le targhe, coglioni! Le targhe, coglioni! Mentre mi scorrono davanti, grido le cifre indicandole col dito a una a una, esasperando il gesto per assicurarmi che capiscano quello che sto facendo, che li ho beccati. Beccati!

«G!

«F!

«6!

«7!

«9!

«0!»

Fantastico! Fantastico, teste di cazzo! Idioti imbecilli teste di cazzo!

Mi sfrecciano accanto ridendo e gridando e facendomi gestacci.

Anch'io grido, eccitato, su di giri.

«Ah ah, teste di cazzo! Vi ho beccato! Vi ho beccato, figli di puttana!»

Si allontanano, quindi si immettono sulla statale, accelerano e spariscono. Ho preso la prima targa ma non sono riuscito a prendere la seconda. Torno di corsa da Meredith. A un isolato trovo un telefono.

«Un momento, si calmi, dove si trova?» dice l'operatrice.

«Non so, in spiaggia.»

«Cosa c'è che non va?»

«Siamo stati aggrediti e derubati.»

«Da chi?»

«Da un gruppo di ragazzi messicani.»

Descrivo le auto e poi cerco di darle il numero di targa ma lei dice che non lo può prendere e che dovrò darlo all'agente, non appena arriva. Poi riattacca.

G-H... 6-0...

Cazzo.

G-H-0-0...

Cazzo!

Ci mettiamo a sedere.

Non mi sono fatto male. Mi chiedo se mi sono fatto male. No, tutto a posto. Siamo seduti sul muretto di cemento del sentiero e per un momento ho paura che possano tornare, e magari questa volta ci saranno delle armi per eliminare i testimoni, una bella sparatoria dall'auto in corsa. No, no. Se ne sono andati, se ne sono andati. Non torneranno. Salto giù dal muretto. Non riesco a stare seduto, sono troppo eccitato. Passeggio avanti e indietro di fronte a Meredith. *Io ho la loro targa.* Stupidi stronzi.

L'auto della polizia arriva nel giro di due minuti. Sembra enorme, con il suo motore ruggente. È immacolata e splendente come un enorme giocattolo. L'agente scende dalla macchina, massiccio e baffuto e... può essere...? Sì, può essere. Sono le due del mattino e indossa un paio di occhiali da sole. Si presenta e ci chiede di sederci sui sedili posteriori dell'auto. È una macchina nuova di zecca, pulitissima, il vinile nero splende, perfetto. Rispondo alle domande:

«Sì, stavamo passando la serata alla spiaggia.»

«Sette.»

«Messicani.»

«Sì, sono sicuro. Il loro accento, il loro aspetto. Assolutamente. Parlavano inglese ma con un accento messicano.» Tento di ricordare che facce avevano, specialmente il più anziano. Baretta. Assomigliava a Robert Blake.

«Mi hanno rubato il portafoglio.»

«Non so quanto. Più o meno venti dollari.»

«Stavamo chiamando la polizia per chiarire la faccenda.»

«Sì, mi hanno seguito.»

«Non so perché. Dicevano di non avermelo rubato.»

«Ma poi mi hanno dato un calcio nelle palle, sono saliti su due macchine e se la sono filata.»

«Una grossa decappottabile verde con il tetto nero.»

«Sì, sì, l'avevo presa. Cazzo. Comincia con G-H e c'è anche un sei e uno zero. Credo finisse con uno zero. Va bene così? Ha elementi sufficienti?»

Questa macchina è talmente perfetta. Adoro questa macchina. Di fronte a noi, proprio ad altezza occhi, è sistemata una mitraglietta. Il computer di fianco allo sterzo emana una luce blu, un aggeggio splendido. La radio ronza e fa bip. L'agente ascolta e risponde a delle domande sul suo CB. Si gira.

«Va bene, a quanto pare abbiamo dei sospetti. Abbiamo fermato una macchina appena fuori della statale. Dobbiamo andare laggiù in modo che possiate procedere all'identificazione.»

Guardo Meredith. Siamo in quell'auto da non più di tre o quattro minuti. Com'è possibile?

«Avete già trovato la macchina? La decappottabile verde e nera?» chiedo, sporgendomi sul sedile anteriore.

«Non ne sono sicuro. Ma è meglio andare.» Partiamo.

Io e Meredith guardiamo fuori del finestrino con occhi spalancati come turisti che attraversano una città di sabato sera. Ci immettiamo poi in un'altra statale e all'improvviso ci sono luci ovunque. Sembra un incidente. Ci sono almeno quattro auto della polizia, tutte parcheggiate con le luci intermittenti che si accendono e si spengono. Ci sono poliziotti in strada che vanno avanti e indietro o in piedi davanti alle loro auto, intenti a parlare dentro ai microfoni delle radio. È un vero avvenimento.

La nostra auto si ferma prima di un cavalcavia. C'è una vecchia decappottabile parcheggiata a pochi metri di distanza, azzurra con il tetto nero.

«Non è quella» dico. L'agente si gira.

«Decisamente non è quella» dico. «La loro auto è verde, verde scuro con il tetto nero. Ne sono certo.»

Mi guarda e si volta a parlare dentro al suo CB. Dopo un minuto si gira nuovamente verso di noi.

«Va bene, adesso dobbiamo chiedervi di dare un'occhiata alla gente all'interno dell'auto, giusto per essere sicuri» dice.

«Ma quella non è assolutamente la loro auto» dico.

«Dobbiamo farlo» dice.

Ci sono quattro poliziotti in piedi accanto alla decappottabile azzurra. Uno di loro apre la portiera e ne tira fuori una persona ammanettata. L'uomo esce tremante dalla macchina e si alza in piedi. Si gira verso di noi. È biondo, con i capelli lunghi e la barbetta, e indossa una camicia di flanella, pantaloncini militari e degli scarponi neri. Le luci delle auto della polizia lo fanno diventare blu e poi rosso e poi di colore naturale e poi ancora blu e rosso. Guarda in direzione del parabrezza della nostra auto.

«Lo riconoscete?»

«No, non è assolutamente lui. Sono sicuro che fossero messicani. Questa non è assolutamente la macchina giusta.»

«D'accordo, aspettate un momento. Dobbiamo dare un'occhiata a tutti i passeggeri.»

Ma perché?

Il poliziotto fa un segnale con la mano a uno degli agenti in strada, il quale fa uscire dall'auto una giovane donna con i capelli tinti di rosso, in minigonna e stivali da discotecara, che si sistema accanto all'uomo.

«Mio Dio, poveracci» sussurra Meredith.

«No, no» dico al poliziotto. «La prego, la gente che cerchiamo era messicana. Ha presente? Bassi, capelli scuri. Questi sono bianchi.»

Ne tirano fuori dall'auto altri tre, due uomini e un'altra donna, fino a che non sono tutti lì di fronte a noi, spalla contro spalla, illuminati di rosso e di blu, gli occhi feriti dai fari della nostra auto. Potrebbero essere persone che conosciamo. Meredith mi afferra un braccio, sprofondando nel sedile. «Speriamo che non ci possano vedere.»

Mi protendo nuovamente verso il poliziotto.

«Non sono loro.»

Lui parla per qualche istante nel suo CB e scrive qualcosa su un blocco. Mentre fa inversione per portarci a casa, vediamo che i ragazzi vengono liberati dalle manette. Gli altri poliziotti stanno rientrando nelle loro macchine. Ci nascondiamo.

Torniamo al parcheggio. Una volta arrivati, il poliziotto si gira verso di noi e ci dà il suo biglietto da visita. Ma guarda, i poliziotti hanno biglietti da visita.

Scendiamo. Gli chiedo quante probabilità ci sono di ritrovare i ragazzi messicani e il mio portafoglio.

«Poche, direi» dice lui. «È un portafoglio, tutto sommato. Un oggetto piccolo. Eccole un modulo da compilare relativo all'incidente. Questo è il suo codice di riferimento, in caso avesse da comunicarci qualcosa di particolare. O nel caso fossimo noi a chiamarla.»

E poi se ne va.

Meredith vuole andare a casa a dormire. Una parte di me desidera tornare alla mia auto e mettersi in cerca della decappottabile verde, trovare quei tizi, anzi prima procurarsi qualche arma e poi salire in macchina, mettersi in caccia, fare cose molto cattive a tutti quanti, nessuno escluso.

Ma devo andare a vedere che cosa è accaduto a Toph, casomai il baby-sitter avesse portato a termine quello che temo avesse intenzione di fare.

Non parliamo granché nel tragitto di ritorno verso Haight, lungo gli ampi, nudi viali di Richmond. Scende a casa della sua amica e ci accordiamo per vederci di nuovo prima che torni a Los Angeles. Quindi mi dirigo verso casa, supero i gruppetti di ragazzini stronzi di Haight e Masonic appoggiati ai muri, con i berretti rasta calcati in testa e con i loro stupidi bastoncini con cui giocano a quel cazzo di gioco di tenere in mano due stecchini e farne volteggiare in aria un terzo, come se potesse essere una cosa divertente per più di venti o trenta secondi, tutto qua, un bastoncino che va su e giù, avanti e indietro, perdio, e poi giù per Fell sulla 80, verso il Bay Bridge.

Pezzi di merda. Stupidi pezzi di merda che hanno rubato il portafoglio di mio padre, la sola cazzo di cosa che mi era rimasta di lui, quella e un po' di cancelleria, i fermacarte, i biglietti da visita, un annuario del liceo, e dei documenti di quando era nell'esercito...

Cazzo di ragazzini. Teste di cazzo... Domani perlustro tutta la spiaggia. Non mollo.

Le nuvole in cielo sono grasse e si muovono lente sopra il ponte, come fantasmi di trichechi.

Sul ponte comincio ad avvertire l'effetto plumbeo dell'alcol nel mio organismo. Ho momenti di offuscamento. Mi prendo a schiaffi per creare un effetto di rumore e di shock. *Sveglia!* Accendo la radio. Sul ponte, corsia inferiore, è tutto un rettilineo e c'è un gran traffico. È una pista da *Battlestar Galactica*. È un circuito all'interno di un computer, uno di quelli vecchi e un po' scassoni, tipo un XL2...

La testa mi ciondola. Sveglia!

Il ponte è un tunnel. Sui ponti penso all'incidente di cui mi hanno raccontato centinaia di volte: mia mamma che guida il suo maggiolino blu da qualche parte in Massachusetts, con Bill e Beth ancora dei bebè, su un ponte a due corsie, un pneumatico scoppia, l'auto slitta, sbanda in mezzo al traffico e sfonda il guardrail della corsia opposta fino a sporgere col muso nel vuoto, lei pensa Dio è finita, Bill e Beth che piangono disperati, io nella sua pancia...

Ci sono poche auto, adesso, per la strada. C'è una Bmw nera tirata a lucido con a bordo dei tizi. Le luci del ponte la rendono ancora più lucida e filante e veloce. Stiamo tutti tornando a casa, alle nostre capanne di fango e paglia, alle nostre casette di legno. C'è anche una macchina blu in cui una famiglia... Dio santo, mettete una cintura di sicurezza a quel ragazzino!

Imbecilli teste di cazzo, il mio portafogli.

Sono solo, adesso, e passerà una vita prima che esca di nuovo. Quando risuccederà? Tra settimane. O mai più. Sono perduto. Sono nell'oscuro tunnel di questo ponte, al livello inferiore, in corsa sotto ad altre auto lanciate in direzione opposta, verso San Francisco. Sto ritornando a Berkeley, verso la pianura, verso casa, dove non c'è nessuno, c'è solo il mio letto ad attendermi. E Toph. Sangue sulla veranda. Magari il baby-sitter se l'è portato via. Oppure l'ha lasciato lì sanguinante, come avvertimento. Segni sul suo viso, cifre, stronzate astrologiche sul petto, indizi accusatori. Tutta colpa mia. Fuggirò. Mi cercheranno in qualche posto tropicale e non indovineranno mai che io invece sarò fuggito in Russia. Sì, andrò in Russia e vagabonderò per la Russia fino alla morte. Come ho potuto andarmene così? I miei genitori non ci hanno mai lasciato da soli, quando eravamo piccoli. Non uscivano. Stavano a casa tranquilli, a casa, in tinello, affidabili, lui sul divano e lei nella sua poltrona...

Dopo quell'incidente, ogni volta che doveva guidare sopra un corso d'acqua o lungo una scogliera su una strada a due corsie, entrava in uno stato di panico assoluto. In occasione di un viaggio in California, eravamo tutti sotto i dieci anni, andammo a visitare il parco delle sequoie, in cima a quella montagna, e all'andata se la cavò piuttosto bene, portandoci su per i fianchi della montagna. Ma al ritorno non ci fu nulla da fare, dato che bisognava stare sulla corsia esterna e non c'era nemmeno il guardrail, ma solo il precipizio. Bill cercava di calmarla...

«Mamma, devi solo...»

«Non ce la faccio! Non ce la faccio!»

... e alla fine parcheggiò e aspettò che passasse una macchina della polizia perché un poliziotto conducesse l'auto a valle per noi, con lei seduta al posto del passeggero, che di tanto in tanto si voltava verso di noi con un sorriso imbarazzato...

Finalmente supero il ponte, discendo la collina e mi dirigo verso la biforcazione, Oakland da una parte e Berkeley dall'altra. La testa mi ciondola un'altra volta, stavo per andare verso la linea di mezzeria. Mi schiaffeggio ancora una volta e ancora e ancora. Apro il finestrino. Uscita per Ashby. Bene, bene. Vicini, vicini. University Street. Sono a casa, sono libero. Stephen avrà fatto qualcosa. Forse dovrei partire adesso, forse dovrei dirigermi all'aeroporto, dare per scontato che il peggio sia già accaduto. Se vedrò le luci della polizia farò inversione. Arriverò da Solano Avenue, giù per la discesa, così potrò vedere se c'è un'ambulanza, nel qual caso faccio inversione e schizzo all'aeroporto prima che mi possano vedere...

Il portafoglio è andato. Mio padre è affondato un po' di più giù nel pozzo. Il portafoglio mi aiutava a ricordare. Ogni volta che l'usavo, era sempre lì, nella mia tasca! E adesso è stato preso da quelle stupide bestiacce di messicani, bastardi. La sola cosa che mi restava di lui. I tappeti si stanno logorando, il mobilio sta cedendo. Non posso fare affidamento su niente, tutto è precario, perso, rotto, fradicio...

Non è così che dovrebbe andare, io e Toph nella nostra casetta del cazzo, con i buchi nel pavimento e tutto che va in malora, io che perdo le cose, che permetto a un branco di stupidi ragazzini di fregarmi il portafoglio di nostro padre. E Toph con quel baby-sitter, un uomo malvagio...

Farà freddo in Russia, ma forse non in questa stagione. Posso comprare una giacca all'aeroporto.

L'uscita per Gilman Street! Non cadrò a pezzi. Mi trasferirò da amici. Affronterò la situazione. O mi trasferirò in Russia o affronterò la situazione. Giro all'angolo della nostra via, Peralta Street, e non ci sono luci, non ci sono poliziotti, non c'è un luna park di ambulanze, macchine della polizia e camion dei pompieri...

La porta è chiusa. Niente tracce di sangue sugli scalini. Avanzo sulla veranda e dalla finestra riesco a vedere la bici del baby-sitter ancora poggiata accanto al caminetto e poi, avvicinandomi alla porta di ingresso, vedo Toph stravaccato sul divano. Bene, bene. Almeno lui c'è.

Anche se potrebbe essere morto. Potrebbe ancora essere morto. La porta non è chiusa a chiave... *magari qualcun altro ha ucciso sia Toph sia il baby-sitter!* Ovviamente non ci avevo pensato, prima, ma adesso è chiaro. Un ladro è entrato in casa, ha preso quello che voleva e poi... li ha avvelenati tutti e due! Oppure era il complice di Stephen. Era tutto calcolato...

Entro con cautela, i pugni stretti. Mi dirigo verso Toph. Cerco tracce di sangue. Niente. Avvelenato, forse. Oppure picchiato a morte, emorragia interna. Avvicino il mio volto al suo. Il suo fiato è caldo sulla mia guancia.

Vivo! Vivo!

Certo, potrebbe essere agonizzante, come il protagonista di quel film con Brice Davison e il figlio di Andie McDowell. Come faccio a saperlo? Devo fidarmi. Andare all'ospedale? No no. Sta bene. C'è persino della bavetta di sonno sul bracciolo del divano.

Ma Stephen dov'è ? Ecco. Stephen se n'è andato perché ha avvelenato Toph e Toph adesso sta morendo. Gli resta un'ora da vivere. Non serve a niente portarlo all'ospedale. Al telefono la voce della donna del pronto intervento antiveleno sarà rotta dall'emozione. "Non c'è niente... niente da fare." E col cuore spezzato, isterico, cercherò di fare del mio meglio per svegliarlo, per riuscire a parlare nell'ultima ora a nostra disposizione. Dovrei dirglielo? No, no. Ci divertiremo. Me la caverò alla grande.

Ehi, ometto.

Che ore sono?

È l'una.

Non è morto. Vivrà. Tutto è nella norma. Normale, normale, normale. Bene. Bene. Normale. Normale. A posto.

Entro in cucina, poso le chiavi, che fanno tic dentro al vaso degli spiccioli. Metto il naso in camera da letto. Nessuna traccia di Stephen. Nell'altra stanza la porta è aperta. Eccolo. Stephen giace addormentato sul letto, circondato da scartoffie di scuola.

Lo sveglio. Comincia a raccogliere la sua roba.

«Toph parlava nel sonno.»

«Ah. E che cosa diceva?»

«Niente di particolare. Farfugliava.»

Gli scrivo un assegno. Gli tengo la porta aperta mentre esce. Sale sulla sua bicicletta e ancora mezzo addormentato se ne va, goffo e traballante come una farfalla notturna. Chiudo la porta a chiave.

Torno in salotto dove Toph giace tutto disarticolato, come se non avesse ossa, sul divano. Ha portato da camera sua una coperta che adesso è sul pavimento. Ha la bocca aperta e sulla sua maglietta grigia c'è un ampio alone rotondo di saliva.

«Ehi.»

«Mmmmh.»

«Coraggio, dammi una mano.»

«Mmmmh.»

«Adesso ti porto a letto. Aggrappati.»

Mi mette un braccio intorno al collo e con l'altro ci si appende, appoggiandomi la testa sul petto per evitare di andare a sbattere negli stipiti.

«Non farmi sbattere la testa.»

«Non lo farò.»

Lo stipite scricchiola.

«Ahiiii!»

«Scusa.»

«Idiota.»

Lo metto a letto in jeans e maglietta, coprendolo con una coperta. In cucina controllo i messaggi in segreteria. Do un'occhiata nel frigorifero. Penso per un attimo alle persone che dovrei chiamare. Chi può essere sveglio a quest'ora? Magari qualcuno ha voglia di fare un salto qui. Ma chi?

Torno in camera da letto e metto gli spiccioli sul cassettone.

Il portafoglio. Sul cassettone.

Era qui.

VI

ALL'INIZIO, QUANDO LA VENIAMO A SAPERE, la notizia per noi non ha quasi nessun significato. Hanno annunciato che la prossima serie di *The Real World*, il programma novità di Mtv che prevede di raggruppare in una casa sette ventenni e di mandarne in onda le esistenze, sarà ambientato a San Francisco. Mtv sta cercando dei candidati. Stanno mettendo insieme un nuovo cast.

In ufficio ci facciamo su qualche bella risata.

«Nessuno ha mai visto il programma?»

«No.»

«No.»

«Qualche pezzo qua e là.»

Ovviamente stiamo mentendo. Tutti l'hanno visto. Tutti noi lo disprezziamo, ne siamo attratti, e siamo morbosamente curiosi. Che sia interessante proprio per il fatto che è così brutto e che i suoi protagonisti sono così terribilmente noiosi? Oppure è perché possiamo riconoscervi degli inquietanti tratti familiari? Forse ci corrisponde in tutto e per tutto. Guardare quel programma è come ascoltarsi in un registratore: la voce ovviamente è quella vera eppure, per quanto uno la possa percepire come armonica e articolata, una volta fissata sul nastro magnetico e riprodotta, suona improvvisamente stridula, nasale, orrenda. Che siano così anche le nostre vite? *Parliamo in quel modo, abbiamo quell'aspetto?* Effettivamente *potrebbe essere*. Anzi, è così. *Oppure no*. La banalità delle nostre esistenze da classe medioalta, così vistosamente oscillanti tra la guida in stato di ubriachezza da fase liceale – da intendersi ovviamente solo in senso metaforico – e la morte civile della proprietà immobiliare e della vita familiare, specie se corredate di area relax con divani in colori vivaci, lampade con le bolle colorate e tavoli da biliardo... tutto ciò non dovrebbe rendere interessante la televisione solo per coloro la cui vita è ancora più noiosa di quella del cast di *The Real World*?

E tuttavia resta qualcosa di ineludibile.

Proprio come la metà della gente che conosciamo, che in segreto o alla luce del sole si sta dando da fare per mandare la propria candidatura per lo show, anche noi ci domandiamo che tipo di divertimento potremmo ricavarne e che genere di svolta potrebbe imprimere alla nostra esistenza.

David Milton, uno dei nostri collaboratori, scrive una lettera che approntiamo per il primo numero della rivista. La lettera recita così:

> Gentili Produttori,
>
> C'è qualcosa in me che si irradia e deve essere a tutti i costi trasmesso, altrimenti imploderà, e il mondo inconsapevolmente si troverà a patire una terribile perdita. Epiche sono le dimensioni della mia anima, eppure senza uno scopo nella vita chi sono io? Ecco perché devo essere uno dei partecipanti allo spettacolo di Mtv *The Real World*. Solo ardendo radioso di fronte a milioni di occhi attoniti, il mio essere a tutt'oggi non interamente definito assumerà l'affascinante fisionomia necessaria non solo a se stesso, ma anche a un intero segmento di mercato.
>
> Sono un tipo a metà tra Kirk Cameron e Kurt Cobain, con un'aria da simpatico farabutto, tendente al dandy ma con i piedi per terra, bizzarro ma comprensibile, consapevole della crescente area d'ombra tra cultura alternativa e mainstream, profeta angosciato della già trascorsa apocalisse e tuttavia aggiornato, strafigo e terribilmente sexy!
>
> Oscar Wilde ha scritto: "I bravi artisti esistono in quello che creano e pertanto sono del tutto disinteressati a quello che sono. Un grande poeta, ma veramente grande, è la più impoetica delle creature. I poeti mediocri invece sono creature terribilmente affascinanti... [essi] vivono la poesia che non sono in grado di scrivere". Come per Dorian Gray, la mia vita è la mia opera d'arte. Mtv, ti scongiuro, prendimi, creami, svegliami dal mio sonno informe e ponimi nel Real World sognante del marketing strategico.
>
> Saluti,
>
> *David Milton*

E dopo le risatine di rito e dopo avere accantonato la sensazione vagamente paranoica che Milton stia prendendo per il culo me in particolare, per un secondo ci pensiamo su seriamente. Stiamo disperatamente cercando di tirare su pubblicità, distribuzione, tutta la robaccia necessaria a un primo numero, e in questo esatto momento non stiamo andando da nessuna parte perché non abbiamo nulla e non siamo nessuno.

E dire che abbiamo messo insieme un team da urlo. C'è Moodie, ovviamente, e adesso c'è Marny, che si è appena trasferita dopo avere finito il college. Ebbene sì, al liceo abbiamo avuto una storia. Ebbene sì, è stata anche una ragazza pon-pon, ma di un genere assai particolare, ossia una ragazza pon-pon seria, di quelle che non sorridono. Attualmente è l'unica di noi che legge «Ms.», «The Nation», e che sa chi o cosa fosse Che Guevara. E poi c'è Paul, che si è da poco unito a noi, nato e cresciuto a una ventina di chilometri dalla nostra città, sul lago Michigan, sulle fredde e crudeli strade della Gold Coast di Chicago. All'inizio c'era anche Flagg, il mio migliore amico delle medie, che avevo costretto a lasciare la ragazza e il lavoro a Washington per trasferirsi a Berkeley e partecipare allo start-up. Lui in effetti era venuto, si era unito a noi, aveva avuto la sua brava scrivania vicino alla finestra e aveva passato un bel po' di tempo a fare "ricerche di mercato" – vale a dire, in pratica, inconsistenti e parascientifiche statistiche da sventolare sotto il naso di possibili inserzionisti – rendendosi però ben presto conto di quello che tutti noi sapevamo fin troppo bene, ossia che non avremmo recuperato un soldo, almeno per parecchio tempo, forse mai, e che dovevamo preventivare una quantità scandalosa di ore da buttare nel sudicio angolo di un magazzino scalcinato in cui la polvere si sfarina dalle travature ogni volta che gli inquilini del piano di sopra camminano, in cui le serrature sono solo a titolo decorativo e il cui affitto ci alleggerisce di duecentocinquanta dollari al mese.

Non che nessuno, in questo edificio o a San Francisco, vi dirà mai che state perdendo il vostro tempo, del resto.

Il rimanente spazio, a parte occasionali session musicali, consiste di un angolo con scrivania riservata al nostro padrone di casa, Randy Stickrod (giuro che è il suo vero nome), consulente per varie riviste, che recentemente ha prestato il suo aiuto per il lancio di «Wired», i cui fondatori solo di recente hanno evacuato l'area adesso da noi occupata per trasferirsi due piani più su. Di fronte a noi c'è la scrivania, il mobile portadocumenti e il minuscolo computer di Shalini Malhotra, che collabora con «Just Go!», una minuscola rivista di ecoturismo, e contemporaneamente lavora a una sua fanzine intitolata provvisoriamente «Hum», che in hindi vuol dire "noi", dedicata a unire e parlare per/a/da i ventenni di area Sudasiatica Americana. C'è poi «bOING bOING», una "neurozine" pubblicata da Carla Sinclair e

Mark Fraunfelder, un team di marito e moglie genere plastica/-gel/pellenera-newwave-più-o-meno-1984, di Los Angeles. In fondo alla stanza infine c'è un tizio che sta mettendo su una rivista intitolata «Star Wars Generation» e qui mi pare che non ci sia bisogno di alcuna spiegazione. Tutti quanti, il nostro piano, l'edificio intero, ha qualcosa di speciale, è in ebollizione, non è solo un posto in cui la gente lavora ma è anche un luogo in cui la gente opera e si dà da fare per cambiare *il modo in cui viviamo*.

Il magazzino, massimo della fortuna, è nel quartiere di South Park a San Francisco, un'area forse di sei isolati in tutto che, a dar retta ai giornali, sta per esplodere, dato che qui hanno sede non solo «Wired» ma anche un pugno di altre riviste, perlopiù roba di computer, oltre a «SF Weekly», «The Nose» (umoristica) e «FutureSex» ("cybererotica", ossia gente nuda con addosso aggeggi da realtà virtuale), per non parlare poi delle infinite compagnie informatiche di start-up, Web Agencies, Internet Providers – e stiamo parlando del 1993 e questa è ancora roba nuova – graphic designers, architetti, il tutto nei dintorni di un piccolo ovale verde di nome South Park (che non c'entra niente con l'altro *South Park*), orlato da piccole case in stile vittoriano e tagliato da un campetto da gioco fervente di attività, all'interno del quale si trova, sistemata comodamente sull'erba verde e rigogliosa, un'incredibile concentrazione di splendidi e sofisticatissimi giovani. Un ovale verde brulicante di novità, di progressismo, di innovazione e di bellezza. Portano tatuaggi prima che chiunque porti tatuaggi, vanno in moto e vestono di pelle morbidissima. Praticano, o così dicono, la Wicca. Un po' tipo la meravigliosa figlia di Charles Bronson che fa uno stage a «Wired», dove la proporzione di donne attraenti, tra stagiste e dipendenti, è di 1:1, essendo lei l'unica e sola. Ci sono pony express in bicicletta che scrivono pamphlet socialisti, e altri pony express in bicicletta che però sono anche travestiti che pesano un quintale, ci sono scrittori che preferiscono il surf, rave party che ancora attraggono un sacco di gente, e insomma la giovane élite creativa di San Francisco è qui e solo qui, e non intende essere altrove, perché quanto a tecnologia New York è dieci o dodici anni indietro – ancora la gente non è tutta raggiungibile via e-mail, laggiù – mentre invece, quanto a stile, L.A. è ancora anni Ottanta, anche perché qui, per stridente contrasto, non ci sono soldi, nessuno sembra essere nelle condizioni di fare o spendere soldi, i soldi sono guardati con sospetto, al punto che avere a cuore i soldi – tipo, diciamo, se uno ha più di 17.000 dollari l'anno – è considerato arcaico, roba da liceo, del tutto ininfluente. Qui non girano vestiti che non siano usati. Quando una camicia non è usata ed è costata più di otto dollari, diciamo:

«Ehi, bella camicia.»

«Già, bella... camicia.»

E non esistono macchine che non siano vecchi catorci, preferibilmente molto vecchi, macchine del cazzo, macchine da poco, il che rende tutti i parcheggi intorno a South Park affollati di veicoli mutanti e anomalie automobilistiche. E a San Francisco, nel bene o nel male, non esistono idee abbastanza stupide da essere mortificate, o forse è che la gente non è abbastanza onesta da dirti in faccia la verità sulle tue stupide idee, per cui va a finire che la metà di noi si dedica a cose stupide, spacciate in partenza. E non c'è prestigio più alto di lavorare a «Wired», indossare una quelle loro borse a tracolla nere e avere partecipato alla festa dei tizi del Survival Research Laboratory, quelli che costruiscono robot giganti e li fanno combattere l'uno contro l'altro. E sebbene il riscontro materiale di tutto ciò sia risibile e i nostri affitti stiano rasentando l'assurdo, non diciamo nulla e non ci lamentiamo, perché quando l'annunciatore tv con la testa pelata e l'aria da cherubino dice che questo è "il posto migliore del mondo", noi sulle prime rabbrividiamo ma poi finiamo per crederci, nel senso che crediamo che lavorare diciotto ore al giorno – per noi stessi o per uno qualunque di questi start-up tecnologici – sia un atto dovuto per il fatto stesso che ci troviamo in un luogo come questo, perché siamo fortunati, ci sentiamo tali anche se sono passati solo pochi anni dal giorno in cui le colline qui intorno bruciavano e le autostrade collassavano... Ma adesso eccoci qui, ogni giorno caldo ma non troppo, intriso di sole, di possibilità, di opportunità, e mentre beviamo il nostro cappuccino e mangiamo il nostro cibo messicano, fingendo di non fare caso agli altri, seduti sull'erba rigogliosa di questo parco con i nostri amici, tutti noi, almeno in questo preciso momento delle nostre vite, abbiamo la sensazione di trovarci nel centro incandescente del mondo, e ci pare che qui qualcosa sta succedendo e che, per usare un'altra metafora, stiamo cavalcando un'onda, una grossa onda – vabbè, ovviamente non troppo grossa, non tipo quelle nelle Hawaii che uccidono la gente sulla barriera...

Chiaramente noi e la nostra rivista non possiamo ammettere di essere parte di una scena precisa, qualunque essa sia. Stiamo cominciando a perfezionare un nostro equilibrio tra l'essere vicini alle cose che sono in movimento, conoscere la gente che vi è coinvolta e i loro comportamenti, e allo stesso tempo mantenere le distanze, una mentalità da outsider, anche quando ci troviamo tra altri outsider. Per prendere in giro riviste tipo «Wired» stiliamo una lista di cose "Hot" e di cose "Non Hot".

HOT	NON HOT
il sole	la neve
il flambé	la crema di porri fredda
ferri per marchiare	una bibita gelata
lava (fusa)	lava (indurita)

Piazziamo un messaggio promozionale presso i principali media locali in cui diciamo che cosa siamo e cosa non siamo, che la nostra sarà, a meno che non accada qualcosa di terribile e inaspettato, la prima vera rivista significativa nella storia della civiltà, effettivamente creata *da noi e per noi ventenni* (abbiamo pensato anche a delle alternative, ma senza successo: gente intorno a vent'anni? gente di vent'anni?), che stiamo cercando scrittori, fotografi, illustratori, vignettisti, stagisti... chiunque abbia voglia di dare una mano sarà messo al lavoro. Abbiamo bisogno di centinaia di persone ma potremmo servirci anche di migliaia. Inviamo un annuncio e in pochi giorni (ore?) riceviamo una cascata di curriculum vitae. Perlopiù di gente che ha appena terminato il college, alcuni hanno allegato persino dei disegnini sopra il loro nome o dei motivi grafici o certificato di frequenza degli anni di studio a Bates, Reed o Wittenberg. Noi chiamiamo tutti, anche se non siamo rapidi come ci piacerebbe, e vorremmo sposarli tutti, siamo raggianti per il fatto di averli trovati, di avere instaurato questo contatto. Diamo da fare a chiunque.

«Che genere di aiuto cercate?»

«Tu che cosa vuoi fare ?» rispondiamo.

«Di quanto tempo avete bisogno?»

«Quanto tempo hai?»

Prendiamo tutto e tutti, non importa quanto siano sfigati, non ci interessa, perfino se sono studenti di Stanford o di Yale. Per noi è una questione di numero, si tratta di ammassare più gente possibile. La maggior parte delle persone che ci contatta ha un lavoro, alcuni però grazie a Dio no, e dispongono di un anno di autonomia dato loro dai genitori per decidere cosa fare della loro vita. Di tanto in tanto qualcuno entra in ufficio, dribbla la spazzatura sul pavimento e gli scatoloni, e viene a proporsi come un fratello o una sorella, proclamandosi un fervido sostenitore di tutto quello che stiamo facendo...

«Ho appena visto il vostro annuncio e cazzo, dovevo assolutamente venire a trovarvi. Era ora che qualcuno si decidesse a mettere su un'iniziativa del genere, cazzo.»

«Grazie mille.»

«Ecco, io avrei un sacco di poesie...»

E nonostante ci sia impossibile venire incontro al talento, alle inclinazioni e alle esigenze di tutti quanti – sono almeno cinque le persone che vorrebbero scrivere dei molteplici impieghi della canapa – sappiamo di avere qualcosa di speciale, di avere toccato un nervo scoperto. Vogliamo che tutti seguano i propri sogni e i propri cuori (non sono forse colmi da scoppiare come i nostri?); vogliamo che facciano cose che tutti troveremo interessanti. Ehi, Sally, perché diavolo continui a lavorare in quello stupido ufficio reclami? Non ti piaceva cantare? E allora canta, Sally, *canta!* Siamo sicuri di parlare a nome di tanta gente, forse di milioni di persone. Se solo potessimo spargere la voce con questa rivista... ne faremmo una piattaforma da cui partire, una rampa di lancio da cui poter esprimersi...

Scriviamo l'editoriale di apertura:

> È possibile che in un'intera generazione ci sia qualcosa di più di "fancazzisti" vestiti di flanella, ignoranti e privi di ispirazioni ? È possibile che un gruppo di ragazzi sotto i venticinque anni metta in piedi una rivista a diffusione nazionale senza sostegno di aziende private, senza nozioni anche minime di marketing, realizzando un prodotto editoriale con punti di vista reali su questioni reali, cosciente del proprio scopo e dotata tanto di senso dell'umorismo quanto di fegato e di aspirazioni? Chi leggerebbe una rivista del genere? Forse tu. Hai visto Might.

Proprio alla fine, il gioco di parole.

Per poterci permettere una seconda linea telefonica e un fax organizziamo una vendita di biscotti giù al parco. Ognuno porta qualcosa da vendere e tiriamo su un centinaio di dollari. Imploriamo tutti quelli che conosciamo di passare alla Working Assets per le interurbane...

«Giuro che devi. Fanno donazioni per cause giuste, e hanno detto che se gli procuriamo cento nuovi clienti magari diventano inserzionisti, e poi...»

Cerchiamo alleanze con altri come noi che cercano di catturare una massa inerte di potenziale umano tentando di farla parlare, cantare o gridare e di modellarla nella forma di una forza politica. O se non altro per riuscire a finire su «Newsweek» e «Time».

C'è un gruppo politico di Washington che si chiama Lead or Leave, che nel 1993 contava 500.000 membri. C'è Third Millennium, un gruppo simile, nato durante un fine settimana di brainstorming nella casa di vacanza di uno dei giovani Kennedy. Entrambe le organizzazioni vogliono mettere insieme le loro migliaia di elettori regolarmente registrati e diventare la versione giovanile dell'Associazione Pensionati, e poi, una volta che i numeri sono schierati e le armi distribuite, combattere la guerra che tutti dobbiamo combattere, la guerra che per la nostra generazione sarà la Grande guerra, o almeno il Vietnam.

La Previdenza Sociale.

Dai calcoli di numerosi economisti pare infatti che quando noi avremo sessantacinque anni o settanta o giù di lì, non ci sarà abbastanza denaro per noi, e la Previdenza Sociale andrà in bancarotta. Lead or Leave e Third Millennium fanno notizia quotidianamente chiamando a sé elettori e organizzando conferenze stampa per attirare l'attenzione dei media su questo incombente Armageddon; per parte nostra, noi ci teniamo in contatto con tutte queste organizzazioni offrendo loro la nostra piena solidarietà, anche se a essere sinceri non abbiamo la più pallida idea di quello che dicono. E nonostante condividiamo con loro il desiderio di motivare e di sollecitare all'azione (un qualche genere di azione, pur non sapendo esattamente quale) i nostri 47 milioni di anime, in realtà ciò a cui teniamo in massimo grado è la loro mailing list.

Non è che non li sosteniamo – lo facciamo eccome, di principio se non materialmente o ideologicamente – ma il fatto è che avendo noi poca o nessuna esperienza di insicurezza economica, ci risulta difficile considerare questa faccenda davvero urgente. Desideriamo certo unirci a loro nell'opporci al peso finanziario dei prestiti per motivi di studio, ma poi ci ricordiamo che di tutti noi solo Moodie ha dovuto ricorrervi. Vogliamo associarci al coro di lamentele riguardo all'emergenza occupazionale, ma poi ci viene in mente che nessuno di noi ha davvero intenzione di lavorare, almeno non nei campi in cui in genere tali lamentele nascono, per cui molliamo il colpo quasi subito. E la Previdenza Sociale? Be', per quanto mi riguarda, anche sforzandomi non riesco neppure lontanamente a immaginarmi all'età di cinquanta o cinquantacinque anni, per cui trovo la faccenda irrilevante. Ciò che davvero tutti desideriamo avere è una vita non noiosa, emozionante, che faccia emozionare anche noi.

Tentiamo di convincere la gente che siamo una rivista *lifestyle*.

«Vedi, noi qui parliamo di stile di vita.»
«Aha.»
«Mi segui? Non *lifestyle* nel senso di *lifestyle*. Vita. Stile. Uno stile di vita.»
«Certo.»
«Uno stile. Di vita.»

Troviamo forza e ispirazione in gente che fa cose rilevanti, eroiche, e che per questo riceve un sacco di attenzione dalla stampa. Ci avventiamo su Fidel Vargas, il sindaco più giovane del paese, di cui ignoriamo la politica ma di certo non l'età (23 anni). Glorifichiamo Wendy Kopp, fondatrice a venticinque anni di Teach for America, che colloca neolaureati in scuole cittadine con problemi di carenza di personale o di finanziamenti. Persone del genere noi le adoriamo, che avviano organizzazioni massicce, che tentano approcci innovativi a problemi vecchi, che fanno parlare di sé, che hanno PR favolose e fantastiche foto pubblicitarie, disponibili in bianco e nero o in diapositive a colori.

Siamo volenterosi e pronti. Con chiunque ci serva allearci, qualunque cosa ci sia da fare, noi ci siamo. Se dobbiamo organizzare eventi e sponsorizzare conferenze, se dobbiamo andare a enormi e rumorosissimi concerti rock e fare volantinaggio, magari sbirciando nella scollatura del bolerino attillato di qualche quindicenne... e se dobbiamo apparire in tv e sulle riviste, citati a più non posso, e se dobbiamo vivere una vita da rockstar e detenere un potere da messia, be', non vi preoccupate, noi ci stiamo. Basta che ci diciate dove dobbiamo trovarci, con chi parlare, la tiratura e la notorietà del vostro giornale, e anche solo una vaga idea di che cosa volete che diciamo.

È come negli anni Sessanta! Guarda! Guarda, diciamo tra noi, allibiti, sconcertati, osservando gli squilibri, le colpe marchiane del mondo. Guarda, per esempio, quanti senzatetto, costretti a cagare per la strada proprio dove camminiamo noi! Guarda come sono alti gli affitti! Guarda tutti quei balzelli occulti che le banche ti impongono ogni volta che usi il bancomat! E Ticketmaster? Hai sentito quanto ti caricano per il servizio? Se compri il biglietto al telefono ti aggiungono qualcosa come due dollari per ogni cazzo di biglietto! Ma lo sapevi? Cazzo, è ridicolo.

Ma presto le cose si sistemeranno. Quando cominceremo le pubblicazioni, nei sei mesi o giù di lì che ci separano dal dominio del globo, tutte queste faccende verranno affrontate e risistemate. Osserviamo i portfolio della gente che vuole collaborare con noi. Mentre siedo nell'ufficio con una graziosa fotografa di nome Debra, quel che vedo di fronte a me non è solo una possibilità in più di fare sesso ma anche un'immagine che urla forte e chiaro il senso fondamentale del nostro messaggio. Nel suo portfolio vedo una fotogafia, sfocata per via del movimento, di un uomo nudo come un verme che corre su una spiaggia.

«Ma questa è la copertina!» dico.

«Fantastico!» dice lei, e io mi chiedo se questo aumenterà le mie probabilità di farmela.

Il tizio in copertina fa nascere un'altra idea: anche noi saremo nudi! Ecco, in copertina ci sarà il fidanzato nudo di Debra (vivono anche insieme, ahimè), e all'interno centinaia di ragazzi e ragazze completamente nudi. Imiteremo la luce e l'aspetto del primo ma, e qui sta il bello, saremo in centinaia, tutti in corsa sulla spiaggia, un branco di carne nuda e speranzosa che corre da sinistra a destra, simboleggiando naturalmente tutto quello che può simboleggiare. Chiamiamo Debra e fissiamo un appuntamento, dopodiché ci mettiamo in cerca di modelli e modelle, amici, sconosciuti, chiunque.

L'idea col tempo si ridimensiona. Non ci servono centinaia di persone (e poi come faremmo a inquadrarle?). Ce ne servono solo alcune, diciamo dieci, otto, cinque. Ovviamente noi saremo i primi. Io, Moodie e Marny. Poi bisogna diversificare. Abbiamo l'ossessione della diversificazione. Non nel senso di avere uno staff estremamente diversificato o roba del genere, ma nel senso di sembrare diversificati, per cui quando si pone concretamente il problema delle foto, cadiamo nel panico. Dobbiamo assolutamente offrire uno spaccato di giovane America! Per le foto abbiamo bisogno di tre uomini e tre donne, tre bianchi, un nero, un latino-americano, un asiatico... E invece eccoci qui noi tre, tutti bianchi (*e tra noi nemmeno un ebreo!*). No no, per il servizio fotografico abbiamo bisogno di un afroamericano, di un latino-americano. O di una latinoamericana. Uno o l'altra. Abbiamo bisogno di un'asiatica. Lily si rifiuta. Ed Rigaud, un archivista che conosciamo che lavora a «Wired» ci dice di no. Disperati ci chiediamo: Shalini, essendo indiana, potrebbe passare per l'esponente di una minoranza un po' più rappresentativa? Non è che in una foto un po' mossa potrebbe passare semplicemente per una *di colore*?

«Shalini, non è che...»

«No.»

Chiamiamo June.

June Lomena è la nostra amica nera. Lavora di tanto in tanto nel nostro edificio per questa o per quella rivista, qualche volta si è fermata a fare due chiacchiere, e a un certo punto ha scritto anche qualcosa di non troppo chiaro sui rapporti tra uomini e donne per il primo numero. A proposito, ho specificato che è nera? (In realtà sospettiamo che possa essere latinoamericana, dato il cognome, ma evitiamo di chiedere.) Nasce come attrice (ha studiato a Brown), per cui quando le abbiamo chiesto se avrebbe accettato di posare nuda ha detto subito di sì. E adesso siamo in quattro. Tutte le altre persone che conosciamo si sono negate. Alla fine, tramite un amico, troviamo un altro tizio e pensiamo che andrà benone perché ha la testa rasata.

«Non possiamo pagarti» diciamo.

«Non c'è problema» dice lui.

Non abbiamo idea del perché questo tizio abbia voglia di salire in macchina con quattro sconosciuti e correre nudo con loro su una spiaggia mentre viene fotografato, e a pensarci bene nemmeno vogliamo saperlo.

Ed è così che in una mattinata di ottobre insolitamente fredda ci troviamo sulla Black Sands Beach, nelle Marin Headlands. Ci siamo appena spogliati e non possiamo fare a meno di notare che là dove si suppone si trovi l'ordinario pene del nostro quinto uomo, c'è invece un pene trafitto da un affare d'oro, tipo un ago o un chiodo o qualcosa del genere. Difficile stabilirlo senza guardare con indiscrezione. Quando me ne accorgo, per un secondo mi sento mancare. Come qualunque devoto e timorato cattolico, io non mi sono guardato il pene praticamente fino all'età di dieci anni, e non me lo sono toccato fino al college, per cui assistere a uno spettacolo del genere, che non ho nemmeno idea di come diavolo possa essere stato fatto... Cerco di focalizzare la mia attenzione sulle tette di Marny, che scoperte hanno un aspetto decisamente differente e, a pensarci bene, sono anche non perfettamente identiche. June invece ha un'aria del tutto regolare, snella e forte, di sicuro l'unica tra noi con tutto perfettamente al suo posto. Cerco di decidere infine se il pene di Moodie sia considerevolmente più grosso del mio e stabilisco che, perlomeno da molle, siamo pari. Più o meno.

Siamo giovani e nudi sulla spiaggia!

Debra si piazza su un ceppo di legno, proprio di fronte all'oceano. Noi ci sistemiamo a una decina di metri, quindi ci mettiamo a correre sulla spiaggia a tutta velocità. Cerchiamo di mantenere un certo spazio l'uno dall'altro, così che passandole davanti saremo ben distanziati, ognuno di noi visibile in tutti i suoi colori e dimensioni.

Sarà una cosa splendida e poetica e... cazzo se fa male! I nostri peni sbatacchiano selvaggiamente su e giù e poi, quando prendiamo velocità, anche a sinistra e a destra, avanti e indietro. Da sinistra a destra poi non l'avrei mai pensato. Dio che dolore! Non si dovrebbero fare cose del genere. I peni non sono stati fatti per correre. Mi vengono in mente marmitte d'auto che sfregano sull'asfalto, un passero che scrolla a morte un verme... È un'assurda agonia. Corriamo davanti a Debra, la quale, se va bene, fa un paio di scatti, quindi ci tocca ricominciare. Per almeno una dozzina di volte. Dopo un po', per la maggior parte del tragitto comincio a tenermi il pene con una mano, lasciandolo solo nel momento in cui le passiamo davanti. Non oso nemmeno immaginare come dev'essere per il tizio con il piercing. Di sicuro quell'affare non aiuta a tenerglielo al suo posto. Chissà, magari con un gancetto all'ombelico...

Scattiamo una foto in cui corriamo allontanandoci da Debra e gettandoci nell'acqua, che ovviamente è gelata come sempre. Quindi ci vestiamo e ce ne andiamo. Quando arrivano le foto, siamo venuti tutti mossi, e il nostro meditato sforzo in termini di demografia – le donne, una persona di colore – è a stento visibile. Le foto fatte correndo incontro a Debra sono inutilizzabili, il che significa che a nulla è servito anche l'abuso sconsiderato dei nostri peni. Ci resta l'ultima, che ci mostra tutti a culo nudo mentre ci gettiamo nel Pacifico. Usiamo quella.

È l'ultima foto di un servizio fotografico di sei pagine del primo numero, un montaggio che precede il manifesto stampato precedentemente. Ogni pagina ha una sorta di griglia contenente delle fotografie che si contraddicono l'un l'altra. E sopra ogni immagine è stampata una parola. Ossia:

Su una foto di una ragazza dall'aria viziata: No.

Su un'insegna di una vendita di armi da fuoco: No.

Su una foto di due bamboline di ceramica in abiti nuziali: No.

Su una specie di predicatore televisivo sovrastante i fedeli: No.

Su un dettaglio del *Ratto delle Sabine*: No.

Su un primo piano di un giovanotto che sogghigna sarcastico: No.

Su un gruppetto di scarpe femminili da lavoro a tacco alto: No.

Su un primo piano di un collo incravattato: No.

Su Adamo ed Eva espulsi dal giardino dell'Eden: No.

Siamo abbastanza convinti del fatto che quello che abbiamo di fronte sia puro frutto di genio e dote profetica, al punto che temiamo possa anche sfociare in sommosse di piazza. Nel caso in cui il significato dell'operazione dovesse risultare ostico, apponiamo una legenda:

1: *Non* siamo viziati e pigri.

2: *Non* pensiamo che le armi dovrebbero essere vendute liberamente come in questo caso.

2: *Non* siamo favorevoli al matrimonio.

3: O alla religione.

4: E siamo *decisamente* contro lo stupro

5: E il sarcasmo

6: E i tacchi alti.

7: E pure le cravatte.

8: E siamo anche contrari a essere espulsi da Dio dai giardini. O a vergognarci di essere nudi o di mangiare mele. (Questa forse era poco chiara.)

Quindi, nel servizio, dopo tutta questa negatività e dopo tutte le cose che ricusiamo senza esitazioni, il botto finale: la foto a tutta pagina di cinque persone nude, le schiene rivolte all'obbiettivo, che corrono in acqua. E sopra l'immagine, in nero contro il cielo (la foto è in bianco e nero) un'unica parola: Might.

Bum!

In linea di massima, siamo sicuri di avere per le mani qualcosa di epocale, e le nostre ore di lavoro rispecchiano questa realtà. Sono vere e proprie prove di volontà, nonché valido esempio dei deleteri effetti della reciproca influenza tra coetanei e del senso di colpa, visto che, pur essendo chiaramente giovani non tradizionali, cominciamo a tenere uno standard di orario dalle nove alle cinque, a cui ben presto aggiungiamo un extra di due o tre ore, a seconda del bisogno, nostro e del genere umano, in modo da finire tutto quello che andava fatto per il giorno seguente.

Bisogna finire! Perdere tempo sarebbe osceno!

Durante il giorno Moodie e io lavoriamo come grafici, soprattutto per il dipartimento promozioni interne del «San Francisco Chronicle». Moodie continua a svolgere lavori di marketing per altra gente, e io sbrigo lavoretti temporanei, solitamente alla sede della Pac Bell a San Ramon, dove trascorro otto ore al giorno a comporre certificati per commemorare eventi particolarmente significativi (*figura 3*) Marny lavora in un locale quattro sere la settimana, ma sempre più le nostre spese vengono coperte dal lavoro per il «Chronicle», il cui capo qualche tempo fa ha avuto pietà di me – gli occhi di Dianne

fig. 3

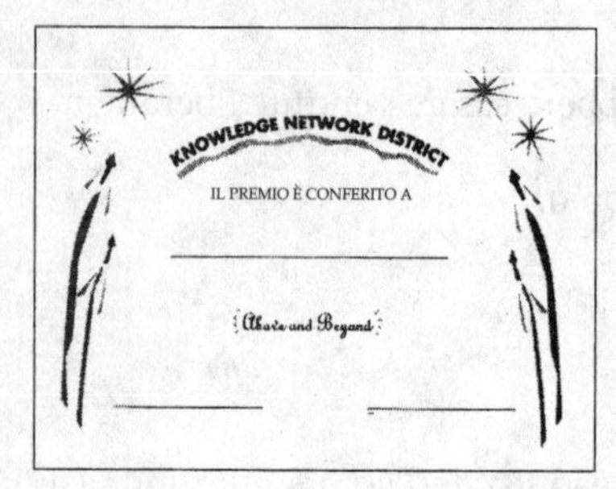

Levy, madre single di una figlia adolescente, sono diventati lucidi quando le ho detto che anch'io a casa avevo un ragazzino da crescere – e adesso si rivolgono sempre a noi per comporre pagine pubblicitarie, poster e campagne promozionali per le varie sezioni e rubriche. Noi eseguiamo i lavori assegnatici con l'acume che da sempre ci contraddistingue.

«Abbiamo bisogno di un messaggio promozionale per la sezione Affari ed Economia.»

Benissimo, diciamo. Presto fatto:

CHRONICLE. SONO ANCHE AFFARI TUOI.

«Adesso uno per la sezione sportiva.»

CHRONICLE SPORT. SAPPIAMO NOI IL PUNTEGGIO.

Ma siamo stanchi di un tale abuso della nostra energia creativa, e decidiamo che non intendiamo aspettare di raccogliere soldi in questo modo per partire con «Might». Mentre diciamo a tutti che «Might» ha preso avvio grazie allo sforzo congiunto ed estremo delle nostre carte di credito e ai proventi dell'ufficio grafico, la verità, orribile, indicibile, è che io ho semplicemente compilato un assegno. Era un assegno di circa diecimila dollari per la prima tiratura, vale a dire buona parte dei soldi dell'assicurazione e della casa che mi erano spettati dopo la vendita. Sulle prime avevo pensato che forse avrei dovuto dire la verità. Quale migliore metafora per la nostra impresa? Dalle ceneri – letteralmente – dei nostri genitori, questa pur modesta quantità di denaro ci avrebbe permesso di portare a termine la cosa così come volevamo noi, senza dover vendere l'idea a qualcun altro, trovare i fondi o abbandonare il progetto nel caso fosse divenuto ovvio – come a un certo punto sarebbe di sicuro accaduto – che nessuno era disposto a mettere soldi in un'impresa tanto assurda. Invece, in questo modo non dovevamo dipendere dell'approvazione di nessuno. Niente pastoie. Moodie e Marny sanno che la rivista è stata fondata così, ma solo loro e nessun altro. Forse non capirebbero; o forse capirebbero fin troppo bene. Dopo questo primo investimento, però, i finanziamenti futuri saranno ridottissimi, visto che da subito la cosa comincerà a pagarsi da sé, benché le speranze che ripaghi anche *noi* siano molto pallide e incerte. Comunque, ripensandoci, le cose possono cambiare in fretta. Potrebbero prendere una piega diversa se, tanto per dire, non fossimo semplicemente un pugno di scalzacani che ha messo su una fanzine con le pezze al culo... ma se i medesimi scalzacani, o meglio uno di loro, fosse la star di un programma televisivo di Mtv apprezzato in tutto il paese, un vero e proprio fenomeno mediatico alla *real life* tv.

Ci procuriamo i moduli per la domanda.

Decidiamo che i candidati saremo io e Marny. Riempiamo i vari questionari e, come richiesto, ci riprendiamo mentre parliamo o facciamo cose che speriamo a Mtv troveranno interessanti. C'è gente che si fa riprendere mentre va in skateboard, altri che ballano il tip tap, oppure presentano la propria famiglia o giocano con i propri cani. Quanto a me, mi faccio riprendere da Moodie alla mia scrivania mentre parlo assolutamente di nulla e poi, a un tratto, comincio a picchiettare il piano della scrivania come un epilettico. Il mio numero è quello del batterista dei Loverboy, che per una qualche non ben chiara ragione non riusciva a suonare la batteria senza muoversi e strabuzzare gli occhi come se si fosse trovato sulla sedia elettrica. Ci sembra che la videocassetta sia abbastanza buffa. A dire il vero è più spaventosa che divertente, ma Moodie ride. La spediamo.

Due giorni dopo una donna di nome Laura Folger chiama. È uno dei produttori del programma o del casting o una roba del genere, e ovviamente ha visto in me il tipo di persona perfetta per ispirare via video un'intera nazione di gioventù distratta. Devo andare agli uffici di *Real World* per un colloquio di circa mezz'ora in cui verrò ripreso.

L'intervista è di domenica. Mentre Toph sta ancora dormendo, attraverso Berkeley in auto, passo il ponte, e dopo avere percorso svariati chilometri lungo la costa arrivo ai brutti uffici di Mtv, strategicamente situati a North Beach, vicino all'imbarcadero, l'area dove sorge la maggior parte degli studi pubblicitari di San Francisco. Sono pieno d'orgoglio e di terrore. Ovviamente volevo che mi chiamassero per l'audizione, desideravo che questa gente vedesse tutto quello che c'è da vedere in me, ma in realtà non avevo davvero intenzione di passare attraverso tutto ciò. E adesso che invece lo sto facendo, sono terrorizzato all'idea che qualcuno – Beth, Toph, David Milton – possa venirlo a sapere. Cerco di convincermi che si tratta solo di una ricerca a sfondo sociologico-giornalistico. Sarà davvero una storia buffa da raccontare! Ma diciamocelo seriamente: sono solo curioso? O lo desidero sul serio? E se lo desidero, che razza di persona sono?

Quando arrivo, l'isolato è deserto e io sono in anticipo di venti minuti. Dato che la gente di Mtv non è di quella che arriva in anticipo, perché non è gente abbastanza ansiosa o responsabile da arrivare in anticipo, faccio due passi fino a che non sono in orario. Quando sono esattamente in ritardo di due minuti entro. L'ufficio, che ha appena poche settimane, proprio sopra la scrivania della segretaria ha già un enorme logo di Mtv in acciaio ondulato. Intanto che aspetto, la giovane assistente cerca di chiacchierare per mettermi a mio agio. Mentre sono in attesa, mi rendo conto all'improvviso che, certo, che scemo, l'audizione dev'essere già iniziata. Comincio a fare attenzione alle parole che uso, tentando di renderle memorabili, desideroso di riuscire allo stesso tempo divertente, all'avanguardia, sensibile e un po' Midwest. Sto attento alle mie gambe. Sono incrociate. Ma com'è che dovrei incrociarle? Alla vero uomo, o invece un po' alla signora/signore d'una certa età? Se lo faccio alla maniera della signora d'una certa età penseranno che sono gay? Potrebbe aiutarmi se lo pensassero?

A un certo punto nella stanza entra, anzi scivola, una donna. Guarda verso di me. È mia madre, la mia fidanzata, mia moglie. È Laura Folger, la produttrice/addetta al casting che ha chiamato. È un tipo un po' alla Ali McGraw, pelle lievemente abbronzata, occhi scuri, capelli lisci color cioccolata che le ricadono morbidi sulle spalle, come un sipario di velluto posato su un palcoscenico anch'esso di velluto.

Mi invita a entrare in un'altra stanza dove si svolgerà l'intervista. La seguo. Sono pronto a donarmi a lei. Lei ascolterà, e quando ascolterà saprà. Anche se credo di avere i capelli in disordine. Volevo andare in bagno a sistemarmeli ma non ho potuto. Ridicolo. In quello che potrebbe essere il giorno più importante della mia vita, mi affido alla sorte per quanto riguarda i capelli, e se adesso chiedessi di potermi dare una sistemata rovinerei tutto, perché penserebbe che sono vanesio e a disagio con me stesso, e non mi posso permettere che si faccia un'idea sbagliata. Anche se magari cerca proprio una persona vanesia. Potrei essere il Vanesio che le occorre. C'è sempre un vanesio in queste cose. Di solito sono modelli, a dire il vero. Non potrei mai e poi mai essere adatto a un ruolo del genere... Però chissà, magari uno di quei modelli strani e con l'aria da tutti i giorni, alla Benetton... Quello potrei farlo. Dall'aspetto insolito, ma interessante. Genere eroinomani, o i tipi con le lentiggini e una capigliatura enorme. Sì potrei essere uno di quelli.

Ma guardala. Più che desiderare di partecipare allo spettacolo di Laura Folger, vorrei sistemarmi con Laura Folger, mettere su famiglia con lei in una casetta con giardino sulla costa della Carolina del Nord. Avremo anche un cane di nome Skipper. Cucineremo insieme quando inviteremo i suoi, i vicini. Avremo un sacco di bambini che non somiglieranno a me ma a lei, con i lineamenti forti e delicati al tempo stesso, e quello splendido nasino...

«Va bene, cominciamo» dice lei sedendosi dietro la videocamera.

La cassetta parte con la lucetta rossa e tutto il resto.

«Dove sei cresciuto?»

«Oh, a questo so rispondere. In un piccolo sobborgo di Chicago, Lake Forest, a circa trenta miglia da...»

«Conosco Lake Forest.»

«Davvero?» dico avvertendo subito un cambiamento di format, uno di quelli in cui le virgolette cadono e l'intervista pura e semplice si trasforma in qualcosa di più, *molto ma molto di più*. «Non è che un piccolo sobborgo di circa diciassettemila persone. Mi sorprende sapere che...»

Ma sì, dai, Lake Forest è una di quelle cittadine tipo Greenwich o Scarsdale... Non è una delle cittadine più ricche d'America?

Ah sì? Sì credo di sì, immagino. Non so. Io personalmente non conoscevo nessuno molto ricco. I genitori dei miei amici erano insegnanti, venditori di articoli farmaceutici, titolari di negozi di cornici... I miei guidavano auto usate e mia madre comprava tutti i nostri vestiti ai grandi magazzini Marshall's. Una vita così. Eravamo probabilmente in quella che poteva essere considerata la fascia socioeconomica più bassa del paese.

Cosa facevano i tuoi genitori?

Mia madre non ha lavorato fino a quando io avevo circa dodici anni. Poi ha insegnato in una Montessori. Mio padre era un avvocato con la vocazione alla vita comoda, a Chicago, nel settore del mercato dei futures.

E i tuoi fratelli?

Mia sorella frequenta la scuola di Legge alla California State University. Mio fratello Bill lavora in un *think-tank*.

Cosa significa?

Be', ha cominciato a lavorare per la Heritage Foundation, e viaggiava parecchio in Europa dell'Est per fornire consulenze nelle repubbliche ex sovietiche, o come diavolo si chiamano, in materia di riconversione alle economie di mercato eccetera eccetera. Ha anche scritto un libro sul ridimensionamento del sistema governativo a livello locale. Si intitola *Rivoluzione alle radici: la creazione di governi più piccoli, più efficienti e più vicini.* Dovresti vederlo. Ha anche una frase di Newt Gingrich proprio in copertina, qualcosa tipo che tutti gli americani, se sono buoni americani, dovrebbero leggere questo libro.

Immagino che tra voi non parliate granché di politica.
No, no molto.

E sei cresciuto con molti soldi?
Non lo so. A volte sì a volte no. Non ci è mancato mai nulla, ma mia madre aveva un modo tutto suo per farci sentire giusto sulla soglia dell'indigenza. «Ci farai finire tutti alla casa del povero!» gridava, di solito a mio padre, ma anche a tutti noi e a nessuno in particolare. Non capivamo mai come stessero effettivamente le cose, ma credo che sarebbe ridicolo da parte mia lamentarmi. Vivevamo in una casa nostra in una graziosa cittadina, avevamo ognuno la propria camera da letto, vestiti, cibo, giocattoli, andavamo in vacanza in Florida, anche se sempre in macchina. Abbiamo tutti cominciato a fare lavoretti dall'età di tredici anni durante l'estate, tipo che io e Bill tagliavamo l'erba, Beth lavorava da Baskin e Robbins con la sua uniforme di velluto marrone, e ovviamente avevamo tutti le nostre macchine usate, tristi e dalla vita breve, Volkswagen Rabbits o Camaro rugginose, e siamo andati tutti in scuole pubbliche e università statali. Per cui no, non direi che siamo cresciuti con tanti soldi... Di sicuro non c'erano soldi da parte, come abbiamo scoperto quando sono morti...

Mmhmm.
E allora, ce l'ho fatta?

Cosa intendi dire?
Ce l'ho fatta a entrare nel programma?

Un momento. Abbiamo appena iniziato.
Ah.

Ti sei sentito mai differente dagli altri, ossia esisteva una divisione sociale basata sulla condizione economica?
Direi proprio di no. Ma se esisteva era esattamente inversa. I ragazzi che si vestivano e si comportavano da ricchi venivano emargi-

nati, commiserati, e non potevano in alcun modo conquistare la popolarità. È così dappertutto. I ragazzi delle scuole pubbliche imparano presto, anche perché gli viene inculcato dai coetanei, che distinguersi significa attirare su di sé l'ostilità degli altri. Essere palesemente ricchi era come essere troppo alti, troppo grassi o avere un enorme foruncolo sul collo. Tutti quanti gravitavamo attorno a un'assoluta medietà. Era così in tutta la scuola, e i ragazzi ricchi erano visti come i vorrei-ma-non-posso, i più sfigati, sempre intenti a fare feste per attirare l'attenzione di quelli che erano realmente in vista, come il tipo della squadra di football che viveva nella casa di legno dietro la scuola. I ragazzi più fighi guidavano furgoni, avevano macchine schifose, avevano genitori divorziati o alcolizzati, e vivevano in zone della città considerate poco raccomandabili. I ragazzi ricchi invece, quelli che avevano sempre la camicia dentro i pantaloni e i capelli a posto, o specialmente quelli che frequentavano le scuole private, erano considerati senza speranza, incasinati, anomali. Voglio dire, ti puoi immaginare, vivi in un posto come Lake Forest, con le splendide scuole pubbliche che ci sono, e ti ostini a buttare diecimila dollari l'anno per mandare tuo figlio in una scuola privata che si chiama Country Day? Erano quelli i veri disadattati. Lo sai come chiamavamo quella scuola?

No.
È piuttosto buffo.

Come la chiamavate?
Country Gay.

....
Capito? Country Gay.

Un posto piuttosto intollerante, la tua città.
Omogenea, forse, ma non intollerante. Ovvio, era una città quasi completamente bianca, ma il razzismo di ogni sorta – perlomeno quello espresso apertamente – era considerato una cosa rozza, per cui siamo tutti cresciuti senza particolari forme di pregiudizio, sia dirette che in senso più astratto. Con il benessere e l'isolamento di cui godeva rispetto ai problemi sociali correnti – il crimine, a parte gli occasionali atti di vandalismo perpetrati da me e dai miei amici, era pressoché assente – la città poteva permettersi di guardare a tutte queste

cose come a una sorta di intrattenimento, come a degli incontri di lotta disputati in altre parti del paese e da altra gente che non eravamo noi. La sola volta che mi sono reso conto di un episodio di vera intolleranza è stato quando ero alle elementari e un ragazzino magro, dall'aria da secchione e con un paio di grossi occhiali, si è trasferito nella nostra via e ha appeso all'angolo del giardino di casa e in camera sua la bandiera sudista...

Vuoi dire la bandiera confederata.

Sì, quella. Insomma questo ragazzino, che aveva l'età di mio fratello, anzi tre anni di più, si è trasferito lì quando io avevo nove anni e da subito ha incasinato le cose. Prima di tutto mio fratello lo ha visto disegnare una svastica sullo schienale di un sedile dell'autobus scolastico. Nessuno di noi aveva mai visto con i propri occhi una cosa simile, e questa per qualche tempo divenne la faccenda di cui tutti parlavano. Un vero razzista! A un certo punto il ragazzo ha fondato una specie di gruppo informale a cui ha convertito – brutta parola – un gruppetto di altri ragazzi del quartiere, e allora tutti hanno cominciato a disegnare svastiche sui loro quaderni e a usare la parola che si usa in questi casi.

Quale parola?

Forse sbaglio a dirla. Si dice "giudeo", giusto?

Sì.

Si scrive con la G o con la J?

Con la G, direi.

Ah, pensavo con la J. A ogni modo, all'improvviso i ragazzi del quartiere si erano messi a usare quella parola. Ci trovavamo in questa enclave di civiltà, improvvisamente corrotta da... cioè, è andata al contrario, in un certo senso, con l'arrivo di questo missionario dell'intolleranza... In ogni caso uno dei ragazzi del quartiere, si chiamava Todd Golub, era tutto pappa e ciccia con questi altri, e poi a un certo punto salta fuori che è ebreo! E da un momento all'altro è fuori dal giro. Ovviamente io di tutte queste cose sapevo poco o nulla. Erano ragazzi più grandi, dell'età di mio fratello Bill, e i miei genitori scoraggiavano ogni delucidazione in merito, dato che preferivano che ne sapessimo il meno possibile. «Ragazzacci» diceva mia madre, e questo era quanto. Da piccoli non sapevamo assolutamente nulla di nulla, riguardo a empietà, sesso, niente di niente. Io ho capito a dodici anni che quando si diceva "palle" ci si riferiva ai testicoli e non alle chiappe del culo. Non ridere. Ero terrorizzato da questo genere di cose. Al punto che ero del tutto ignorante anche della mia stessa anatomia, essendo cattolico e tutto il resto...

Ma sto divagando. Allora Bill ha provato a rimanere amico di quel gruppo di ragazzi, sperando che questa faccenda della svastica fosse un fenomeno virale temporaneo. Ma io, in base a quello che sapevo di loro, ho iniziato a elaborare complicate fantasie su quello che succedeva a casa di quel ragazzo. Tutte le volte che si passava in auto per di là, allungavo il collo per vedere la bandiera confederata. In effetti si vedeva piuttosto bene, dato che copriva l'intero specchio della finestra della sua camera, appesa in modo che cadesse un po' drappeggiata al centro. Non sapevo proprio cosa pensare, quanto seria fosse la faccenda in quella famiglia, per cui ogni volta che passavamo per di là mi aspettavo di vedere lui e suo papà intenti a bruciare croci in giardino o a lanciare nodi scorsoi sui rami degli alberi. Dico davvero. Non avevamo punti di riferimento precisi. Quel ragazzino era esotico quanto lo erano i ragazzi che vivevano nei grossi condomini popolari. Non sapevo come elaborare l'informazione. La nostra cittadina era per molti aspetti rigida riguardo all'uniformità delle cose, i colori della pelle, i tipi di auto, la vegetazione dei giardini, ma in cima a tutto questo c'era come una tela bianca, per cui – e credo che questo valga per qualunque bambino – ero pronto ad accettare qualunque improvviso e totale sovvertimento di tutto quello che sapevo vero.

C'erano ragazzi neri?

Pochi. Forse quattro o cinque. Quando ero alle elementari c'era Jonathan Hutchinson. Viveva in Elm Road, una specie di vialone che faceva da confine tra Lake Forest e Highland Park, non lontano da casa nostra; era un tipo in gamba. Un po' goffo, forse, ma abbastanza simpatico. Poi se n'è andato e per un po' non ci sono stati altri ragazzi neri. Dopo però è arrivato Mister T.

Mister T?

Sì, lui era, oddio, credo che fossimo alle medie, a quel punto, oppure già al liceo, e lui è arrivato nella zona dopo un paio d'anni che *A-Team* era finito. La gente non faceva che parlarne. Tutti si crogiolavano ancora nella faccenda di *Gente comune*, per via che era stato girato nella nostra città, e ovunque c'erano fotografie di Robert Redford e dei McDonald, ma nessuno di noi aveva mai avuto come vicino di casa uno del livello di Mister T. Voglio dire, a quel punto era ancora una star di prima grandezza, non so che cosa facesse all'epoca, forse si stava semplicemente prendendo una pausa tra una serie e l'altra, si sa come quei periodi possono essere stressanti, ma comunque era sempre grandissimo. Si era trasferito in una casa enorme di Green Bay Road, con una proprietà di sicuro intorno ai quattro ettari, con una cancellata e un muro di mattoni che correva lungo la strada. La sua casa era appena fuori città, proprio accanto a St. Mary, la nostra chiesa.

E quale fu la reazione al suo arrivo?

Impazzimmo dalla felicità. Noi ragazzi, voglio dire. Capirai, *A-Team* era stato il nostro programma preferito. Facevamo feste alla *A-Team*, correvamo per il refettorio della scuola cantando la musica della sigla: ta-ta-ta-TA! Ta-ta-ta... tatatatatatata! Ripensandoci però, non credo che i nostri genitori fossero altrettanto felici. In primo luogo la gente con i soldi non vuole dar mostra di essere impressionata dalla fama, specie se illegittima, come immagino la ritenessero in questo caso. Dopotutto quel tizio, prima che venisse lanciato non era altro che un buttafuori. E ovviamente il fatto che cominciò a tagliare tutti gli alberi non fece certo salire le sue quotazioni presso il vicinato.

Mi pare di avere sentito questa storia.

Sì, era su tutti i giornali. È stato un vero scandalo. Da una parte hai questa cittadina di bianchi con la puzza sotto il naso e dall'altra questa specie di gigante nero carico di catene d'oro e con i capelli alla mohicano, che arriva con una sega elettrica e abbatte tutti gli alberi sulla sua proprietà tranne due – voglio dire, saranno stati duecento, tutto alla luce del sole, li ha buttati giù uno a uno con le sue mani. Incredibile. Che fegato! Diceva che era allergico. Ma questo non è bastato a calmare le acque. Vedi, la mia era una cittadina che andava davvero orgogliosa dei suoi alberi, e a ragione, dato che avevamo degli alberi davvero belli. C'erano insegne dappertutto che dicevano "Città degli Alberi, USA", e tutti adoravamo quelle insegne. Per cui, quando Mister T abbatté i suoi alberi, nessuno sapeva in realtà cosa dire, perché da un lato lo si voleva condannare – e qualcuno lo fece anche – ma dall'altro la maggioranza delle persone aveva paura di essere presa per razzista o per gente di poco spirito – quello era un posto in cui il bidello nero riceveva un applauso a scena aperta per avere cantato *Deep Ri-*

ver alla gara scolastica – e allora tutti si misero da parte, limitandosi a guardare cosa succedeva. Mio padre pensava che fosse una cosa divertentissima, gli piaceva da morire leggere della polemica sui giornali, e rideva come un matto. «Fantastico!» diceva, tutte le volte che vedeva la città messa sotto torchio dai giornali di Chicago. Non si era mai identificato con Lake Forest, non aveva amici lì, e non guidava il tipo giusto di autovettura. Una volta l'abbiamo anche visto, Mister T, un giorno che stavamo andando in chiesa, proprio lì di fronte al cancello di casa sua, con la sega elettrica. Favoloso. Stava potando le siepi.

Com'è che siamo finiti a parlare di questa storia?
Si parlava di ragazzi neri. Mister T aveva due figlie che andavano al mio liceo. Quando si presentarono a scuola fecero raddoppiare la popolazione di colore, portandola a quattro studenti. Credo che fossero quattro in tutto.

Quanti ragazzi c'erano in tutto nel tuo liceo?
Circa milletrecento.

E tutto ciò a una trentina di chilometri da Chicago.
Sì, e a nord c'era un'altra cittadina, forse a un sette otto chilometri, chiamata North Chicago, che era perlopiù nera. Almeno a quanto ne so.

Cosa vuol dire "a quanto ne so"?
Be', non è che ci sia mai stato. Sono stato a Highland Park, che è la zona ebrea, compravo la birra a Highwood, che è la zona dove ci sono tutti i ristoranti italiani e dove vivono tutti i messicani che fanno i giardinieri. Poi c'era un centro commerciale a Waukegan, se non sbaglio, sempre pieno di marinai, e Libertyville invece era dove abitavano i ragazzi con il taglio di capelli da hockeisti.

E come venivano trattate le figlie di Mister T?
Per quel che posso dire, tutti le trattavano bene. A quanto pare erano ragazze molto simpatiche e divertenti, ma io non le conoscevo e non sapevo (e non so) nemmeno come si chiamavano. Erano più giovani di un anno. Se ne andavano in giro su una Mercedes bianca personalizzata con la targa che diceva: Mr. T 3. Ma piacevano più o meno a tutti. In fondo erano le figlie di Mister T, il che era fonte di grande orgoglio per la scuola, perlomeno per quello che riguardava il

corpo studentesco. Era la prima cosa che dicevamo a chiunque, quella e *Gente comune.*

E così quelli erano gli unici ragazzi neri?
L'unico altro ragazzo nero che mi ricordo era un tipo nella classe di mia sorella, uno di nome Steve, e il cognome non lo so, non l'ho mai saputo. Non che conoscessi in realtà nessuno della classe di mia sorella, ma dato che si trattava dell'unico nero della classe, era noto semplicemente con il nome di Steve il Nero.

Come, scusa?
Sì, a sentire mia sorella, in pratica veniva chiamato così pressoché in ogni contesto. Era un tizio normalissimo, non particolarmente popolare, ma abbastanza simpatico. Alla gente piaceva, e immagino che tutti pensassero che era strano che fosse differente dagli altri, così come c'era quell'altro ragazzo che portava i capelli a spazzola o quella ragazza, quella che stava sempre insieme a quell'altro studente della squadra di basket, che era nana. Per cui era Steve il Nero.

Una situazione piuttosto opprimente.
No, perché?

A te piaceva?
Sì, certo. A molti no. Molti se ne lamentano. Molti si vergognano di dire che è lì che sono cresciuti. A Chicago o a Champaign ti possono rendere la vita difficile per una cosa come questa, si inchinano, ti fanno il gesto del baciamano. Ma io non voglio avere l'aria di scusarmi per il fatto di essere cresciuto in quello che era, perlomeno nel mio quartiere, nient'altro che un semplice sobborgo: alberi, un torrente, bei parchi pubblici. Non è che potessimo scegliere, all'età di otto o nove anni, di lasciare la nostra casa e trasferirci in una zona meno orribilmente pregna di quella mostruosa prosperità. Va inoltre aggiunto che, come tutti i contesti apparentemente stabili e autosufficienti, dotati di un certo equilibrio, di attenzione ai dettagli e di realtà familiari solide – un clima confortevole ma profondamente Midwest – quello era anche un ambiente estremamente tranquillo, di una tranquillità inquietante, sotto la quale si celava come un suono sottile, quasi impercettibile, come aria soffiata attraverso un minuscolo buco, come di qualcuno che urla da distanze stellari, di gente che muore in modi oscuri e sconcertanti.

Cosa intendi dire?

Oh, intendo dire suicidi o strani incidenti. Un ragazzo che conoscevo, per esempio, pare che fosse in cantina a giocare, e una catasta di legno gli è caduta addosso facendolo morire soffocato. È stata la prima morte nel quartiere, avrà avuto forse dieci anni. Poi, circa due anni dopo, c'è stato il padre di Ricky.

Il padre di Ricky?

Ricky era uno dei miei migliori amici e abitava dall'altra parte del torrente che scorreva proprio dietro le nostre case, e io, lui e Jeff Farlander facevamo un sacco di cose insieme, eravamo nella stessa squadra di nuoto eccetera. Era strano, dall'altra parte del torrente. La maggior parte delle cose che facevamo prevedeva un qualche atto vandalico, adesso che ci penso, come per esempio lanciare cose contro le macchine, tipo pezzi di ghiaccio, sassi, mele selvatiche, ghiande, palle di neve...

Che cosa ha a che fare tutto ciò con il padre di Ricky?

Giusto. Era un limpido giorno di prima estate. Ero a casa, intento a costruire una città marziana di Lego, cercando di seguire il complesso progetto che avevo preparato sul mio album da disegno di fianco ai miei ritratti di dinosauri volanti e di pacifici alieni dai grossi piedi. Avevo già costruito le fondamenta sulle piattaforme grigie che avevo ricevuto come regalo di compleanno. A un certo punto Jeff mi chiamò e mi disse che era meglio se andavamo a casa di Ricky perché era successo qualcosa di terribile.

«Cosa è successo?» chiesi.

«Il padre di Ricky si è inzuppato di benzina e poi ha acceso un fiammifero e ha cominciato a correre per il giardino di casa avvolto dalle fiamme, e poi si è fermato ed è caduto morto proprio di fronte casa.»

Dissi tutto a mia madre, quindi mi diressi fino all'estremità cieca della strada, scavalcai il torrente nel punto più stretto e andai a prendere Jeff, e insieme ci recammo da Ricky. Ricky era in tinello a guardare la tv. Il suo tinello era come il nostro, scuro con le perlinature in legno. Ci disse ciao, e allora anche noi lo salutammo. C'era uno di quei primi programmi musicali alla televisione – prima di Mtv – e stavano mostrando il video di una canzone di Bob Dylan intitolata *Jokerman*. Era un bel video, con un sacco di cose che volavano verso lo schermo con un effetto tipo 3-D. Io a quel tempo avevo appena iniziato a leggere «Rolling Stones» e sapevo che se c'era una cosa che dovevo conoscere nella vita era Bob Dylan, per cui volevo a tutti i costi che quella canzone mi piacesse, ma Ricky mi batté sul tempo perché disse: «Mi piace questa canzone».

Mi seccai un po'. Ma poi decisi di lasciare perdere.

Le due sorelline di Ricky, parecchio più giovani di lui, di tanto in tanto passavano correndo per la stanza. Guardammo ancora un po' la tv.

A un certo punto Jeff chiese: «Com'era?». Io non potevo credere alle mie orecchie.

«Lo sai com'era?» disse Ricky. «Come alla fine dei *Predatori dell'arca perduta.*»

Sapevamo esattamente a che scena si riferiva, proprio alla fine, quando i nazi aprono l'arca dell'alleanza e ne fuoriescono gli spiriti, e gli spiriti all'inizio sono bellissimi e pacifici, ma poi si arrabbiano, e dall'arca escono tutte quelle fiamme che uccidono i nazi, trafiggendoli con dei pali di fuoco che li infilzano proprio lì sul posto, e poi i capi uno a uno si sciolgono come manichini di cera, la pelle e le cartilagini e il sangue gli colano giù dal cranio, uno dopo l'altro, come liquidi di colore differente. Era una scena che ci aveva affascinato e riempito d'orrore.

Cavolo, pensammo. *I predatori dell'arca perduta.*

Rimanemmo da Ricky per un po' a guardare la tv con lui, poi ci stufammo e uscimmo in giardino per vedere se sull'erba c'erano delle tracce di sangue o qualcos'altro. Ma non c'era nulla. Il prato era in perfette condizioni, verde e rigoglioso.

E la ragione per cui mi stai raccontando tutto ciò?

Non so. Sono semplicemente storie che racconto. Non è questo che ti interessa? Morti orribili che mandano in pezzi una comunità fino a quel momento intatta...

Un momento, dimmi una cosa. Questa non è la riproduzione del colloquio così com'è andato, vero?

Vero.

Al vero colloquio non ci assomiglia nemmeno, giusto?

Giusto.

È un espediente, questo andamento in stile di intervista. Inventato di sana pianta.

In effetti.

Un buon espediente, devo ammettere. Una sorta di contenitore per tutta una serie di aneddoti che sarebbe stato inefficace combinare insieme in altro modo.

Esatto.

E, si diceva, il punto di tutti questi aneddoti sarebbe?

Be', il nocciolo di tutta questa roba su Lake Forest dovrebbe essere abbastanza evidente. Ci fa toccare con mano un certo mondo, un mondo che dovrebbe suonare familiare a un sacco di gente, specie a quelli che hanno avuto il privilegio di guardare *Gente comune*, con Timothy Hutton in un favoloso ruolo da protagonista. Oscar per il miglior film nel 1980. I brani in cui vengono descritti i suicidi hanno ovviamente valore formativo, e servono a suggerire che io e le persone che conosco potrebbero effettivamente morire in modi anche assurdi e inattesi, oltre ad anticipare elementi che accadono nella seconda metà del libro. Tutta la parte sulle questioni razziali e di etnia intendono far luce sul contesto in cui siamo cresciuti, un contesto in cui imperava una sorta di incredibile omogeneità a cui eravamo totalmente assuefatti, in netto contrasto con l'immagine di me e di Toph a Berkeley, dove invece vige questa sorta di sciоccante diversità, all'interno della quale, tuttavia, io e Toph continuiamo a sentirci completamente fuori posto ed estranei all'andamento generale delle cose... Per cui è tutto un gioco di inclusioni e di esclusioni. L'episodio di Sarah invece...

Sarah? Chi è Sarah?

Ah, già, volevo parlarne prima. Permettimi di raccontartelo in breve.

Noi figli venimmo a sapere di mia madre da mio padre, che ci riunì in tinello per darci la notizia. Quell'estate fu un vero casino. Io combinai un paio di cose davvero strambe, quell'estate e anche durante l'autunno, tipo bere un sacco, spaccare oggetti, roba prevedibile, graffiare il muro con le unghie nel sonno, tornare a casa all'alba da strane feste in cui avevo bevuto in compagnia di gente bizzarra. Una umida notte d'estate andai a una di queste feste a casa di un tizio di nome Andrew Wagner. Andrew viveva in una vecchia casa di legno dall'altra parte della statale, un luogo piuttosto isolato, e di tanto in tanto faceva questi festoni giganteschi in giardino, un genere di festa difficile da organizzare a Lake Forest, con tutte quelle macchine della polizia piene di agenti pronti a intervenire. Ci andai con Marny e altri suoi amici che ricompaiono più avanti nel libro, quando torno a casa a cercare i miei genitori, e bevemmo parecchia birra alla spina dentro a dei bicchieri rossi spessi e lucidi, con l'interno bianco. Ben presto, o a me parve presto, la gente con cui ero venuto decise di andare via. Marny mi chiese se volevo un passaggio ma io dissi di no, dato che stavo chiacchierando con Farlander e volevo rimanere un altro po'. Stavo parlando con Farlander per la prima volta da anni. Eravamo cresciuti insieme, e spesso mi ero fermato a dormire da lui anche per più di una notte di seguito. Casa sua era il primo posto in cui ci rifugiavamo quando da noi le cose cominciavano a mettersi male, e sua madre per me era come una zia...

Capisci cosa intendo dire? Io e Jeff al liceo ci eravamo allontanati, ma a quella festa, alla festa di Andrew Wagner, sotto le deboli luci della veranda, pieni com'eravamo di Schaefer alla spina, ci siamo riavvicinati, ci siamo dati dei pugni sul braccio e tutto il resto. A un certo punto, quando la festa si stava spostando da casa di Wagner a un bar che si chiamava McCormick's, Jeff e io decidemmo di andarci insieme a lui.

«Potete venire con me» propose.

«Va bene, d'accordo» dissi io. Volevo avere di nuovo undici anni, lanciare le uova contro le macchine insieme a lui. Ma poi, mentre stavamo dirigendoci verso la sua auto, rovinai tutto dicendo: «Jeff, mia mamma sta morendo». L'avevo buttata lì senza sapere esattamente cosa stavo facendo....

No, non è esatto. Sapevo quello a cui stavo pensando, ci avevo pensato ed era tutta la sera che cercavo di trovare un modo per dirglielo mentre chiacchieravamo sotto le luci della veranda, perché lui mia madre la conosceva da un sacco di tempo; ma ci sono rimasto secco quando, mentre ci avviavamo alla macchina, lui ha rallentato e con la sua voce roca, che era così anche quando eravamo bambini, mi ha detto: «Lo so».

E così, andando verso la macchina, abbiamo pianto tutti e due, ma solo per un secondo, e poi siamo saliti in macchina e abbiamo preso la statale, superando Lake Forest e Lake Bluff, fino da McCormick's, una specie di bar da stazione di servizio sulla strada tra Libertyville e Waukegan. Il posto era pieno di gente di ogni genere, dai giocatori di football ai loro fan, e tutti lo frequentavano da anni, sul serio. Ma io non c'ero mai stato.

Il locale era strapieno, e all'improvviso io venni colto dal timore che se Jeff sapeva, allora forse tutti là dentro sapevano. Ci sarebbe stato un silenzio imbarazzato, colpi di tosse, gente che se la sarebbe svignata alla chetichella. Ma nessuno disse nulla. Entrammo, e al bancone c'era un tipo tozzo con le guance rosse di nome Jimmy Walker. C'era anche Hartenstine, quel tizio grande e grosso e di una certa età, che aveva giocato nei Bears.

E poi c'era Sara Mulhern. Eggià.

Si può dire che eravamo cresciuti insieme, io e Sarah, facevamo parte della stessa squadra di nuoto quando io avevo nove anni e lei undici, e avevamo continuato per qualche anno, senza però rivolgerci mai la parola. Lei era più grande e nuotava meglio. Si tuffava anche meglio. Io ero un peso per la squadra di nuoto. Ero lento, non mi sapevo tuffare, non sapevo fare la giravolta in acqua, non ero nemmeno in grado di fare un tuffo carpiato. Lei invece sapeva fare tutto benissimo, giravolte, carpiati, doppi salti mortali, avvitamenti, tutto quanto, sempre con le gambe bene unite e le dita dei piedi bene allungate, con un piccolo splash finale. Faceva la staffetta quattro stili, vinceva sempre, tutti la conoscevano, il suo nome era sempre quello annunciato dal megafono. Ma io non avevo mai osato parlarle. Né alle medie né al liceo. I due anni che ci separavano erano un abisso, e poi aveva capelli troppo lisci e biondi.

E invece ecco Sarah in quel bar, e non ho idea di come cominciammo a parlare o di che cosa ci dicemmo esattamente, ma a un certo punto Jeff non c'era più e io mi ritrovai con Sarah nel sedile di dietro di un'auto, diretto a casa sua. L'auto odorava di vinile e di fumo. Sarah fumava.

Poi finimmo a letto, nella grande casa dei suoi genitori, e ci fu un po' di questo e di quello ma io praticamente svenni prima che...

Mi svegliai in un letto a baldacchino e lei era sveglia e mi guardava. I mobili e i muri erano intrisi di una luce giallina come se non solo le pareti ma l'aria stessa fosse di quel colore. Ci sedemmo sul pavimento a parlare delle scuole elementari, dei bambini ritardati che le maestre ci dicevano di trattare con gentilezza e che morivano giovani. Ascoltammo dei dischi, parlammo dell'autunno... Sarah stava studiando per diventare insegnante, aveva già l'abilitazione e stava facendo delle supplenze.

Poi ce la filammo dalla porta del garage – i suoi genitori erano a casa – e lei mi riaccompagnò in macchina. Mentre stavamo tornando io avrei voluto dire tante cose, che in realtà c'era una ragazza, Kirsten, e che avevo commesso un errore, anzi un crimine orribile, e che avevo sbagliato, perché ero confuso....

Ma poi vidi una sagoma stagliarsi contro la finestra, qualcuno dal tinello ci stava guardando, e non volevo dire a Sarah di mia madre, e non volevo spiegare a mia madre di Sarah, per cui...

Ci scambiammo un rapido bacio e poi corsi via.

E questa è Sarah.

Sì. Sai, quello che mi sembra fantastico è che il format funziona, in un certo senso, perché un'intervista in cui rivelo tutte queste cose a uno sconosciuto in effetti c'è stata; Mtv potrebbe forse avere ancora la videocassetta (sul modulo di iscrizione c'era scritto: «Non saremo in grado di restituire il video; e segmenti di esso potrebbero essere trasmessi in abbinamento alla trasmissione. La tua firma ci garantisce questo diritto»); e poi, concentrando tutte queste cose in una struttura a domanda e risposta si completa la transizione dalla prima metà del libro, lievemente meno consapevole, alla seconda metà, che invece gradualmente divora se stessa. Perché vedi, io credo che quello che la mia cittadina natale e la tua trasmissione riflettono in modo meraviglioso sia il fatto che il sottoprodotto del comfort e della prosperità che sto descrivendo è una sorta di puro e insinuante solipsismo, e che in assenza di lotte da combattere contro un nemico comune – sia esso l'indigenza, il comunismo o quello che ti pare – tutto ciò che ci resta da fare, o meglio che resta da fare a quelli tra noi irrimediabilmente affetti da una forma di ossessione per se stessi...

Aspetta un secondo, quanti di voi pensi siano così presi da se stessi?

I migliori. O meglio, esistono due modi in cui l'ossessione di sé si può manifestare: ci sono quelli che la introiettano e quelli che la proiettano all'esterno. Per esempio, io ho questo amico di nome John che interiorizza tutto: parla dei suoi problemi, della sua ragazza, delle sue scarse prospettive, di come sono morti i suoi genitori e così via, fino ad arrivare alla vera e propria paralisi, nel senso che non è interessato letteralmente ad altro che non sia se stesso. Il suo mondo è tutto lì, nell'incessante esplorazione dei recessi più oscuri della sua mente, della casa stregata che è diventato il suo cervello.

E l'altro modo?

Quelli convinti di avere una personalità così forte e una vicenda personale così interessante che tutti gli altri sono tenuti a conoscerla per trarne insegnamenti di vita.

Lasciami indovinare, tu...
Be', io faccio finta di essere tra questi ultimi, ma in realtà rientro nel primo tipo, e in modo davvero desolante. Eppure ho la sensazione che se non si è in qualche modo ossessionati da se stessi si rischia di essere noiosi. Però non è che riesci sempre a individuare con certezza le persone ossessionate da sé: quelle migliori non lo danno a vedere esteriormente. E tuttavia agiscono in modo più pubblico che privato, cercando prima o poi di far sapere agli altri quello che fanno. Ti assicuro che i candidati di *The Real World* – credimi, se mettessi tutte queste videocassette in una capsula del tempo per poi aprirla tra vent'anni, scopriresti che si tratta proprio delle persone che in un modo o nell'altro staranno guidando il pianeta – come minimo saranno il segmento più visibile della loro generazione. Perché noi siamo cresciuti, all'interno delle nostre confortevoli case, pensandoci in costante relazione all'effimero mondo fatto di politica, media e intrattenimento, avendo tutto il tempo per pensare a come avremmo potuto far parte di quel gruppo musicale o di quel programma televisivo o di quel film, e a che figura vi avremmo fatto noi. Siamo gente per cui qualunque idea di anonimato è esistenzialmente irrazionale, indifendibile. Ecco perché si fa e si farà un gran parlare di tutto – e di certo l'esito culturale dei nostri tempi rispecchierà questa realtà – interi film fatti di chiacchiere, chiacchiere sulle chiacchiere, considerazioni sulle chiacchiere riguardo alle riflessioni sul posto in cui viviamo, sui nostri desideri e doveri. Le ciance di una belle époque, insomma. Solipsismo rinforzato da fattori ambientali.

Solipsismo.
Certo. È inevitabile, è ubiquo. Lo vedi anche tu, vero? Voglio dire, sono io l'unico a vedere il solipsismo, qui?

Era una battuta, vero?
Sì, certo.

E dunque, cosa credi di poter dare al programma?
Be', ci ho pensato a lungo e credo che ci siano due possibilità: nel primo caso posso incarnare la Figura Tragica. Nel secondo, abbiamo questa rivista.

Giusto. Com'è che si chiama?
Might.

M-i-t-e?

No, M-i-g-h-t[4]. Tutti pensano che sia Mite, ma è ridicolo. Chi è che chiamerebbe una rivista così? Mite è una parola talmente oscura rispetto a Might, non trovi?

Perché si chiama così?

Dunque, c'è un doppio senso, ovviamente. Ascolta, ti piacerà sono sicuro: può significare due cose contemporaneamente, è proprio sul limitare tra due aree di significato, dato che Might può indicare sia «potere» che «possibilità».

Ahhh.

Eh sì. Lo so. Bella trovata.

E di cosa si occupa?

Be', questa è la cosa davvero fantastica, perché qui c'è davvero un'intesa perfetta, dato che si rivolge al medesimo segmento demografico a cui ti rivolgi tu. Noi stiamo cercando di chiarire che non siamo semplicemente uno sparuto gruppetto di gente che non ha di meglio da fare che scoreggiare e guardare Mtv. Non che ci sia niente di male a guardare Mtv, ma... capisci cosa intendo dire. Per cui sì, essenzialmente io entro nel programma, il programma ci ritrae nell'atto di mettere insieme la rivista, raggiungendo così milioni di persone, definendo lo *Zeitgeist* e ispirando la gioventù mondiale alla grandezza.

Lavori parecchio?

Sì.

Quanto?

Non so. Settanta ore a settimana. Forse anche cento. Non lo so. Tutti noi lavoriamo tanto. È un modo per espiare la nostra infanzia senza privazioni. Marny probabilmente lavora più di tutti. Fa la cameriera in un ristorante di Oakland e in un altro a San Francisco, eppure ce la fa a starci dietro... Ma questo va bene, no? Ragazzi che lavorano duro, realizzano i propri sogni, alla ricerca della grandezza. Non è buona televisione, questa?

[4] Il lemma "might" in inglese ha un uso sostantivato che significa "forza", "potenza", e un uso verbale ottativo, corrispondente grosso modo a un condizionale del verbo "potere", indicante remota possibilità. (*NdT*)

Be'...

O magari invece no. A ogni modo siamo flessibili. Voglio dire, posso anche lavorare meno, tipo part time. Posso lasciare agli altri la maggior parte del lavoro. Qualunque cosa, dimmi tu.

Be', è un aspetto di cui eventualmente dovremmo parlare.

Giusto. Questo vuol dire che mi avete dato la parte? L'ho avuta, vero? Non sono forse io quello che brilla in mezzo alla palude degli altri sfigati di candidati? Tutti quei tipi pallosi? Voglio dire, non è tutto meravigliosamente chiaro a questo punto? Non vi occorre la Figura Tragica?

La Figura Tragica, eh?

Certo. Ci sono sette persone nel cast, giusto?

Sì.

E allora pensiamoci un attimo. Prima di tutto avete bisogno di un nero, magari anche due – magari dei tizi hip-hop o dei rapper, vedete un po' voi – poi occorrono un paio di tipi davvero belli, di bell'aspetto ma completamente ignoranti e inclini a tremendi passi falsi in fatto di gusto e cultura, e la loro presenza servirà a due scopi: a) apparire in tutta la loro bellezza sullo schermo, e: b) fungere da contrasto per il nero che ovviamente sarà molto più acuto e saggio ma anche parecchio suscettibile, e godrà un casino a mettere i due fessi sulla graticola giorno dopo giorno. E così fanno tre o quattro persone. Probabilmente ci ficcherete dentro un gay o una lesbica, per mostrare quanto è facile che si sentano offesi, e magari un asiatico o un latinoamericano, o tutti e due. Un momento! Secondo me ci vorrebbe un nativo americano, ecco cosa ci vorrebbe! Questa sì che è un'idea. Nessuno conosce gli indiani, o almeno io non ne ho mai conosciuto uno personalmente. Cioè, a dire il vero al college c'era un tizio, Cletus, che diceva di essere per un sedicesimo indiano... Ma in ogni caso ne avete bisogno, e che sia uno di quelli che si incazzano facilmente, non uno passivo. Vi serve uno a cui stia a cuore discutere di cose tipo l'arte del tomahawk, la parola "pellerossa" e roba del genere. Questa sì che sarebbe una trovata fantastica... E a questo punto avete cinque o sei persone. Poi occorre un professionista serio, tipo un avvocato, un dottore, qualcosa del genere, oppure uno che sta facendo un dottorato. E infine io.

La Figura Tragica.

Esatto. Mi rendo conto che sulle prime sembro troppo nella media.

Sono bianco, non sono nemmeno ebreo, ho dei capelli orrendi, mi vesto male eccetera, eccetera. Mi rendo conto che sulle prime tutto ciò sembra una vera schifezza, zona residenziale, classe medio-alta, due genitori (perché tutti noi abbiamo un'aria così terribilmente noiosa? siamo davvero così noiosi come sembriamo?), e ti assicuro che questo fatto non mi ha aiutato nemmeno quando si è trattato di andare all'università. Ma in realtà avete bisogno di uno come me. Io rappresento decine di milioni di individui, rappresento tutti quelli che sono cresciuti bianchi in zone residenziali, ma che in realtà hanno un sacco di altre cose dentro di sé. Sono di origini irlandesi cattoliche e posso giocarci un po' su, se ti sembra il caso. Poi c'è l'aspetto Midwest, che non occorre ti spieghi quanto sia prezioso. Se invece preferisci che io sia un tipo rurale fatto e finito e dia fiato a quella tromba, be', io sono andato a scuola in mezzo ai campi di mais, ho visto le mucche, ho sentito l'odore del loro letame ogni giorno che c'era vento da sud. Senza contare che era un'università statale. Per cui, in definitiva posso essere il tipo bianco, medio, di area residenziale del Midwest, che conosce sia la ricchezza sia l'Illinois hard-core, un tipo dall'aspetto rassicurante, discreto ma con i suoi principi, e – questa è ovviamente la parte migliore – il cui tragico passato tocca il cuore di ognuno, e la cui lotta per l'esistenza diviene universale e fonte di ispirazione per tutti.

Dev'essere dura.
Cosa?

Tirare su tuo fratello.
Come fai a sapere di mio fratello?

Era sul tuo modulo di iscrizione.
Ah già. Be', a dire il vero no, non è difficile per nulla, È un po' come... ce l'hai un coinquilino?

No.
L'hai mai avuto?

Sì.
Ecco, è un po' la stessa cosa. Siamo coinquilini. È facile, in verità spesso è anche più facile che avere un coinquilino vero e proprio, dato che a un coinquilino non puoi dire di spazzare il corridoio o di andare a comprare la margarina. Per cui alla fin fine è il meglio che ci si possa

immaginare. Ci divertiamo un sacco. No, non è per nulla... ma se occorre lo è. Può essere difficile. In verità sì, è difficile. Molto difficile.

Come intenderesti organizzarti per il programma?
Cosa vuoi dire?

Con tuo fratello e tutto il resto.
Ah già, certo, certo. Be', ne parlerei con mia sorella e lei sicuramente sarebbe disposta a prendere il mio posto per la durata del programma. Vive solo a pochi isolati da casa nostra. Un momento. Quanto durano le riprese?

Due mesi circa.
E io dovrei vivere nella casa di *The Real World*?

Sì, questa è l'idea.
Certo, sì, voglio dire, potrei farlo. Ne abbiamo già parlato e abbiamo concluso un patto io, Beth e Toph, fin dall'inizio. Il patto era che avremmo fatto il possibile per continuare ad avere una situazione normale e per mantenere un'ordinarietà di vita anche superiore a quella che avevamo prima; ma al tempo stesso non ci saremmo forzati alla vita di sacrificio a ogni costo che faceva nostra madre, e che riteniamo sia stata la causa unica e vera della sua morte.

Sul modulo hai scritto che si è trattato di cancro.
Certo, tecnicamente. Ma era cancro allo stomaco, che è estremamente raro e di origine ignota, e io e Beth – siamo noi quelli che rimuginano sulle cose, mentre Bill ha girato pagina ed è mentalmente molto più sano di noi, anzi direi che all'apparenza è una persona del tutto normale – io e Beth, dicevo, siamo arrivati a pensare che la nascita e lo sviluppo di questo cancro siano stati dovuti all'interiorizzazione di tutto lo stress, di tutti i suoi doveri, di tutto quel barcamenarsi con la famiglia per più di venti anni, il fatto che alla fin fine si riduceva... era un po' come un soldato che si getta su una mina per salvare il suo... no, forse è un paragone un po' scadente. Voglio dire, è come se avesse ingerito il caos, e lo avesse recluso là dentro, e quello si è infettato ed è cresciuto, oscuro, dentro di lei, e le è venuto il cancro.

Lo pensi veramente?
Certo. Più o meno.

Stavi dicendo di questo patto...?

Il patto era che mentre io e Beth avremmo cercato di tenere duro e andare avanti, creando un mondo di relativo ordine, dando a Toph una vita quanto più normale possibile, date le circostanze, se si fossero verificate delle opportunità, avremmo fatto tutto il possibile per... Voglio dire, il punto era che non ci saremmo sfruttati a vicenda, non avremmo usato a nostro vantaggio i nostri obblighi per dire di no a certe cose. Perlomeno se ce la fossimo potuta cavare in qualche altro modo. Intendo dire, non hai idea di come l'abbiamo protetto finora dal mondo, praticamente non ha mai sentito una parolaccia in vita sua; però abbiamo anche giurato a noi stessi che avremmo fatto del nostro meglio per facilitarci le cose che desideravamo fare, e che non avremmo commesso l'errore di limitarci per poi magari serbare rancore e anni dopo biasimarci a vicenda, giusto? Anzi, c'è una storia buffa a questo proposito. C'era una buffa parola che mia madre di tanto in tanto usava per chiamarci. Adesso cerco di spiegartela. La parola era "màrite".

Cosa vuol dire "màrite"?

Eh, eh, eh. Brava. Sapevo che me l'avresti chiesto. Scherzo. È quello che mi sono sempre chiesto anch'io. Quando eravamo tristi per qualche ragione o avevamo il raffreddore e ci lamentavamo perché dovevamo andare a scuola, dato che ci era praticamente proibito di rimanere a casa – mai mancato a una lezione in vita mia fino agli ultimi anni di liceo – mia mamma diceva, eddai non fare il "màrite"! E noi abbiamo sempre pensato che avesse a che fare con l'essere ingiustificatamente tristi per qualcosa. Poi un giorno, quando ero già al liceo, ho capito. Era una parola storpiata con l'accento di Boston.

Martire.

Giusto, la parola era martire. Naturalmente mia mamma era una delle più grandi martiri di tutti i tempi.

E riguardo al programma...

Certo. In termini di *The Real World*, mi immagino che di tanto in tanto potrei vedere Toph, ma che in quel periodo lui starebbe principalmente con Beth. Anzi, Beth potrebbe trasferirsi addirittura da noi, dormire lì eccetera, e io cercherei di esserci il più spesso possibile, e magari alla fin fine non passeremmo insieme meno tempo di adesso. Voglio dire, me la immagino, la situazione, fare avanti e indietro tra qui e Berkeley, il cameraman assieme a me in macchina mentre torno a casa la sera o quando sarà, la musica in sottofondo, io in macchina con lui, come un papà divorziato... Lo vedi anche tu il potenziale della situazione, no? Sarebbe piuttosto toccante. E poi, qualche volta, anche lui potrebbe venire con me nella casa di *The Real World*. Sarebbe grandioso. Tv di sfondamento.

Come si sentirebbe in una simile situazione?
Sono sicuro che gli piacerebbe da impazzire.

È disinvolto di fronte alle telecamere?
A dire il vero no: è un ragazzino un po' timido.

Mmmm...
Il mio cuore è puro.

Come, scusa?
Niente.

Perché vuoi essere parte del programma?
Perché voglio che tutti siano testimoni della mia giovinezza.

Perché?
Non è fantastico?

Chi è fantastico?
Cioè, non in quel senso. Intendo dire che è tutto come se fosse in boccio. Non è questo che fate, voialtri? Mostrate frutti selvatici, giusto? Sia che la si mostri in un video o durante una vacanza primaverile dal college, il punto è l'amplificazione della giovinezza, il proporre ed espandere tutto quello che significa l'essere qui e ora, l'età della vita in cui tutto è permesso e il corpo è onnidesiderante, affamato, avido, travolgente, un vortice di energia che risucchia tutto quanto intorno a sé. Voglio dire, siamo nello stesso genere di business, io e voi, anche se adottiamo approcci profondamente differenti, ovvio, nel senso che il vostro *The Real World*, senza offesa, è brutalmente banale, mentre invece i video almeno non pretendono di essere se non quello che sono... Ma voialtri, il vostro programma, nel momento in cui afferma di fare di più, possiede invece una strana capacità di appiattire ogni profondità e sfumatura delle persone.

E allora perché sei qui?
Perché voglio che tu condivida la mia sofferenza.

A me non pare che tu soffra.
Davvero?

Sembri anzi un tipo piuttosto allegro.
Be', certo. Ma non sempre. In certi momenti è dura. Ebbene sì. A volte è durissima. Voglio dire, non è che puoi soffrire costantemente. Ma soffro abbastanza. A volte.

E perché vuoi condividere la tua sofferenza?
Condividendola riuscirò a diluirla.

In verità ho l'impressione dell'esatto contrario. Condividendola riusciresti solo ad amplificarla.
Cosa intendi dire?

Che raccontando a tutti la tua storia te ne libereresti solo in apparenza, ma in effetti, visto che tutti saprebbero di te e conoscerebbero la tua storia, non finiresti poi con l'essere costretto a ricordarla all'infinito, fino a non riuscire più sfuggirle?
Forse. Ma considera la cosa in questo modo: il cancro allo stomaco è genetico, e si trasmette perlopiù per linea femminile, ma dato che secondo Beth, e anch'io la penso così, tutto è stato causato dalla dispepsia, e la dispepsia a sua volta da tutto quell'ingoiare caos e crudeltà, noi abbiamo deciso che non ingoieremo più nulla, non lasceremo che marcisca dentro di noi, immerso nei suoi stessi succhi, bile che divora bile... Io e Beth ci liberiamo. Io non trattengo più. Il dolore arriva e io lo prendo, lo mastico per un minuto e poi lo risputo fuori. Non ci sto più e basta.

Ma se negli occhi di chiunque incontrerete...
Allora vorrà dire che ci sarà data sempre più compassione.

Ma presto diventerà storia vecchia.
Vorrà dire che a quel punto mi trasferirò in Namibia.

Mmmm...
Io sono un orfano d'America.

Cosa?
Niente.

E a proposito della diluizione del dolore...
A questo punto entra in gioco il reticolo.

Il reticolo?
Il reticolo di cui siamo parte, o da cui siamo separati. Il reticolo è il tessuto connettivo. Il reticolo è chiunque altro, la gente che mi sta intorno, la gioventù in senso collettivo, la gente come me, cuori pronti per amare, cervelli fervidi. Il reticolo è chiunque io abbia mai conosciuto in vita mia, soprattutto della mia età o giù di lì... Io so poco altro del mondo, e conosco al massimo sei o sette persone sopra la quarantina, e non so mai cosa dirgli. Ma quelli come me, invece, noi siamo sempre lì, sempre pronti a ricominciare in qualunque momento... Io vedo tutti noi come una cosa sola, una gigantesca matrice, un esercito, un intero, ognuno di noi responsabile nei confronti dell'altro, perché nessun altro lo è. Intendo dire che ogni persona che oltrepassi la nostra soglia per prestare il proprio aiuto per «Might» diviene parte del nostro reticolo: Matt Ness, Nancy Miller, Larry Smith, Shelley Smith (non sono parenti), Jason Adams, Trevor Macarewich, John Nunes eccetera eccetera, tutta questa gente, la gente che viene da noi o da cui noi andiamo, gli abbonati alla rivista, i nostri amici, i loro amici, e chissà chi altro, un oceano umano che si muove come un'unica cosa, palpitante, ondeggiante...

Ehem...
Come una racchetta da neve.

Una racchetta da neve?
Le racchette da neve si indossano quando la neve è alta e farinosa. Il reticolo all'interno dell'ovale della racchetta distribuisce il peso di colui che le indossa su un'area più ampia, allo scopo di impedirgli di sprofondare. Allo stesso modo la gente, le connessioni che hai con la gente che conosci, diviene una sorta di reticolo, e più persone conosci e più persone conoscono te, la tua situazione e la tua storia e i tuoi guai e quant'altro, più forte e più grande è il reticolo che ti sostiene, e meno probabile è che tu...

Sprofondi nella neve.
Giusto.

Se permetti mi pare una metafora piuttosto scadente.
Effettivamente la sto ancora perfezionando.

Dunque non hai problemi all'idea di trovarti in un acquario.
Mi pare già di trovarmi in un acquario.

Perché?
Ho la sensazione di essere sempre osservato.

Da chi?
Non ne ho idea. Ho sempre avuto la sensazione di essere osservato dalla gente, e che tutti sapessero quello che facevo. Immagino che la cosa abbia avuto inizio con mia madre e con il modo in cui lei... Aveva degli occhi pazzeschi, piccoli e acuminati, che si stringevano fino a diventare due fessure che ti penetravano. Non perdeva un dettaglio, sia che stesse osservando qualcosa da vicino o dall'altra parte del mondo. Vedeva tutto. Ecco perché io adoro i bagni. Amo i bagni perché di solito quando sono in bagno sono sicuro, o almeno più sicuro, che nessuno mi sta osservando. Trovo grande consolazione in posti in cui la gente non mi può guardare – stanze senza finestre, scantinati, camerette. Ho un po' questa ossessione che la gente mi guardi o pensi di farlo. Non credo che succeda sempre, anzi probabilmente accade piuttosto di rado che lo facciano davvero, ma il fatto è che potrebbe comunque succedere in qualunque momento. Ecco qual è il punto, che in ogni istante ci potrebbe essere qualcuno che mi guarda. Ne sono consapevole.

Come fai a esserlo?
Perché io guardo sempre la gente. Quando guardo la gente anch'io li attraverso con lo sguardo. È una cosa che ho imparato da mia madre. Guardare non è sufficiente, bisogna mettere insieme occhi e cervello, come uno stormo di uccelli rapaci che svolazzano, strappano, beccano... Io so tutto della gente quando la osservo anche solo per un minuto. Dai loro vestiti, dal loro modo di camminare, dalle loro mani e dai capelli sono in grado di sapere tutto ciò che di malvagio hanno commesso. So dove hanno mancato e dove mancheranno e quanto sono tristi per questo.

E la gente fa lo stesso con te?
Chissà, forse.

E allora cosa fai?

Sto a casa. Le camere da letto a volte sono luoghi sicuri, se la porta è chiusa e le tende sono tirate, ma metti che ci siano delle spie sugli alberi, allora potrebbero riuscire a vedere qualcosa. Le finestre sono perfette per guardare fuori, ma pericolosissime se ci stai davanti. Anche se controlli, e ti assicuri che non ci sia nessuno nascosto sugli alberi, qualcuno che ti spia potrebbe essere nascosto in qualche luogo non immediatamente visibile, impossibile da scoprire a occhio nudo. C'è gente che usa telescopi, binocoli. Io li ho usati. La gente può nascondersi negli armadi. Bisognerebbe sempre controllare gli armadi. Anche i ripostigli andrebbero sempre controllati – del resto ci vuole un secondo. E anche le cassapanche particolarmente grandi. Le porte aperte vanno evitate. I bagni sono ok. L'unico problema con i bagni è la possibilità di uno specchio tipo quelli della polizia. Anni fa ho controllato tutti gli specchi in casa nostra per assicurarmi che dall'altra parte non ci fossero delle finestre nascoste con gente dietro intenta a spiare. Ma non ce n'erano.

Adesso stai esagerando.

Va bene, vuoi sentire una storia davvero triste? La scorsa notte ero a casa e stavo ascoltando un disco. A un certo punto c'era una canzone che mi piaceva particolarmente e mi sono messo a cantare ad alta voce, forte abbastanza da sentirmi ma non abbastanza da svegliare Toph che dormiva nella camera accanto, e io ero di là che cantavo e intanto mi passavo le mani tra i capelli in modo un po' strano e anche un filo ossessivo, tipo un movimento lento da sciampista – è una cosa che faccio di tanto in tanto con i capelli, quando sono da solo e mi sto godendo della buona musica – e dunque cantavo e facevo il mio massaggio ai capelli in slow motion, sbagliando tutte le parole della canzone, e a un certo punto, anche se erano le due e mezzo del mattino, all'improvviso sono stato colto da un subitaneo e profondo imbarazzo, all'idea che qualcuno potesse vedere la mia performance, dalla finestra, nel buio, dalla strada. Anzi, ero sicuro, quasi lo vedevo con i miei occhi, che qualcuno – magari anche insieme a degli amici – stava ridendo di gusto alle mie spalle.

Dev'essere davvero treme...

Evvia, che deve fare il nostro cervello se non dilettarsi con questo genere di espedienti? Non so davvero come si possa funzionare, senza una semiperenne condizione di caos interiore. Io impazzirei.

Ehm, sei sicuro di volermi raccontare tutte queste cose?
Perché, quali cose?

Dei tuoi genitori, la paranoia...
Be', cos'è che ti sto raccontando, in fondo? Non ti sto dando proprio niente. Ti sto dando cose che Dio sa, che chiunque sa. I miei genitori sono famosi nella loro morte. E questo sarà il mio monumento costruito alla loro memoria. Io do a te tutte queste cose, ti racconto delle gambe di mio padre e delle parrucche di mia madre – più avanti in questo capitolo – e ti racconto i miei dubbi sull'opportunità di fare sesso davanti all'armadio a specchi dei miei genitori la notte del funerale di mio padre, ma dopo tutto, alla fine che cosa ti ho mai dato di così prezioso? Potresti pensare di sapere qualcosa di me, a quel punto, ma invece non sai ancora nulla. Io racconto, e un secondo dopo tutto è sparito. Non mi interessa – e come potrebbe? Ti racconto con quante ragazze sono andato a letto (trentadue), o di come i miei genitori hanno lasciato questo mondo, e alla fin fine che cosa ti ho dato? Niente. Posso dirti i nomi dei miei amici, i loro numeri di telefono...
Marny Requa: 415-431-2435
K.C. Fuller: 415-922-7893
Kirsten Stewart: 415-614-1976
ma cos'è che hai in mano? Nulla. Tutti mi hanno dato il permesso di farlo. E perché? Perché tu non hai nulla, al massimo qualche numero di telefono. Può sembrare qualcosa di prezioso al massimo per uno o due secondi. Tu puoi avere solo quello che io posso permettermi di dare. E tu sei il mendicante che implora una qualsiasi cosa, mentre io sono il passante frettoloso che butta un quarto di dollaro nel bicchiere di carta che protendi verso di me. Questo è quanto ti posso dare. E non mi annienta. Ti do virtualmente tutto quello che possiedo. Ti do le cose migliori di me, e anche se si tratta di cose che amo, ricordi di cui faccio tesoro, belli o brutti che siano, come le foto della mia famiglia appese al muro, posso mostrartele senza che esse per questo ne vengano sminuite. Posso permettermi di darti anche tutto quanto. Trasaliamo di fronte agli sciagurati che nei programmi pomeridiani rivelano i loro orrendi segreti di fronte a milioni di spettatori, eppure... che cosa abbiamo tolto loro, e loro che cosa ci hanno dato? Niente. Sappiamo che Janine ha scopato con il fidanzato di sua figlia ma... e allora? Moriremo un giorno e avremo protetto... che cosa? Avremo protetto dal mondo il fatto che facciamo questo o quello, che muovia-

mo le braccia in questo e quest'altro modo, e che la nostra bocca ha prodotto questi o questi altri suoni? Ma per favore. Ci sembra che rivelare cose imbarazzanti o private, tipo, che ne so, le nostre abitudini masturbatorie (quanto a me, circa una volta al giorno, perlopiù sotto la doccia), significhi – proprio come per i primitivi che temono che la macchina fotografica gli possa portare via l'anima – che abbiamo dato a qualcuno una cosa che noi identifichiamo come i nostri segreti, il nostro passato e le sue zone oscure, la nostra identità, nella convinzione che rivelare le nostre abitudini o le nostre perdite o le nostre imprese in qualche modo ci deprivi di qualcosa. Ma in realtà è proprio il contrario, di più è di più è di più, più si sanguina più si dà. Queste cose, i dettagli, le storie e quant'altro, sono come la pelle di cui i serpenti si spogliano, lasciandola a chiunque da guardare. Che cosa gliene frega al serpente di dov'è la sua pelle, di chi la vede? La lascia lì dove ha fatto la muta. Ore, giorni o mesi dopo, noi troviamo la pelle e scopriamo qualcosa del serpente, quant'era grosso, quanto era lungo approssimativamente, ma ben poco altro. Sappiamo dove si trova il serpente adesso? A cosa sta pensando? No. Per quel che ne sappiamo, il serpente adesso potrebbe girare in pelliccia, potrebbe vendere matite a Hanoi. Quella pelle non è più sua, la indossava perché ci era cresciuto dentro, ma poi si è seccata e gli si è staccata di dosso, e lui e chiunque altro adesso possono vederla.

E tu saresti il serpente?

Certo. Io sono il serpente. E dunque, il serpente dovrebbe portare la pelle con sé, tenersela sempre sotto braccio? Dovrebbe farlo?

No?

No, certo che no! Non ha braccia, un serpente! Come cazzo fa a portarsi in giro la pelle? Per favore. Ma proprio come il serpente, io non ho braccia – metaforicamente parlando, voglio dire – per portare con me tutto quanto. E poi non sono più cose mie. Nessuna è mia. Mio padre non è mio, non in quel senso, almeno. La sua morte e quello che ha fatto non è roba mia. Né lo sono il modo in cui sono stato educato, né la mia città, né le sue tragedie. Come potrebbero essere mie cose del genere? Ritenermi responsabile di mantenere il segreto su queste cose mi parrebbe ridicolo. Sono nato in una città e in una famiglia, e questa città e questa famiglia mi sono capitate. Non le possiedo. Sono di tutti. In condivisione. E mi piace, mi piace l'idea di averne fatto parte, morirei o ucciderei per proteggere coloro che ne fanno parte, ma non reclamo nessuna esclusività. Eccovi tutto. Prendetevelo. Fatene quello che volete. Fatene buon uso. È come ottenere elettricità dai rifiuti. Fin troppo bello per essere vero, l'idea di poter creare qualcosa di buono da roba come questa.

Ma, e la tua privacy?
Roba da poco, eccessiva, avuta facilmente, persa, riguadagnata, comprata, venduta.

E che dire dello sfruttamento? Dell'esibizionismo?
Sei cattolica?

No.
E allora perché parli di esibizionismo? È un termine ridicolo. Qualcuno desidera celebrare la propria esistenza e tu lo chiami esibizionismo. È meschino. Se non vuoi che nessuno sappia della tua esistenza, allora puoi anche farla finita. Stai occupando spazio, stai rubando aria.

E la dignità?
Un giorno morirai, e quando accadrà, sperimenterai una profonda mancanza di dignità. Morire non è mai dignitoso, è brutale e basta. Che cosa c'è di dignitoso nel morire? Non è mai dignitoso. E l'oscurità? È offensiva. La dignità è una forma di affettazione, graziosa ma eccentrica, come imparare il francese o collezionare sciarpe. Ed è qualcosa di volatile e incredibilmente mercuriale. Oltre che soggettivo. Ragion per cui vaffanculo.

E allora per te è tutta roba trita?
Quando mia madre stava morendo, in tinello, di tanto in tanto andavo in salotto che, strano a dirsi, riceveva quasi tutta la luce della casa; e seduto sul divano bianco, in mezzo alla sua collezione di bambole, scrivevo quello che avrei detto al suo funerale. Tenevo dei fogli di carta sotto il divano, alcune pagine ripiegate strappate da un quaderno. Mi sedevo, tiravo fuori quelle pagine da sotto il divano e mi mettevo a pensare che cosa scrivere.

E tua madre era in tinello?
Sì, stava lì, e a quel punto era mezza andata per via della morfina. Mia sorella e io ci aspettavamo che se ne andasse in qualsiasi momen-

to, perciò ogni mattina, o tutte le volte che lasciavamo la stanza per più di mezz'ora, correvamo di là chiedendoci se nel frattempo fosse morta. In realtà non è esatto dire che correvamo nella stanza, dato che non volevamo allarmarla o infastidirla, perché lei avrebbe capito subito, per cui correvamo fino all'ingresso del tinello e poi ci fermavamo, infilando giusto la testa e osservandole il petto, fissando intensamente lo sterno fino a che vedevamo che si muoveva, e allora capivamo che stava ancora respirando. Qualche volta era un'attesa dolorosamente lunga, dovevamo avvicinarci, chinarci silenziosamente su di lei e cercare di percepire un movimento anche minimo di un muscolo del suo viso... È andata avanti così per settimane. Ma dopo un po', in particolare quando aveva perso conoscenza, il suo respiro era tutto ciò che restava di lei, e abbiamo cominciato a farci domande sui tempi.

Cosa intendi dire?

Be', è impossibile a quel punto non cominciare a pensare di arrangiare le cose nel modo migliore. Per esempio, eravamo tutti lì per le vacanze di Natale, e a quel punto desideravamo davvero che finisse prima che arrivasse il momento in cui saremmo dovuti ripartire. Io volevo che fossimo tutti lì, me l'ero figurato centinaia di volte, con tutti i miei amici, vestiti bene, che sfilano, gli occhi a terra, per poi sedersi in un grande gruppo, nel mezzo della stanza. E in fondo, durante quelle vacanze di Natale, anche loro stavano pensavano esattamente la stessa cosa. Speravano che se ne sarebbe andata mentre si trovavano a casa.

Ma...

Ma invece lei ha tenuto duro. Beth ha cominciato anche a chiamarla Terminator, che secondo me era pure un po' di cattivo gusto, ma...

Sai, mentre parliamo, riesco a vedermi riflesso dentro l'obiettivo della telecamera. E riesco a vedere che ho un aspetto tremendo. Sto facendo una strana smorfia. Ho le labbra arricciate e la fronte aggrottata. Cristo, non sono per nulla telegenico. Questo potrebbe essere un problema, no?

Stavi dicendo del discorso...

Ah sì, dunque, me ne stavo là a scrivere il discorso, sul divano, mentre mia madre era nell'altra stanza. Dato che il divano era bianco, e la penna continuava a cascarmi di mano, decisi di scrivere a matita, e scrivevo, me la mettevo in bocca, cancellavo, riscrivevo. Non sapevo da che parte cominciare, non capivo da dove partire. Dalla sua infanzia? Sarebbe dovuta essere una biografia? Dovevo raccontare qualche aneddoto? Cominciavo e ricominciavo, ma invariabilmente continuavo a tornare a quello che sentivo *io* sulla sua morte e al punto in cui la sua morte aveva lasciato *me*.

Interessante.

Sì, al momento mi sembrava che la strada fosse quella. Ho lasciato che Bill parlasse per un po' della sua vita, di quanto fosse stata una buona madre, e che raccontasse alcuni tratti specifici della sua personalità. A un certo punto lui è anche partito per la tangente a raccontare di come ci avesse sempre sostenuto nel nostro hobby di collezionisti, dato che lui collezionava trenini, io orsacchiotti e Beth bambole. Com'è ovvio, tutto ciò mi parve assolutamente insufficiente. Voglio dire, come diavolo può funzionare, il riassunto di una vita in pochi... e comunque, mentre Bill parlava io ero lì seduto, e osservavo padre Mike, il nostro prete, a cui avrei dovuto fare segno che volevo alzarmi in piedi e parlare, dato che nei giorni prima del funerale non ero riuscito a decidermi se volevo farlo o no. Ma a quel punto avevo un discorso, ne avevo scritto la conclusione proprio la notte prima, tardi, nel buio del salotto. Per cui, mentre Bill parlava, io ho incrociato lo sguardo di padre Mike, e anche se gli ho fatto cenno per dirgli che avevo qualcosa da dire e volevo condividerlo con gli altri, in quello stesso momento desideravo solo di fare marcia indietro e che fosse tutto finito e che fossimo già in macchina, sulla Nissan di mio padre, parcheggiata e carica di bagagli, in partenza per la Florida, così entro mezzanotte potevamo già essere a metà strada. Ma poi invece padre Mike mi ha presentato e allora mi sono alzato e....

Cosa c'è? Perché sei sobbalzato?

Niente. Mi è appena venuta in mente una cosa. A ogni modo, quando ho parlato ho fatto presente a tutti quanto ci sentissimo ingannati, noi, io. Ma sono stato anche pietoso. Ho detto qualcosa in modo da, come dire, potermi alzare in piedi e lamentarmi del fatto che lei non avrebbe mai visto i nostri figli, e di quanto tutto ciò fosse ingiusto, che lei se ne andasse pochi mesi dopo mio padre, e di come fosse difficile per tutti noi. Ma poi, con la voce che mi si incrinava, ho anche detto che non avremmo dovuto pensare cose così tristi, che avremmo dovuto solo scegliere una stella luminosa nel cielo nero e pensare a lei, e poi sceglierne un'altra, vicina, e pensare a mio padre.

Mmmmbe'...
Lo so, lo so, è terribile, dozzinale, meschino. E peggio ancora, ho anche fatto un disegno di lei sul letto di morte.

Ma che cosa c'en...
A quel punto era ormai andata del tutto, in termini di conoscenza. Di tanto in tanto balbettava qualcosa, a volte si alzava a sedere e cominciava a parlare. Ma altrimenti era solo un respiro, un gorgoglio, le candele nella stanza e la sua pelle calda. E tanta attesa, tanta. Sedevamo nella stanza per tutto il giorno e la notte, facendo turni, io e Beth, Toph di solito stava di sotto, mentre io e Beth la guardavamo, le tenevamo la mano, ci addormentavamo lì, a volte accoccolandoci vicino a lei, in attesa del momento finale, così da essere tutti insieme per la fine, quella vera. E nel corso di quella attesa, una notte, al buio, seduto su una sedia alla sua sinistra, mi sono deciso a farle un ritratto con una matita grassa su un grande blocco da disegno. Dapprima ho buttato giù uno schizzo, giusto un abbozzo per essere sicuro di farci stare tutto nel foglio, con qualche aggiustamento qua e là. Mi pareva che sarei uscito dal margine a sinistra. Le ho spostato lievemente la testa a destra, in modo da farci stare tutto il cuscino. Poi ho schizzato rapidamente il letto, con le sue barre di metallo, e ho cominciato a disegnarle il viso. Di solito non comincio mai dal viso, perché se non viene somigliante rovina tutto il resto, ma quella volta disegnare il suo volto è stato facile, dato che il profilo aveva una sua semplice geometria, smagrito com'era, appena sporgente dai cuscini, assottigliato da chissà quale processo biologico che le faceva cadere il volto, appiattendolo, quel volto lucido d'itterizia e per le escrezioni che le trasudavano dalla pelle e che sarebbero uscite da altre parti del corpo se il suo corpo avesse funzionato come doveva. Poi disegnai i tubi e la sacca, la rete del letto in alluminio, le coperte. Quando ebbi finito, pensai che era abbastanza somigliante, un bel disegno, con parecchi dettagli al centro, meno forse ai lati. Ce l'ho ancora, quel disegno, anche se è un po' rovinato sugli orli... Non sono mai stato bravo a conservare i disegni. Li tengo ma li maltratto. Questo disegno, per esempio, dei diecimila che ho fatto quando ero a scuola o in altre occasioni, potrebbe tranquillamente essere il più importante che ho fatto o che mai farò, ma un giorno l'ho cercato e l'ho trovato ficcato

dentro un vecchio portfolio, con gli angoli piegati. Com'è che sono così disattento, nei riguardi della memoria di mia madre? Voglio dire, che cosa significa?

Potrebbe semplicemente trattarsi di qualcosa di sentimentalmente...

Me lo chiedo. Ma ricordo anche che pensavo di farle delle fotografie. A quel tempo dipingevo parecchio da fotografie, e pensavo che mi sarebbero venute utili in un secondo momento; avrei potuto farne parecchie, da diverse angolature, per poi usarle come materiale più avanti.

Ma poi non l'hai fatto.

No. A dirti la verità non ci sono mai nemmeno andato vicino, ma il punto è che ci ho pensato.

Dopo di che siete andati in Florida.

Dopo il funerale abbiamo trascorso una ventina di minuti a base di tè e biscottini in chiesa e poi abbiamo salutato tutti quanti. C'era Kirsten, la mia ragazza di allora, e c'era Bill, e lo zio Dan, e dopo un po' abbiamo più o meno detto ciao a tutti, vi vogliamo bene, ci vediamo, e ce la siamo battuta, schizzati di adrenalina, e abbiamo guidato fino a mezzanotte, fermandoci ad Atlanta. Il giorno dopo abbiamo guidato finché a un certo punto, lungo l'autostrada, non abbiamo visto la sabbia ed eravamo in Florida, e abbiamo comprato dei costumi da bagno nuovi e abbiamo riempito la macchina di sabbia – la macchina che nostro padre non ci lasciava mai guidare e in cui ci era proibito entrare se stavamo mangiando – e la sera abbiamo guardato il canale HBO alla tv, e durante il giorno io e Toph giocavamo a frisbee su una spiaggia bianca, bianchissima, e il vento era caldo e umido, e la sera abbiamo chiamato Bill e per un attimo abbiamo pensato di fare visita ad alcuni parenti che avevamo da quelle parti – Tom e Dot, mi pare di averli nominati, prima – ma poi non l'abbiamo fatto perché erano vecchi e per il momento avevamo chiuso con certa gente.

Dopo di che...

Non gli ho mai dato una sepoltura.

Come, scusa? Cosa intendi...

Non so dove sono.

Che significa?

Sono stati cremati. Avevano deciso insieme, Dio sa perché e da dove avevano preso l'idea, che avrebbero donato il proprio corpo alla ricerca scientifica. Non conoscevamo le ragioni di una simile decisione, dato che non ci pareva che fosse in sintonia con quello in cui credevano, né gliene avevamo mai sentito parlare. Mio padre era ateo, lo sapevamo – mia madre diceva che lui era della religione del "Grande Albero" – per cui forse nel suo caso aveva un senso, ma mia madre era fortemente cattolica, di gran lunga più romantica ed emotiva su queste faccende. Forse anche superstiziosa, su tale genere di cose. Ma, tutto a un tratto, queste erano le disposizioni. Non ricordo se lo siamo venuti a sapere prima o dopo. Deve essere stato dopo la morte di lui e prima della morte di lei, adesso che ci penso, ed ecco quello che è successo. Dopo che sono stati portati all'obitorio o dove si va in questi casi, a un certo punto siamo stati chiamati da un servizio donatori, e i cadaveri sono stati portati in questa o quella facoltà di medicina, dove Dio solo sa cosa gli hanno fatto.

È una cosa che ti disturba?

Be', sì, certo. Al momento abbiamo anche pensato che si trattava di un gesto nobile. Ci aveva sorpreso, questa faccenda della donazione, ma con il mondo che ci girava intorno come impazzito, ci siamo adattati anche a questo, visto poi che in fondo rendeva anche tutto più facile.

Cosa intendi dire?

Voglio dire la bara e tutto il resto, o meglio la sua assenza.

Non avete preso una bara?

No. Niente. Abbiamo fatto il funerale e tutto il resto, ma dato che non ci sarebbe stato un corpo, abbiamo deciso di non prendere una bara.

Per cui non c'è stata una cerimonia vera e propria, al cimitero...

No.

E non hanno una tomba.

Non hanno una tomba. In effetti non abbiamo idea di dove si trovino. Voglio dire, i tizi del centro cremazioni ci hanno detto che non appena quelli delle donazioni avessero finito, li avrebbero cremati e poi ci avrebbero mandato i resti, ma non l'hanno mai fatto. Perlomeno non fino a oggi. Doveva succedere entro tre mesi, ma a questo punto sono passati quasi due anni.

E perciò non avete i resti?

Già. A dire il vero è una cosa anche un po' buffa. Non li chiamano "resti", li chiamano "ceneri". Ma noi pensiamo che prima o poi arriveranno. Beth pensa che non ci siano ancora arrivate perché ci siamo trasferiti un paio di volte, e che forse hanno cercato di contattarci e non sono riusciti a trovarci, dal momento che prima siamo finiti in subaffitto a Berkeley, e poi ci siamo spostati di nuovo, e magari, chi lo sa, alla fine le hanno buttate via. Io credo che siano ancora da qualche parte.

Hai provato a contattare il servizio donatori?

No, ma credo che Beth l'abbia fatto. È un argomento di cui parliamo ogni paio di mesi, a dire la verità, ma con frequenza sempre minore. È difficile, perché più passa il tempo, più difficile diventa per noi riaprire l'argomento. Non so, è imbarazzante. Almeno per me. Sai, quella storia, e la mancanza di tombe, di funerali, il fatto di aver venduto o buttato via la maggior parte degli oggetti della casa. Era tutto talmente confuso, e noi stavamo andando in un posto a mille miglia, e c'erano così tante cose da fare. Io stavo cercando di finire l'università, e facevo avanti e indietro, tre giorni a Chicago e tre giorni a Champaign per tutta la primavera, e Beth doveva fare il resto: cercare di vendere la casa, stare dietro all'agenzia immobiliare, trovare una scuola a Berkeley per Toph, pagare tutti i conti, vendere la macchina della mamma... Eravamo convinti del fatto che comunque tutto ci sarebbe stato perdonato, qualunque errore di valutazione, qualunque sbaglio, tutti gli orribili errori che stavamo commettendo. Come certe cose che abbiamo venduto...

Adesso te ne penti.

A volte. A volte io e Beth siamo d'accordo nel dire che è meglio così, che abbiamo fato piazza pulita, abbiamo voltato pagina rispetto al passato, alla casa, e a tutte le cose che... sai, è stata una cosa strana, ma più di una persona ci ha lasciato intendere la sua disapprovazione all'idea di prendere Toph e portarlo con noi in California, ritenendo forse che la migliore rete di assistenza familiare si trovasse lì, a Lake Forest, eccetera eccetera. Ma Dio mio, credimi, per noi non c'era posto che fosse abbastanza lontano, eravamo sicuri che lì saremmo finiti con il diventare una specie di deprimenti leggende, tristi celebrità locali, e Toph una sorta di trovatello del villaggio... Non se ne parlava nemmeno. Anche per questo non ci eravamo presi la briga di organizzare la cerimonia del funerale o di acquistare le bare. Beth dice sempre che i nostri genitori non volevano un funerale, e che erano convinti che tutto il business dei funerali e delle tombe fosse solo un'associazione a delinquere, una ridicola tradizione di origini esclusivamente commerciali, una specie di marchio della morte, oltre a essere assurdamente costoso. Per cui ci siamo scaricati la coscienza così, nella convinzione di avere in fondo aderito ai loro desideri.

Tu credi che volessero veramente questo?

Nemmeno per idea. Beth sì. Beth ne è sicura. Lei era lì. Ma io... io onestamente penso che loro ancora non riescono a credere che non li abbiamo sepolti e che nemmeno sappiamo dove si trovano. È assolutamente pazzesco.

Forse.

Ma d'altra parte io penso per davvero che imbalsamare la gente, vestirla bene, truccarla sia... orrendo, medievale. C'è una parte di me a cui piace davvero l'idea che siano come scomparsi, volatilizzati... e che noi, una volta che sono morti, non li abbiamo mai più visti, e forse per il fatto che non sono stati mai sepolti, forse è per quello che...

Sogni mai di loro, la notte?

Mia sorella li sogna costantemente, e nei suoi sogni i nostri genitori spesso sono contenti, camminano e parlano e dicono un sacco di cose interessanti. Io, da quando sono morti, non ho mai avuto visioni dei miei genitori che parlano e dicono cose interessanti. Quando ne discutiamo, quando non siamo occupati a litigare su questioni di responsabilità e roba del genere, io e mia sorella ci sediamo sul divano, e lei reclina la testa e si annoda una ciocca di capelli attorno al dito e rimette insieme i pezzi dei suoi sogni più vividi. Nella maggior parte dei casi, nostra madre fa cose molto semplici, come guidare o cucinare, mentre quando sogna di mio padre, lui si sta nascondendo, ha appena ucciso qualcuno o la sta inseguendo. Ma fa anche dei sogni in cui è molto tenero con lei. E allora io sono geloso, perché anch'io vorrei vederli camminare e parlare, anche solo nella finzione di un sogno. Ma io non sogno mai di loro. Non ho idea del perché e non so come porre rimedio alla cosa.

Perché non provi a pensare a loro appena prima di dormire? Potrebbe funzionare.

Ci ho provato. Voglio dire, ho provato a provare. Per esempio, proprio in questo momento sto pensando, sì, certo, stanotte lo faccio, grazie per avermelo ricordato. Ma poi, nel corso della giornata, a un certo punto me lo dimenticherò. Mi è già successo un milione di volte. Perché non riesco a ricordarmi di pensare ai miei genitori prima di addormentarmi? Perché non riesco anche solo a lasciare un biglietto sul cuscino con su scritto: PENSARE AI GENITORI. Perché non riesco a farlo? Voglio dire, la gratificazione sarebbe grandissima... se, per esempio, pensassi a mia madre appena prima di dormire, c'è una buona probabilità che riesca a riportarla in vita nei miei sogni – la fabbrica dei sogni, si sa, a volte può essere così banalmente prevedibile – eppure io non riesco a convincermi a farlo, a ricordarmi di farlo, a fare il minimo necessario per ricordarmi di farlo. Incredibile. In verità una volta ho sognato mio padre, più o meno. Nel sogno sto guidando per Elm Street, che è una strada vicino casa nostra, ed è inverno, ma senza neve, solo grigio. Vado giù per la collina di ritorno a casa dall'alimentari aperto ventiquattr'ore su ventiquattro, e all'improvviso, a circa un centinaio di metri, su una strada parallela, attraverso i rami nudi di milioni di alberi, scorgo una macchina identica a quella di mio padre, una Nissan grigia così e cosà, e dentro c'è un uomo dai capelli grigi che indossa una vecchia giacca di camoscio marrone, identico a mio padre, tranne che in sogno dubito che sia lui dato che nel sogno so che è morto, per cui quella che vedo dev'essere una sorta di strana coincidenza o un miraggio – questo è anche l'istante in cui il sogno è più aderente alla logica nel momento in cui con più evidenza se ne allontana – e mi viene in mente che in realtà mio padre potrebbe anche essere vivo, dato che la sua morte ha avuto talmente poco senso, è stata un avvenimento così improvviso e illogico che... e poi ci sono gli altri elementi, il fatto che non l'abbiamo visto morire, che non possediamo i suoi resti, anzi le sue ceneri, e nel sogno mi viene in mente che forse potrebbe trattarsi semplicemente dell'ennesimo inganno, e che lui potrebbe essere vivo, dopo tutto...

Cosa intendi dire con "l'ennesimo inganno"?

Be', come tutte le persone che hanno problemi con l'alcol e si arrabattano a gestirlo pur avendo una famiglia e un lavoro, mio padre era una specie di mago. I suoi trucchi, una volta smascherati, si rivelavano piuttosto dozzinali, ma a suo tempo, e per anni e anni, ebbero il potere di ingannare un'intera famiglia, per quanto di persone furbe e di natura sospettosa. Il suo trucchetto più famoso fu quello degli Alcolisti Anonimi, che prevedeva di frequentare le riunioni, organizzarne persino a casa nostra, e nel frattempo continuare a bere le sue dita di liquore di nascosto. Fantastico. Una volta se ne andò per circa un mese in un centro specializzato per una terapia, mente noi eravamo sulla East Coast a fare visita a certi parenti, e quando tornammo a casa lo trovammo sobrio, asciutto, con un'aria di trionfo stampata in viso. Eravamo tutti al settimo cielo. Sentivamo finalmente di avere chiuso con tutta quella storia, che la nostra famiglia era tornata pulita, che si voltava pagina, e che ormai, essendo di nuovo sobrio e forte e tutto il resto, nostro padre avrebbe conquistato il mondo e ci avrebbe portato con sé. Sedevamo sulle sue ginocchia, lo adoravamo. Be', forse sto esagerando. Credo che in un certo senso continuassimo a odiarlo e a temerlo, dopo tutti quegli anni di grida e di inseguimenti per la casa, eppure resistevamo a quel sentimento, volevamo che tutto fosse normale – non sapevamo con esattezza che cosa significasse "normale", o se avessimo mai fatto parte di questa categoria, adesso che ci penso – ma a ogni modo eravamo colmi di speranza. E poi quegli incontri, compreso quello nel salotto di casa nostra... Ci era stato ordinato di andare tutti a letto, quella volta, ma io ero uscito di nascosto dalla mia camera e mi ero messo a spiare attraverso il corrimano della scala, e avevo visto tutti quegli adulti confusi nella nebbia del fumo di sigaretta, e nostro padre tra gli altri, nel posto che occupava sempre a Natale. Era strano vedere tutti quegli adulti in casa nostra – i miei non avevano una gran vita sociale – ma il punto è che anche allora mio padre beveva, chissà, forse anche quella sera aveva bevuto – e noi non lo sapevamo, e gli altri non lo sapevano – il che, se ci pensi, è un trucchetto fantastico, degno del mio rispetto, dato che anch'io sono un tipo piuttosto diabolico.

Come faceva a bere senza farsi scoprire se era sempre a casa?

Eh già. In casa non c'era una sola bottiglia. Frugammo dappertutto. Mia madre era attentissima, e noi anche. Ma sai dove teneva l'alcol? Ti farà morire da quanto è semplice. Ogni tanto, al mattino presto -- era l'unico momento in cui era da solo e si poteva muovere senza sollevare sospetti – usciva, comprava una bottiglia di vodka e quattro o cinque litri di acqua tonica e li portava a casa.

E poi...

Sì, svuotava a metà i contenitori di acqua tonica, li riempiva di vodka e poi gettava via le bottiglia. E così la sera, mentre eravamo tutti in salotto a guardare *Un uomo in casa* o chissà che, lui se ne andava in cucina e – questo dettaglio è grandioso – si versava l'acqua tonica (ossia la vodka) in un bicchiere alto, anziché in uno dei bicchieri bassi che usava un tempo e che avrebbero suggerito al casuale osservatore la parola *alcol*. Un bicchiere alto, e ci aveva fottuti tutti quanti! Ricapitolando: che cosa va in un bicchiere basso? *Alcol*. Che cosa va in un bicchiere alto? *Una bella acqua tonica, chiaro!* Sì, il bicchiere alto è la scelta giusta per una fresca, innocua bibita analcolica. Ma te lo immagini? Probabilmente si sentiva l'uomo più furbo del mondo, o perlomeno più furbo della sua ritardata progenie. E la cosa è andata avanti così per circa un anno, mentre noi eravamo tutti pieni d'orgoglio e di speranza, sicuri che avesse smesso e che non ci sarebbero stati più trasferimenti, per giorni, settimane, a volte mesi, da amici e parenti, che non ci sarebbero più stati discorsi di lasciarlo e così via, e tutto questo mentre noi eravamo convinti che stavamo ricostruendo la situazione. Da non credere. Naturalmente c'è di peggio, ossia il fatto che con il bicchiere alto (ricordati che bicchiere alto = bibita analcolica) andava a finire che beveva anche più del solito, e noi eravamo sempre più confusi, perché mentre apparentemente era sobrio, dopo le dieci ricominciava a parlare in modo strano, veniva colto ancora da accessi di rabbia improvvisa e implacabile, per poi addormentarsi sistematicamente sul divano alle undici di ogni sera.

E quando l'avete scoperto ha smesso?

Per carità, no. Mia madre una volta uscì sul patio, chiuse dietro di sé la porta scorrevole e si mise a gridare e a piangere, le braccia strette attorno alle spalle, e probabilmente volarono le solite minacce di lasciarlo e tutto il resto. Ma alla fine ci rinunciammo. Mia madre era distrutta da lui, distrutta da noi; noi tre eravamo da poco diventati quattro, e immagino che a un certo punto si rassegnò al fatto che lui avrebbe sempre bevuto, che era nato per bere, e va detto che era anche bravo a farlo, era un bevitore strategico, non di quelli fuori controllo, tanto più che se non provocato era del tutto innocuo. Per cui, con il nuovo bambino da accudire, andarsene o mollarlo lì su due piedi diventava un'ipotesi impraticabile e addirittura spaventosa, per cui immagino che a un certo punto mia madre, esausta, abbia deciso di venire a patti con la situazione, tipo tot drink a sera e non uno di più eccetera eccetera. E se pensi a tutto il tempo che ha continuato a ingannarci, ovviamente per evitare che la situazione precipitasse, che andassimo via – facendo i salti mortali per sistemare le cose ed escogitando quelle sue piccole tristi bugie, tipo l'acqua tonica e i bicchieri alti, per esempio – ecco, se la pensi in quest'ottica, giungi anche alla conclusione che sì, di sicuro non era un uomo perfetto, ma decente sì. E poi, a quel punto si decise anche a diminuire la sua dose serale, accettando una sorta di tregua, bevendo solo birra o vino a casa; e quando Toph cominciò a gattonare e a camminare, la situazione si stabilizzò. E a dire il vero, quasi preferivamo che le cose stessero così. Tutta quella faccenda degli Alcolisti Anonimi era disturbante, quegli adulti in casa nostra, le chiacchiere a bassa voce e il fumo, non sembrava il genere di cose adatte a lui, che non era tipo da gruppi o un uomo che si beve quel genere di fesserie. In un certo senso, non volevamo che nostro padre fosse membro degli Alcolisti Anonimi. Lui preferiva tenere sotto controllo da sé la situazione e risolversela da solo, e anche per noi era meglio così. Gli Alcolisti Anonimi per lui dovevano essere la morte, con tutti quei richiami a più alti valori e roba del genere, che per lui non aveva alcun senso. A ogni modo, nel momento in cui questa terapia fantasma cessò, la situazione migliorò sensibilmente, perché almeno era tutto alla luce del sole, noi conoscevamo esattamente i suoi parametri e lui conosceva i nostri, per cui eravamo in grado di fronteggiare le varie eventualità che si potevano verificare. Anche perché quanto a questo io ero sempre stato del tutto impreparato, non sapevo mai con sicurezza cosa mi dovevo aspettare. Perché vedi, fin da quando ero piccolo, ho sempre avuto questa tremenda, orrifica immaginazione... Per esempio, per anni sono stato convinto che quando andavamo a letto, il piano di sotto di casa nostra si trasformasse in una specie di laboratorio di sperimentazione su cavie umane, un incrocio tra alcune sequenze che avevo intravisto di *Coma Profondo* e *Willy Wonka*, pieno di Oompa-Loompa e cadaveri sospesi nel vuoto. E tutto ciò, combinandosi con lo squilibrio di mio padre, poteva produrre il caos e il terrore dove un istante prima non c'era... Voglio dire, per quel che mi riguardava, quel sottile e logoro filo di fiducia che lega un genitore a un figlio si era probabilmente spezzato quando avevo otto anni, con l'episodio della porta.

Vale a dire...

È successo in un momento in cui la situazione era davvero incasinata e mio padre aveva scarso controllo delle sue azioni. Non ricordo quale fosse stato il problema in quell'occasione, a quanto pare avevo combinato qualcosa che non andava e per questo meritavo una punizione... E, vuoi sapere una cosa buffa? Quando dovevamo essere puniti ci veniva ordinato di "metterci in posizione", che poi voleva dire sistemarsi a pancia in giù sulle sue ginocchia – carino, eh? – e ovviamente non avevo nessuna intenzione di prendere parte a quella pagliacciata. Non che ci picchiasse forte – tra i due era mia madre quella che menava duro – ma c'era qualcosa di assolutamente terrificante nel suo modo goffo di armeggiare con noi, di strapazzarci... era qualcosa di totalmente imprevedibile, perché noi lo conoscevamo abbastanza da sapere quando non era più del tutto in sé, per cui evitavamo di stargli intorno quando era così... Conosci quel gioco in cui devi correre cercando di passare da un capo all'altro del campo, superando tutti i tuoi compagni di classe fino alla linea rossa oltre la quale nessuno può più prenderti, e però non devi farti toccare a nessun costo dai loro candidi braccini, divenuti all'improvviso appendici pericolose e terrificanti? Ecco, era un po' così, un senso di terrore amplificato dal dubbio, dall'imprevedibilità del suo comportamento – semplicemente non volevamo avvicinarci troppo a lui per paura che ci potesse accadere qualcosa di inaspettato. Perciò, quando il verdetto era stato decretato e avevamo compreso che la sculacciata era imminente, ci mettevamo a correre. Tutte le volte che adottavamo quella soluzione, cercando di scappare a una distanza sufficiente e per un tempo abbastanza lungo perché la sua rabbia si placasse o perché intervenisse nostra madre – tentativo più aleatorio che concreto – guadagnavamo una proroga alla nostra condanna. Se l'episodio aveva luogo durante il giorno scappavamo per la strada, fino ai giardini o al torrente o da un amico, e aspettavamo fuori. La sera però, che era poi il momento in cui di solito accadevano queste cose, dato che vedevamo nostro padre, fanatico del golf, solo per pochissime ore durante il giorno, naturalmente noi (o io) non potevamo uscire, anche perché di sicuro fuori era anche peggio, dato che nel frattempo il quartiere doveva essersi popolato di vampiri tipo *Le notti di Salem* o tipo la maschera di William Shatner in *Halloween*. La sera perciò le opzioni di fuga si limitavano all'interno della casa, e non erano nemmeno poche, in realtà, anche se ognuna aveva pregi e difetti. In cantina, per esempio, ci si poteva nascondere nella zona caldaia o nel sottoscala, ma perché quei nascondigli fossero davvero sicuri occorreva tenere le luci spente, e non si poteva mai essere certi del momento in cui sarebbero divenuti ricettacolo di assassini o di cadaveri, evenienza del resto altamente probabile. C'erano poi armadi e ripostigli, che in genere erano sicuri, anche se in un armadio, per quanto protettivo e tiepido possa essere, si può essere scovati in un secondo – le ante che scivolano e poi, improvvise, le mani che ti afferrano – per cui alla fin fine i posti migliori restavano il bagno al piano di sopra e una delle camere da letto, stanze entrambe dotate di semplici serrature che tenevano abbastanza a lungo da permettere che dall'altra parte della porta la situazione si calmasse. Quella sera, come altre sere, corsi dunque in camera mia, chiusi la porta a chiave, mettendomi in ascolto delle sue urla provenienti dal fondo delle scale – tutte le volte come prima cosa reclamava assurdamente che noi uscissimo allo scoperto e ci consegnassimo così che lui potesse acchiapparci e trascinarci fino al divano, dove ci avrebbe strapazzato cercando di metterci in posizione per darci la nostra sculacciata... assurdo. Non glielo dovevamo di certo, io almeno no, non meritavamo nessuna sculacciata, per il semplice fatto che eravamo perfetti, inappuntabili o comunque, se non proprio perfetti, perlomeno eravamo stati provocati a fare quello che avevamo fatto, e dunque, chiuso in camera mia, lo sguardo fisso alla porta, in preda all'iperventilazione, cercavo disperatamente di farmi venire un'idea. Rivolsi lo sguardo alla carta da parati, che era di quelle a poster a tutta parete, una foresta in autunno tutta arancione, l'avevamo scelta io e mia mamma insieme, avevamo pensato che fosse bellissima e dopo che l'avevamo attaccata ci eravamo seduti per terra a guardarla, e quella sera avrei disperatamente voluto saltarci dentro e correre attraverso la foresta arancione, perché sembrava una di quelle foreste davvero profonde e in più lì era giorno. Ovviamente non è che ho pensato per davvero di farlo, non ero mica stupido o mentalmente disturbato, ma poi ho guardato l'altra parete, quella contro cui si trovava il letto, bianca, sulla quale avevo disegnato con un pennarello una ventina di piccoli mostri e dei sorridenti ma tuttavia temibili vichinghi fatti apposta per proteggermi la notte e per materializzarsi tutte le volte che ne avessi avuto bisogno... ma invece non si materializzavano affatto, e perché diavolo non lo facevano? Gli urli intanto continuavano e, avendo compreso che mio padre era ancora al piano di sotto, uscii dalla mia camera, afferrai il telefono in corridoio e tornai dentro, facendo passare il filo sotto la porta e richiudendola a chiave. Mi sistemai sul letto con il telefono in mano e chiamai il centralino per farmi dare il prefisso di Boston. Poi però mi ricordai che non era Boston, era Milton, fuori Boston. Allora chiamai per avere informazioni su come trovare mia zia Ruth a Milton. O lo zio Ron. Lei era andata dagli Alcolisti Anonimi, e lui ci andava con lei, loro dovevano sapere che cosa fare in questi casi... "Cosa devo fare?" gli avrei chiesto, e loro avrebbero saputo cosa fare, sarebbero intervenuti... A quel punto però sentii i passi di mio padre che cominciava a salire le scale, cosa che faceva solo di rado, quando era davvero molto arrabbiato e mia madre non era riuscita a calmarlo, sentivo il tonfo dei passi su per gli scalini, lento, ma perché ci metteva così tanto? Riattaccai, non c'era più tempo, ed escogitai un piano. Aprii la finestra che stava proprio sopra il letto, da cui invece strappai le lenzuola. I tonfi intanto erano cessati, segno che ormai mio padre si trovava al secondo piano, a sei o sette passi dalla porta della mia camera... Attorcigliai le lenzuola in modo da ricavarne una fune o qualcosa del genere, come avevo visto fare alla tv, e proprio mentre le legavo alla testiera del letto sentii mio padre mettere mano alla maniglia della porta, poi lo sentii gridare il mio nome talmente forte che feci un balzo dalla paura, poi ci fu un gran picchiare alla porta e ordini urlati dal corridoio, e se solo fossi riuscito a legare in tempo quell'affare.... I colpi intanto diventavano sempre più forti e le lenzuola adesso erano legate al letto, le tirai ben bene per provarle e sembravano reggere, del resto dovevano reggermi giusto qualche secondo, il tempo di arrivare all'altezza da cui poter saltare, per cui mi girai in modo tale da dare le spalle alla finestra e misi una una gamba fuori, sentendo il contatto del mio piede nudo contro il legno ruvido della parete esterna della casa... E a quel punto i colpi alla porta cessarono. Io avevo appena cominciato a calarmi ed ero per metà fuori della finestra, la notte era umida e potevo già vedere sotto di me il terreno, il giardino dei vicini, mentre tenevo stretto il lenzuolo con due mani... Mi fermai un istante, col respiro veloce, come un animale braccato, pensando, sperando che avesse lasciato perdere... all'improvviso tutto si era fatto silenzioso. E poi la porta esplose all'interno della stanza, in un milione di schegge, e in un attimo mi fu addosso.

Aveva buttato giù la porta.
La sfondò, spaccando la serratura, il pomo e tutto il resto.

Accidenti.
Drammatico, eh?

Sì, direi di sì. E poi ti ha punito più severamente?
A dire il vero no. Quando mia madre ha sentito il rumore della porta che si rompeva è venuta su di corsa e mio padre ha fatto in tempo ad avermi tra le mani solo per pochi secondi, prima che lei arri-

vasse e le cose si mettessero male per lui. Alla fin fine si è risolta in una sorta di vendetta ai suoi danni, perché quella volta, come ogni volta in cui riuscivamo a dimostrare la sua instabilità – dovrei forse dire gli eccessi della sua volubilità, visto che quando era sobrio era una persona piuttosto normale, persino spiritosa – sentivamo di avere segnato un punto a nostro favore, di avere aggiunto una tacca a quella sorta di permanente tabella segnapunti che tenevamo sempre a portata di mano contro di lui. Ricordo che di tanto in tanto avrei desiderato andare a scuola con dei lividi, dei tagli... lo sapevo dai programmi del doposcuola che andava così, l'insegnante nota qualcosa, e poi tutto finalmente viene alla luce del sole, più o meno semi-pubblico, dopo di che lui avrebbe ricevuto qualcosa come un avvertimento e tutto si sarebbe assestato.

Per cui definiresti la tua una situazione di abuso di minore?

Oddio, no. Mio padre non ci picchiava mai forte, quando ci beccava. Non mi ricordo nemmeno che ci facesse male.

Ah.

Era mia mamma quella che picchiava forte. Menava le mani più spesso di lui, ma con lei almeno sapevi che stava facendo qualcosa di cui aveva in qualche modo il controllo, anche se magari diceva "Ti uccido!" un po' troppo spesso per sentirsi a proprio agio. Noi magari dicevamo qualcosa di un po' troppo furbetto a tavola, e lei si avventava su di noi a grandi passi e ci appioppava una serie di ceffoni in testa per un minuto, con una specie di mossa di karate a ripetizione, il braccio abbronzato che mulinava fulmineo. Noi ci coprivamo la testa con le mani per schivare i colpi delle sue dita adorne di pesanti anelloni, dono di sua madre. Dopo un po' era persino buffo. All'inizio non lo era per nulla, a dire il vero, anzi ci cagavamo addosso e scappavamo di sopra o fuori casa per qualche ora al grido di "Tiodiotiodiotiodio!", desiderandone la morte, desiderando una nuova famiglia, desiderando trasferirci da una qualunque delle famiglie dei nostri amici che sentivamo in qualche modo più normali. Naturalmente non passava un'ora che eravamo di nuovo sulle sue ginocchia, felici come vongole. E mano mano che crescevamo, tutta quella faccenda diventò uno scherzo. Credo che sia stato Bill a iniziare, alzando gli occhi al cielo quando mia madre si era avventata a colpi di karate contro di lui al grido di "Piccolo farabutto!", e prendendosele tutte fino a che lei non si era stancata. Dopo di che decidemmo anche noi di seguire il suo esempio. A quel punto eravamo adolescenti e non prendevamo più proprio sul serio quegli accessi di rabbia, ma lasciavamo che si sfogasse. Dopo un po' anche lei cominciava a dimenticarsi del motivo per cui si era arrabbiata, e quando ci menava le veniva anche un po' da ridere. Era uno spettacolo davvero strano, credimi, vederla mentre picchiava Bill o Beth in testa gridando che voleva ucciderli intanto che anche a lei scappava da ridere.

E tuttavia una situazione del genere ti dà una strana mentalità, un'abitudine all'emergenza. Vedevi le mani sollevarsi, la rigidità del polso, le dita unite in stile kung fu e...

Naturalmente anche noi ce le davamo di santa ragione e passavamo buona parte della giornata a escogitare piani per ucciderci l'un l'altro buttandoci giù dalla finestra o dalle scale, per cui onestamente non sapevamo mai cosa aspettarci, perché, come sai, non ci vuole niente a oltrepassare le varie soglie della violenza, dopo di che di rado si torna indietro; il sopra diventa sotto e la terra comincia a mancarti sotto i piedi. In definitiva tutti eravamo piuttosto schizzati e troppo sulla difensiva, perlomeno io e Beth, dato che Bill era più grande, al punto che se nostro padre ci si avvicinava con la benché minima intenzione di tipo fisico nei nostri confronti, venivamo immediatamente colti da una specie di attacco epilettico, corredato da gran mulinamento di braccia e scalciare di gambe. Possedevamo un'immaginazione tanto fosca quanto vivida, rinfocolata da Pubblicità Progresso, statistiche scolastiche e roba del genere... Nel mio caso credo si trattasse più che altro della mia immaginazione e del fatto che nella mente trasformavo mio padre in uno dei mostri e degli assassini che sognavo la notte, al punto da convincermi che c'era una buona probabilità che, date le circostanze, un giorno, magari per caso, avrebbe ucciso uno di noi. Quella porta, per esempio, non è stata mai aggiustata, ed è rimasta così, devastata, per una dozzina di anni e più. Non ci mettevamo mai a riparare questo genere di cose.

Che cosa faceva tuo padre di lavoro?
Era avvocato e si occupava di mercato dei futures.

E tua madre?
Insegnante. Avanti, ricompensami per tutto il mio soffrire.

Scusa?
Non ti ho dato abbastanza? Ricompensami. Sbattimi in tv. Lascia

che condivida tutto quello che ti ho detto con qualche milione di persone. Ti prometto che lo farò gradualmente, con arguzia, con gusto. Tutti devono sapere. Me lo merito, lo so. Allora, mi hai preso? Ti ho spezzato il cuore? Era abbastanza triste la mia storia?

Lo era.

So come funziona. Io ti do queste cose e tu dai a me la rampa di lancio. Dammi la rampa. Mi spetta.

Ascolta, io...

Ti posso raccontare dell'altro. Ne ho a bizzeffe, di storie. Ti posso raccontare delle parrucche che indossavano quella volta in tinello, era autunno, e all'improvviso se le sono tolte contemporaneamente, in tinello, sapendo che mi sarei spaventato a morte delle loro teste a chiazze, dei capelli che cadevano come batuffoli di cotone, e loro ridevano, ridevano, con gli occhi lucidi... Oppure di quella volta che lui è caduto. Posso raccontare di ultimi respiri, di ultime parole. Ho talmente tanto da dire. E c'è un simbolismo così profondo. Dovresti sentire le conversazioni che facciamo io e Toph, le cose che dice. Roba meravigliosa, incredibile, non riusciresti mai mettere insieme una sceneggiatura del genere. Parliamo della morte e di Dio, e io non ho mai risposte alle sue domande, non ho mai niente da dirgli che possa aiutarlo ad addormentarsi, non ho più favole. Lasciami condividere tutto questo. Posso farlo come vuoi. Posso farlo in modo buffo, sentimentaleggiante, o puro e semplice, senza inflessioni particolari. Come preferisci. Dimmi tu. Posso essere triste o ispirato, posso essere anche arrabbiato. È tutto lì, c'è tutto in una volta, per cui vedi tu, scegli tu, decidi tu. Ma dammi qualcosa. Un qui pro quo. Prometto che sarò bravo. Sarò triste ma speranzoso. Sarò il convettore, il cuore pulsante della trasmissione. Per favore, mettimi alla prova! Sono io il comun denominatore di 47 milioni di persone! Sono l'amalgama perfetto! Sono nato dalla stabilità e dal caos. Non ho visto nulla e ho visto tutto. Ho ventiquattro anni ma mi sento come se ne avessi diecimila. Sono raggiante di giovinezza, senza freni, pieno di speranza, anche se inestricabilmente legato al passato e al futuro e al mio meraviglioso fratello, che è parte di entrambi. Non riesci a vedere quanto siamo straordinari? Che siamo fatti per qualcosa di speciale, per qualcosa di più? Tutto questo non è accaduto per capriccio, te l'assicuro – non ci sarebbe logica altrimenti, mentre esiste una logica nel pensare che soffriamo per una qualche ragione. Dacci quello che ci spetta. Sono pieno fino a scoppiare delle speranze di un'intera generazione, le loro speranze si fanno strada attraverso di me, minacciando di fare esplodere il mio cuore indurito! Non riesci a capirlo? Sono al tempo stesso pietoso e mostruoso, lo so, e tutto ciò è creazione mia, lo so, non è colpa dei miei genitori ma tutta opera mia, certo, e tuttavia io sono il prodotto del mio ambiente, e perciò rappresentativo, e in quanto tale devo pertanto essere esibito, in quanto parabola ispiratrice ma anche ammonitrice. Non riesci a vedere tutto quello che rappresento? Io sono allo stesso tempo: a) un moralista martirizzato e b) un onnivoro amorale prodotto del vuoto suburbano + pigrizia + televisione + cattolicesimo + alcolismo + violenza; sono una mostruosità vestita di velluto di seconda mano, un lebbroso che usa gel L'Oreal effetto non appiccicoso. Sono senza radici, strappato da ogni fondamenta, un orfano che alleva un altro orfano, desideroso di sostituire tutto ciò che esiste con tutto quello che sarò io a creare. Non ho nulla se non i miei amici e quello che rimane della mia piccola famiglia. Ho bisogno di una comunità di persone, ho bisogno di riscontro, ho bisogno d'amore, di comunicazione, di dare e di prendere – se mi ameranno, sanguinerò. Fammi provare. Lascia che ci provi. Mi strapperò i capelli, mi scorticherò, mi presenterò a te debole e tremante. Mi aprirò una vena, anzi un'arteria. Ignorami a tuo rischio e pericolo! Potrei morire presto anch'io. Chissà, potrei già avere l'Aids o il cancro. Qualcosa di brutto mi accadrà, lo so, lo so perché me lo sono prefigurato tante volte. Mi spareranno in un ascensore, sarò inghiottito da una conduttura di scarico, annegherò, per cui ho bisogno di lanciare adesso il mio messaggio; non ho molto tempo. Lo so che può sembrare ridicolo, perché sembro giovane, in salute, forte, ma mille cose possono accadere a me e a quelli che mi sono vicini, davvero, vedrai, per cui devo afferrare tutto quello che posso finché posso, dato che potrei andarmene in qualunque istante, Laura, Madre, Padre, Dio... Per favore lascia che mostri tutto ciò a milioni di persone. Lascia che sia io il reticolo, il centro del reticolo, il canale. Così tanti cuori, al mondo, e il mio è forte e se ci sono – e ci sono! – capillari che conducono sangue a tutti quei milioni, se tutti siamo un unico corpo e io sono... allora voglio essere io il cuore che pompa sangue a tutti quanti, conosco bene il sangue, sono ancora caldo di sangue, so nuotare nel sangue, e allora lascia che io sia il cuore che batte forte e porta sangue a tutti quanti! Io voglio...

E questo ti guarirà?
Sì! Sì! Sì! Sì!

VII

FANCULO. STUPIDO PROGRAMMA.

Ricevo la notizia al telefono da Laura Folger. Non sono stato preso. Mi dice quanto ci sono andato vicino, quanto le piacevo e quanto fosse triste la mia storia (e lo era, Dio se lo era), ma era una delle tante, e anch'io ero uno dei tanti, la maggior parte più giovani di me, ognuno con la sua croce e il suo bagaglio, gente con il background esistenziale più desolante che si possa immaginare, ma il fatto è che, alla fin fine, non potevano usare più di un bianco maschio di area suburbana, e avevano dovuto decidere per uno, e quell'uno non sarei stato io. Il mio faro, la mia catapulta mi è stata sottratta da un tizio di nome Judd.

«Judd?» dico.

«Sì» dice lei.

«Judd?»

«Sì, è un fumettista.»

Fanculo. Fa lo stesso. Anzi è un sollievo. Sarebbe stato un errore, no? Sì, sarebbe stato un errore. È un programma stupido, quasi insopportabile da guardare, tutti i partecipanti sono individui orrendi, scemi, banali e bidimensionali. Fanculo. E va bene, che il fumettista diventi fumetto. Io non ne ho bisogno, noi non ne abbiamo bisogno. Non abbiamo bisogno di *The Real World*, non abbiamo bisogno del sostegno di un programma televisivo con un'audience di massa in tutto il mondo e con un'influenza difficilmente quantificabile sulla mente e sul cuore dei giovani e degli individui impressionabili di tutto il globo. No. Noi continueremo comunque, contro ogni ostacolo, con i nostri semplici strumenti, con le nostre piccole mani. Riusciremo a far funzionare il nostro progetto sul nulla. Sul fumo, se necessario. Sul nostro stesso fumo. In qualunque modo.

Entro poche settimane riceviamo una grossa busta da questo Judd Winick. La sua carta da lettera è piena di disegnini e di personaggi con delle buffe faccine. Per qualche oscura ragione chiede a noi lavoro, e a questo scopo ci invia cinquecento strisce di quella che parrebbe una serie quotidiana che ha disegnato durante gli anni del college.

I fumetti – su un gruppetto di giovani (la protagonista è una lesbica, roba anni Novanta, no?) che vive in una casetta di mattoni non si sa bene dove – sono ben curati, molto tradizionali, di buona mano. Ma non fanno per noi. Dai tempi del primo numero «Might» è cambiato parecchio. Siamo assai meno ispirati di allora e, da un numero all'altro della rivista, da un certo punto di vista, ci sembra di essere più coscienziosi che appassionati. Dopo tutto, l'ultima cosa che vorremmo, o perlomeno l'ultima cosa che io desidero ottenere da tutto ciò, è che diventi una specie di *lavoro*. Dobbiamo cercare a tutti i costi di evitare questo genere di fato crudele, ossia che noi, i chiacchieroni che con aria profondamente nauseata sposano idee liberatorie sul lavoro e la vita, diveniamo noi stessi schiavi di qualcosa, di uno scadenzario, di obblighi nei confronti di inserzionisti, di investitori, di orari di lavoro regolari... Naturalmente ci interessa sempre cambiare la vita dei nostri coetanei, e ovviamente il mondo, e ci aspettiamo sempre di essere prima o poi inviati nello spazio, ma d'altra parte... abbiamo ristretto il nostro raggio d'azione e affilato i coltelli. Adesso abbiamo target ben precisi, abbiamo tirato una linea tra buoni e cattivi, amici e nemici (ostacoli).

Diamo avvio a un trend di brusca marcia indietro e di cannibalizzazione intellettuale. Qualunque sia l'opinione più diffusa, specie tra di noi, la contraddiciamo scientificamente. Cambiamo idea su Wendy Kopp, la giovane audace che nel primo numero avevamo elevato a esempio, e con lei il suo tanto celebrato Teach for America. Là dove avevamo in precedenza lodato la sua determinazione e i suoi obiettivi – far entrare per un biennio insegnanti giovani, entusiasti e preparati nell'organico di scuole a rischio – adesso, in un pezzo di seimila parole che campeggia nel secondo numero, puntiamo l'indice su questa iniziativa no profit che mira a risolvere i problemi dei quartieri degradati, problemi perlopiù endemici tra la popolazione nera, proponendo soluzioni da classe medio-alta bianca universitaria. Parliamo di "condiscendenza paternalistica". "Interesse illuminato" sospiriamo. "*Noblesse oblige*" sogghignamo. Citiamo un professore che così sintetizza: "Uno studio di Teach For America ci fornisce molti più dati sui bisogni ideologici e psicologici della classe media bianca e di una minoranza giovanile, che non delle classi svantaggiate cui il progetto si indirizza".

Ka-boom!

E dato che l'opinione pubblica generale non crederà che proprio noi siamo stati scelti per dare voce alle paure e alle speranze di un popolo intero e per parlare a nome suo e di tutti e fare la storia, cerchiamo di capire in cosa il pubblico *vuole* credere. La copertina del secondo numero della rivista celebra *I primi cinquant'anni della rivista* con una griglia delle immagini di copertina del passato: ottobre 1964: *I Beatles sono comunisti!*; novembre 1948: *Morte: l'assassino occulto*, per provare che è tutto vero. L'editoriale introduttivo, scritto a un mese circa dalla morte di Kurt Cobain, affronta un argomento che ha toccato tutti noi.

> È così difficile pensare che non esisti più. Ancora adesso mi porto dentro un senso di incredulità. Ogni mattina mi alzo controvoglia e mi domando se sia meglio vivere la giornata che ho di fronte o lasciare semplicemente che mi scorra addosso. Cammino in un uno stato di torpore, svogliatamente, scivolando come un fantasma. Mi sento distaccato dal corpo. Sono una persona a metà. Tu te ne sei andato.
>
> Fin dall'inizio avevamo capito che eri diverso dagli altri. In te c'era qualcosa di più, un misterioso chiarore, una strana, insolita bellezza. Eppure, in qualche modo sentivo di conoscerti da una vita. Forse era così. Non potrebbe essere?
>
> Ho sempre creduto in te. E penso che tu abbia creduto in me. Parlavi a me, di me, per me. Nei miei periodi più bui, brillavi dinanzi a me come un raggio che mi faceva da guida e da sostegno. Una roccia. Una persona vera! Ti ho idolatrato. Avrei voluto essere te.
>
> C'è chi dice che eri incasinato, disturbato, un cattivo modello. Altri dicono che il potere ti aveva cambiato e che non riuscivi più a reggerlo. Altri ancora dicono che il tuo stile era scandaloso e la tua condotta immorale. Ed è la verità. Eri corrosivo, ruvido, e intransigente. Eri senza freni. Eri un solitario. E a volte mi hai fatto arrabbiare. Ma era perché ti amavo e perché, nonostante tutto, ho sempre creduto in te. E poi è successo. Ma non è stata colpa tua. È stata colpa nostra. Colpa mia.
>
> Mi dispiace per tutto quello che noi ti abbiamo inflitto, che la vita ti ha inflitto, che tu stesso ti sei inflitto. La tua lunga battaglia con la fama, con il successo, con la stampa... So che non volevi davvero fare del male a nessuno. Come può una farfalla fare del male? È con grande spe-

ranza nel cuore e con il cuore gonfio che dico: Richard Milhous Nixon, splendida farfalla, vola libera e forte, vivi per sempre. Ti amo.

Andiamo in cerca di coloro che come noi le idee le hanno ma si sono arenati. Pubblichiamo un'intervista a Philip Paley, ex attore-bambino che ha recitato il ruolo di Chakka il Pakuni nella serie tv *Land of the Lost*, intervista in cui si scaglia contro i suoi genitori, rimproverandoli per il loro divorzio e per lo stato di semindigenza in cui si trova, nel suo umile appartamento di Hollywood.

GUAI IN PARADISO?

Già... i miei genitori hanno divorziato quando avevo sedici anni e di conseguenza tutti i miei soldi se ne sono andati per il divorzio. Ho perso tutto. ANCORA OGGI SONO INCAZZATO COME UNA BESTIA PER QUESTA STORIA. Scrivetelo nella vostra rivista. Mio padre è un chirurgo di Beverly Hills con un sacco di soldi, e mia madre ha degli alimenti pazzeschi. Io non ci parlo più, con loro.

E ADESSO COSA FAI?

Ho fatto qualunque cazzo di lavoro immaginabile. Il mio primo lavoro è stato da Swenson come gelataio. Ho fatto il panettiere, il benzinaio, il pasticcere, ho lavorato alla EF Hutton come assistente operatore di borsa, ho lavorato in un negozio di cangelleria [*sic*], ho fatto l'imbianchino. Ho abbattuto interi edifici CON LE MIE MANI. E ho passato un sacco di tempo senza lavoro.

ED ECCO DOVE VA A INFRANGERSI IL MITO CHE LE PICCOLE STAR SONO A POSTO PER IL RESTO DELLA LORO VITA.

Be', per me si è infranto di sicuro.

L'ultima pagina della rivista è una falsa pubblicità per una marca di jeans chiamata Street Harmony Jeans, in cui si vedono cinque nostri amici che posano in un angolo di South Park, uno seduto su un cassonetto, altri due appoggiati contro il muro di un magazzino, e al centro Meredith che guarda nell'obiettivo proprio nell'istante in cui lascia cadere un quarto di dollaro dentro la tazza di un irsutissimo mendicante. Il senzatetto, che è poi il nostro meccanico e amico Jamie Carrick, sogghigna con un pollice levato tenendo nell'altra mano un cartello che dice:

LAVORO IN CAMBIO DI CAPI D'ALTA MODA.

E in qualche modo pensiamo che questo genere di cose ci faranno apprezzare dagli inserzionisti. Non che abbiamo bisogno di pubblicità di vestiti. O di sigarette. O di réclame di qualunque genere da parte di grosse compagnie, o di chiunque altro. Figurarsi.

Ma per quanto meschini e pessimisti siamo diventati, non abbandoniamo l'idea che, facendo le mosse giuste, sia possibile arrivare a un brusco cambiamento di marcia. Per questa ragione io e Moodie ci sediamo a ponderare le strisce di Judd, e ci chiediamo se non è il caso di chiamarlo perché ci mostri altri suoi lavori, e prospettargli la possibilità di collaborare con la rivista. Concordiamo sul fatto che non c'entra niente con «Might», né dal punto di vista tematico né estetico. Nulla a che vedere con tutto quello in cui crediamo, davvero, se non che lui...

Ci buttiamo sul telefono. Faccio io la chiamata.

«Sì, perché non vieni a trovarci e porti le teleca... il tuo portfolio, voglio dire?»

Due giorni dopo arriva sul serio. Entra in ufficio, un tizio dall'aria regolare con folti capelli neri, e quando ci alziamo a salutarlo e siamo l'uno di fronte all'altro, d'improvviso ci troviamo alle calcagna un equipaggiamento video tutto nero, simile a un enorme insetto a otto gambe, e luci, microfoni, portablocchi a molla. Shalini, devota spettatrice di Mtv, seduta al suo Mac dall'altra parte della stanza, è come inebetita. Ci eravamo dimenticati di dirle che arrivavano. È il caos. La gente che passa per la strada si ferma e schiaccia il naso contro la finestra. Facciamo sedere Judd al nostro tavolo conferenze, proprio sotto il sacco da palestra, e cominciamo discutere. E a quel punto lo spettacolo ha inizio.

Judd, con il suo portfolio davanti, finge di essere davvero interessato a vedere il suo lavoro sulle pagine della nostra ridicola rivista, con i suoi diecimila lettori, anche se tra due mesi milioni di persone osserveranno dal vivo ogni suo brivido. Io e Moodie, dal canto nostro, ci diamo arie da direttori di una rivista vera, una di quelle in cui la gente si siede a parlare di questo genere di cose, e facciamo anche finta di essere interessati al suo lavoro, e di credere che sia fatto apposta per le pagine della nostra (vera) rivista. Indossiamo quello che indossiamo sempre, ossia maglietta e pantaloncini, avendo deciso – dopo avere ben meditato su cosa fosse il caso di indossare ed esserci ricordati che non avremmo dovuto pensare a cosa indossare – di indossare quello che avremmo indossato se non avessimo pensato a cosa indossare. Siamo felici e contenti con i nostri pantaloncini e la nostra T-shirt infilata in vita solo da un lato, quel tanto appena per lasciare intravedere la cintura e il resto fuori – il nostro look è esattamente così – assetto cui siamo giunti dopo profonda riflessione negli anni del liceo e mediante l'accurata eliminazione di ogni possibile passo falso. Non abbiamo tatuaggi, perché riteniamo che i tatuaggi tradiscano un'attenzione eccessiva alla propria immagine, anche se il trend nel 1994 è ancora in auge; e comunque siamo sicuri che entro un anno, forse anche solo pochi mesi, sarà tutto finito. (Andiamo, quanto potrà durare una moda del genere?) Stessa cosa vale per capelli colorati, piercing, branding, copricapi creativi, collane, magliette, e tutte le altre prescrizioni di moda e accessoristica. Abbiamo scelto, tra tante opzioni, l'unico possibile approccio al look e all'abbigliamento, vale a dire l'indifferenza, siamo andati oltre lo stile guarda-un-po'-qui, oltre lo stile rifiuto-del-guarda-un-po'-qui-a-favore-di-uno-stile-oscuro-e-ribelle; abbiamo rigettato entrambi indirizzandoci verso uno stile che passi attraverso il rifiuto, ossia il se-proprio-devi-guarda-ma-non-credere-che-io-ti-stia-incoraggiando. Il look dell'assolutamente *niente look*. Il che non vuol dir certo che a me e a Moodie non importi di avere un bell'aspetto, anche perché non sarebbe male, visto che ci siamo presi la briga di intrufolarci in Mtv e tutto il resto, avere almeno un po' di fascino, aumentando così le chance di finire a letto con la figlia di Charles Bronson o almeno con quella cameriera di Caffè Centro, quella con i capelli fino a qui e le gambe che le arrivano qui.

Parliamo con Judd con un'assoluta serietà, non disgiunta da una misurata nonchalance, su come e con che frequenza potremo lavorare insieme, avendo cura di selezionare sempre le parole, dato che vogliamo apparire tanto articolati quanto casual, esempi probanti del nostro segmento demografico, rilassati ma con cervello, energici ma non frenetici, visto che siamo giovani che recitano la parte dei giovani, proiettando un'immagine di noi stessi in quanto rappresentativi, per adesso e per la posterità, di una gioventù che si trova a uno snodo, nonché di un modo di recitare facendo finta di non recitare e al tempo stesso facendo finta di essere noi stessi; a parte il fatto che non sarebbe male far capire a Laura Folger che razza di errore ha commesso, fare in modo che il nostro cammeo chiarisca chi sono le vere star, star che superano di gran lunga in brillantezza qualunque squallido Judd. Noi pianeti luccicanti inanellati, e lui niente più che una piccola luna fredda.

E mentre dobbiamo relazionarci con Judd, il quale progressivamente e fin dal primo impatto si rivela peraltro una bravissima persona, io e Moodie dobbiamo assolutamente sembrare più cool di lui, perché dobbiamo rendere chiaro a tutti che noi non siamo mica il genere di persone che potrebbero comparire a *The Real World* – non ci proveremmo nemmeno! Dobbiamo fare in modo che a uno spettatore casuale sia palese che, se anche siamo disposti a essere inseriti in segmenti registrati che fanno il giro del mondo, ed essere scrutati con desiderio da adolescenti adoranti e dai loro meno creduli fratelli maggiori, da studenti di college che mangiano *falafel* nell'intervallo tra le lezioni su divani trovati nei loro appartamenti e lasciati da chissà chi, dobbiamo fare in modo, dicevo, che a questa gente sia palese il fatto che, se partecipiamo al programma, è solo per una forma di nostro perverso divertimento, che a guardarci bene da vicino, stiamo ammiccando, ci strizziamo l'occhio, facciamo persino qualche sorrisetto sull'intera faccenda, il nostro incontro con Judd, le telecamere e il resto, anzi probabilmente il tutto finirà sulle pagine di «Might» come materiale per un articolo secco e disincantato o una qualche classifica in chiave parodica. Possiamo giocarcela in entrambi i modi, in tutti i modi. Osiamo guardare Judd negli occhi, occhi che sembrano in tutto e per tutto i nostri, e possiamo riversare su di lui gentilezza e comprensione, scherzare bonariamente e insieme a lui fare progetti, mentre dentro di noi calcoliamo cosa potremmo ricavarci, e quanto del suo potere potremmo sfruttare prima di compromettere seriamente la purezza della nostra impresa con la presenza di questo tizio, il quale per parte sua probabilmente sta parlando con noi solo perché Laura Folger si è pentita di avermi tagliato fuori dal programma e ha deciso di mandarmi lui come premio di consolazione.

E anche mentre pensiamo di cavarcela alla grande, e di recitare con estrema naturalezza, e di avere proprio un bell'aspetto, e di stare discutendo questioni vitali per la carriera di Judd, tipo l'importanza delle sue strisce per noi e per lui, avvertiamo che sta accadendo qualcosa di strano: l'operatore e il fonico, entrambi poco più anziani di noi, i berretti da baseball portati alla rovescia, sono evidentemente annoiati, manca poco che alzino gli occhi al cielo tanto sono annoiati, perché evidentemente ci vedono chiaro in questa faccenda, vedono che stiamo usando questa persona per metterci in mostra, per provare a tutti e a noi stessi che siamo veri, che anche noi, come chiunque altro, vogliamo semplicemente imprimere la nostra vita su nastro magnetico, come prova, e sentiamo che quello che stiamo facendo diventa reale solo una volta che si trasforma in una registrazione.

Dopo la prima visita Judd viene a trovarci altre tre o quattro volte, e pochi mesi dopo, quando va in onda la serie di *The Real World* ambientata a San Francisco, io e Moodie compariamo nel secondo episodio. Per qualcosa come otto secondi, si intende, ma con quegli otto secondi speriamo di riuscire ad attirare l'attenzione di tutti gli zucconi fulminati di account pubblicitari, per non parlare poi dell'idea che ci notino tutti i nostri conoscenti, dal liceo al college. In pratica vediamo esaudirsi uno dei desideri ma non l'altro. Se infatti la nostra apparizione non porta pressoché da nessuna parte in termini di soluzione alle nostre angosce finanziarie, d'altro canto tutti quelli che conosciamo o abbiamo mai conosciuto in vita nostra chiamano o scrivono per dire che ci hanno visto. Come diavolo siano in grado di dire, in quel battito di ciglia che è stata la nostra partecipazione alla trasmissione, che si tratta proprio di noi, resta un mistero. Ci chiamano compagni di scuola che non sentivamo da otto anni, vecchi insegnanti, senza ombra di dubbio perché le mie parole a Judd, da me espresse in una sorta di avvilente monotonia, sono state emblematiche, anzi indimenticabili. Eccovele:

«Perché, cioè, se alla fine non disegni quello che vuoi disegnare tu, allora viene uno schifo.»

L'apparizione al programma fa di noi delle minicelebrità nel quartiere, in particolare agli occhi di Shalini, che è sempre indaffarata con il suo «Hum», la "nuova voce della comunità giovanile americana progressista sudasiatica". Nella rivista ci sono articoli sulla durata dei matrimoni combinati, sull'attività delle gang nelle comunità dell'Asia meridionale, una rubrica di consigli sulla salute a cura di suo padre che è medico. Moodie e io ci occupiamo della grafica e in cambio lei ci dà la sua stampante laser e dei meravigliosamente frequenti, rilassanti, semierotici massaggi alla schiena durante l'orario lavorativo. Gli amici, la gente dai piani di sopra sta cominciando a evitare il nostro ufficio, dato che ogni volta che qualcuno vi mette piede c'è Shalini intenta a lavorarci le spalle, mentre noi mugoliamo, grugniamo e sbuffiamo, divertendoci un mondo alla sua imitazione di quello che lei chiama l'IFB, ossia L'Indiano Fresco di Barca.

«Oooooh, pensare che tu trooooppo teso! Senti il teso in tue spalle? Deve rilassare, uscire ballare, andare a feste con altri giovani.»

Ci rompe sempre l'anima sui nostri orari.

«Oooooh, voi sembra molto migliore se lavorare poco ogni tanto.»

Ci offriamo di soddisfare il suo fin troppo ovvio desiderio di vederci nudi invitandola alla nostra prossima session fotografica.

«Non devo essere nuda anch'io, vero?»

«Veramente sì.»

«No.»

«No nel senso che non lo farai, o nel senso che non ci credi?»

«No in entrambi i sensi. No.»

Invece Judd dice di sì. È la nostra seconda grande session fotografica nuda. Questa volta è nostra intenzione mostrare il vero aspetto del corpo della gente, e questa iniziativa vuole essere una risposta alla frequente lamentela relativa alla distorsione della nostra percezione del corpo operata dai media e dalla pubblicità, il fatto che l'individuo medio non può e non deve tendere alle irraggiungibili aspettative ficcateci in testa da bla bla bla. Quello che in pratica abbiamo intenzione di fare, giusto per vedere se può funzionare, è di mettere insieme trenta o quaranta amici e conoscenti, in teoria di trenta o quaranta differenti taglie e corporature, e farli posare nudi. Li mostreremo poi sulla rivista, senza fronzoli, in una semplice gabbia grafica, un corpo come-Dio-l'ha-fatto dopo l'altro, per mostrare quant'è raro che la gente assomigli alla gente che si vede alla tv, e come tutti i corpi, anche se non tutti necessariamente belli, sono perlomeno concreti, reali e...

Va bene. Diamoci un taglio. Prendiamo un fotografo, un tizio olandese dall'aria sobria e dalla voce flautata di nome Ron Van Dongen, il quale farà le foto, queste foto così rivoluzionarie, pressoché gratis. Ci chiede solo il costo della pellicola e la possibilità di tenere i negativi.

Certo. Accomodati.

Nell'intento di dimostrare massima apertura e rispetto delle diversità, nonché di chiarire il fatto che differenziare tra questo e quello, operare discriminazioni in base a fattori come dimensioni, colore o forma e questo genere di assurde distinzioni, è osceno e barbarico, nell'interesse insomma di chiarire la faccenda una volta per tutte, ci mettiamo a telefonare a destra e a sinistra alla ricerca di volontari.

Hai qualche amico nero?

Ah sì? Ma chiaro quanto?

Davvero? Pensavo fosse indiano.

E amici grossi?

Sì, cioè, grassi.

No, abbiamo bisogno di ragazzi. Di donne ne abbiamo già abbastanza.

Quanto è grosso?

Pensi che lo farebbe?

Ah, poi, conosci qualche ragazza senza tette?

Voglio dire, davvero piatta. Ossuta.

Dov'è che ha la cicatrice? Ma si vede?

Dov'è che ha i peli?

A differenza della prima sessione fotografica nuda, questa volta è infinitamente più facile trovare le persone, perché a questo punto abbiamo una vera rivista, e questa volta non ci saranno corse-con-peni-sbatacchianti, e poi siamo anche giunti a un paio di compromessi: a) promettiamo l'anonimato tagliando le foto all'altezza della testa; b) lasciamo che chi vuole possa tenere su la biancheria intima, se non sopra almeno sotto. Abbiamo deciso così un po' per loro e un po' per ragioni pratiche, cioè ci rendiamo conto, pur tra sospiri pieni di rimorso, che riempire le nostre pagine di tizi nudi, in particolare di gente dal corpo chiaramente imperfetto, non aiuterà la già difficoltosa distribuzione della nostra rivista in edicola. Ebbene sì, è una svendita di noi stessi, è un compromesso che spezza il cuore – e sappiate che ogni compromesso è un'autostrada a cinque corsie che ci attraversa l'anima – ma bisognerà pure che il nostro punto di vista alla fine raggiunga l'America, per quanto malconcio possa arrivare al traguardo.

Judd dice che porterà un amico, un altro membro del cast. Siamo al settimo cielo. Con due membri del cast siamo sicuri di finire nei notiziari, questa sarà la cosa che ci farà schizzare alle stelle, per cui quando vediamo l'auto inoltrarsi nel vialetto, una vecchia Dodge pervinca o giù di lì, così quintessenzialmente di San Francisco, una vecchia scatola stinta dal sole, già possiamo vedere i pezzi che finalmente si incastrano, possiamo sentire che stiamo facendo qualcosa di enorme dal punto di vista sociologico, qualcosa che godrà dell'appropriata copertura dei media, un argomento di grande rilievo che sarà efficacemente disseminato tra milio...

Non vediamo le telecamere. Loro due arrivano e...

Niente furgoni al seguito. Vado loro incontro mentre parcheggiano nell'area adiacente allo studio, e con l'aria più casuale possibile do un'occhiata a destra e a sinistra per vedere se sta arrivando qualcuno. Niente. Non ci sono telecamere. Ci aspettavamo un sacco di telecamere.

«Ehi» dico.

«Ehi» dice Judd.

«E allora, niente telecamere oggi, eh?»

«No, oggi sono tutti con Rachel.»

«Ah, ecco. Bene. Di certo non volevamo quelle dannate telecamere tra i piedi proprio oggi a fare casino.»

«Giusto.»

«Possono distrarti completamente...»
«Già.»
«... sempre davanti alla tua faccia, sempre lì a registrare tutto quello che dici e che fai.»
«Certo. Ah, questo è Puck.»
«Ehi.»
«Ehi.»

Stringo la mano a Puck, il quale indossa pantaloncini al ginocchio e una canottiera bianca. È un tizio allampanato, pallido, con gli occhi sempre all'erta in un modo un po' inquietante. Nell'istante esatto in cui gli tocco la mano comincia a parlare. Velocissimo, senza prendere fiato, senza battere ciglio. Quando lo sento parlare, mi viene subito da chiedermi se magari non sia sotto l'effetto di qualche droga euforizzante, una qualche specie di allucinogeno. Ho visto dei film in tv su gente che prende quelle droghe. Ce n'era uno con Doug McKeon e Helen Hunt, in cui lei prende della polvere d'angelo e salta fuori dalla finestra della scuola, cade due piani di sotto, si rialza, corre in giro per un po' e poi muore. Forse Puck è sotto speed. È questo l'effetto? Pare non avere la minima intenzione di smettere di parlare.

Parla di *The Real World* e del fatto che adesso sta facendo il salto e non lo ferma più nessuno, e lui è anche un *pony express di quelli in bici sai e c'era quell'incrocio e il motocross cazzo sì merda figa tosto e non mi ferma più nessuno.*

È con tutta probabilità la persona più disturbante che io abbia mai incontrato. Ha graffi su tutto il corpo, anche in faccia. Che possieda molti gatti? Difficile dire. Non smette mai di parlare. *Perché io facevo motocross un tempo e c'è qualche ragazza mica male nel cast ma sembrano tutte frigide e sì, ho un agente e feste figo cazzo sì cioè tipo cioè cioè va bene devo andare a presto d'accordo cioè cioè tipo.*

È fantastico e orribile. Magnetico e repellente. Ha occhi famelici. *Cazzo sì dovevi vedere porca troia pesissimo palle un casino rottura di coglioni.* Si alza la maglietta per mostrarci i suoi tatuaggi.

Ammazziamo il tempo nel parcheggio in attesa del nostro turno con Van Dongen. Kirsten, sempre lei la migliore, arriva per prima, poi Carla, e a seguire una gran confusione di stagisti e amici. Abbiamo coinvolto tutti quelli che conoscevamo.

Uno a uno entriamo nello studio, chiudendoci la porta dietro le spalle e rimaniamo soli con Van Dongen, il quale ci guida all'interno di una U di teli bianchi e ci fa cenno di toglierci i vestiti che abbiamo intenzione di togliere. Eseguiamo, e mentre siamo lì, senza sapere esattamente dove mettere le braccia e le mani, ci viene fatto di chiederci che cosa penserà dei nostri corpi. Non sappiamo che fare delle mani. Le teniamo lungo i fianchi, davanti ai genitali, dietro la schiena. Che ci puoi fare con le mani quando hai di fronte a te un obiettivo interessato a ben altro? Quando scatta, i flash posti davanti e dietro a noi guizzano insieme, e in quel biancore rimaniamo per un istante come congelati. Poi torna il buio. Di ognuno di noi scatta più o meno cinque foto, alcune frontali, altre di schiena – non possiamo permettercene di più – e poi abbiamo finito e apriamo la pesante porta dello studio alla luce del giorno, cento volte più intensa di quella dei flash. La luce di San Francisco in pieno giorno.

La gente che ha accettato di mettersi nuda ha la nostra approvazione. Abbiamo invece un'opinione inferiore di coloro che hanno opposto un rifiuto, dei molti amici che hanno detto di no. Li reputiamo non solo troppo casti, ma micragnosi, meschini, senza cuore e sostanzialmente senza fegato. Preferiamo quelli che posano, e ancora di più quelli come Moodie, Marny e me (e Puck), che si offrono di posare nudi anche se è improbabile che le foto vengano effettivamente usate. Nudi! Decidiamo che nudi significa ben qualcosa. Quelli che posano sono dei nostri, gente che vive con la medesima avidità vitale che noi stessi prediligiamo, gente che non sa dire no – con tutto questo come si potrebbe mai dire di no?

Nel parcheggio Puck comincia a spazientirsi. *Festa cazzo muoversi fighe sì motocross X9-45GV sbronza devo andare*. Mentre parliamo (o meglio mentre parla lui) un cagnolino arriva e si mette ad annusare di qua e di là. Giochiamo con la bestiola e scopriamo presto che, nonostante abbia un aspetto ben curato, è privo di medaglietta. Poco dopo Puck decide di tenerselo. Finito di posare, Puck e Judd se ne vanno, e nonostante le proteste nostre e di Judd, Puck acchiappa il cagnetto, che di sicuro appartiene a qualcuno del quartiere, e lo porta sul set di *The Real World*, dove si unirà al cast.

Poco tempo dopo, in occasione della mia unica visita alla casa, mentre gioco a biliardo con Judd vedo il cane, e gli altri membri del cast che ciondolano evidentemente senza aver niente da fare, anche perché il programma li ha praticamente chiusi in un angolo: sono stati scoraggiati dal lavorare (noioso), non possono viaggiare (non praticabile), né allontanarsi, per cui non gli resta che camminare dalla cucina al divano e parlare tra loro, in attesa di offendersi o essere offesi.

Quando riceviamo le fotografie, io e Moodie ci passiamo su ore e ore, le studiamo, tentiamo di capire chi è chi, ma dato che le teste sono state tagliate, non riusciamo immediatamente a individuare l'identità delle varie persone, neanche la nostra. Non siamo in grado di stabilire la differenza tra uno dei nostri stagisti e un tizio grande e grosso e peloso che si è presentato senza che nessuno lo avesse invitato. Non riusciamo nemmeno, con nostro grande imbarazzo, a stabilire la differenza tra Kirsten e Carla, che sono entrambe candide e magroline. Ancor più inquietante è il fatto che ci vuole un attimo anche per distinguere me da Puck – abbiamo gli stessi pantaloncini, la stessa corporatura, la stessa postura. L'unica differenza sta nei tatuaggi. Io non ne ho, mentre lui ne ha uno a forma di coniglietto, un'ape e un uccello. A ogni modo rimaniamo scioccati dalla variabilità delle persone, dalla stranezza dei nostri amici, di come quella donna con il seno grande tiri su il reggiseno, di quanto sia pelosa la schiena di quel tizio, di che forma strana abbiano le spalle di quell'altro, di quanto sia piatto il culo di quello là... È tutto alquanto strano. La varietà di malformazioni, gli inaspettati difetti, il prematuro cascare di carni, i fiori e i serpenti, i ciuffi di peli inguinali che scoppiano fuori da mutande e slippini e quella donna che anche con il seno di fuori, evidentemente da donna, continua a sembrare un uomo...

Questa gente.

Questa gente è un mucchio di *freak*!

Come se non bastasse, Toph crede di essere uno di noi. Pur avendo da sempre trascorso un sacco di tempo assieme ai miei amici e conoscendo Flagg, Moodie, Marny e tutti gli altri fin dalla più tenera età, ultimamente la confusione dei piani aveva raggiunto un livello decisamente inaudito e preoccupante. Anche se dal punto di vista della socializzazione pure a scuola non dimostrava di avere problemi, era di una pigrizia assoluta nel cercare di farsi degli amici della sua età. Il fatto è che non riusciva a credere alla quantità di stupidaggini che i suoi coetanei erano in grado di dire. Le ragazze erano decisamente senza speranza e i bambini erano appena un gradino più su. Per cui non esitava mai a frequentare riunioni di persone della mia età, né si dimostrava timido di fronte a nessuno, specie se i suoi interlocutori, anche sconosciuti, si mostravano in vena di discussioni appassionate. Non era perciò affatto strano, in occasione di uno dei barbecue organizzati da Marny, trovare Toph nel bel mezzo di quindici o venti persone sedute su un paio di divani sistemati a V, intento ad arringare i malcapitati sulle regole e le sottigliezze del gioco dei mimi, che non gli ho insegnato io ma che conosceva alla perfezione e poteva organizzare in quattro e quattr'otto. Anche in ufficio si dava per scontata la sua presenza...

Paul: «Ehi, Toph».

Moodie: «Ehi, Toph-Man».

... al punto che quando qualcuno di noi lo notava per quello che era, dovevamo fare come un passo indietro e sforzarci di vederlo per quello che era, perlomeno in superficie, ossia un ragazzino di prima media. Ovviamente, lui dal canto suo faceva una gran fatica a comprendere questo fatto, come non mancò di dimostrare un giorno che io e Marny stavamo tornando in auto dalla spiaggia. Stavamo discutendo di una delle stagiste che, avendo ventidue anni, era assai più giovane di quanto avessimo pensato all'inizio.

«Veramente?» disse Toph sporto in avanti, la testa che spuntava fra noi due dal sedile posteriore. «Pensavo che avesse la nostra età.»

«Oddio!» disse Marny scoppiando a ridere.

Gli ci volle ancora qualche secondo per rendersi conto di cosa aveva appena detto.

Mi girai verso di lui.

«Toph, tu hai undici anni.»

Lui arrossì e si buttò a sedere all'indietro. Marny continuava a sghignazzare.

Ma per quanto io desideri incoraggiarlo a mescolarsi di più con i ragazzi della sua età, temo che se viene coinvolto in altre situazioni cesserà di essere sempre disponibile ai miei bisogni. Che cosa farei se non avessi un Toph seduto in camera sua, pronto in qualunque momento, sempre disponibile a seguirmi nei miei vagabondaggi, a venir chiuso in un angolo e picchiato alle reni, a essere portato, come adesso, alla Berkeley Marina a giocare a tirarci dietro le cose? Non avere Toph sarebbe come non avere vita. Andiamo giù alla Berkeley Marina quando abbiamo voglia di vedere acqua e non abbiamo tempo di andare fino all'oceano. Si tratta di una specie di dito di terra che si protende diritta dentro la baia partendo dalla University Avenue. Passate le navi ormeggiate, i ristoranti e i locali, c'è un parco che corre parallelo, enorme e dolcemente ondulato, verdissimo e con radi alberi qua e là. È una specie di paradiso degli aquiloni, specie nella sua punta estrema che si sporge nella baia, sempre affollato di persone, ognuna con il suo aquilone, qualche ragazzo accompagnato dai genitori, ma perlopiù si tratta di aquilonisti semiprofessionisti, con i loro aggeggi chiusi nelle scatole, gli F-16 Tomcat con i comandi a due mani, altri con un sacco di dettagli e finestrelle e minuscole celle, altri ancora con complicatissime ali a sbalzo e code lunghe dieci di metri che saettano su e giù, sfrecciano verso terra fin quasi a toccare l'erba per poi schizzare di nuovo verso l'alto. E tutti hanno un'aria severa e compresa, come capitani al loro posto di comando.

Parcheggiano i loro camper e i loro furgoncini laggiù, proprio sulla rientranza che va a lambire la baia, quindi si siedono su seggiole pieghevoli a chiacchierare di marche di cordami, convention di aquilonisti, o di come possono mettersi meglio tra i coglioni, *magari proprio mentre cerchiamo di fare un lancio*, così da farci incazzare per bene. Quando andiamo a quel parco preghiamo sempre che non ci siano, ma questa volta, come del resto la maggior parte delle volte, sono al loro posto. Parcheggiamo e lasciamo le scarpe in macchina, quindi prendiamo la nostra roba, Toph con il suo...

«Ehi, un momento, non puoi indossare quel berretto.»

«Come sarebbe a dire?» dice.

«Abbiamo lo stesso berretto. Devi togliertelo.»

«Toglitelo tu.»

«No, tu. I miei capelli sono più strani dei tuoi.»

«Non è vero.»

«E invece sì. Tu hai i capelli lisci. Lo sai che faccia mi viene con i capelli schiacciati.»

«Peggio per te.»

«Cosa?»

«No.»

«Eddai. Per piacere.»

«No.»

«Toph.»

«Va bene.»

«Grazie.»

«Mongoloide.»

Arriviamo preparati, con una quantità di cose da tirarci avanti e indietro. Prima di tutto la palla da rugby, anche se il divertimento dura poco, perché Toph ha ancora le mani troppo piccole per maneggiarla come si deve. Poi è il turno della palla da baseball, con cui dobbiamo esercitarci parecchio perché la squadra in cui è adesso Toph è migliore dell'altra, e lui gioca con parecchi ragazzi più grandi, alti e forti, e così comincia a essere a mal partito, si ritrova indietro, ficcato in qualche punto estremo del campo, magari a destra, il che è un'umiliazione per entrambi, dopo tutti questi anni di lavoro. Perciò adesso proviamo a fare degli spioventi, anche se non troppo, per evitare di colpire gli aquiloni cancellandoli una volta per tutte dal cielo sopra di noi nel quale ballonzolano e svolazzano, le corde che fischiano sopra le nostre teste.

Toph manca la palla, e la manca perché sta facendo strani esperimenti e tenta dei giochetti.

«Ehi, lascia perdere le prese da basket, elegantone.»

«*Lascia perdere le prese da basket, elegantone.*»

«Succhiami.»

«*Succhiami.*»

Oggi giochiamo a imitarmi.

Posiamo i guantoni e giochiamo a frisbee, in attesa che una folla in delirio si raccolga intorno a noi. Qui non c'è lo spazio che c'è di solito in spiaggia o al parco su in collina, e il campo corto richiede una certa delicatezza per attenuare la forza bruta che solitamente imprimiamo ai nostri lanci, per cui ci diventano impossibili quegli alti, profondi, epici lanci per cui andiamo famosi e siamo giustamente acclamati. A ogni modo ce la caviamo, lanciando il frisbee tra i fili diagonali degli aquiloni, facendolo girare attorno ai passanti, ovviamente acchiappandolo in un numero imprecisato di modi, uno più fantastico dell'altro: tra le gambe (ma non come certi principianti), dietro la schiena (mentre saltiamo girando su noi stessi da sinistra a destra) e, dopo averlo fatto saltellare due, tre, quattro volte sulla punta di un dito, domandolo e facendolo rallentare fino alla presa con un dito solo. Siamo talmente bravi. Tutti concordano.

Di fronte a noi una coppia, lui nero e lei bianca, sta passeggiando assieme alla loro bambina di circa quattro anni dalla pelle color nocciola. La pelle della bambina ha una sfumatura assai più bella di quella sia della mamma sia del papà, ed è notevole per come è palesemente il risultato del mescolamento della pigmentazione dei genitori. Marrone e bianco fa marroncino, come se mescolare le pelli fosse un po' come mescolare i colori.

«Lancia, sfigato.»

«Ecco.»

Il lancio di Toph vira verso la famigliola e per poco non decapita le creatura. Il frisbee viene raccolto dal padre che lo rilancia come se fosse un ferro di cavallo. Poveraccio.

Il parco dà ricetto a combinazioni davvero innovative di persone. Ancor più di Berkeley in generale, è una specie di laboratorio, e si ha l'impressione che quest'area erbosa sia una specie di centro per lo sviluppo di tecniche sperimentali di creazione della gente, una sorta di capitale mondiale della coppia mista. Probabilmente metà delle coppie presenti è in qualche modo incrociata, perlopiù neri e bianchi ma anche asiatici e bianchi (anche nella versione meno comune di uomo asiatico-donna bianca) duetti bianco-latini, o asiatico-latini o nero-asiatici, con una spruzzata di lesbiche. Sembra di essere in un casting per la pubblicità di una banca – si prende uno di questo, due di quello, più una figura non tradizionale... «Dammi gli anni Novanta! Dammi il futuro!»

Incidentalmente, io e Toph, quanto a repertorio di battute, siamo nel bel mezzo di una fase sulla dubbia importanza delle razze. Non siamo sicuri di come sia cominciata, anche se di certo non a causa del maggiore e più responsabile di noi due, ma più o meno funziona così.

Io dico: *Il tuo berretto puzza di piscia.*

E lui: *Dici così solo perché sono negro.*

Segue risata.

Questo schema funziona adattato a qualunque situazione, per esempio con la sessualità ("Mi stai dando noia solo perché sono gay?") o con la religione ("È perché sono ebreo? È per quello?"). Oh, ci divertiamo un mondo, o almeno io sì, anche perché lui sa a malapena quello che sta dicendo. Ovviamente io sto bene attento a fare in modo che questi pezzi di bravura restino tra noi, e che ce li godiamo solo a casa, dato che tutta la vis comica andrebbe persa con i suoi compagni, i loro genitori, o ancora peggio, con la signora Richardson.

Dopo circa una mezz'ora di performance ad altissimo livello con il frisbee, ci riposiamo nel bel mezzo della zona aquiloni, sull'erba, osservando le code che saltellano e si inarcano. Il Golden Gate è proprio davanti a noi, sembra minuscolo, leggero, fatto di plastica e filo di ferro. La città, cioè la Città, cioè San Francisco, è ammassata e bianca e grigia a sinistra, la baia è piatta, blu, qua e là appena increspata, punteggiata da piume bianche di barche a vela e motoscafi con la loro striscia candida.

E all'improvviso mi viene un'idea: nuotare fino ad Alcatraz. Questa sì che sarebbe un'impresa, nuotare non da ma verso Alcatraz. Non sembra nemmeno poi così lontana. Forse mezzo miglio? È sempre difficile stabilire le distanze sull'acqua. Ma di sicuro potrei farcela, se il mare è tranquillo. A rana. Voglio dire, che cosa ci sarà mai di così difficile? Basta non farsi prendere dal panico e non stancarsi troppo in fretta, è tutta una questione di programmare lo sforzo...

E anche Toph lo farebbe, insieme a me, è chiaro. Questa sì che sarebbe bella, noi che facciamo la nuotata insieme verso Alcatraz. Sarebbe di sicuro una prima assoluta, due tizi che tranquilli se ne vanno a nuoto fino ad Alcatraz. Potremmo preparare insieme la cosa e non dire niente a nessuno, portare dei costumi da bagno e semplicemente tuffarci dalla scogliera e partire. Sarebbe fantastico, e sarebbe ancora più affascinante se vi fosse coinvolto anche Toph...

«Ahia. Cristo.»

Toph, annoiatosi del momento di pausa, ha cominciato a raccogliere i pezzetti conici di terra prodotti dal dissodatore e me li tira da una distanza di un paio di metri. Me li tira sullo stomaco, divertendosi a vederli rimbalzare, e accompagnando ogni lancio con una risatina.

Dato che dopo una ventina di lanci non gli sto ancora dando retta, comincia a tirarmi addosso delle piccole pigne. Però dispone di sole cinque pigne, perciò tutte le volte che le ha terminate gli tocca avvicinarsi gattoni con fare furtivo, ridacchiando, per recuperarle. Quindi arretra sempre sulle ginocchia fino alla sua posizione e ricomincia.

Reggo la cosa per tre round, quindi decido di somministrargli la punizione di cui è disperatamente in cerca. La quarta volta che si avvicina lo butto a terra e mi siedo sopra di lui. A quel punto si mette a piangere. Quando però lo libero salta su con una risata esclamando: «Bastardo!», dato che stava facendo finta di piangere, come del resto avrei dovuto sapere, perché lui non piange, non ha mai pianto – ma ora che l'ho lasciato alzarsi, gli ho dato il tempo e lo spazio per... Cristo, la mossa segreta. Ho orrore della mossa segreta. Toph arretra, prende lo slancio (anche se ancora in ginocchio) e quindi mi si getta contro, facendo la mossa in cui si dà una pacca al gomito e mi si lancia addosso. È una delle sue tre mosse. Ecco quali sono:

a) LA MOSSA DELL'OGGETTO VOLANTE: per questa mossa, la più comunemente impiegata, prende un oggetto, tipo una palla o un asciugamano o un cuscino, e me lo lancia contro con una sorta di studiato movimento a parabola. Poi, mentre si suppone che io sia stato distratto dall'oggetto che mi sta arrivando contro, mi si butta addosso immediatamente a seguire l'oggetto in questione, dandomi una spallata. L'obiettivo, si presume, è di causare dapprima disorientamento, per poi infliggere un colpo mortale.

b) LA MOSSA CON SCHIAFFO SUL GOMITO: questa mossa, quella che sta mettendo in pratica in questo istante, è più recente di quella dell'oggetto volante e ha anche meno senso. In pratica la mossa con schiaffo sul gomito è un attacco contro di me con il gomito destro puntato, nella medesima posizione che si assumerebbe aggredendo qualcuno con un coltello o per mostrargli la bua, e intanto lo si schiaffeggia rapidamente con la mano sinistra. Il significato di quest'ultimo gesto resta non meglio chiarito, a meno che non si tratti di una tecnica per distrarre l'attenzione dell'avversario, come nel caso della mossa dell'oggetto volante. Naturalmente, laddove la mossa dell'oggetto volante riesce almeno in parte, questa è destinata ogni volta a fallire miseramente, dato che non fa altro che focalizzare l'attenzione sull'unica arma plausibile, ossia il gomito stesso.

c) LA MOSSA CON SCHIAFFO ALLA CAVIGLIA: si tratta di una mossa molto simile alla mossa con schiaffo sul gomito, come sarà evidente a tutti, se non fosse che, in luogo dello schiaffeggiamento del gomito, prevede che la carica sia effettuata saltellando su un piede solo e tenendosi con una mano l'altro piede, di cui viene schiaffeggiata la caviglia. Tale manovra si commenta da sé.

In questo istante, dunque, mi sta venendo incontro, ginocchioni, schiaffeggiandosi il gomito puntato contro di me con il palmo sinistro, con un'aria da mutilato grave, incazzato e per giunta masochista. Non ho l'energia per farmi da parte in tempo, per cui lascio che mi atterri sulla schiena. Ben presto ci rotoliamo sull'erba, e in pochi secondi io lo inchiodo a terra sullo stomaco e gli piego le gambe all'indietro perpendicolarmente, le caviglie contro il retro delle ginocchia, premendogli i polpacci a mo' di schiaccianoci e provocandogli un tremendo, tremendo dolore.

«E allora» farfuglia, i polmoni schiacciati sotto il mio peso, «ti è... bastata la... punizzzz...»

«Bastata cosa?» dico, e a questo punto comincio a saltellargli sopra.

«Puni...»

«Come? Non capisco. Devi scandire bene.»

«Puniscio...»

«Scan-di-re.»

La gente ci guarda.

Mi alzo, come faccio di solito quando vedo che la gente ci nota fare la lotta in pubblico, dato che Toph ormai sta diventando grande e, visto che io ho una barba, come dire, piuttosto creativa, non vorrei che la gente pensasse quello che penserei io se vedessi un adulto seduto sopra un ragazzo, nel bel mezzo di un parco, intento a grugnire e sbuffare.

Quando comincia a fare buio e il popolo degli aquiloni se ne va per lasciare il campo a quelli del jogging, ce ne torniamo a casa.

Al nostro arrivo troviamo un messaggio di Meredith.

«Chiamami non appena ricevi questo messaggio» dice.

Chiamo.

«È John» dice. Ha appena terminato di parlare al telefono con John, e dice che aveva una voce strana, e le ha detto qualcosa a proposito di ingerire certe pillole che aveva lì sul tavolo vicino al divano, nel suo appartamento a Oakland.

«Cristo» dico, chiudendo la porta della camera da letto.

«Sì.»

«Perché ha chiamato te?»

«Ha detto che tu non eri a casa.»

«Credi parlasse sul serio?»

«Sì. Forse. Credo che dovresti andare da lui.»

«Dovrei chiamarlo?»

«No, vacci e basta.»

Raccomando a Toph di rimanere a casa.

«Chiudi a chiave.»

In un secondo sono in macchina.

Sono un eroe.

John non lo farebbe mai sul serio.

È solo alla ricerca di attenzione.

Oh, invece potrebbe farlo eccome. Potrebbe davvero fare la cazzata.

E sarà il traffico a ucciderlo. Sono le cinque. Ci sarà un casino pazzesco per strada, cazzo, cazzo. E se prendessi l'autostrada? No, no, peggio. Vado giù per San Pablo, in direzione sud, dritto come una spada, ma... perché diavolo devono essere le cinque? C'è la radio, bisogna accenderla, perché la radio va sempre tenuta accesa quando c'è di mezzo la guida ad alta velocità e a zigzag nel traffico. Ecco, è accesa. Ci siamo, qualcosa si muove. Bisogna aprire anche i finestrini. Ci si muove, finalmente.

Non lo farebbe mai. Perché avrebbe detto a Mer delle pillole se avesse avuto davvero intenzione di farlo sul serio? *Beccato*!

John da qualche tempo va da un nuovo analista, sta prendendo dello Zoloft e si sta comportando in modo sempre più distratto. Io e Meredith più volte abbiamo fatto i turni a stargli dietro...

«E tutta la mattina che vomito» dice.

Vomita sempre. Conati rochi, sembra che sputi bile, sangue, pezzi di fegato. Nessuno sa perché. Chiama, ha una voce strana, parla lentamente, a fatica.

«Dove sei?»

«A casa.»

«Chi c'è con te?»

«Nessuno.»

«E perché sembri sbronzo?»

«Sono le medicine.»

Giù per San Pablo. È quasi carino qui intorno, subito dopo University, con tutte le boutique e...

Sposta quella macchina, testa di cazzo. Sì, sì, proprio tu, spostati!

Da San Pablo a Oakland, edifici malmessi e sprangati, vuoti, simili a costruzioni di scena, bidimensionali... La radio sparata al massimo, Pat Benatar, ma guarda un po'. Pat Benatar.

Vai un po' avanti con questo camioncino, pezzo di merda del cazzo, vai! Vai, ho detto! Anche tu, col tuo maggiolino del cazzo! Figlio di puttana!

Ci sto mettendo troppo, troppo, troppo. Potrebbe essere già morto a quest'ora, morto, sì. Ma no che non è morto. Sta recitando. Vuole la mia attenzione, vuole essere compatito. È proprio senza spina dorsale....

Magari invece fa sul serio. Forse questa è la volta buona. Non posso credere di esserci ancora in mezzo fino al collo. Avrò un amico morto. Ho forse desiderio di un amico morto? Che in realtà desideri un amico morto? Un amico morto lo si può usare in parecchi modi e... no, no, non voglio nessun amico morto. Magari quello che voglio è un amico morto senza che nessun amico debba morire.

Arrivato a casa sua ho qualche timore a entrare. Suono il citofono? Non lo suono? Non mi apre, questo è certo. Non ho pensato a come diavolo entrare... Cazzo, adesso mi tocca andare su per la scala antincendio e magari rompere una finestra e... ma che cazzo dici, basta citofonare a qualcun altro, mongoloide... ma poi quelli mi chiedono chi è, e io cosa dico? Non gli dico certo che cosa sta succedendo... E perché poi non dovrei dire che cosa sta succedendo? Digli del tuo amico testa di cazzo e delle sue pillole! Non spetta e me mantenere i suoi piccoli segreti! Cazzo, cazzo, ma no, ecco, guarda, perfetto, una tipa sta uscendo, proprio in tempo, fantastico, mi infilo dentro, acchiappo la seconda porta e... non male la tipa, forse un po' troppo stile elfo, e ha un profumo... ma cos'è quel profumo? Oh sì! Jessica Strachan, prima media! Oh Jessica, ti devo richiamare, mi devo assolutamente ricordare... La donna elfo non è affatto male, a ben guardare, forse appena un po' troppo passata, ma...

Cazzo. Mi precipito su per i quattro piani di scale, faccio i gradini a tre a tre, rapido come un indiano e cristodiddio ha anche lasciato la porta aperta e quando mi proietto dentro sbatto anche la porta contro il muro per amplificare l'effetto drammatico e mi aspetto di trovare chissà che tragedia in corso, che ne so, del sangue o lui a terra che schiuma dalla bocca o il suo cadavere freddo e bluverdastrogrigio, magari anche nudo, ma no, perché nudo, poi? Non nudo... e invece eccolo lì, sul suo stronzo di futon, a bere vino.

Ma che gran testa di cazzo.

«Che cazzo stai facendo?»

Sorride. *Che cosa sto facendo?* Io lo odio, questo tizio.

O l'ha già fatto?

«L'hai già fatto?» sono sovreccitato dal viaggio e dalla corsa per le scale. «L'hai già fatto? Vaffanculo se l'hai fatto, fottuto succhiacazzi.»

Sul tavolo ci sono pillole varie sparse su una tovaglietta batik. Indico quel mucchietto come se fosse lì per dimostrazione, tutte belle in evidenza come caramelle in una boccia di vetro.

«Che cosa sono queste?» chiedo con il dito puntato. «Che cazzo sono queste?»

Alza le spalle.

Perlustro l'appartamento. Sono come un poliziotto, un segugio, un robot. Perlustro l'appartamento alla ricerca di cose malvagie, di indizi! Gli salverò la vita. Sono la sua sola possibilità di vita.

Vado in bagno, apro l'armadietto dei medicinali, rovescio tutto quanto con più furia del necessario, lancio in giro delle cose. Butto roba anche nella doccia. È divertente, a dire il vero. Mi imbatto in due boccette che hanno tutta l'aria di medicinali da ricetta. Ecco la prova! Balzo fuori dal bagno e mi avvicino a lui minaccioso.

«Che cosa sono queste?»

Sorride col suo sorriso del cazzo.

«Che cazzo sono queste? Sono quelle?» dico indicando il tavolo e poi nuovamente le boccette. Leggo l'etichetta. Zoloft. Ativan. Altra roba. Lo Zoloft so cos'è, ma l'Ativan non ho la più pallida idea di cosa sia. Forse un antiemorroidale...

«Va bene, d'accordo. Adesso ascoltami bene. O tu mi dici immediatamente che cosa hai preso oppure io chiamo la polizia, caro il mio testa di minchia.»

Testa di minchia? E questa dove mi esce? Non dico "testa di minchia" da anni. Forse dovrei trovare una parola più dura...

«Non ho preso niente» dice, ridacchiando, divertito dal mio atteggiamento. «Non agitarti. Non preoccuparti» dice in quello che a me sembra un esagerato stato di ubriachezza. Faccia di culo. «È tutto okay. Tranquillo.» Parla veramente così. Mi verrebbe da prenderlo a calci.

«E allora dove sono le altre?» dico indicando le pillole sul tavolo.

Mi fa una graziosa alzata di spalle, con le palme delle manine all'insù e tutto il resto.

«Vaffanculo. Io adesso chiamo la polizia. Ci capiranno qualcosa loro.» Cerco il telefono. «Dov'è il telefono?»

Il telefono è appeso al muro, John è sempre stato un tipo ordinato. Persino le bottiglie vuote sono disposte bene allineate nella dispensa, tutte in fila. Compongo il numero.

«Ferma, ferma» dice lui, improvvisamente agitato, strascicando il secondo "ferma". «Non ho preso nulla. Rilaaaassati.»

«Rilaaaassati?»

«Esatto, rilaaaassati.»

«E perché parli come un coglione?»

Fa un gesto come a indicare che ha bevuto, il gesto secco che indica l'inghiottimento di una dose di superalcolico, il genere di gesto che di solito si fa quando non si ha un bicchiere in mano. Ma dato che lui invece ha un bicchiere in mano, si versa tutto il vino sulla camicia.

«Pezzo di idiota.»

Guardo la bottiglia, è quasi vuota. È lì da solo a bere Merlot in pieno pomeriggio. Non ho la più pallida idea di chi sia la persona che mi sta di fronte. Ha gli stinchi pieni di lividi, i capelli come se si fosse appena alzato dal letto. Che razza di persona beve da sola al pomeriggio? E quel calendario con le tipe in costume da bagno! Io la polizia la chiamo comunque.

«Be', sai cosa, io la polizia la chiamo lo stesso. Non mi voglio sporcare le mani del tuo sangue.» (Ci manca questa.) Faccio il 911 e sento l'eccitazione percorrermi la schiena. È la prima volta che chiamo in vita mia. Pochi squilli e bum! Una centralinista. Ho tutto sotto controllo! Ho notizie da dare! Ho un problema da portare! Racconto alla centralinista di questo faccia di culo, e intanto mostro il medio a John. Le dico che potrebbe o non potrebbe aver preso le pillole. Probabilmente ha preso qualcosa, dico, per essere sicuro che mandino davvero qualcuno. Riaggancio e gli lancio il telefono.

«Stanno arrivando, idiota.»

Mi aggiro per la casa in cerca di nuovi indizi. La cucina. Spalanco gli armadietti, faccio cadere delle posate nel lavandino creando un fracasso da orchestra di cimbali.

«Ehi, che cazzo?» dice.

«Che cazzo cosa?» grido dalla cucina. «Che cazzo cosa? Che cazzo un cazzo, ecco cosa.»

Torno in bagno, guardo sotto il lavandino. Niente. Richiudo l'armadietto sbattendo le ante. Faccio più rumore che posso. Ne ho il diritto. Butto giù tutto, se mi pare. Mi aspettavo a questo punto di trovare qualcosa, che ne so, fucili, droga, lingotti d'oro. È fiction, adesso, pura fiction del cazzo.

Mi siedo a terra proprio di fronte a lui, dall'altra parte del tavolino in vetro e acciaio cromato. Sul piano del tavolo una foto dei suoi genitori, una brutta istantanea troppo ingrandita.

«Adesso ti pomperanno lo stomaco, coglione.»

Lui fa ancora la sua alzata di spalle così graziosa, con tanto di sorrisetto. Mi verrebbe voglia di schiacciargli la testa come un acino d'uva.

«Qual è il problema? Che vi siete lasciati?» dico senza pronunciare di proposito il nome di Georgia e segnando un punto a mio favore. «È perché vi siete lasciati. Non dirmi che è perché ti sei lasciato con una.»

«Come ti pare.»

«Cristo.»

«Vaffanculo, tu non hai idea di come ci si senta.»

«Di come ci si senta?» Di colpo mi viene in mente che questa potrebbe essere la nostra ultima conversazione. Può darsi che stia morendo, può darsi che le pillole lo stiano già intorpidendo, che lo stiano portando via. Dovrei essere più gentile. Dovremmo parlare di cose belle. Le gite in auto nell'Illinois centrale, tutte quelle miglia perfettamente in piano dove si poteva guidare a centoventi, centrotrenta all'ora, con i finestrini abbassati, e il mais non c'era più, solo campi grigi a perdita d'occhio, e ti pareva di arare il tempo, di essere un missile che tagliava la terra in due lasciando rovine piene di gratitudine al suo passaggio, ma allo stesso tempo ben sapendo, perché lo sapevamo, lo abbiamo sempre saputo, che in realtà, perlomeno nella prospettiva di chiunque altro, le cose non stavano così, che per le auto che ci venivano incontro non eravamo altro che un rumore rapido e intenso, un flash; visti dall'alto – anche un aereo da disinfestazione sarebbe bastato a restituire la giusta prospettiva – non eravamo né rumorosi né potenti né in grado di influenzare un bel niente, di lasciare rovine o di produrre rumore; non eravamo altro che una piccola cosa nera che arrancava su una strada nera capaci solo di emettere null'altro che un ridicolo ronzio, strisciando su una griglia piatta e terribile.

«E allora, dimmi un po' tu, com'è che ci si sente? Anch'io ho avuto i miei problemi di coppia, sai?» suggerisco.

«Non è quello. È questo il problema» dice puntandosi la testa con l'indice.

«Cosa?»

China in avanti la testa come se pesasse quintali. Ogni secondo che passa è più ubriaco.

Fuori un cane abbaia, come impazzito.

«Sono morti» dice.

«Chi?»

Si passa le mani nei capelli. Quanto dramma.

«È davvero un'idiozia.»

«E allora non posso...»

«Esatto. Non puoi.»

«Potresti venire stuprato su una montagna del Guatemala, potresti...»

«Potrei cosa?»

«Senti un po', questa faccenda che bevi da solo e tutto il resto, il vino e le pastiglie... È tutto un dannato cliché!»

Qualcuno bussa alla porta.

«Da questa parte.»

I poliziotti sono giganteschi. Fanno diventare la stanza minuscola, la riempiono di nero. Sono due; vogliono sapere qual è il problema. *Ma non lo sanno di già? Quello che smista i messaggi non...*

Quando arrivo alla parte in cui spiego che non siamo sicuri se abbia o non abbia assunto sostanze pericolose e indico John con il pollice...

Il testa di cazzo fa spallucce anche a loro!

Ma il suo sguardo ha assunto un'aria nervosa. Forse ha davvero preso qualcosa. Mi fa quasi pena, adesso. Lo vedo morto. Al pronto soccorso, con i dottori che gli fanno quella cosa con gli aggeggi elettrificati, quella che uno fa Energia! (thump!), il corpo rigido e vagamente pisciforme. Poi lo guardo. Gli stanno meglio i capelli così, un po' lunghi. Il taglio alla militare non gli donava. È quasi carino, adesso, il volto abbronzato...

E poi ancora da morto. Come in una di quelle cartoline olografiche che se le giri a destra vedi un'immagine e se la giri a sinistra ne vedi un'altra...

Gli sta dicendo che non c'è nulla di cui preoccuparsi e che stava solo bevendo un po' di vino.

«Non avete altro da fare, ragazzi?» gli chiede John.

Ma adesso sono io che voglio che succeda qualcosa. Voglio sfogarmi. C'è stato tutto questo accumulo di tensione e adesso qualcosa deve pur accadere.

John cerca di raggiungere la bottiglia di vino come per versarsene un altro bicchiere, proprio così, per bersi un buon bicchiere di vino. Uno dei poliziotti si ferma a guardare la scena, la penna in bocca, con un'aria talmente perplessa che il suo sguardo è quasi strabico. John si ferma, posa la bottiglia, e abbandona le mani in grembo.

L'altro poliziotto sta scrivendo fitto fitto sul suo taccuino. Il taccuino è minuscolo. Anche la penna è minuscola, a dire il vero. Entrambi hanno un'aria decisamente troppo piccola, sia la penna che il taccuino. Personalmente io li vorrei più grandi. Anche se in effetti, un taccuino più grande dov'è che te lo metti? Ci sarebbe bisogno di un portataccuino, il che sarebbe abbastanza fico, ma poi come fai a correre, specie con la torcia appesa e tutto il resto... Immagino che il taccuino sia piccolo in modo da poterlo sistemare nel cinturone regolamentare... Chissà se lo chiamano davvero cinturone regolamentare. Sarebbe una figata. Forse posso chiedere. Non adesso, voglio dire, ma dopo, magari.

John nel frattempo se ne sta seduto là con le mani intrecciate tra le ginocchia ossute come se fosse in attesa di una cartolina di San Valentino. Le trasmittenti dei poliziotti cominciano a ronzare, a parlare, capiamo da frasi smozzicate che gli infermieri sono in arrivo. Ci viene detto che John sarà portato via in ogni caso, per non correre rischi, e a quel punto tutto diventa abbastanza di routine. I poliziotti sono rilassati. Chissà quante volte hanno già visto questo genere di cose. Anch'io sono rilassato. Gli sto quasi per offrire qualcosa da mangiare. Do un'occhiata di là in cucina. C'è un vassoio con dell'uva. Vi andrebbe un po' d'uva, ragazzi?

Con un gesto improvviso e inaspettato John acchiappa le pillole sul tavolo e le inghiotte tutte in una volta.

«Cosa è successo?» dice uno dei poliziotti.

«Ha appena preso le pastiglie!»

«Quali pastiglie?»

«Quelle che c'erano sul tavolo.» *Ma cos'è, siete ciechi voialtri?*

«Che cazzo significa?» chiedo a John. Vorrei aprirgli la bocca e fargliele sputare una a una quelle pastiglie, come a un gatto che tiene in bocca un criceto, un bambino che ha inghiottito un giocattolo...

«Questa è stata la cosa più del cazzo che mi sia capitata di vedere! Adesso sì che ti pomperanno a morte lo stomaco!»

John chiude gli occhi.

«Coglione! Coglione!»

L'ambulanza arriva accompagnata da un'altra auto della polizia. Quando lasciamo l'appartamento John è su una barella, fuori è buio e l'intero quartiere sta esplodendo di luci rosse e blu che passano veloci sui muri delle case, disegnando graffiti lampeggianti.

Li seguo con la mia auto. Mi chiedo in quale ospedale andranno. Com'è che decidono? Non siamo diretti all'ospedale più vicino. Non sono mai stato nella zona in cui si sta avventurando adesso l'ambulanza. L'ambulanza va più piano di quanto dovrebbe andare un'ambulanza. O non sono granché preoccupati oppure John è già morto.

Mi fermo a un semaforo proprio accanto a un gruppetto di ragazzi. E se mi sparano? Mi trovo nella zona dove qualunque ipotesi diventa credibile. Non mi sorprenderei più di tanto, del resto. Terremoti, locuste, pioggia velenosa non sarebbero sufficienti a scuotermi. Visite di Dio in persona, unicorni, uomini pipistrello armati di torce e scettri, tutto è plausibile. Se questi ragazzi sono malintenzionati, hanno delle armi e vogliono sparare a qualcuno per un rito di iniziazione o per qualunque altra ragione per cui dei ragazzi di strada sparano addosso a gente come me, be', quello sarò io. Vetri che si spaccano, il proiettile che perfora l'abitacolo, e io non ne sarò sorpreso. Con una pallottola conficcata in testa andrò a sbattere contro un albero, e mentre sarò in attesa che mi tirino fuori dall'auto ridotta a un rottame, moribondo, non sarò preso dal panico, non griderò. Penserò, semplicemente: *Strano, era esattamente come me lo immaginavo.*

Mentre ci avviciniamo a Ashby, cerco di ricordarmi quell'indovinello sul ragazzo malato, e il dottore che non lo può operare perché il ragazzo è imparentato con il dottore oppure è il figlio del dottore e come può essere che... non mi ricordo un cazzo di quell'indovinello.

A un semaforo perdo l'ambulanza.

Quando arrivo all'ospedale il dottore, una donna con la coda di cavallo intorno ai trentacinque anni, si avvicina per farmi il punto della situazione, e a dire il vero ha un'aria stanca e assai poco compassionevole. «E così lei è un amico del grande attore?»

Chiamo Beth dalla sala d'attesa perché vada da Toph. Io devo rimanere fino a che non svuotano lo stomaco di John.

«Quanto ci vorrà?» chiede.

«Non so. Un'ora? Due?»

Mi siedo in sala d'attesa.

E, Dio, c'è quel tizio, Conan O'Brian, alla tv. Quel Conan mi uccide. Guardo la televisione piazzata all'altro capo della stanza, affollata di brutte sedie, con due bambini che fanno un baccano d'inferno, accompagnati dalla madre, una donna robusta. Sono così chiassosi che non riesco a seguire la trasmissione. Conan sta facendo una specie di parodia del *Live Aid*, e lui e Andy, la sua spalla, litigano perché Andy vuole fare la prima donna anche se non riuscirebbe a cantare neanche per salvarsi la sua, di vita. Riesco a stento a sentire cosa dicono per via delle urla dei bambini. Sposto la sedia più vicino allo schermo. Ecco. Entra Sting – ah, ecco, bella mossa, fare arrivare Sting a questo punto – e canta assieme a Conan e ad Andy. C'è anche il batterista di Springsteen, quello che sembra un postino a cui si è congelato il sorriso in faccia. Sghignazzo di gusto. È la cosa più buffa che io...

Vorrei avere carta e penna con me. (Sono dettagli che potrebbero tornare buoni.) Se ne potrebbe fare un racconto o qualcosa del genere. O forse no. Se ne è scritta di roba sui suicidi. Forse però io potrei includervi qualche elemento straniante, quello che pensavo mentre ci dirigevamo all'ospedale, che ne so, il tempo, l'indovinello del dottore, l'aver guardato Conan in tv. Quello, per esempio, è un buon particolare da inserire, ridere guardando la tv mentre di là stanno svuotando lo stomaco del tuo amico. Ma scommetto che è stato fatto anche questo. Forse anche in tv, in qualche telefilm tipo *Picket Fences*. Ma forse potrei spingermi oltre. Dovrei spingermi oltre. Per esempio, nel mio testo potrei dire di essere consapevole che cose del genere sono già state fatte, ma che non avevo altra scelta, perché *era andata esattamente a quel modo*. Ma forse, a quel punto suonerebbe un po' come quando il narratore, saturato dai media, non riesce a vivere delle esperienze se non utilizzando l'eco proveniente dalla televisione, dai film, dai libri eccetera, eccetera. Maledetti ragazzini. Tutto quello strepito comincia a diventare un problema seccante. Va bene tutto tranne che per questo cazzo di urli. Perciò un domani sarebbe meglio tralasciare questo dettaglio. Dirò solo che, trovandomi a vivere situazioni assai simili ad altre che ho visto già accadere, sono comunque in grado di comprendere il valore di viverle, per quanto orribili esse siano, visto che in seguito diventeranno materiale favoloso, specie se mi decido a prendere degli appunti, o adesso, sulla mano, con una penna presa in prestito al banco di accettazione, o quando torno a casa.

Forse ce n'è una in macchina.

Ma non sarebbe carino alzarsi e andare a prenderla.

Per cui, invece di lamentare la fine dell'esperienza senza mediazioni, io intendo celebrarla, godendo del simultaneo esperire di un evento e delle sue decine di risonanze nelle arti e nei media, le quali rendono l'evento non più dozzinale ma *più ricco* (aha!), visto che risulta assai più stratificato, di una profondità rigogliosa, senza per questo intorpidire o assorbire l'emotività ma, al contrario, rivelandosi edificante e ramificato. Per cui, in definitiva, a un primo livello c'è l'esperienza dell'amico e della minaccia di suicidio, poi l'eco del fatto che queste cose sono già avvenute migliaia di volte, poi la consapevolezza di questa eco, la rabbia dovuta alla presenza di questa eco, poi la sua accettazione e l'accoglienza di questa eco in quanto arricchimento, e infine il riconoscimento del valore di un amico che minaccia il suicidio e si fa fare una lavanda gastrica, sia in quanto esperienza di vita sia in quanto materiale per un racconto sperimentale o per un brano all'interno di un romanzo, senza contare poi il fatto di sentirsi superiori da un punto di vista esperienziale rispetto ai propri coetanei, specie a coloro che non hanno visto tutto quello che ho visto io, e io ne ho viste di cose. Un'altra esperienza che potrebbe venire buona tra le tante, insomma, come fare paracadutismo, viaggiare con uno zaino in spalla per l'Europa, o un ménage à trois.

Ma Dio, quei ragazzini ciccioni, ma guardali un po', che porcelli. Ma cos'è, una disfunzione genetica? Che schifo, l'esistenza di ragazzini ciccioni.

E poi potrei rendermi conto dei pericoli dell'autoconsapevolezza, intanto che mi addentro nella nebbia di tutti questi echi, attraverso le metafore miste, il rumore, nel tentativo di mostrare l'essenza, che è ancora lì, in quanto essenza, a dispetto della nebbia. L'essenza è l'essenza è l'essenza. L'essenza c'è sempre e non può essere articolata.

Può essere solo parodizzata.

Entro a fargli visita.

Ha un tubo che gli esce dalla bocca e un altro dal naso. Quello ficcato in bocca ha l'aria un po' troppo grossa, e tutta la situazione è alquanto indecente. Ha una faccia lattea e abbattuta, quasi che il tubo stesse risucchiando ben più che il contenuto del suo stomaco, quasi che stesse prendendo tutto, come una sorta di punizione. Dorme, sedato, chissà, forse gli hanno dato della morfina, il volto all'insù, inclinato verso sinistra, in direzione delle macchine. Mi pare che abbia le mani legate al letto.

Ha le mani legate al letto. I legacci sono spessi, neri, di velcro. Deve avere fatto resistenza o cercato di picchiare qualcuno.

Ha le gambe larghe, le braccia distese, la mano sinistra è ancora contratta, come se stringesse qualcosa che non c'è. Quelle gambette da pollo che si ritrova, piene di lividi a furia di sbattere contro i mobili, quando è sbronzo. E ha i piedi nudi. Fa troppo freddo per stare a piedi nudi...

E il pavimento non è pulito come dovrebbe essere.

Non dovrebbe essere più pulito? Dovrebbero pulire...

Potrei pulire io...

Questa scena l'ho già vista, in un certo senso, questa stanza, questa è la stanza dove è stata portata mia madre la prima volta per il sangue dal naso, l'hanno portata al pronto soccorso, la prima volta, l'hanno intubata, e poi le trasfusioni, e tutto quel sangue che le versavano dentro...

Ma questa stanza è più grande, troppo grande e bianca. Questo camerone enorme, separato dal resto del reparto, deve essere stato costruito per più di un letto. Ha un effetto drammatico perfino eccessivo, con quell'unico letto al centro della stanza e tutto quello spazio.

Me ne sto dall'altra parte della camera, incerto se toccarlo o meno, se avvicinarmi ancora un po'. Non fa differenza. Non lo saprà mai. È addormentato.

In una stanza del genere si potrebbe appendere qualcosa alle pareti. Sarebbe bello appendere dei poster, come fanno negli studi dei dentisti, qualcosa che puoi guardare mentre ti lavorano in bocca.

Però, a ben pensarci, magari tu sei lì che stai morendo, e l'ultima cosa che ti tocca vedere in vita tua è una stampa di LeRoy Neiman della serie Capolavori del 1983, e a pensarci bene sarebbe proprio orribile, anche se non è che sia qualcosa di particolarmente appropriato da vedere, prima di morire...

A meno che uno in vita non sia stato un patito del golf...

Meglio lasciarli bianchi, questi muri.

Appoggio una spalla e la testa contro il muro e resto a guardare per un po', un palmo premuto contro il muro bianco. Da bambino era talmente magrolino, sembrava sempre più piccolo degli altri e di qualche anno più giovane... eppure era un nuotatore eccezionale, eccezionale, in piscina e al mare, aveva una bracciata favolosa. Per un minuto, tanto per fare qualcosa, cerco di sincronizzare il mio respiro al suo, osservando il suo petto che si solleva e si abbassa, il resto del corpo in riposo, immobile, le mani a pugno, legate, e mentre diventa sempre più esangue guardo quella stupida testa di cazzo che dorme.

A un certo punto si alza. Si sveglia, è in piedi, si strappa i tubi dal naso, dalle braccia, assieme ai fili e agli elettrodi, a piedi nudi. Sobbalzo.

«Cristo! Che cazzo stai facendo?»

«Ma vaffanculo.»

«Che intendi dire, con vaffanculo?»

«Intendo dire vaffanculo, pezzo di merda. Io me ne vado.»

«Cosa?»

«Puoi andare a farti fottere, io non intendo essere un cazzo di stupido aneddoto nel tuo stupido libro.»

Sta frugando nei cassetti.

«Che cosa stai cercando?»

«I miei vestiti, testa di cazzo.»

«Non puoi andartene così. Sei sotto sedativi e tutto il resto.»

«Oh, fammi il favore. Posso fare quel cazzo che mi pare. Io vado a casa.»

«E io chiamo l'infermiera. Tu... Tu devi passare qui la notte, e io devo rimanere con te fino alle tre del mattino, almeno fino a che non dicono che sei fuori pericolo e che stai dormendo, e allora con il cuore pesante io torno a casa, da Toph, perché il dovere mi chiama. E poi vengo di nuovo domani a farti visita al reparto psichiatrico e poi...»

«Senti, pezzo di merda, puoi andare a farti fottere. Tutta questa faccenda è spazzatura del cazzo. Io dovrei starmene lì con i miei stinchi pieni di lividi e tutto il resto mentre tu fai la parte dell'amico premuroso, sempre disponibile, oh, come no, superresponsabile, mentre io invece sono il tipo perso che non vale un cazzo... Ascoltami bene, io non ne voglio sapere. Trovati qualcun altro per fare il simbolo di non so che cazzo, della tua gioventù devastata o chissà che altro.»

«Ascoltami, John...»

«E chi è John?»

«Tu sei John.»

«Io sono John?»

«Sì, ti ho cambiato il nome.»

«Ah già, certo. E come mai John, che non mi ricordo più?»

«Era il nome di mio padre.»

«Cristo! Per cui sono tuo padre, per giunta. Fanculo, fratello, quando è troppo è troppo. Tu sei veramente fuori!»

«Io sarei fuori? Io sarei fuori? Col cazzo che sono fuori!»

«Va bene, come vuoi, sono io quello fuori, io! Come ti pare. Ma non ti ho mica chiesto io di strombazzare tutta questa storia...»

«Ma che cazzo dici? Sei tu quello che ha fatto in modo di finire qui, prima di tutto! Mi stai venendo a dire che hai inghiottito una manciata di pillole di fronte a me e a due poliziotti e non volevi attenzione? Ma vaffanculo.»

«Ma questo non vuol dire che...»

«Sì che vuol dire.»

«Non è vero.»

«Senti, io ti do tutta l'attenzione che vuoi e te la sto dando da anni e anni, ti ascolto delirare ogni volta che hai uno dei tuoi cazzo di su e giù, sul fatto che non ti hanno preso in questa o quella palestra, e che ti sei lasciato con questa o con quella, e tutti i litigi con Meredith o chiunque altro... Voglio dire, non è che sia roba granché interessante, se proprio devo dirtelo, eppure ti ascolto e ti ho sempre ascoltato. Lo so che il tuo analista ti ha convinto che ti è toccata in sorte la vita peggiore del mondo – e non riesco ancora a credere che tu gli abbia detto che hai avuto un'infanzia di abusi, bugiardo del cazzo! – ma comunque devi sapere che l'attuale nucleo dei tuoi problemi, e questa faccenda del bere... è roba noiosa da morire. Noiosa, mi senti? No-io-sa. Tu stesso sei annoiato. E sei pigro. Voglio dire, non c'è cosa nella tua vita che non sia una noia: alcol, pillole, tentati suicidi. Voglio dire, nessuno prende più per buona roba del genere, da tanto che è noiosa.»

«E allora lasciala fuori.»

«Vabbè, non è noiosa fino a questo punto.»

«Tu sei veramente malato.»

«D'accordo. Ma questa roba è mia. Sei tu che me l'hai data. Stiamo facendo uno scambio. Io ti ho dato l'attenzione di cui avevi bisogno, ti ho tirato fuori, e tu passi tre giorni al reparto psichiatrico a dire quanto avresti voglia di rifarlo, e io sono quello che viene a sedersi al tuo capezzale e ti fa il predicozzo. Insomma, il punto è che con tutta la merda che mi tocca ingoiare per te, ecco finalmente quello che mi spetta, questa roba è mia, e tu, che hai fatto la parte dell'attore tragico tutto da solo, adesso devi rispettare il contratto, stare al gioco, tenere il passo. Adesso la metafora sei tu.»

Non parla. Ha in mano un paio di camici trovati in uno dei mobiletti. Li ributta dentro.

«E va bene. Mettimi nel tuo cazzo di libro.»
«Dici sul serio?»
«Si.»
«Non è che lo fai per me?»
«Che importanza ha?»
«In realtà nessuna.»
«Come vuoi. Allora io torno a letto, mi metto giù e tutto il resto. Devi legarmi di nuovo.»
«Faccio io.»
«E dammi dell'altra morfina, se non ti spiace.»
«Certo, certo, non c'è problema. Senti, apprezzo davvero quello che stai facendo.»
« Lo so, lo so. Passami quel tubo.»
«Ecco.»
«Grazie. Adesso sistema le coperte.»
«A posto.»
«Va bene.»
«Vedrai, sarà fantastico.»

John dovrà trascorrere tre giorni nel reparto di psichiatria. Mi ha chiamato e io lo sto richiamando. Il telefono squilla dodici, tredici volte. Risponde un uomo di una certa età.
«Pronto?»
Sussurra appena.
«Sì, pronto, c'è John?»
«Chi?»
«Una persona di nome John. Alto, biondino.»
«No guardi, al momento nessuno può risponderle.»
«Perché no?»
«Sono tutti in terapia e lo saranno per almeno un'ora. Io stesso ho dovuto lasciare la sessione per rispondere al telefono. Mi hanno chiesto di alzarmi e di rispondere al telefono.»
Ma non starò parlando con un paziente?
«Potrei lasciare un messaggio?»
Lunga pausa. «Non sono sicuro. Aspetti.»
Il ricevitore viene posato rumorosamente. Posso sentirlo penzolare dal cavo. Dopo un minuto o due, l'uomo riprende la cornetta, col respiro pesante.
«Va bene, credo di poter rischiare.»
Gli chiedo di dire a John che ho chiamato.

«Va bene, ha chiamato John.»
«No, *io* ho chiamato *John*.»
«Ah, ecco.» Si sta agitando. «È lei a chiamare John. La conosce? È un parente?»
«No.»
«È suo padre?»
«No.»
«Be' ma allora lei non può chiamare se...»
«Va bene, sono suo papà.»
«Non è vero. Lei ha appena detto che...»
«Guardi, non importa, richiamerò.»
«Oh, grazie!»
Ripasso più tardi nel pomeriggio.
Vengo accompagnato all'ingresso a firmare un registro. In fondo al corridoio c'è una stanza comune moquettata di blu, qualche divano qua e là e un piano da lavoro. Assomiglia un po' a un'aula delle elementari. John si trova dopo la prima porta a sinistra, a letto, steso su un fianco, le mani tra le cosce, in una stanza buia. Una coperta gli copre i piedi.
Mi siedo sul lato opposto del letto.
«Allora?»
«Lo senti questo odore?»
«Quale odore?»
«Non lo senti?»
«No. Che cos'è?»
«L'altro tizio della camera non è riuscito a trovare il bagno, stanotte.»
«Quale altro tizio?»
«Il mio compagno di stanza, l'anziano nero che sta là.»
«Oh.»
«È andato avanti tutta la notte. Si lamentava, bussava alla finestra, piangeva. Diceva: "Sto morendo, per favore, aiutatemi, sto morendo". Incredibile.»
«Stava morendo?»
«No, non stava morendo. Stava cagando!»
«Mi pareva che avessi detto che era alla finestra.»
«È esattamente quello che ho detto. Non riusciva a trovare il bagno e l'ha fatta là, in piedi davanti alla finestra.»
«Oh.»
«A quel punto ha smesso di fare casino e al mattino c'era merda

dappertutto. Gli era scesa giù per le gambe, dentro le scarpe, e per tutta la notte ha continuato a camminare su e giù per la camera...»

«Okay, va bene così.»

«C'erano impronte di merda sul pavimento e per tutto il corridoio.»

«D'accordo, ho capito. Perciò...»

«Perciò mi hanno trasferito in un'altra camera per un po'. Poi hanno pulito il pavimento e mi hanno rimesso qui.»

«Io non sento nessun odore.»

«Sì, hanno spruzzato deodorante o qualcosa del genere.»

«A dire la verità, c'è un buon odore qua dentro.»

«Mi hanno legato al letto.»

«Quando?»

«Per quasi tutto il giorno, dopo che sono arrivato.»

«Ah.» Vuole scandalizzarmi, o impressionarmi, una delle due. «È una procedura standard?»

«Mi ha fatto quasi andare fuori di testa, cazzo. Guardami le braccia.»

Mi mostra i polsi bluastri, scorticati.

«E guarda qui.»

Mi fa vedere le caviglie rosse, chiazzate.

«Cioè, non so, sei mai stato legato in vita tua?»

«Lasciami pensare.» Cerco di pensare a qualcosa di efficace da dire. «No, non sono mai stato legato.» Seguito da:

«Ma non ho neppure mai fatto finta di uccidermi.»

«Cosa hai detto?»

«Niente.»

«Vaffanculo.»

«Vaffanculo tu.»

«Pensi che non facessi sul serio? Tu e quella troia dell'infermiera. È stata una vera troia. Mi ha chiamato Martin Sheen.»

«Non somigli a Martin Sheen.»

«Si riferiva alla recitazione. Come in quella scena di *Apocalypse Now.*»

«Non l'ho mai visto.»

«No?»

«Non tutto quanto. Quella parte non l'ho vista...»

Lo osservo per un minuto.

«Assomigli di più a Emilio Estevez.»

Si solleva su un gomito per guardarmi in faccia.

«Non è divertente.»

«Lo so.»
«Mi hanno legato perché pensavano che potessi farlo di nuovo.»
«E perché mai lo pensavano?»
«Perché gli ho detto che l'avrei fatto di nuovo.»
«Ma non lo farai.»
«E perché no?»
L'uomo della cacca entra in camera. Ha la pelle violacea e grigiastra. Saluta con la mano. Siede per un minuto sul suo letto, lisciando le lenzuola con il palmo. Poi si alza strascicando i piedi.
John si sporge verso di me, parlando a bassa voce.
«Lo vedi come cammina? Lo fanno tutti, in questo posto. È la camminata alla Torazina.»
«Ah, ecco.»
«Lo sai che sono costretto a stare qui?»
«L'ho immaginato.»
«Stando così le cose, non potrei andarmene nemmeno se volessi.»
«Be', ecco...»
«Intendo dire, non è strano, se ci pensi, che della gente che nemmeno conosco possa impedirmi di andarmene? È bizzarro, anche solo a livello filosofico, non trovi?»
Concordo sul fatto che è bizzarro.
«Sono talmente stanco.»
«Anch'io» dico, forse un po' troppo in fretta. «Tutti siamo stanchi.»
«No, davvero, sono stanco» dice.
Rotola su un fianco, dandomi le spalle.
Vuole essere incoraggiato.
Gli poso una mano sulla spalla. Non ci posso credere che stia per obbligarmi a fargli la predica. Sono pazzo di rabbia per il fatto che mi stia obbligando a fargli la predica. E gliela faccio, raccattando i pezzi da tutte le volte che ho visto farlo in tv e al cinema. Gli dico che c'è tanta gente che gli vuole bene e che sarebbe distrutta se davvero un giorno lui la facesse finita, mentre mi chiedo, in un angolo del cervello, se poi le cose stanno davvero così. Gli dico che ha in sé un enorme potenziale, che ha un sacco di cose da fare, mentre dentro di me sono abbastanza convinto che non farà mai un degno uso né del suo corpo né della sua mente. Gli dico che tutti abbiamo brutti periodi, e intanto ce l'ho sempre di più con lui, con tutta quella messinscena, e l'autocommiserazione, e tutto il resto, quando in realtà ha tutto. Ha una totale autonomia, senza genitori o gente che dipende da lui, ha soldi e nessuna immediata minaccia di dolori o calamità. È al novantanove-

simo percentile, come me. Non ha veri obblighi verso nessuno, può andarsene dove vuole in qualunque momento, dormire dove gli pare, trasferirsi a piacere, eppure fa sprecare a tutti noi del gran tempo con questa roba. Ma me lo tengo per me, me lo tengo per un'altra occasione, e invece mi limito a dire solo cose superpositive e avvincenti. E se io non ci credo granché, in compenso ci crede lui. Mi faccio schifo da solo a furia di dire tutte quelle banalità, dato che le ragioni per vivere non sono certo spiegabili così in pochi minuti, seduti sul bordo di un letto in un reparto di psichiatria, eppure mi pare incuriosito dalle mie parole, il che mi spinge a pormi ulteriori domande sul suo conto, su come un discorsetto così melassoso possa convincerlo a vivere, sul perché insista a portare me e se stesso tanto in basso senza rendersi conto di quanto siamo ridicoli tutti e due, su quando esattamente gli si è rammollito il cervello, sul momento esatto in cui l'ho perduto, sulle ragioni per cui lo amo, sul perché mi preoccupo per una persona talmente debole e piagnucolosa, e su dove cazzo avrò parcheggiato la macchina.

VIII

NON RIUSCIAMO A FARE NULLA PER LA FACCENDA DEGLI ESCREMENTI SUL PAVIMENTO. Alla sede di «Might» abbiamo un problema di escrementi sul pavimento. La materia fecale in questione è strabordata dalla tazza del gabinetto sul pavimento di piastrelle, si è quindi insinuata sotto la porta e attualmente forma una penisola marroncina che si protende nella nostra zona di lavoro. Della qual cosa ci lamenteremmo, e ci daremmo anche da fare per porvi rimedio, se non fosse che non paghiamo più l'affitto. E del resto non possiamo chiamare nessuno a ripararlo perché, quattro mesi fa, il padrone di casa, in seguito all'ingiunzione di ristrutturazione antisismica, ha dichiarato l'edificio inagibile, e nessuno, tanto meno lui, sa che ci troviamo ancora qui. Tutti gli altri inquilini se ne sono andati, ma dato che nessuno ci ha informati formalmente della cosa, non ci è stato inviato alcun genere di comunicazione ufficiale in merito, e Randy Stickrod non è in città – a dire il vero non lo si vede in giro da un po' – abbiamo deciso di squattare allegramente.

A tutt'oggi non paghiamo i nostri collaboratori o il personale part time, e a dire la verità non paghiamo nemmeno noi stessi. E sebbene siamo abituati a usare la rivista come veicolo per porre domande che da tempo attendono una risposta – *Si può bere la propria urina? Quali generi di farfalle possono essere mangiate in totale sicurezza?* – gli occasionali guadagni cominciano a non giustificare il lavoro, il che è piuttosto deprimente. Siamo abbattuti. Siamo deboli. A Marny cola il naso ormai da due mesi. Moodie, che sembra preda di un caso cronico di mononucleosi, tiene ormai fisso sulla sua scrivania un barattolo esageratamente grande di vitamina C. Sopravviviamo solo grazie a un flusso ininterrotto di gruppetti di volontari e di stagisti. C'è Elliot, venuto via dall'Ohio per l'estate, che veglia su tutti noi. C'è Gabe, colombiano, che indossa gilè a torso nudo. Incontriamo e reclutiamo un tizio di nome Lance Crapo (pronunciato con la *a* lunga), erede a quanto pare di una delle più facoltose famiglie di coltivatori di patate dell'Idaho. Dal momento che tiene la camicia nei pantaloni e si offre volontario per curare gli aspetti amministrativi della rivista, in capo a un mese è nominato vicepresidente e direttore esecutivo. Presto arriva anche Zev Borow, appena laureatosi alla Syracuse University, e trasferitosi da New York a San Francisco per lavorare gratis per noi.

Come la maggior parte dei nostri giovani aiutanti, Zev ha più energie di quelle di cui abbiamo effettivamente bisogno. Lo spediamo a sbrigare commissioni, gli facciamo archiviare materiali. Non sappiamo più cosa fargli archiviare, finché Paul scommette con noi che riesce a fargli riordinare una scatola gigantesca di foto pubblicitarie che a dire il vero non ci servono, e tanto meno in ordine alfabetico.

Gli ci vuole quasi una settimana ma ne viene a capo, facendoci anche divertire e riuscendo temporaneamente a distrarci dal fatto che per molti aspetti stiamo cominciando a odiarci, con tutta la nostra frustrazione sulla nostra condizione di stallo, che si traduce nel modo in cui ci rivolgiamo l'uno all'altro – «No, guarda, mi sbrigo in un attimo, bello» – il disprezzo per noi stessi trasformato in arma di offesa contro gli altri.

In modo piuttosto appropriato, Zev, tipo decisamente svagato e immensamente ottimista, se ne viene fuori con l'idea per la nostra cover story: il futuro.

IL FUTURO: ARRIVERÀ?

È buffo cercare di pensare a che genere di cose potrebbero accadere nel futuro. Chi farà cosa? Che cosa succederà? Si tratta di domande assai difficili. Provate allora magari con roba più piccola, tipo il cibo e il futuro: che tipo di cibo mangeremo nel futuro? Avrà lo stesso sapore o un altro? Avrà la stessa consistenza? E i vestiti? Saranno più stretti o più comodi?

Abbiamo chiesto a un certo numero di esperti di darci le loro previsioni per il 1995 e oltre.

IL FUTURO DEL LAVAGGIO FINESTRE

di Richard Fabry, direttore editoriale del «Lavavetri Americano».

"Sempre di più la gente noterà gli attrezzi per il lavaggio professionale delle finestre... in fondo sono oggetti graziosi. Molti di essi sono in ottone e hanno un accattivante aspetto in 3D, quasi da oggetto d'arte."

IL FUTURO DELLE BEVANDE

di Susan Sherwood, direttore editoriale dell'«Analista organolettico dell'Arizona».

«In generale, la gente nel '95 berrà meno ma meglio.»

Zev scrive a William T. Vollmann, sollecitandogli delle previsioni per il 1995. Vollmann risponde rimandandoci la nostra lettera con un'annotazione vergata in matite colorate, con cui ci dice che contribuirebbe volentieri alla rivista ma che vuole essere pagato. Dato che noi non abbiamo mai pagato nessuno per nessun articolo, e abbiamo ancor meno soldi di quanti ne abbiamo mai avuti, gli chiediamo se per caso non ci si potrebbe accordare su una forma di compenso non pecuniaria. Ci risponde che va bene, e che vorrebbe i seguenti articoli: a) una scatola di pallottole Gold Saber calibro 45; b) un paio d'ore in una stanza illuminata e ben riscaldata in compagnia di due donne nude, per poterle ritrarre ad acquarello.

Zev va al negozio di armi sulla Second Street, mentre uno dei nostri aiuti part time, una barista di nome Michelle, si offre di posare e di trovare un'amica disposta a fare lo stesso. Vollmann arriva in auto da Sacramento a casa di Moodie, in compagnia di un amico che si mette a chiacchierare con lui in cucina, mentre Vollmann di là dipinge Michelle e la sua amica.

Aspettiamo la fine della sessione di ritratti dal vero per dargli la scatola di pallottole.

Il tormentone di questo numero è "venti ventenni", parodia di noi stessi e di un recente editoriale del «New York Times Magazine» che annunciava "trenta sotto i trenta", lista che includeva un sacco di gente di cui non avevamo mai sentito parlare e di cui mai avremmo più sentito parlare, a eccezione della cantautrice, lei sì notevole, Lisa Loeb. Cosa più grave, non comprendeva noi, e questo è stato piuttosto disturbante. Ecco la nostra introduzione:

Beccatevi questa: «Might» presenta venti giovani vagabondi, agitatori e fabbrica-soldi che la parola "pigro" non sanno nemmeno scriverla. Venti dei più eccitanti e modaioli ventenni rompighiaccio che abbiano mai indossato un paio di jeans usati e le Doc Martens. Venti ventenni che quello che hanno se lo sono guadagnato. Venti ventenni che sanno che essere giovani, divertirsi e bere Pepsi non è solo uno slogan. Venti ventenni a cui piacerebbe offrire al mondo una Coca-Cola, anzi sono già in fila al banco. I vostri venti, i miei venti, i nostri venti... i venti di «Might».

Nel nostro articolo tutti quelli da tenere d'occhio sono famosi, ricchi, attraenti, ben vestiti, e spesso e volentieri rampolli di altri famosi, ricchi, attraenti e ben vestiti. Il coinquilino di Moodie si veste da Lt. Sanders, figlio del colonnello Sanders. La nostra stagista più giovane, Nancy Miller, posa come Juliette Tork, figlia aspirante rocchettara di Peter dei Monkees. Ovviamente inseriamo un Kennedy (che chiamiamo Tad e ha avuto dei casini), una fotomodella senza cognome, un regista nero («Voglio creare favole per la gente nera»), un chassidico organizzatore di rave (Schlomo "Cinnamon" Meyer) e un rapper dell'Upper East Side (autore del singolo di successo *Troia parcheggiata in doppia fila*); per nessuna ragione in particolare, infine, decidiamo anche di sparare l'ennesimo missile addosso alla povera Wendy Kopp:

CINDY KHAN, 25 ANNI, FONDATRICE DI STREETS FOR AMERICA

Streets for America, un'idea nata dalla tesi di laurea di Cindy Khan ad Harvard, è oggi una corporation del no profit che vale miliardi di dollari. Attraverso l'inserimento di giovani laureati nei quartieri più pericolosi delle città americane, il programma intende rinnovare con facce giovani, menti aperte e ceppi altoborghesi i corpi di polizia. «I poliziotti normali hanno tutti un'aria stupida e sono brutti» dice la Kahn. «Era arrivato il momento di portare un po' di classe nelle file delle forze dell'ordine. Potete scommetterci che anche il più incallito criminale noterà la differenza, se la persona che lo ammanetta è ben vestita e ha un titolo universitario di prestigio, che so, da Yale.»

E ovviamente ce la spassiamo anche con Lead or Leave:

FRANK MORRIS E FRANK SMOLINOV, 29 ANNI, FONDATORI DI LEAD OR LEAVE!

Questi sono i due cervelli dietro all'associazione, politicamente neutrale ma politicamente influente Lead or Leave! L'organizzazione, che vanta "quasi 130.000 membri", in appena due anni è riuscita a produrre tre opuscoli e una spilletta. Ma non ha nessuna intenzione di riposare sugli allori. «Non perderemo tempo in pause pranzo di un'ora e mezzo o placide letture della newsletter della nostra associazione studentesca, fino a che ogni uomo e ogni donna della generazione X non abbia visto la nostra faccia in una rivista a tiratura nazionale» dice Smolinov. Cosa dobbiamo aspettarci, dunque? «Ciò a cui miriamo è un incarico governativo» dice Morris. «Ma a quanto pare Perot non si ricandiderà nel '96.»

Zev, invece, in una posa alla "chi, io?", imita Kevin Hillman, la cui scheda centra quasi in pieno il bersaglio:

KEVIN HILLMAN, 26 ANNI, SCRITTORE

«Fancazzista? Io no!» ride Hillman. E si può ben permettere di ridere. Il suo libro *Fancazzista? Io no!* ha dato la scalata alla classifica dei bestseller del «Times» fin dai primi di febbraio e non mostra segni di cedimento. Il libro consiste semplicemente nella trascrizione di una settimana di conversazioni tra Hillman e i suoi amici registrate per caso su nastro. «Non mi ero accorto che quell'affare era rimasto acceso per settimane e settimane, e quando poi l'ho riascoltato era così dannatamente reale!» Il mese prossimo Hillman sarà ospite assieme a Kennedy all'*Alternative Nation Weekend* su Mtv; nonché al Weekend di Celebrazione del Sospensorio da Pallanuoto.

Shalini posa con aria serena, vestita in abiti tradizionali indiani, come la liutista elettrica Nadia Sadique, "ugualmente versata nel liuto classico, country e slide". Due settimane dopo ci chiama il produttore di *Che fine ha fatto Carmen Sandiego*, un programma educativo del canale PBS.

Vogliono Nadia a tutti i costi nel loro programma.

Promettiamo di girare la loro richiesta all'agente di Nadia. Dopo breve discussione decidiamo che l'agente di Nadia sarà Paul. Colleghiamo il telefono a un registratore e Paul richiama il produttore.

PAUL Pronto, signor Meath? Sono Paul Wood Prince, l'agente di Nadia Sadique.

PRODUTTORE Pronto, certo! Mi hanno appena dato il suo numero. Come ha fatto a trovarmi?

PAUL Might Magazine.

PRODUTTORE Ecco, sì, abbiamo visto quella cosa su «Might». Conosce il nostro programma?

PAUL Sì.

PRODUTTORE Fantastico. Ecco, Nadia ci sembra perfetta come ospite, magari per suonare qualcosa. Naturalmente ad attirarci particolarmente è il fatto che suona il liuto.

PAUL (Silenzio.)

PRODUTTORE Vede, ci sta una specie di battuta, sotto. Ogni giorno, durante il programma, viene rubato un oggetto misterioso che si chiama l'"uto".

PAUL Ah già, certo. Uto.

PRODUTTORE Per cui, se potessimo avere la ragazza che suona il liuto, sarebbe davvero fantastico. Una specie di scherzo.

PAUL E poi lei è del Bangladesh.

PRODUTTORE Fantastico, a noi piace moltissimo la roba etnica.

Paul torchia Meath su date e compensi, e finalmente piazza la nostra finta Nadia nel programma in una puntata del mese prossimo (la imploriamo, ma Shalini si rifiuta categoricamente. Nadia non comparirà).

La copertina del numero mostra cinque ventenni da tenere d'occhio, tutti intenti a guardare oltre il bordo pagina verso un futuro più luminoso, sopra il quale sta scritto:

IL FUTURO È QUI E NON SE NE ANDRÀ!

Appena prima di andare in stampa, il proprietario dello stabile finalmente scopre che siamo ancora lì. Ci dà una settimana per sloggiare.

Ci trasferiamo dallo sfortunato magazzino al quinto piano di un edificio per uffici tutto in vetro, proprio nel mezzo della città. Il dipartimento promozioni del «Chronicle» vuole me e Moodie più vicini possibile per garantirsi servizi grafici alla velocità della luce, così ci ha permesso di trasferirci con loro, assieme a Shalini e «Hum», Carla e «bOING bOING», dandoci uno spazio di circa cinquanta metri quadri per 1000 dollari al mese, che io e Moodie riusciamo a pagare in scioltezza facendoci retribuire esageratamente per il nostro lavoro.

Ma la routine è cominciata. Le finestre non si aprono, e persino l'enorme disponibilità di battute su ebrei e mormoni non ci mette al riparo dalla marea montante della frustrazione e della decadenza.

Devo ammettere che Toph in questo è più bravo di me. La metà delle volte la mia va all'indietro, il che è in sé abbastanza esilarante, ma non è l'effetto cercato. Siamo impegnati in quel gioco in cui facciamo finta di lanciare una palla da baseball più forte possibile, avvitandoci al massimo, alzando la gamba e tutto il resto, e poi, all'ultimo minuto, invece di lanciarla davvero, ci facciamo scivolare la palla tra le dita, muovendoci improvvisamente al rallentatore, di modo che la palla si alza con una parabola alta e arcuata e una traiettoria sghemba e faticosa, come un pellicano senza un'ala. L'altro la prende e la rilancia nello stesso modo. Questo gioco sta andando avanti da circa mezz'ora.

I passanti in macchina chiaramente ci odiano. Rallentano quasi fino a fermarsi, esasperati all'idea che noi due giochiamo in mezzo alla strada. In un certo senso, questo indica che non hanno mai visto nessuno lanciare una palla da baseball per strada, magari ne hanno sentito parlare, ma non hanno mai immaginato che un genitore, al giorno d'oggi, possa non solo perdonare, ma addirittura sostenere e attivamente *promuovere* una simile pratica.

Ah, l'impagabile gente di Berkeley. Un uomo su una Volvo ci guarda come se stessimo scotennando un neonato.

In realtà stiamo perdendo tempo, dato che abbiamo un appuntamento.

Entriamo.

«Hai tu gli annunci?»

«Sì.»

«Hai tu la carta?»

«Sì.»

«Va bene, andiamo.»

Saliamo in macchina e partiamo.

Dopo circa un anno e mezzo di tira e molla, io e Kirsten ci siamo lasciati definitivamente, cosa decisa di comune accordo, accettabile per tutti, ma che purtroppo ha dato vita a una reazione a catena di eventi troppo orribile anche solo a dir...

Dunque, è successo che prima di tutto ci siamo lasciati, poi Kirsten ha deciso che si sarebbe trasferita in città, il che per me andava benissimo, visto che avevamo bisogno di stare un po' lontani l'uno dall'altra, e così sarei anche stato meno tentato di spiarla, punto da improvvisa gelosia, all'una del mattino di un sabato qualunque, nella certezza che fosse seduta sul divano di casa sua in compagnia di qualche tizio assai più virile di me. E tutto è andato alla perfezione fino al giorno in cui Beth, che ha appena finito il suo secondo anno alla facoltà di Legge, non ha deciso che, guarda un po', quello che le piacerebbe fare è, ma sì, trasferirsi da Berkeley, a pochi isolati di distanza da casa nostra, dov'era sempre vicina, a disposizione, pronta a offrire il proprio aiuto in caso di bisogno, e spostarsi in città, dall'altra parte della Baia, di là dal ponte, con tutta quell'acqua nel mezzo e tutte quelle miglia che ci separano da San Francisco, in una casa in condivisione con... Kirsten!

Kirsten ha addirittura chiamato.

«Non è fantastico?»

Poi ha chiamato Beth.

«Non è fantastico?»

No, non lo è. Io e Toph ci siamo ritrovati da soli. Tutto era perduto. Lasciato a me stesso per sbrigare qualunque cosa, cominciavo a perdere la presa a ogni piccolo intoppo, prendendomela poi con Toph, il quale silenziosamente assorbiva il mio stress, la mia rabbia e la conseguente infelicità regnante nella nostra casa, al punto che ha cominciato a esternare il desiderio di entrare all'accademia militare, dove avrebbe dato il meglio di sé e avrebbe imparato a collezionare teschi umani e scrivere lettere ai carcerati. Alla fine poi non è andata così male, e Beth faceva avanti e indietro da Berkeley quasi ogni giorno. Tuttavia, allo scopo di mitigare la tensione, con i pochi mesi che ci restavano prima che ci scadesse il contratto dell'affitto, le scuole secondarie concluse e le medie inferiori all'orizzonte, abbiamo deciso che l'unica cosa da fare era seguirle. Ci siamo messi così a cercare anche noi un appartamento a San Francisco. E lo stiamo ancora cercando.

Non abbiamo neppure idea da dove cominciare. Io ripiombo nel vagheggiamento di uno spazio aperto, tipo un enorme loft a sud di Market, con accesso al tetto, un sacco di spazio per mettere la roba, un lucernario e muri sui quali possiamo dipingere complicati murales che un giorno varranno milioni, saranno restaurati, rimossi con grande cura e quindi trasportati al Moma per entrare a far parte della collezione permanente. Quando però diamo un'occhiata al quartiere, dal Bay Bridge fino alla Missione, è desolante. Non un albero, ovunque cemento e gente vestita di pelle.

Una volta depennata quella zona, nessuno di noi sembra in grado di accordarsi sulla scelta di un quartiere adatto a noi.

La zona di Height? No, no, dice Marny. Droga, barboni, e tutti quegli orribili ragazzi hippie che chiedono l'elemosina.

Mission? No, io non lo farei, con Toph, dice Moodie. Droga, prostituzione, gang.

E quasi tutte le altre zone sono troppo lontane dalla scuola. Rispondiamo a un annuncio per un trilocale dalle parti di Dolores Park, anche se Paul ci informa che una buona percentuale dello spaccio cittadino si svolge sui suoi prati e che è proprio lì che qualche tempo fa hanno fatto fuori a colpi di arma da fuoco una coppietta, senza nessun motivo e in pieno giorno, mentre quei due poveracci se ne stavano tranquilli a prendere il sole.

I proprietari dell'appartamento sono due anziani gay che abitano dall'altra parte dell'edificio. L'appartamento è spazioso, ha i soffitti alti, il prezzo è buono, ha le pareti color malva e pervinca, ma per il resto va benone. Riempio il modulo, do tutte le informazioni necessarie, mento sul mio reddito, ho imparato a farlo benissimo, e più tardi scrivo una lunga lettera con la quale li imploro di darci l'appartamento e in cui sottolineo il fatto che siamo stati i primi, che siamo persone gentili e tranquille, oltre che tragiche e disperate, elette per vivere e soffrire ed educare. Vorrei quasi raccontargli del sogno che ho fatto nel dormiveglia la notte prima, in cui entravo nel flusso sanguigno di Toph, un po' alla *Viaggio allucinante*, e dunque ero nelle sue vene, e vedevo tutti gli strati di carne e le tonalità di rosso, malva e violetto, marrone e nero, e andavo sparato a una velocità esilarante, e c'erano cose che mi schizzavano di fianco avanti e indietro, dentro e fuori dai capillari, ma poi improvvisamente mi sono ritrovato in cielo e non sono sicuro a quel punto se mi trovassi o meno ancora nel corpo di Toph o se Toph dentro di sé contenesse anche il cielo, e c'erano i soliti strati di cielo e poi il bianco dell'atmosfera e poi lo spazio buio e silenzioso e, sotto di me, la rotondità del mondo. Mi pare che questa storia possa in qualche modo conquistarli, ma poi mi viene il dubbio che forse così gli fornirei più informazioni del necessario.

Vado in macchina fino alla copisteria più vicina per faxargli subito la mia lettera, così che al mattino la troveranno, la leggeranno al levare del sole e ci ameranno e smetteranno all'istante di considerare altri inquilini. Il mattino seguente chiamano.

«David?»

«Sì?» dico.

«Il tuo messaggio era molto carino.»

«Grazie.» Sollievo, sollievo. È fatta. L'aquila ha spiccato il...

«Ma in realtà stiamo cercando una coppia gay.»

Nel corso della lunga pausa che segue rifletto in tutta franchezza sulla possibilità di dirgli che io sono gay. *Come fanno a sapere che non lo sono? Vesto a tal punto trasandato?*

Sospiro e riappendo.

Cazzo, è incredibile. Con il mercato degli affitti di San Francisco alle stelle, in parte per via dell'arrivo di fanatici di *The Real World*, siamo trattati come la schiuma della terra. Veniamo dopo le coppie gay. Veniamo dopo le coppie sposate, dopo le coppie non sposate, dopo le coinquiline donne, dopo i coinquilini uomini. I padroni di casa non rispondono nemmeno alle nostre chiamate. Andiamo a vedere un appartamento con due stanze da letto luminose, proprio nel quartiere giusto, e sappiamo di essere i primi – siamo sempre i primi – e anche se il padrone di casa molliccio è a sua volta un genitore single, e anche se gli forniamo tutta la documentazione bancaria per provare che siamo perfettamente in grado di pagare, dà l'appartamento a...

«Chi?»

«Un dottore.»

«Ma c'eravamo prima noi.»

«Be', a dire il vero...»

«Ascolti, quando siamo venuti, lei ci ha detto che noi eravamo i primi.»

«Non ricordo di...»

«E invece l'ha detto.»

Siamo allibiti. Siamo scioccati, scioccati per il fatto che al giorno d'oggi due persone come noi possano essere discriminate solo per il fatto che uno di noi ha venticinque anni e un lavoro non meglio definito, guadagna 22.000 dollari l'anno e vive con il fratello di dodici anni che sulla carta paga metà dell'affitto.

Mentre prepariamo le cose in modo che Beth, che nel frattempo ha passato gli esami e sta facendo pratica nel secondo studio legale più importante di San Francisco, levi la pelle al padrone di casa molliccio, ci tocca anche un pizzico di fortuna. Una società immobiliare a pochi isolati dall'appartamento di Beth e Kirsten, sull'orrenda Union Street, si occupa anche di affitti, e quando passiamo le informazioni a un'agente, una tipa gentile alla Betty White, salta fuori che ha un appartamento da mostrarci. Si trova vicino alla scuola di Toph – altra scuola privata, altra borsa di studio – e sebbene non ci siano spazi verdi intorno e abbia un'unica finestra degna di questo nome, i soffitti sono abbastanza ariosi e l'affitto, anche se non basso e nemmeno a buon prezzo, è perlomeno proporzionale a quello che ci è stato chiesto altrove nella babele del mercato immobiliare della città (o meglio della Città). Riempiamo i consueti moduli, e dato che l'agente inarca un sopracciglio nel vedere le parole "libero professionista", "risparmi", "Previdenza Sociale", "tutore" e soprattutto "fratello di dodici anni", fornisco a lei e al padrone di casa quello che mi pare a tutti gli effetti il sigillo d'oro della legittimazione, ossia un numero di «Might» e la fotocopia di un articolo apparso su di noi su... su... «Newsweek»!

Man mano che il 1° di settembre si avvicina, le cose paiono sistemarsi; ho fornito una cauzione, ho noleggiato un furgone per il trasloco, e Toph è pronto a iniziare la scuola. Dal momento che i tempi sono strettissimi, abbiamo un solo giorno per traslocare, con l'aiuto dei nostri amici. Non ci è lasciato margine d'errore, dunque, ma siamo felici come pasque, come sempre quando troviamo una casa, quando riusciamo a risolvere il problema di trovare un posto dove vivere, in un quartiere sicuro, con due camere da letto, una lavastoviglie, un pavimento, dei muri intorno.

Il 28 di agosto, l'agente ci chiama. È desolata. Dice che c'è un problema. Le spiace talmente tanto, ma...

«Cosa?»

«Il padrone di casa vuole disdire l'affitto. Lui e la moglie sono rimasti profondamente disturbati da una certa cosa.»

«Cosa?»

«Qualcosa che hanno letto nell'articolo che gli hai dato. C'erano due cose, a dire il vero, una su quanto foste sporchi e l'altra riguardo a Gesù Cristo...»

Il padrone di casa, un tizio di nome Roger Simonian, e sua moglie, che non so come si chiama, hanno letto l'articolo di «Newsweek» e sono rimasti sconvolti dal seguente brano:

> Eggers e Moodie hanno avviato insieme uno studio di graphic design in un ex negozio famoso, dice Moodie, soprattutto per la prodigiosa sporcizia che vi regna.
>
> I primi numeri di «Might» elencavano le pubblicità nell'indice e contenevano finte errata corrige del tipo: «A pagina 111 della rubrica "Sintesi delle notizie religiose" abbiamo erroneamente affermato che Gesù Cristo era una sorta di protohippy sudicio e deviante. In effetti, Cristo era il figlio di Dio. Ci scusiamo con i lettori».

Che cosa mai aveva potuto sconvolgerli così profondamente? Allibito, spaventato e furente, insisto per incontrarmi con Herr Simonian. Accetta, per cui il giorno seguente mi ritrovo con lui in un ufficio; è un uomo intorno alla cinquantina, calvo ma con un orribile ciuffo di capelli proprio nel mezzo della grossa fronte rotonda; indossa un completo, ha occhi piccoli e mani grassocce. Siamo nell'ufficio dell'agente immobiliare, seduti l'uno di fronte all'altro su poltrone di pelle. Mi guarda, mi annusa.

Mi dice che in effetti è stata sua moglie a sentirsi turbata dal brano in questione. Facendo del mio meglio per contenermi, cerco di spiegare l'intento satirico dietro l'iniziativa, e illustro il fatto, tanto perché sia chiaro, che non sono stato io a dire o scrivere quelle cose, né sono stato io a definire Lake Forest "l'utopia da incubo del Wasp" (questa è di Moodie). A ogni modo, dico, si trattava di battute innocue, motti di spirito, iperboli, buttate là senza riflettere da gente ignorante, ragazzini incasinati in cerca di denaro facile.

Quindi decido di darci dentro con la situazione mia e di Toph, la prospettiva di trovarci all'improvviso in strada, senza fare menzione, almeno per il momento, della quasi inevitabilità, nel caso a questo punto delle trattative decidesse di negarci l'appartamento, di un'azione legale da parte di Beth da fargli schiantare le ossa e saltare i suoi organi merdosi. Mi ascolta appoggiato allo schienale della poltrona in pelle.

«Al momento» mi dice «l'edificio gode di un'alchimia estremamente positiva, essendo abitato da un gruppo di giovani molto gentili e che vanno d'accordo tra di loro. Mi preoccupo di come lei potrebbe riuscire a integrarsi. Vede, non vorrei inserire nel gruppo un elemento... ecco, contro il sistema, e rovinare tutto.»

Mi chiedo se in vita mia ho mai sentito usare l'espressione "contro il sistema". Non sono sicuro di che pensare. *L'ha detto veramente?* Forse dovrei semplicemente alzarmi e andarmene sghignazzando? *Non riesce a capire che sono il comune denominatore?* E poi, siamo sicuri di voler vivere nella casa di un uomo che non esiterebbe a lasciare due orfani in strada due giorni prima del trasloco? Dovrei affaticarmi a cercare di convincere questa specie di gnomo ciccioso che io non sono quello che lui pensa?

(Elemento aggiuntivo: indosso pantaloni color kaki, camicia bianca con colletto abbottonato e giacca sportiva, tutte cose trovate nelle scatole e lavate e stirate per l'occasione.)

Mi tocca così trascorrere i successivi dieci minuti a spiegare nei minimi dettagli *quanto io e Toph siamo "pro-sistema"*. Andiamo, dico io, Lake Forest. Nostro nonno era medico. Mai sentito? E i McSweeney di Milton, Massachusetts, gli Hawkins di Hollister, che sono poi i fondatori della città *a solo un'ora a sud da qui*? E i Tick di Hillsborough? Quelli sì che hanno soldi! Hillsborough! Continuo a far nomi di famiglie e città, e il lucertolone se li scrive pure su un taccuino, e gli dico che mio padre è cresciuto a Greenwich, menzionandogli tutti i posti in cui i nostri parenti hanno vissuto e dai quali adesso siamo così lontani che al solo nominarli mi sento disperatamente insincero. Eppure vado avanti a enumerare redditi e risparmi e avvocati in famiglia, prometto la cauzione con tanto di garanzia, firmatari eccetera, ben sapendo che se non lo faccio ci ritroveremo a dormire da Beth e Kirsten, sul divano o sul pavimento del salotto, per almeno un mese, e poi litigheremo, e Toph si sentirà come uno zingarello, sarà emarginato a scuola, e da grande ucciderà gattini appena nati mettendoli dentro i sacchi della spazzatura e sbattendoli contro i muri.

Ci dà la casa.

E così ci piazziamo a San Francisco. Improvvisamente ci ritroviamo a cinque minuti di bicicletta dalla spiaggia, da Baker Beach, ondulata di dune, con il Pacifico a sinistra e il Golden Gate a destra, a pochi isolati dal Presidio, soffocato dai pini e dagli eucalipti, di recente demilitarizzato ma tutt'altro che in abbandono. Lo attraversiamo in bici, piccola città fantasma di stucco bianco e legno sullo sfondo di un verde parrocchetto, sparsa qua e là a casaccio su quella che di certo è una tra le proprietà immobiliari più care al mondo. La zona del Presidio è semplicemente assurda, con le sue zone di foresta vergine e i suoi trascurati diamanti da baseball accanto a ville del valore di miliardi, ma del resto San Francisco stessa non ha nessuna logica, città costruita di pongo e bastoncini, Vinavil e carta colorata. Sembra opera di fate, di elfi, di bimbi felici con una scatola di pastelli nuovi. Perché non rosa, viola, nei colori dell'arcobaleno, in oro? Di che colore facciamo una pista ciclabile lungo la 16th Street, vicino all'autostrada? Color prugna? Ma sì, color prugna. E quella luce così forte e diretta che anche gli angoli ne sono illuminati in pieno e il riverbero del vetro fa male agli occhi, e poi pilastri e contrafforti, resti di strade, maniche a vento multicolori e una sorta di sovrabbondanza sensuale nel fogliame. Solo di tanto in tanto si ha la sensazione di trovarsi in un posto dove la gente abita e produce, un luogo dotato di strade funzionali e di edifici costruiti secondo la logica del buonsenso. Perlopiù si ha l'impressione che si tratti di una questione di immaginazione fervida e di fede. Anche solo andare o tornare in auto da casa di Marny, nella Castro Valley, è un'esperienza epica, con tutte quelle colline – Dio, la desolata piattezza dell'Illinois! – e la vista, e poi ancora e sempre colline e curve e i "E se mi si rompono i freni?", e i "E se si rompono i freni a qualcun altro?", in una sorta di avventura continua in un technicolor sbiadito, con un ampio cast di individui improbabili dagli abiti sgargianti. C'è sempre qualcosa di intrinsecamente tipico di San Francisco che finisce ogni volta per rafforzare l'opinione che uno si fa della città, anzi della Città, come dicono quelli di qui: i senzatetto che se ne vanno in giro in costume da bagno, camminano a testa in giù sulle mani nel mezzo della strada, cagano ovunque senza vergogna, anche presso gli incroci più affollati e senza che nessuno dica nulla; attivisti che tirano panini ai poliziotti durante le dimostrazioni, ciclisti a cui è praticamente permesso di fermare il traffico di Market Street ma che vengono arrestati se tentano di attraversare il Bay Bridge. La prima volta che visitiamo Height Street, un uomo malfermo sulle gambe, con una ferita alla testa che sanguina abbondantemente, ci passa accanto, seguito subito dopo da un altro tizio urlante, anch'egli ferito alla testa e che impugna una racchetta da tennis. Ovunque sono innumerevoli i segni e le testimonianze delle questioni che stanno a cuore ai suoi abitanti, e che vengono considerate degne di dibattito, non ultime l'uva e lo zucchero granulare, il traffico cittadino, gli skateboard in centro, i tunnel attraverso Marin. I segnali stradali recano correzioni del tipo

STOP
ALLE MACCHINE

STOP
ALL'ESECUZIONE DI MUMIA

Gli autobus sono alimentati da fili, cavi e roba del genere, e trovarseli davanti alla macchina spesso significa doversi adeguare ai loro tempi e avere roba da leggere a portata di mano, dal momento che non stanno a lungo attaccati ai loro fili o cavi. Da un istante all'altro ci può essere una scintilla, il che significa che l'autobus si fermerà e il guidatore scenderà, camminerà fino al retro dell'autobus e si metterà a strattonare il cavo con un gran sorrisone, oh ah ha, tanto, alla fin fine, non è che nessuno abbia una gran fretta di arrivare da nessuna parte, qui, e tanto meno quelli che prendono l'autobus.

Ci sono gemelli di otto anni che piantonano Union Square, e vicoli che puzzano di piscio, e poi il ghetto dei teenager a Mission e giù a Height – «Ehi, fratellone, non è che me ne dai un morso, di quella pizza?» – e le strade, aperte sul Pacifico come gallerie del vento, che soffia giù per Geary, attraverso Richmond, fino ad aggredire la finestra della camera di Toph rivolta a ovest.

Nel nostro nuovo appartamento il grado di scivolamento su calza è buono. La pianta della casa è lunga e stretta, e c'è un corridoio che mette in comunicazione tutte le stanze, e dato che il suddetto corridoio ha il parquet ed è lungo circa una decina di metri, tenendo aperta la porta che dà sulle scale riusciamo a prendere un metro circa di rincorsa, per cui con quel metro più altri quattro o cinque per prendere velocità, è possibile giungere a svariati metri di scivolata di buon livello, e anche oltre se anche la porta di Toph è aperta e se si sposta la sedia dalla sua scrivania.

A parte questo l'appartamento è una sola.

La mia finestra affaccia sulla camera di alcune persone anziane che se ne stanno sedute tutto il giorno al balcone ad abbeverare i fiori e a osservare il nulla, o meglio la mia finestra, mentre gli altri due appartamenti del mio edificio sono occupati da orribili, rumorosissimi teste di cazzo, uomini e donne stile associazione studentesca universitaria. I muri della casa sono sottili come ostie e non attutiscono i suoni, anzi li amplificano, di modo che siamo in grado di sentire il rumore di ogni singola porta che si chiude, ogni singolo messaggio lasciato sulla loro segreteria, ogni sveglia, ogni canzone (rigorosamente di Hootie and the Blowfish) e ogni programma televisivo (*Friends*) guardato dagli abitanti della casa. In qualunque giorno, in almeno uno degli appartamenti c'è una festa, una cena o almeno una doccia che va, oppure... Buon Dio, non riusciamo a capacitarci di che razza di gente sia questa. Improvvisamente mi sembra di essere tornato a scuola e di essere il coordinatore di un dormitorio. Li scongiuro. Busso alla porta del mio vicino e un tizio grande e grosso con i capelli rossi di cui non ricordo mai il nome, apre sapendo che sto per lamentarmi e mi osserva con gli occhi socchiusi, mi ascolta, chiude la porta e ovviamente non fa nulla. È incredibile come questi tizi non si curino minimamente di noi e dei nostri bisogni di gente inviata dal cielo, avente una serie di particolari esigenze. Ci aspetteremmo speciale considerazione, acque che si separano al nostro passaggio, e invece questa gente è così aggressivamente indifferente a noi, che mi riduco ben presto a lasciare degli inutili bigliettini sotto le porte.

> Ragazzi,
>
> sapete anche voi quanto sono sottili i muri in questa casa. Posso sentire tutto quello che succede in ogni appartamento, compresa la tv ogni volta che l'accendete. Ovviamente non ho problemi sul fatto che guardiate la tv, ma per forza a volume così alto? Inoltre, ogni volta che vi divertite, cercate per favore di tenere a mente che fate divertire anche noi. Il rumore è tale che non riesco a lavorare (lavoro spesso la sera a casa), ed è altrettanto impossibile per mio fratello fare i compiti. Ragazzi, per noi è dura abbastanza senza che....

Nulla cambia. Anzi, diventano tutti ancora più rumorosi, nell'intento, presumiamo, di costringerci ad andarcene. Esasperati, decidiamo di reagire. Teniamo lo stereo acceso a palla in qualunque momento per coprire il rumore che arriva dall'appartamento di fianco o di sopra, giochiamo a basket in casa, a volte ce ne andiamo per ore lasciando tutto acceso e rivolgendo gli altoparlanti contro i muri.

Toph è l'unico nella sua scuola che vive in un appartamento. La maggior parte dei suoi compagni di classe abita nelle vicinanze, in case vere e proprie, enormi e bellissime, dalle parti di Presidio Heights, con tanto di camera per la domestica, vialetto d'ingresso, garage. Quando do un'occhiata all'elenco degli studenti e vedo il numero civico 4 accanto al nostro indirizzo, vorrei quasi chiamare la scuola e chiedere di cancellarlo. Toph ha iniziato la prima media e, a parte un unico insegnante che sembra ritenere assolutamente necessario chiedergli almeno una volta al giorno *come sta*, tutto funziona regolarmente e lui è diventato subito popolare tra i compagni. Nel giro di un mese è stato invitato a tre *bar mitzvah*, due feste di compleanno e a vari altri eventi, e io sono davvero sollevato, anche se mi ammazzo a portarlo in auto a destra e sinistra, per tutta questa attività e popolarità che evidentemente serve a mitigare lo shock del trasferimento.

Un giorno lo porto a casa di una ragazzina della sua classe. Quando vado a prenderlo, tre ore dopo, lo trovo scosso, smarrito.

C'è stato il gioco della bottiglia.

«Veramente?» dico. «Il gioco della bottiglia? Non avevo idea che esistesse ancora, non ricordo nemmeno se io ci ho mai giocato.»

È stato circondato. Erano lui, un altro ragazzino e sei ragazze: l'hanno intrappolato, messo con le spalle al muro. Era quello nuovo e se lo sono conteso.

«E dunque ne hai baciata qualcuna?»

«No.»

«No? E perché?»

«Perché le conoscevo appena.»

«Be', d'accordo, ma...»

«Non me la sentivo.»

Non so cosa dire. Una parte di me, anzi, la maggior parte del mio essere, vorrebbe trascorrere le prossime due o tre settimane a parlare di questo episodio, non solo spremendogli ogni dettaglio dell'accaduto, grondante come sono di curiosità, ma anche lasciandosi travolgere dalla tentazione di dirgli quanto è stato *fighetta*. Soppeso con attenzione le mie opzioni, dal momento che sono un maestro di strategia, e decido che il solo modo di ottenere delle informazioni è quello di aggiungere sfumature il meno possibile ridicole alla conversazione. Sto bene attento anche a non proiettare su di lui i miei rimpianti personali, le occasioni mancate, le ragazze non baciate, i balli della scuola sfumati, e il fatto che non vorrei mai che lui patisse gli stessi rimpianti, o comunque rimpianti di nessun altro genere. Mentre torniamo a casa discutiamo i vari aspetti della serata, e anche dopo, seduti sul divano, lasciamo passare abbondantemente l'ora in cui di solito va a letto, guardando alla tv *Saturday Night Live* e facendo tardissimo.

«Erano carine?»

«Credo di sì. Qualcuna. Non so. Un paio di sicuro non erano le più belle del villaggio.»

Sono emozionato da questa sua apertura sull'argomento, e spero di non rovinare tutto, dato che credo si tratti della prima volta in cui mi parla di queste cose, perché in genere io in queste situazioni ridacchio e faccio battute e di conseguenza lui di solito finisce col rivolgersi a Beth.

Ma Beth ultimamente è occupatissima con il suo lavoro e la vediamo sempre meno, il che è sì un problema, ma non come lo sarebbe stato un anno fa. Toph a questo punto ha un'età per cui sento di poterlo lasciare da solo per qualche ora, e visto che abitiamo a pochi isolati di distanza, può andare a scuola a piedi. Lo accompagno in auto le prime volte o quando è decisamente in ritardo, altrimenti, dato che spesso faccio le tre davanti al computer perché devo rifare il mondo, dormo per tutta la mattina. Lui si sveglia, si prepara il pranzo, fa colazione davanti ai cartoni animati, e poi, quando sta per uscire, io spesso, be', diciamo una volta alla settimana, alzo la testa dal cuscino quel tanto necessario per riuscire a dire:

«Ehi.»

«Ehi.»

«Come va?»

«Bene.»

«Sbrigati o arriverai in ritardo.»

«Lo so.»

«Che cosa hai mangiato?»

«Waffles.»

«Frutta?»

«Una mela.»

«Davvero?»

«Sì.»

«Come vai a scuola?»

«Bici.»

«La catena è ancora rotta?»
«Sì.»
«Mettiti il casco.»
«Va bene.»
«Mettitelo!»
Settimane fa gli si è incastrata o rotta la catena – l'abbiamo fatta riparare due volte ma in capo a pochi giorni è ritornata al suo stato di assoluta e inutile immobilità – e da allora si arrangia con una sorta di scivolamento fino a scuola: senza sedersi sul sellino, tiene un piede su un pedale e con l'altro si spinge, usando la bici come se fosse uno skateboard o un monopattino. Mi aveva descritto la tecnica, ma non avevo mai avuto l'occasione di vederlo metterla in pratica fino a che un giorno, dopo che era già uscito, mi ero alzato per andare a pisciare e tornando a letto avevo notato che si era dimenticato il pranzo sul tavolo. Gli sono corso dietro ma se n'era già andato, per cui ho preso la macchina e sono partito a tutta velocità non aspettandomi di raggiungerlo, e invece a un certo punto eccolo lì, sparato verso il semaforo successivo, tra California e Masonic. Era uno spettacolo incredibile. Faceva il suo strano giochetto con i pedali e la spinta con il piede, seduto di traverso sul sellino e sembrava uno scherzo, dato che nessun bambino normale andrebbe in bici in quel modo. Ovviamente non aveva il casco. Avevo suonato il clacson, facendolo fermare a un angolo.
«Il tuo pranzo.»
«Oh.»
Ero troppo stanco per sgridarlo per il casco.
Il più delle volte mi sento mostruosamente colpevole, e in cuor mio so che è per il fatto che non gli preparo la colazione e non lo porto a scuola in auto, ragion per cui un giorno si metterà a spellare conigli e si divertirà con balestre e pistole sparavernice. Anche se in effetti, a confronto con altri genitori, mi sento il dottor Spock. Prendi per esempio quel compagno di classe di Toph, figlio di una donna divorziata. Un pomeriggio una quindicina di noi, più o meno genitori, si ritrova a Marin Headland, ognuno in piedi accanto alla propria auto, in attesa dei ragazzini di ritorno da una gita di due giorni. La madre in questione, una donna con un'abbronzatura color cuoio, lunghi capelli biondi, rossetto rosa, una lunga maglietta da rugby e fuseaux, si dilunga a spiegare, con gran gesticolamenti e assoluta leggerezza, come si regola in merito al problema della droga, proprio davanti all'altro suo figlio, un ragazzo al secondo anno di scuola superiore.
«Per me se vuole fumare, fumi» dice con una pensosa scrollata di

spalle. «Per cui, se ha voglia di un bambulé glielo faccio accendere in casa, almeno così so dov'è, che cosa fa, e sono sicura che almeno non è in giro in macchina o a fare chissà che.»

Anche se sta parlando con un altro genitore, noto che rivolge lo sguardo verso di me. Credo si aspetti che siccome d'età sono più vicino a suo figlio di quanto non lo sia lei, e siccome porto una barba piuttosto creativa, non possa che essere d'accordo.

Invece io sono troppo allibito per riuscire a spiccicare parola. Secondo me dovrebbero metterla in prigione. E dovrei essere io a crescere i suoi figli. Chissà, forse in realtà io sono l'unico qualificato a crescere tutti questi ragazzini, dato che i loro genitori sono tutti vecchi e polverosi. Veramente è peggio ancora quando sono come questa qui, che si veste come i suoi figli e parla come loro. Anche se... "bambulé"... Ma chi dice più "bambulé"?

Racconto la storia a Beth, che come al solito trova parecchio divertenti le inadeguatezze dei nostri compari genitori. Io e lei da sempre collaboriamo intensamente in un attento lavoro di squadra, andando addirittura insieme al ricevimento genitori. Siamo una famiglia come quelle del circo, una famiglia di trapezisti, ecco, con tanto di sincronia perfetta, grande senso dello spettacolo e vestitini verdi attillati.

Decidiamo per esempio le festività caso per caso. Dato che la chiesa è bandita dalle nostre vite, lo sono anche le festività religiose. Il giorno del Ringraziamento viene osservato con scarso entusiasmo, dal momento che né io né Toph amiamo particolarmente il tacchino, non ci piace il ripieno e detestiamo quella schifezza di mirtilli in scatola che ci si mette dentro. Natale invece lo festeggiamo. Io, Bill e Beth facciamo copie della lista dei doni di Toph e ce la dividiamo. Beth si occupa delle calze della befana e dei vestiti. Bill in genere sceglie alcune cose dalla lista, ma poi finisce con l'approfittarne per regalare a Toph libri che ritiene di vitale importanza per il corretto sviluppo del credente in erba nel libero arbitrio. Un anno gli regala il *Libro delle virtù* di William Bennet e il *Grande Dizionario Culturale*.

Qualche giorno prima di Natale, Bill viene da Los Angeles e cerchiamo di fare del nostro meglio per preparare i regali nello stesso modo in cui lo faceva nostra madre. A Natale, come del resto in occasione di tutte le altre festività di cui ci interessa qualcosa, festeggiamo in un modo che è allo stesso tempo un omaggio ai nostri genitori e alle loro abitudini, ma anche una feroce parodia.

Nostra madre era un'estremista del Natale. Settimane e settimane di shopping di minimo otto ore al giorno, liste preparate, corrette, ricompilate, regali che si estendevano dall'albero fin quasi all'anticamera, in uno sforzo perenne di superare l'anno precedente, facendo sembrare il Natale presente non solo gioioso o stravagante, ma quasi osceno. Mio padre, anche lui un entusiasta anche se non ai medesimi livelli di fanatismo, aveva un suo rituale secondo cui, dato che era lui il padre, che diamine, ed era stato in piedi tutta la notte a impacchettare regali, si alzava con comodo e scendeva alle dieci o più tardi ancora, e non per guardare noi mentre scartavamo i regali, ma per concedersi una sostanziosa colazione a base di caffè, tortine al formaggio, bacon, succo d'arancia, pompelmo, giornale e tutto il resto, il tutto a un ritmo estremamente rilassato. Mentre noi aspettavamo, strabici di desiderio e impazienza, gli altri ragazzini del quartiere, già in piedi dalle quattro o le cinque del mattino, saltavano qua e là con le loro slitte nuove di zecca pigliandoci per il culo e passando sotto le finestre con il tagliaerba, i pedali premuti dai loro Moon Boot nuovi di zecca splendenti sotto il sole, assolutamente favolosi.

Questo Natale stiamo letteralmente morendo dal ridere, perché io e Beth abbiamo deciso di inscenare il nostro numero. Bill se ne sta lì seduto con un'aria di disapprovazione però ride, le braccia incrociate, sussultando in silenzio. Il numero, che comincia dopo che ci siamo alzati e prima che Toph abbia cominciato a scartare i regali, si svolge come segue:

BETH Va bene, adesso puoi aprirli.

IO No, aspetta un momento. (*Prendendo un pelucco dal maglione, quindi chinandomi lentissimamente ad allacciare una scarpa.*) Ecco, a posto, vai pure.

BETH Un secondo soltanto. Devo andare in bagno. (*Rumore d'acqua nel lavandino, quindi quello dello sciacquone che parte. Ancora acqua, rumore di spazzolino da denti.*)

BETH (*ricomparendo dal bagno, con aria rinfrescata e lisciandosi il maglione*) Va bene sono pronta, vai pure.

IO Calma, calma. Lo sapete cosa ci vorrebbe adesso? Un bel pompelmo.

BETH Mmm! Pompelmo.

IO Mangiamoci tutti un bel pompelmo, e poi sapete cosa? Si potrebbe fare tutti insieme una bella passeggiata.

BETH Sarebbe davvero carino.

IO Aria fresca, movimento...

BETH E più vicini a Dio.

IO Certo, più vicini a Dio.

BETH Anzi, potremmo farlo domani, il Natale!

BETH (*pensosa e schioccando la lingua*) Mmmmm, no, no, domani no. Magari giovedì?

IO Giovedì è un giorno no. E anche nel fine settimana la vedo dura. Lunedì?

A questo punto io e Beth quasi soffochiamo dal ridere, gli occhi pieni di lacrime, piegati a terra, lo sguardo fisso alla mobilia di casa. Ci ammazziamo di risate.

Toph aspetta, indifferente alla scena. Ha già visto parecchie volte il nostro numero.

Dare a Toph i suoi regali è compito mio, e la notte prima faccio tutto quello che posso per rinnovare l'evento e aggiungere dei dettagli inediti. Scrivo indirizzi finti o di altri ragazzini del quartiere. Su altri scrivo il mio nome. Sbaglio apposta a scrivere il suo, oppure faccio il solito scherzo di quando riempio i suoi moduli scolastici: scrivo apposta un nome sbagliato, tipo Terry o Penelope, quindi lo barro e sotto scrivo quello giusto, più in piccolo. Alcuni li firmo "Da noi", altri, "Da Babbo Natale", ma perlopiù scrivo:

DA: Dio.

Non sa chi ringraziare. Non vuole sembrare troppo galante quando mette le mani sul bottino, e d'altra parte noi sfruttiamo al massimo la sua volontà di compiacerci. Apre una scatola di pongo colorato.

«Grazie» dice.

«Grazie a chi?»

«Non so. A te?»

«No, non a me, ma a Gesù.»

«Grazie Gesù?»

«Eh sì, Toph, Gesù è morto per il tuo divertimento natalizio.»

«Davvero?»

Mi giro verso Bill, che non ha alcuna intenzione di prendere parte a tutto ciò.

«Certo» dico. «Beth, è vero o no?»

«Certamente, certamente.»

Il lavoro si fa sempre più deprimente, una routine, ravvivata solo di tanto in tanto da esperienze di quasi-morte. Vale a dire: è un giorno qualunque e sono alla mia scrivania intento a lavorare su una serie di articolate operazioni di smantellamento, ossia una serie di articoli che puntano il dito sulla falsità della maggior parte delle cose in cui la gente crede e in cui ripone valore. Abbiamo demolito una versione della Bibbia per bambini neri, abbiamo demolito il programma di prestiti per lo studio, demoliamo l'idea del college in generale, del lavoro in generale, del matrimonio, del trucco e dei Grateful Dead. È nostro dovere puntare il dito su tutti questi artifici ovunque si trovino, e si tratta di un lavoro gratificante, che getta luce di verità su aspetti insospettabili...

All'improvviso sento come se da dentro qualcuno mi desse un calcio con una scarpa dalla punta di metallo. Sono alla scrivania. È come un crampo, ma più che come un crampo è come un cucchiaio che stia scavando, un cucchiaio piantato dentro di me che adesso viene estratto piano piano, cazzo. Sono abituato a strani dolori, come quelli dovuti a eccesso di caffeina a digiuno, ma di solito non durante il giorno. Di solito vengono al mattino, oppure a notte fonda, quando fisso lo schermo e penso a quell'inverno...

Continuo a lavorare. Ma il dolore non passa dopo un po' come dovrebbe, anzi cresce, e pensando che abbia a che vedere con il mio lavorio intestinale, o meglio con la sua mancanza negli ultimi tempi, mi alzo per andare in bagno, e nell'istante esatto in cui i miei occhi scorgono il corridoio la vista mi si offusca, l'ambiente intorno a me si deforma, ed è come se vedessi le cose con un'angolatura alla Batman – *questa poi* non mi era mai capitata! – e tutto diventa blu. La moquette. Sono a terra. Adesso i cucchiai sono cinque, più piccoli, tutti nello stesso punto, che girano e scavano, no, è come se ci fosse della gente dal passo pesante che danza dentro di me indossando scarpe con il tacco a punta, pestando i piedi, usando il mio fianco destro come pista da ballo. Mi rendo conto che sono... sono accartocciato sulla moquette. Guardo in su verso il divano a meno di un metro da me, devo riuscire a raggiungerlo. Il divano è la mia casa, il divano è la risposta. Se solo ce la faccio... a... raggiungerlo...

Nessuno si è accorto di nulla. Mi hanno sparato? No, nessuno mi ha sparato. Non si è sentito nessuno sparo. E se l'avessero fatto con uno di quei silenziatori? Potrebbe essere stato un silen... Ma no, non mi hanno sparato. Però sto morendo. Certo, non c'è dubbio. Sto morendo. Finalmente.

Non riesco a parlare. Tento di pronunciare una parola. Aiuto. Ma tutto quello che mi esce dalla bocca sono ansimi strozzati, da cane, come se le parole mi fossero state rubate da un fantasma che...

Sto morendo, una buona volta; cazzo lo sapevo. Me lo merito. Lo sai, tutti lo sanno. È Aids. E sapevi che sarebbe arrivato, dopo quella volta, l'unica in cui il preservativo si è rotto con quella tipa, come dire, un po' allegrotta. L'immagine si materializza all'istante: un piccolo appartamento sgangherato al terzo piano a sud della città, l'alba che sorgeva mentre io ero accanto al letto e lei bocconi... e poi, certo, ricordo chi, certo, mi torna tutto a lampi, perdio avrei dovuto controllare il preservativo mentre lo facevamo, ma eravamo talmente fatti e sapevamo a stento quello che stava succedendo, ci eravamo fatti dare un passaggio da un amico comune che ci aveva portato da lei e sapeva benissimo che cosa sarebbe accaduto, e noi eravamo usciti di corsa, di corsa dall'auto per un isolato, fino al suo appartamento...

Cazzo, Toph, mi dispiace così tanto. Avrò almeno il tempo di chiamarti? E chi ti prenderà con sé? Beth? Da sola? Non è possibile. Cazzo, Bill si dovrà trasferire, cazzo, e dove lavorerà? C'è quel posto, quel *think-tank* dove lavora Flaggs, ma... e se poi decide di far trasferire Toph con lui a L.A.? Devo assicurarmi che non lo faccia... Anche se a Toph piace L.A., per cui... Guarda un po' quelle nuvole là fuori come si muovono, lassù in cielo, bianche con delle piccole macchie grigie, come lividi e...

Cazzo! Che male! Sto partorendo!

Ma perché nessuno nota niente? Perché nessuno considera strano il fatto che io giaccia accartocciato sul pavimento? E già capitato che mi accartocciassi? Cerco di pensare a quando potrebbe essere capitato. Qualcuno del «Chronicle», della porta accanto, finalmente nota qualcosa attraverso il vetro e arriva in mio aiuto, e un attimo dopo è pieno di gente. Vengo aiutato a raggiungere il divano dove mi stendo, poi parte tutto un fuoco di fila di domande su dove fa male e quanto fa male e perché. Magari sto scherzando.

«Stai facendo sul serio?»

«Ma vaffanculo.»

Mi trattengo dal dire che sto morendo, dato che ne sono sicuro solo al 95 per cento e non voglio gettare nessuno in allarme. Ma presto lo saprò. Riesco a dire ospedale, ospedale.

Arranco verso l'ascensore, strusciando contro il muro, appoggiato a Shalini. Shalini ha un buon odore, che buon odore che hai Shalini. Sto morendo, Shal, morendo. Cristo, sono piegato dal dolore, non riesco nemmeno a muovermi. Qualcuno mi deve trasportare; Shalini non può farcela da sola. Dio! Devo dirlo a Toph, a scuola devono sapere. All'ascensore vorrei quasi girarmi e chiedere a qualcuno di chiamare Toph a scuola e farlo portare all'ospedale, ma non riuscirei mai a tornare sui miei passi, chissà, forse potrei dirlo al custode giù nell'atrio e lui chiamerà in ufficio e qualcuno poi a scuola, ma poi chissà che cazzo di messaggio gli arriva cazzo cazzo... No, Toph non deve sapere, non voglio che mi veda morire, me ne andrò via zitto zitto come papà, in pieno giorno, svelto, ecco, quello è il modo giusto, abbiamo avuto il nostro tempo insieme, e non abbiamo bisogno di dirci addio e cazzo se è lento questo ascensore quanto cazzo ci mette Shalini che buon odore che hai.

In macchina a momenti piango perché il dolore è dieci volte più forte di quando ero per terra. Ma io sono un duro, un marine. E però questo è un dolore che mi spacca in due, come acido versato su tutto il corpo, acido iniettatomi in un fianco con punte di metallo da un centinaio di piccoli nazisti del cazzo, tutti dentro di me, cazzo! Possibile che l'Aids uccida in questo modo? Sì, sì, no, no. Chissà, forse. Lo sapevo che sarebbe accaduto quando si è rotto il preservativo, ho capito da subito che era tutto sbagliato, quel sesso, e lei e la mia vita, senso di colpa, senso di colpa. E Toph! Tutto in malora!

Oh, questo è molto peggio di quella volta che siamo andati a fare rafting e l'American River era in piena, e abbiamo preso le rapide e siamo caduti tutti in acqua, e mi sono trovato sommerso nella spuma a inghiottire acqua a litri, senza riuscire a tirarmi su, senza riuscire ad affiorare, mentre cercavo disperatamente di vedere dov'era Toph, perché non sapevo se era caduto anche lui; ma non vedevo niente perché ero perlopiù sott'acqua, e in quell'istante ho pensato quanto fosse ridicolo e stupido morire a quel modo, annegato in una stupida gita di rafting, che modo patetico di andarsene, per giunta senza essere riuscito ad aiutare Toph, dovunque si trovasse. Quando però la corrente aveva rallentato, dietro un'ansa, ho riacquistato l'equilibrio e mi sono guardato intorno, e a un certo punto eccolo lì, Toph, da solo sulla zattera, l'unico che non era caduto. Aveva in faccia un sorriso grande così, quello scemo.

Troppo improvviso per essere Aids. Mi dev'essere scoppiato qualcosa dentro. Che ne so, l'appendice. Sarà una cosa mortale? Ovviamente sì! No, no. E allora? Che cos'è? È chiaro che sto morendo. Emorragia interna. Un tumore! Un tumore sanguinante!

«Shal, sto morendo.»

«No che non stai morendo.»

«E allora che cazzo è che mi sta succedendo? E se muoio?»

«Ti ho detto che non stai morendo.»

Shalini sta guidando troppo a sobbalzi. Sembra che abbia scelto tutte le strade più sconnesse, senza rendersene conto. Si ferma troppo spesso, frena troppo all'improvviso, talmente è distratta. Eccheccazzo, Shal.

«Shal, puoi guidare un po' più... dolcemente?»

«Ci sto provando.»

«Tienimi la mano» la imploro. Vorrei posarle la testa sulla gamba destra. Vorrei dormire. Poi all'improvviso sono colpito da un senso come di ilarità. Non devo lavorare. Moodie dovrà finire tutta la roba per domani. Io sono occupato in qualcosa di importante, di più cruciale di qualunque altra cosa potrei fare in questo istante. Be', è un bel sollievo, non dovere scegliere, non doversi sentire colpevoli per il fatto di perdere tempo, di oziare, di fare una cosa quando se ne dovrebbe fare un'altra... nessuna decisione da prendere, a questo punto, a parte sopravvivere ovviamente...

Così facile, così elementare!

Come è possibile che il dolore stia ancora peggiorando? Adesso sento come delle esplosioni di pianeti dentro di me. *Mi devono avere sparato, ecco cosa, mi hanno sparato*. Il cielo è blu come sempre, questo cielo di San Francisco così perfetto, magari muoio prima ancora di arrivare. Oh, Shal perché proprio oggi indossi quella maglietta a costine così attillata? Perché non siamo mai usciti insieme, Shal? Prima delle cinture di sicurezza, non nel senso di prima che le inventassero, ma nel senso di prima che la gente le usasse, mia madre quando era costretta a fermarsi bruscamente ci lanciava improvvisamente un braccio contro il petto, come se il suo braccio potesse fare qualcosa, come se potesse eventualmente rimediare a un incidente, con quel suo braccio così debole, e anch'io così debole, ho resistito solo pochi anni nel mio compito di proteggerlo, scusami Toph, scusami scusami scusami, sono così debole e adesso vengono a prendermi, come doveva succedere... Non voglio essere sepolto: voglio che le mie ceneri, oppure il mio corpo, siano buttati giù da una scogliera, o con un elicottero dentro a un vulcano, o nell'oceano, anche se... quale oceano?

Quale oceano?

Quale oceano?

All'accettazione la prima cosa che fanno è chiedere dell'assicurazione, che io non ho. L'ho avuta per qualche mese qualche anno fa, ma poi hanno smesso di spedire i bollettini per il pagamento, se non sbaglio... Ma posso pagare, tutto fino all'ultimo centesimo, lo giuro, eccovi le carte di credito, per favore, toglietemi questa cosa da dentro. Per favore, non ce la faccio a stare in piedi, ecco mi siedo, così posso rispondere alle domande, ecco magari adesso mento, steso di traverso su queste sedie con la testa sulla coscia di Shalini, e a dire il vero quasi quasi adesso me ne andrei di là in quell'altra stanza così mi posso stendere per terra e PORCATROIA! PORCATROIA! PORCATROIA! Posso gridare. PORCATROIA!

Era un calcolo renale. Mi sono svegliato tutto stonato. Kirsten è con me. Non la vedo da mesi. Beth non poteva lasciare il lavoro per cui l'ha chiamata. È Kirsten che mi porta a casa.

«Pensavo di morire» dico.

«Ci credo» dice.

Mi stendo sul divano. Kirsten se ne va.

Toph è di fronte a me.

«Ehi» dico.

«Ehi» dice.

«Ehi.»

«Ehi.»

«Va bene, adesso basta.»

«Stai bene?»

«Sì.»

«Che ne diresti di cenare?»

«Che cosa ti va?»

«Tacos.»

«Ce la fai da solo? Non credo di potermi alzare.»

«Abbiamo roba in casa?»

«Non credo.»

«Hai soldi?»

«No. Prendi il bancomat.»

Va a piedi fino allo sportello del bancomat, prende dei soldi e va al supermercato a comprare carne, salsa di pomodoro, tortillas e latte. Mentre è via, mi assopisco per un minuto e sogno di oscure persecuzioni. Mi sveglio all'improvviso, rendendomi conto che essere lì disteso sul divano, inerte, non è una bella cosa. Mi siedo diritto, indifferente. Nessuno sta morendo. Avrà pensato che stavo morendo? Forse pensa che sto morendo. Magari pensa che sto morendo e che non glielo voglio dire. Ma no, no. Non lo pensa affatto. Non è mica come me, lui.

Arriva con la spesa, mi passa accanto e va in cucina.

«Vuoi che cucini io?»

«Magari, ti spiace?»

«Vuoi anche della frutta?»

«Che cosa abbiamo?»
«Delle arance e mezzo melone.»
«Sì, sì, va bene, grazie.»
Mi assopisco di nuovo al suono della carne che sfrigola in padella, e quando riapro gli occhi sta pulendo il tavolino, sistemando le pile di carte, i documenti e i suoi compiti di matematica a terra, nello stesso esatto ordine in cui erano sul tavolo. Poi torna in cucina per uscirne poco dopo con due piatti su cui ha sistemato, oltre alla carne bruciacchiata al punto giusto, anche le tortillas ripiegate e una scodella con le arance e i meloni tagliati a pezzi umidi e arancioni, non troppo grossi. Rientra poi in cucina per prendere il latte.
«Ah, i tovaglioli.»
Va a prendere il rotolo di carta.
Mangiamo. Mi riaddormento. A un certo punto mi sveglio al picchiettio delle sue dita sulla consolle della Playstation. Quando riapro gli occhi non c'è più e fuori è buio.
Vado in camera sua. È addormentato scompostamente sul letto, braccia e bocca spalancate. La fronte gli scotta, come se avesse tante cose che gli bruciano dentro.

IX

ROBERT URICH HA DETTO DI NO. CI SIAMO ANDATI TALMENTE VICINI! Sarebbe stato perfetto. Ci era parso che il suo ufficio stampa apprezzasse l'idea e che ci desse corda, ha persino riso un po', e perlomeno aveva trovato la cosa divertente. Urich era esattamente la persona che faceva al caso nostro: una star (o meglio una quasi star, ai suoi tempi), un nome familiare che per qualche non meglio chiarita ragione era decaduto dall'attenzione dei media, uno di quelli che tutti più o meno conoscevano e intorno al quale a un certo punto si era creato interesse, ma che da un po' non si vedeva in giro. Avevamo bisogno di un nome che il pubblico, la stampa e la scaltra utenza di Internet potessero ritenere morto, ma la cui scomparsa non fosse stata strombazzata sui media nazionali. La celebrità che ci serviva, insomma, non doveva essere così grossa da far apparire implausibile il fatto che un minuscolo e sgangherato bimestrale di San Francisco ne riportasse per primo la notizia della morte.

Ma chi, allora? Urich era la nostra prima e unica scelta perché: a) tutti noi eravamo stati fan sfegatati del telefilm *Vega$*; b) sapevamo che aveva senso dell'umorismo, perlomeno evidenziato dai commenti autodenigratori da lui espressi in questo o quel talk show, con riguardo alla sua parte in *Turk 182*, con Timothy Hutton; c) aveva di recente firmato per comparire in una serie intitolata *Lazzaro*.

Lazzaro. Assolutamente perfetto.

«Non fa per noi» ci ha detto il suo agente.

Va bene, allora Belinda Carlisle. Decidiamo che anche Belinda Carlisle potrebbe fare al caso nostro.

«Vive in Francia» ci dice il suo ufficio stampa.

Ponderiamo altre possibilità: il Giudice Reynolds della tv, Juliana Hatfield, Bob Geldof, Laura Branigan, Lori Singer, C. Thomas Howell, Ed Begley Junior. Prendiamo anche in considerazione Franklin Cover, l'attore che faceva la parte di Tom Willis nei *Jefferson*, ma poi non lo chiamiamo neppure, ricordandoci che in un'intervista dell'anno prima l'avevamo messo in una luce che se non poteva dirsi decisamente cattiva, di certo era patetica.

C'È QUALCOSA CHE TI PIACEREBBE DIRE AI NOSTRI LETTORI?

A dire il vero no. Non ho nulla da dire, a parte se qualcuno può magari aiutarmi a trovare un lavoro in qualche scuola di recitazione. Se qualcuno venisse a sapere che un college cerca un insegnante di recitazione, mi chiami.

Poi, il colpo di genio. Esiste un uomo del mondo dello spettacolo che avrebbe anche potuto pensare da solo una cosa del genere, un uomo dal secondo nome nuovo di zecca, Hellion, un uomo che porta in giro uno spettacolo multimediale durante il quale proietta immagini di nani e ritardati.

Crispin Glover.

Perfetto. Assolutamente perfetto.

Marty McFly.

Chiamiamo il suo agente, il quale non ha la più pallida idea di cosa stiamo dicendo. Inviamo via fax la lettera che avevamo preparato, aggiungendo commenti estremamente positivi sul lavoro di Glover nonché sul suo nuovo soprannome. Quindi aspettiamo.

Il giorno dopo squilla il telefono.

Alzo la cornetta e la porto diligentemente all'orecchio, come si fa di solito quando si risponde al telefono.

«Pronto» dico.

«Sono Crispin Glover.»

Sta chiamando dal Tennessee, dove sta girando con Milos Forman. *C'è Crispin Glover al telefono!*

Ha letto la proposta e gli sembra favolosa. Dice che è da un sacco di tempo che aveva in mente di fare una cosa del genere, e la vuole fare per bene: mettere insieme la finzione, con tanto di foto, prove e periodo di scomparsa, tutto congegnato in modo tale che nessuno vicino a lui possa rovinare tutto, e vuole andare avanti così per mesi, con il funerale, i necrologi, i commenti degli altri attori, tutto quanto fino alla fine, per poi ricomparire all'improvviso, vivo e trionfante!

Questa è la volta che facciamo il botto. Mentre sono al telefono guardo dalla finestra in direzione del centro, verso il parco e il San Francisco Moma, a forma di gigantesco umidificatore, con uno scorcio del fiume e delle colline. Quasi non riesco a respirare dall'emozione.

«Sarà una figata!» dico.

«Certo, certo» concorda lui. «Che tempi avete?»

E alla fine salta fuori che non lo può fare. Non riesce a capire perché non possiamo rimandare né attendere il prossimo numero... Non si rende conto che non possiamo fare aspettare i nostri sei inserzionisti e nemmeno le nostre centinaia di abbonati. Rimaniamo intesi che se i nostri impegni dovessero cambiare ci sentiremo.

«Lo sai chi resta» dico.

«No, lui no» dice Moodie.

«È la nostra unica speranza.»

«Non se ne parla nemmeno.»

«Non abbiamo scelta.»

«Occazzo.»

«Andrà benone.»

«Ma vaffanculo. E va bene.»

Deciso. Adam Rich.

Nicholas della *Famiglia Bradford*.

Più o meno lo conosciamo già, perché uno dei nostri collaboratori, Tanya Pampalone, era sua compagna al liceo, e da allora sono rimasti in contatto. Dall'ingresso di Tanya alla rivista, ci è capitato un paio di volte di lavorare con lui. La prima volta gli avevamo fatto una breve intervista in cui lui aveva parlato a Tanya delle sue scarpe e di un ombrello che aveva acquistato di recente. Eccone un frammento:

> TANYA: Quante paia di scarpe possiedi?
>
> ADAM RICH: Dieci, direi, sì, dieci. E ho un ombrello. L'ho appena comprato. Quando ho comprato questo ombrello ha smesso di piovere, e allora ho pensato che è meglio se compro un ombrello così smette di piovere e l'ombrello mi rimane per la prossima volta. Ma poi, da quando ho comprato questo ombrello, ha continuato a piovere e a piovere.
>
> TANYA: Credi che sia perché sei in grado di predire il futuro?
>
> ADAM RICH: No, probabilmente è perché ho comprato l'ombrello.

Chiamiamo Adam al suo appartamento di Los Angeles e gli spieghiamo l'idea. Ci ascolta. Gli spieghiamo che si tratta di una complessa forma di parodia messa in piedi con degli intenti elevati, ossia la satira del morboso interesse dei media nei confronti della morte delle celebrità, la ridicolizzazione dei loro necrologi; gli diciamo che questa storia andrà su tutti i giornali, e che a parte il senso di gratificazione interiore per aver dato un esempio formativo a un'America disperatamente bisognosa di esempi, tutti poi guarderanno a lui come un tipo assolutamente all'avanguardia, anche solo per il fatto di essersi associato a noi.

Sarai coinvolto in ogni fase del progetto, lo rassicuriamo. Avrai diritto di piena approvazione su ogni aspetto. «Sarà un'impresa favolosa» dico, credendoci davvero. Dentro di me ho la ferma convinzione che, se non fa cazzate, questa faccenda potrebbe significare non solo il nostro successo, una buona volta, ma anche il sicuro revival della carriera di Adam Rich.

Me lo immagino seduto nel suo piccolo e squallido appartamentino di Hollywood, circondato dai suoi Junior Emmy, le mani sul Nintendo e il frigo pieno di yogurt e gelati col biscotto, che passa le giornate a innaffiare i fiori e guardare la tv satellitare.

Dice di sì.

«Sarà una cosa fantastica» dico a Toph.

«Ha detto di sì?»

«Sì, sì, assolutamente. Alza un po' il mento.» Siamo in bagno. Lui è seduto sulla tazza del gabinetto e io gli taglio i capelli.

«E spiegami di nuovo quale sarebbe il senso di tutta questa cosa.»

«Ti ho detto di alzare il mento.»

«Va bene. Allora...»

«Il punto è che vogliamo prendere in giro i santini delle celebrità pubblicati sulle riviste e...»

«Cos'è un santino?»

«Un omaggio, sai, come quando una star muore e tutti all'inizio si appassionano alla cosa, ci sono dei funerali pazzeschi, la gente piange anche se lo ha visto solo alla tv e di lui conosce solo qualche parte nei film e un paio di battute di copione...»

«Ah. E la gente la berrà?»

«Ma certo. La gente è scema.»

Gli giro la testa verso lo specchio, gli pettino per bene i capelli e confronto il lato sinistro con il destro. Ancora un volta, un capolavoro. Toph ha tuttora un'irresistibile aria da tenerone prepubere, con quel nasino all'insù e la frangetta, anche se i suoi capelli cominciano a scurirsi e a ispessirsi e ormai sono ricci come i miei. Non mi piace guardarmi accanto a lui, perché nel confronto io mi sento un mostro.

La mia barba ha un'aria grottesca, ridicola. Le basette sono diverse dai capelli, e sono così rade che invece che barba sembrano peli delle gambe. Peggio ancora il pizzetto che sto cercando di farmi crescere e che si sta rivelando un vero fallimento perché non riesco a farmi crescere la peluria agli angoli della bocca, e il risultato è un'aria di perenne *work in progress* e una faccia ridicola da quattordicenne. Ho una brutta pelle, sono gonfio, ho rughe d'espressione profondissime, ho gli occhi troppo vicini e troppo piccoli, sottili, cattivi. Il mio naso è informe, troppo grande. Vicino al suo faccino da dodicenne, liscio, proporzionato, morbido, armonioso, il mio viso sembra distorto come se fosse stato manipolato digitalmente e la pelle mi fosse stata tirata dalla parte sbagliata, facendo in modo che tutti gli elementi appaiano deformi, esasperati, grotteschi.

«C'è gente che si arrabbierà, quando lo scopre» dice.

«Be', lo speriamo. Sono proprio quelli che speriamo di fare arrabbiare. Chiunque si interessi e possa sentirsi commosso alla notizia della morte di una persona che ha visto solo alla tv merita di essere preso in giro. Voglio dire, che cosa gliene frega? Perché mai un cazzone qualsiasi da serie televisiva dovrebbe essere compianto da milioni di persone e mille altri no? Quando la persona media, che vive una vita felice e a suo modo anche eroica, attira al massimo venti o trenta persone al suo funerale, voglio dire... non è giusto, anzi è abominevole, no?»

«Aha. Se vuoi sapere come la penso, è da tarati.»

«È esattamente quello che pensiamo noi.»

«No, quello che intendo dire io è che è da tarati quello che state facendo. State usando Adam Rich per esprimere le vostre argomentazioni...»

«Ma certo.»

«E l'argomentazione che più vi preme esprimere è che voi potreste essere delle celebrità proprio come lui. Tu pensi di lui che è una testa vuota, un mezzo scemo, e la sua stupidità nasce principalmente dal fatto che lui è una celebrità e voi no, che a nove anni lui se ne andava in giro con Brooke Shields, che milioni di persone conoscevano il suo nome e altre centinaia di milioni il suo volto, mentre nessuno conosce il vostro.»

«Toph, guarda che stai uscendo di nuovo dal tuo personaggio.»

«Voglio dire, voialtri non riuscite a sopportare il fatto che questa persona tutt'altro che brillante, questo Adam Rich, che voi giudicate intelligente neppure la metà di voi, che non ha fatto l'università, non ha mai scritto i testi dell'annuario scolastico e non ha diretto la galleria d'arte della scuola, che non ha letto i libri che avete letto voi, abbia comunque le palle di essere un nome (o di esserlo stato) che ha fatto il giro del mondo – e perché no, grazie alla parte avuta in una stupida serie tv, cosa che voi trovate banale. Ed è per questo che vi fate gioco di lui, prima con l'intervista sull'ombrello e adesso con questa cosiddetta benintenzionata presa in giro. Voglio dire, cosa ci potrebbe essere di più violentemente ed evidentemente simbolico di voi che fate a pezzi uno di voi, un bambino della tv ucciso da voi che quella tv guardavate, vittima della vostra mentalità predatoria? E oltretutto osate dire che lui è consapevole dell'operazione, quando invece non ha la minima idea della portata della faccenda, delle potenziali conseguenze del vostro giochino. E tanto meno lo è delle vostre motivazioni, della cattiveria che ribolle appena sotto la superficie, del desiderio di umiliarlo, di ridurlo al vostro livello, anzi, al di sotto – voglio dire, può anche solo immaginarsi che razza di battute fate su di lui in ufficio? Riesce anche solo lontanamente a concepire la malizia di tutto ciò? È una cosa disgustosa. Voglio dire, che cos'è questa roba? Che cosa significa? Da dove viene tutta questa rabbia?»

«Non è rabbia.»

«Certo che lo è. Queste persone hanno già ottenuto, qualunque età abbiano, un grado di celebrità che voi teste di cazzo non potrete mai raggiungere, e dentro di voi sentite che, dato che in fondo dopo questa non c'è un'altra vita, la fama probabilmente è l'unico Dio. Tutti voi lo sapete e ci credete, anche se non l'ammettete. Da bambini lo guardavate in tv, giù in taverna, a gambe incrociate sul divano, e pensavate che dove era lui avreste dovuto esserci voi, e che le sue battute vi appartenevano, e che il suo posto nella serie *Battle of the Network Stars* era il vostro posto, e che nella scena della corsa a ostacoli voi avreste vinto di sicuro! E adesso, adesso che lui non è più quella celebrità alla conquista del mondo, adesso sentite di avere del potere su di lui, di avere la possibilità di metterlo in imbarazzo, di colmare la terribile discrepanza che voi sentite nei confronti di coloro che proiettano il loro carisma in maniera diretta e non attraverso una qualche rivista furbetta. Tu e tutti quelli come te, con le vostre "Domanda e Risposta" e le vostre rubriche e i vostri siti Internet, tutti voi in realtà non volete altro che diventare famosi, volete diventare rock-star, ma siete incastrati in questo dilemma terribile, perché al tempo stesso esigete che si pensi di voi che siete intelligenti, che avete un ruolo legittimo e durevole. E così fate le vostre cosette, venite elevati dalla vostra piccola cerchia, mentre in cuor vostro pensate a Winona Ryder, Ethan Hawke o persino a Sari Locker...

«Ricordi il numero in cui tutti sono andati a Los Angeles o a New York a intervistare persone famose da prendere in giro? C'era la ragazza del *Padre della sposa*, e il tipo di *Baywatch*, quello australiano, e naturalmente le gemelle della pubblicità delle caramelle Doublemint. E ovviamente dovevate farli sembrare tutti degli imbecilli, anche se con loro in realtà eravate stati gentili, gli avevate sorriso e sembravate rispettarli. Stessa storia con Elle Macpherson, con la Natalie di *Un adulterio difficile*, e anche la povera Sari Locker, la sessuologa.»

«Quella era una cosa diversa.»

«Vero. Tu ricevi una chiamata dal suo ufficio stampa, perché voialtri siete in una lista di riviste da generazione X, e anche se tu non avresti mai e poi mai avuto alcun interesse nell'autrice ventiquattrenne di *Sesso sfrenato negli anni Novanta...*»

«Era *Sesso sfrenato in The Real World*.»

«Va bene, quello che era. E allora, certo, facciamo un'intervista, hai detto, ridacchiando tra te e te. Non vedevi l'ora di riagganciare e dirlo a tutti, tanto desideravi farla a pezzettini. Vai a New York e uscite a cena. Tutto va bene e bevete qualcosa. Durante la cena e dopo – il tutto dura quanto, tre, quattro ore? – lei è certo un po' insistente e piena di sé, ma d'altra parte si dimostra una persona generosa, cosa che non ti eri aspettata, e vuole sapere tutto di me – e questo ti ha proprio spiazzato – e dei nostri genitori, e dice un sacco di cose carine, e per tutto il tempo che lei è lì, gentile e premurosa ad ascoltarti, tu ti dibatti nel tuo dramma. Registrare tutto quello che dice e usarlo in seguito contro di lei – dato che aveva la temerarietà di essere più o meno famosa e attraente (oltre ad avere anche un master preso alla University of Pennsylvania) – oppure, e a quel punto quasi ti premeva di più, cercare di farti invitare a casa sua?»

«Ce l'avevo quasi fatta.»

«Ma certo, avete preso un tassì insieme, l'hai guardata scendere, e non sei riuscito a decidere se fosse opportuno farti avanti, ma poi l'hai lasciata andare, pensando tra te e te, ecco che si dilegua la mia opportunità di farmi la sessuologa.»

«Ce l'avevo quasi fatta.»

«E con tutto ciò, comunque torni e scrivi il tuo pezzo rognoso su di lei.»

«Non si è offesa.»

«Forse ha la pelle dura. Forse non l'ha letto. Ma non ci vedi una specie di cannibalismo? Agguanti le persone come se fossero giocattoli che prendi da una scatola, vesti e poi fai a pezzi, staccandogli la testa e buttandoli via quando...»

«Buffo che nomini Sari, perché in effetti sta venendo a San Francisco.»

«Oh Cristo. Non dirmi che vi vedrete.»

«Certo che sì, mio giovane Toph, certo che sì.»

«Io proprio non ti capisco.»

«Né dovresti. Sono di gran lunga troppo complesso per il tuo tenero cervellino. Abbassa la testa. Devo ripulirti il collo.»

Gli spazzolo via dal collo i capelli tagliati con un asciugamano.

«Toph, ci sono talmente tante cose che devi imparare ancora.»

«Certo, certo.»

«Tu stammi vicino e non te ne pentirai.»

«Non temere.»

«E invece temo.»

«...»

«Sei perfetto.»

«Me li hai tagliati troppo corti. Fanno schifo.»

«No, no, sono perfetti, invece.»

Forse è stato proprio allora che ha chiamato Marny. Ma forse era il giorno prima, o quello dopo, o la settimana successiva. Io sono a casa e Toph è sul divano a soffrire sul suo compito di matematica. Lo stereo è acceso, un altoparlante è come al solito rivolto contro una parete per contrastare il muro di suono televisivo del giovedì proveniente dalla casa del vicino. Il telefono squilla.

«Shalini. Un incidente.»

«Cosa? In macchina?»

«No, no. Sai quel terrazzo crollato su a Pacific Heights?»

«Oh, no.»

«Adesso è in coma. Ha fatto quattro piani e ha sbattuto la testa. Non sanno se ce la farà.»

Andiamo subito. O forse no, aspettiamo fino al mattino, non ricordo. Ma no, deve essere stato subito, siamo andati immediatamente. Se non sbaglio è durante il giorno, e lascio Toph da solo a casa.

O forse invece chiudo...

Ah no, ecco com'è la faccenda.

È mezzanotte. Toph è a letto. Carla mi telefona da L.A., dato che lei e

Mark si sono trasferiti a L.A. La madre di Shalini li ha chiamati e Carla ha chiamato me subito dopo. Esco. Shalini potrebbe essere già morta.

Mentre volo giù per le scale so che ovviamente qualcuno ne approfitterà per fare del male a Toph. Lo so ogni volta che lascio Toph da solo, cosa che ormai faccio più spesso e senza baby-sitter, dato che Toph ha tredici anni. Nel momento in cui chiudo a chiave la porta, e anche il portone è chiuso, e la porta sul retro che porta alla lavanderia nel seminterrato è anch'essa sprangata, va tutto bene, ma poi mi ricordo che la serratura di quest'ultima porta è sgangherata e inutile, ed è sicuramente da lì che farà il suo ingresso l'uomo malvagio. Gli arriverà alle spalle, perché è da un pezzo che sorveglia la casa e aspetta che io me ne vada, e sa che starò via per un po' perché ha ascoltato la mia telefonata, e da un pezzo mi osserva con un binocolo o un telescopio. E dopo che me ne sono andato arriverà, con le sue funi e la sua cera – è amico di Scott, lo scozzese, *ovviamente*! – e costringerà Toph a fargli delle cose, perché saprà che io sono fuori a cercare Shalini che è in coma perché e caduta da un palazzo.

Passo a prendere Marny. Moodie si fa trovare all'ospedale.

La famiglia di Shalini è tutta lì, ci sono i genitori, le sorelle, una dozzina di cugini, zii, zie, alcune in sari altre no, amici. I corridoi, squallidamente illuminati, sono pieni di persone a piccoli crocchi, sedute per terra o che camminano su e giù per la sala d'attesa piena come un uovo. Una delle ragazze presenti era alla festa. Veniamo a sapere altri dettagli. È successo a Pacific Heights. Shalini era andata con un'amica. Erano state per un po' all'interno, dopo di che erano uscite sul terrazzo posteriore. Con loro c'erano forse un'altra ventina di persone. A un certo punto i sostegni hanno ceduto e sono tutti precipitati nel vuoto. L'amica con cui Shalini era uscita sul terrazzo è morta. Un'altra dozzina di persone è stata portata all'ospedale, qualcuno se l'è cavata con poco ed è uscito subito, qualcuno è stato ricoverato. Shal è tra quelli nelle condizioni peggiori. Secondo tutti quanti è un vero miracolo che sia ancora viva. È caduta di testa. Ci sediamo sul pavimento del corridoio, quindi ci rialziamo, camminiamo, chiacchieriamo a bassa voce. La stanno operando. O forse no, l'hanno già operata. Chissà quante operazioni avranno già fatto, venti, magari trenta o cento. A un certo punto, forse il giorno dopo, ci viene detto che possiamo entrare nell'area riservata in cui tengono Shalini. All'ingresso della corsia c'è un citofono, ci parliamo dentro e un'infermiera ci viene ad aprire. Passiamo parecchie camere e alla fine eccola lì.

Ha il volto tumefatto, gli occhi chiusi, infiammati, enormi, rossi e viola e blu e poi ancora rossi e viola e gialli e marroni e verdi, le orbite nerastre. È attaccata a un respiratore. Ci avevano detto della cuffietta, e infatti sulla testa ha una cuffietta all'uncinetto perché l'hanno rapata e poi le hanno tolto un pezzo di calotta cranica per alleviare il gonfiore del cervello. Ha le gambe tenute distese da tutori e avvolte in strane calze piene di un gel azzurro e morbido, come quello che c'è dentro le maschere che si mettono per riposare gli occhi durante la notte...

Cristo, non le hanno nemmeno lavato il sangue di dosso, voglio dire, non so, almeno quella roba intorno all'occhio...

Le braccia sono perfette. Lisce e abbronzate, senza un graffio né un livido.

Non c'è nessun altro nella camera. Io, Marny e Moodie non sappiamo che fare, non sappiamo se ci è permesso di toccarla, di parlarle, o se dobbiamo solo starcene là in piedi, o se invece dobbiamo salutarla, pregare, oppure girare i tacchi e andarcene. Ma si parla ai comatosi, giusto? Possono sentire, no? Un po' come i feti.

Ci sistemiamo dall'altra parte della stanza con una mano sulla bocca, sussurrando tra di noi, fino a che arriva una donna indiana, un'amica forse, o una cugina. Entra, e senza nemmeno degnarci di un'occhiata va diretta al lavandino, si lava le mani, se le asciuga e poi si siede accanto a Shalini e le stringe le mani, cominciando a parlarle.

«Shalini, cara, ciao...»

Ci sono già fiori dappertutto.

Dopo un po' arriva anche la madre di Shal. Ci dice che dobbiamo lavarci le mani, cosa che facciamo, quindi ci dirigiamo verso il letto e le tocchiamo anche noi quelle braccia così intatte, così calde.

Dopo qualche minuto veniamo accompagnati fuori. In corridoio c'è Zev. Gli diciamo quello che sappiamo. Saltella nervosissimo da un piede all'altro, annuendo continuamente, gli occhi sbarrati.

Aspettiamo.

I giorni passano. Le speranze di vita sono scarse, poi aumentano, quindi decrescono, poi migliorano, e alla fine i dottori si dicono fiduciosi che perlomeno la sua situazione, per quanto il coma perduri, sia stabile. Nessuno sa per certo se ne uscirà. La caduta è stata terribile. Era in piedi sul terrazzo e... nessuno di noi conosceva l'altra ragazza, ma tutti abbiamo la sensazione di esserci stati, di essere stati anche noi su quel terrazzo... Arriva altra gente. Carla e Mark arrivano da Los Angeles, anche i parenti di Shalini fanno la loro apparizione, a dozzine. La sala d'attesa è sempre gremita. Incontriamo i suoi amici, le zie e gli zii, uomini in completo e donne dai capelli grigi, avvolte nei sari. Mangiamo qualcosa nel caffè dell'ospedale. Quando usciamo fuori c'è tanta luce, tutto è del solito blu mare inondato di sole. Andiamo al lavoro, quindi facciamo ritorno da Shalini, mangiamo, dormiamo e Shalini dorme sempre. A volte portiamo qualcosa da mangiare, a volte ci sentiamo bene accolti e a volte no. Di solito gli occhi della mamma di Shalini sono pieni di lacrime, ma di tanto in tanto vediamo che tiene duro, le braccia incrociate, la schiena eretta, e fa domande ai dottori. Lei stessa è un dottore, e ha messo insieme un gruppo di medici d'eccezione per la figlia. Facciamo la conoscenza dei compagni di università di Shalini, dei compagni del liceo, dei suoi cugini. *Stiamo andando a comprare qualcosa, serve niente?* Non si può entrare, oggi, ci sono i dottori. Forse domani. *Non importa, rimaniamo.* Ma perché? Dobbiamo. Conosco le veglie e le attese, ho parlato anch'io con i dottori, anch'io ho tenuto mani strette e ho imparato orari di visita ai pazienti. Conosco le regole: siamo qui per restare. E non si fanno domande ai genitori. Se ci occorre sapere qualcosa, la si deve chiedere a un cugino o un amico. Non si sorride, non si ride, a meno che non sia la famiglia a farlo. Ci si veste bene. Si arriva puntuali se si sa di essere attesi. Non si saltano orari di visita ma non si rimane troppo a lungo, facendo aspettare il compagno di college o lo zio arrivato apposta dall'India. E, cosa della massima importanza, anche noi dobbiamo soffrire. Tutti coloro che circondano il malato devono fare quello che possono in termini di sacrificio e sofferenza, di malnutrizione e veglia, per soffrire insieme a chi soffre ed essere vicini nella sofferenza. Lasciare il capezzale, lasciare l'ospedale, significa indebolire le energie che curano, significa affievolire gli sforzi tesi alla guarigione. Finché il malato è malato, se si può essere con lui si dovrebbe continuare a farlo. Io queste cose le so. Gesti di autosacrificio, anche bizzarri, si impongono. In giorni in cui non potresti davvero fare visita, devi andare. Quando una sera torni a casa e Toph ti dice: «Allora, che ne dici, ti va stasera di giocare a essere un genitore?», prendendoti in giro per il fatto che da settimane non si mangia altro che robaccia da fast food e ogni sera dopo cena ti addormenti sul divano, devi inspirare profondamente e pensare che va tutto bene, che questo genere di cose, questo sacrificarsi e questo soffrire, sono essenziali, e che lui non può capire, per ora, ma un giorno capirà. E anche dopo che hai fatto visita a Shalini, e hai visto le sue ferite guarire e hai tenuto stretta la sua piccola mano tiepida, devi stare nel corridoio e parlare a chiunque abbia voglia di farlo (non ci è chiaro se la mamma di Shalini ci parla perché lo desidera o perché si sente obbligata a farlo, ma decidiamo che è per la prima ragione, per cui rimaniamo anche per delle ore). Un giorno porto un orsacchiotto in regalo a Shalini, il minuscolo orsetto di mohair che tengo nel cruscotto della mia auto da anni, da quando è morta mia madre, perché mi pare che in quell'orsetto ci sia qualcosa di lei, e guardo nei minuscoli occhi di questo piccolo e vecchio orsacchiotto arancione dalle piccole membra snodate e dalla pelliccia lisa e strappata, e c'è davvero qualcosa di mia madre in quell'orso, ed è l'unico oggetto che in qualche maniera mi ricorda di lei, e in un modo talmente intenso e incomprensibile che dopo un po' non riesco più a guardare quei minuscoli occhi neri, perché quando li guardo mi viene in mente la vocetta buffa che mia madre faceva quando lo prendeva in mano, io avrò avuto quattro, cinque o sei anni, quando giocavamo con quell'orso nella casetta che lei stessa aveva costruito decorandola di minuscola mobilia fatta apposta per gli orsi, e quando prendeva uno di questi orsetti se lo metteva davanti alla bocca e con una voce acuta e un po' roca diceva: «Ciao!», e poi: «Ti devo dire un segreto» diceva, mettendo l'orsetto vicino al mio orecchio, facendomi immaginare che l'orso avesse da raccontarmi chissà quali segreti, e – mentre la lana mi solleticava l'orecchio facendomi ridere – rimanevo attonito, rapito. Mi piaceva da impazzire, quel gioco. Così un giorno mi decido e prendo l'orso dal cruscotto, spostandolo da lì per la prima volta in tre anni, e lo porto all'ospedale, la sua lana ruvida come carta vetrata nella mano, e andrò da Shalini che sta dormendo con il suo berretto di lana, mentre sulle pareti adesso ci sono tutte quelle foto di lei felice con la madre, la sorella, e i suoi occhi non sono più così gonfi, e non ha più le bende, e la pelle si sta distendendo intorno alle ferite, rigenerandosi, e io sarò lì da solo e le sistemerò l'orsetto tra il braccio e il corpo e farò due passi indietro per guardare l'orsetto piazzato lì, alto non più di una quindicina di centimetri, i suoi minuscoli occhi neri che mi guardano, e mi sentirò buono e fiero, mi sforzerò di credere di avere fatto un gesto che serve a qualcosa e che l'orso è un orso magico, e risolverò la situazione riportando Shalini qui con noi.

Un giorno John, che non conosce Shalini, chiama per esprimere la sua solidarietà.

«L'ho letto sul giornale.»

«Già.»

«Lo inchioderanno di brutto, il padrone di casa. Aveva sul groppone già un centinaio di reati.»

«Eh, sì.»
«C'è nulla che possa fare?»
«No, non credo.»
Pausa.
«Oggi ho di nuovo sputato sangue e allora...»

Adam Rich non vuole che la sua morte sia un suicidio. Dice che non si adatta al suo personaggio. Preferisce un omicidio.

Optiamo per la morte per mano di una comparsa disoccupata nel parcheggio dell'Asp Club, un locale esclusivo di Los Angeles. L'idea gli piace, sia per la morte violenta, sia per il fatto che avvenga in una location che renderà a tutti chiaro il fatto che il nostro uomo, persino poche ore prima della sua morte improvvisa e sanguinosa, sapeva come ci si diverte. Nel ricostruire la sua vita, glisseremo sul suo passato di tossicodipendenza, a cui faremo solo un vago accenno. Decidiamo di dire che era dipendente, anziché dalle droghe, dalla vitamina C, perché, quando stava recitando in *Code Red* con Lorne Green, era ossessionato dai rischi del fuoco e aveva saputo che gli integratori vitaminici potevano abbassare la combustibilità della pelle umana. Parleremo anche della sua passione per il motocross e la pittura, e riveleremo al mondo che Nicholas della *Famiglia Bradford* era ben più che un attore, che in realtà era uno degli autori emergenti di Hollywood, dato che al momento della sua tragica scomparsa stava lavorando a un progetto cinematografico innovativo, destinato a un immenso successo e che avrebbe incorporato procedure multimediali e interattività. «Un progetto misterioso e da più parti atteso con trepidazione, noto nell'ambiente con il titolo di *The Squatter Project*». Ci sembra che l'idea della morte prematura del genio gli piaccia parecchio.

La storia comincia così:

> Si dice che volando troppo vicini al sole si può cadere. Adam Rich, attore, idolo, iconoclasta, ha volato in alto e ha volato in fretta, ma il 22 di marzo si è trovato improvvisamente troppo vicino al sole. Gli amici, i suo cari e una nazione intera piangono...

Toph è sul divano, chino sul suo libro di storia. Io cammino su e giù schioccando le dita.
«Per favore, piantala» dice.
«No.»

Sono schizzatissimo. Grande serata. Sari è in città. Toph deve andare a una festa di *bar mitzvah* e poi... Sari. Bene. Benebenebenebene.

Ceniamo in fretta e poi Toph si deve cambiare.

«Perché mi devo cambiare?»

«Perché si tratta di un evento religioso, no? Dov'è che dobbiamo andare?»

«Non lo so.»

«Ti avranno pur dato un invito o qualcosa del genere.»

«Si, ma...»

«Bene, e dov'è?»

«Non ce l'hai tu?»

«Io? E perché dovrei averlo io?»

«Io non l'ho mai visto.»

«Eddai, Cristo.»

Chiama un compagno di classe per farsi spiegare la strada e ovviamente siamo in ritardo e lui esce dalla sua stanza con addosso proprio i pantaloni che temevo che si sarebbe messo, quelli con la macchia d'inchiostro sulla tasca.

«Non hai un paio di pantaloni puliti?»

«Li avrei se una certa persona facesse il bucato, di tanto in tanto.»

«Cosa? Cosa? Questi non sono mai stati nella roba da lavare, pezzo d'asino. Devi mettere le cose sporche nella roba da lavare, piccolo...»

«E perché devo mettercele se poi tanto non le uso?»

«Ma per occasioni come queste, imbecille.»

Lo porto a Union Square fino a quell'albergo dove l'attore Fatty Arbuckle fece tanti anni fa non mi ricordo cosa, e quando esce dall'auto sono felice di vederlo allontanarsi, quella piccola testa di cazzo. Torno in ufficio dove Moodie, Paula e Zev stanno lavorando agli ultimi dettagli dell'ultima intervista ad Adam Rich, che ovviamente affermeremo di avere avuto in esclusiva.

D: Chi ammiri, attualmente?

R: Spencer Tracy, James Cagney e Babe Ruth, specialmente Babe. È il tipo d'uomo che tutti – avversari, donne, alcol – hanno tentato di distruggere, ma lui ha continuato ad andare diritto per la sua strada.

D: Questo significa che giochi a baseball ogni mattina?

R: No.

D: Ah. A ogni modo sembra un atteggiamento davvero sano, il tuo, voglio dire che sembri accettare di buon grado gli inevitabili alti e bassi della carriera hollywoodiana.

R: È questione di prospettiva. Recentemente la carriera di attore per me è stata frustrante. La cosa più importante che ho imparato è che il passato può essere di ostacolo al futuro.

D: Come a dire che le opportunità sicuramente esistono?

R: Sì, ma non intendo dare enfasi al mio passato per fare soldi.

Abbiamo solo una settimana per chiudere il numero, senza contare poi il lavoro per il «Chronicle», un'intera campagna per i due editorialisti, da consegnare per l'indomani:

GLI SCHIZZI DI HERB. LEGGETE HERB CAEN
JON CARROLL LE CANTA A TUTTI

Come al solito ce la caviamo alla grande. Devo andare a prendere Toph, riportarlo a casa, quindi tornare a Union Square all'albergo di Sari. Rallento di fronte all'albergo di Fatty Arbuckle, sperando di beccare Toph già ad attendermi sui gradini. Non c'è.

Faccio il giro dell'isolato e scendo di nuovo giù per Polk Street. Toph ancora non c'è e dietro di me c'è uno di quei tram del cazzo pieni di turisti che si spenzolano fuori – *yeeeeeee!* – quindi faccio nuovamente il giro, e quando torno per la terza volta su quella cazzo di Union Square con tutti quei cazzo di turisti...

Fanculo, alla fine metto la macchina nel parcheggio sotterraneo, e poi corro dentro l'albergo in calzoncini. Sono già quasi in ritardo per l'appuntamento con Sari. Mi starà già aspettando. Stasera deve ripartire, oggi aveva un convegno e deve assolutamente partire, ma ora che prendo Toph e lo lascio a casa lei sarà già andata via...

Ma cazzo. Vedo dei ragazzini con i genitori ma Toph non c'è. Non è nell'atrio come altri bambini che evidentemente stanno aspettando i genitori e non è sui gradini come farebbe qualsiasi bambino normale; non è all'ingresso e nemmeno vicino agli ascensori. Quando chiedo di lui una ragazza flessuosa alla reception mi dice che no, non l'ha visto, ma che di sopra ci sono ancora dei ragazzi, per cui forse vale la pena che dia un'occhiata. Prendo l'ascensore tutto cromature e specchi, invaso da una sgargiante moquettatura rossa, e poi mi accorgo della vista, perché è un ascensore esterno – però, forte! – e la stanza della festa è tutta in vetro, il pavimento tristemente cosparso di palloncini colorati, e c'è un DJ che sta rimettendo a posto le sue cose. Ci sono due ragazzini ben vestiti, uno ha persino le bretelle. Ma Toph non c'è. Riprendo l'ascensore con uno di loro, a cui chiedo se sa dove si trovi Toph, ma non ne sa nulla.

Scendo i gradini e torno in strada, di nuovo su Union Square, un altro di quei ridicoli tram, turisti dappertutto, nessuna traccia di Toph.

Sari a quest'ora se ne sarà andata. La mia chance con la sessuologa sfumata per colpa di questo sconsiderato piccolo...

Vado a un telefono per cercare di capire se per caso ha chiamato. Niente. Torno all'albergo, perlustro l'atrio, riprendo l'ascensore, proprio un bel panorama, ispeziono di nuovo la sala della festa, che a quel punto è semivuota. Ci sono solo alcuni genitori che mi guardano incuriositi mentre io guardo loro disperato, ma non posso parlare con loro perché io non sono come loro e non so cosa dire, e se parlo non faranno che vedere confermato quello che già si aspettavano, e rafforzeranno i loro timori e la loro compassione per il povero Toph. Ridiscendo al pianoterra e nello specchio dell'ascensore sembro un pazzo. Forse è morto. È chiaro che è stato rapito, è stato rapito come quella ragazzina, Polly Klaas, e adesso qualcuno lo sta molestando prima di farlo a pezzi. Oppure lo sta portando in un altro stato. Ma no, non è possibile. Ma sì che lo è. È probabile, *molto probabile!*

Sari non aspetterà. Oh, essere capace almeno una volta di condurre a termine una cosa, di fare qualcosa di semplice e ordinario come scopare con l'autrice di un manuale di sessuologia, una cosa semplice semplice, cristodiddio, possibile che non riesca mai ad avere una cosa...

Un momento. Ho trovato. Ha accettato un passaggio da un amico. Certo, un passaggio, il piccolo testa di cazzo ha accettato un passaggio senza dirmelo, si è fatto portare a casa da qualcun altro. Se lo trovo a casa io...

No, no, è ancora qui. Ne sono sicuro. Guardo ai telefoni, al ristorante, al bar. Magari al bar? Ma che cosa guardi al bar, coglione? Pensa, pensa! Poi ancora in ascensore, certo che questa vista è davvero pazzesca, e come va liscio questo ascensore, e poi ancora nella sala della festa in cui ormai non c'è più nessuno. Ancora giù, ancora fuori, ancora fino al parco dall'altra parte della strada. Poi intorno all'isolato, e ormai basta, è andato, morto stecchito chissà dove, rapito, chiaro, stessa età di Polly Klaas, del resto, no? Oddio. E io diventerò come Marc Klaas. Presenterò progetti di legge, la cosiddetta Legge Toph, e darò vita a una fondazione e...

Poi torno nell'atrio e improvvisamente lo vedo, accanto alla porta, la camicia fuori dei pantaloni, i capelli arruffati, intento a guardare fuori dalle spesse vetrate dell'albergo, in punta di piedi.

Lo afferro e non dico nulla fino a che arriviamo in auto e dentro all'abitacolo, con i finestrini alzati, dopo che mi ha presentato le sue scuse con tanto di spiegazione sul fatto che non era sicuro su quale fosse la porta a cui l'avrei aspettato, cioè *l'altra porta*, cioè *una porta che è diversa da quella davanti alla quale l'ho lasciato*, e dopo averlo pazientemente ascoltato, interessante... interessante... senza nemmeno una parolaccia, cercando di non alzare la voce, dato che io non voglio farlo, perché non è così che risolviamo le cose, noi, niente urla, niente parolacce, verboten, niente rabbia, niente scoppi d'ira, niente minacce di fare questo o quello, di menarlo qui o là, io con voce calma e suadente, come se stessi leggendo Chaucer all'università degli anziani, gli illustro il mio modo di vedere le cose:

«Cristo santissimo, Toph!!! Non ha alcun cazzo di senso! L'*altra porta*? Perché l'altra porta? Mi stai prendendo per il culo? Cristo! Cristo! Cristo! Questo genere di cazzate non deve accadere, Toph. Mi spiace, amico mio. Non possono accadere e basta. Fammi il piacere, Toph, fammi il santo piacere, questo genere di cose è ridicolo, (alzando con sua e ancor più mia sorpresa la voce) cazzo, *assolutamente ridicolo*! Queste stronzate non possono accadere, non c'è spazio per stronzate del genere! (Picchiando le mani sul volante.) Cristo! Cristo! Cristo! Non posso guidare all'infinito per la città a cercarti, chiedendomi se devo chiamare la polizia, chiedendomi in che cassonetto ti ritroveranno, violentato e fatto a pezzi e... Cristo! Cristodiddio, Toph, ti avevo già tolto dalla lista, avevo girato attorno a quel cazzo di albergo almeno dieci volte, ti vedevo già fatto in mille pezzi e mi immaginavo quel tipo, l'assassino di Polly Klaas che al processo mi faceva segno "sei fottuto" e tutto il resto. Cazzo, Toph! In queste cose (colpi ripetuti sul volante) non ci deve semplicemente essere margine di errore! (Colpi sul volante a ritmare le sillabe.) Nes-sun mar-gi-ne d'er-ro-re! Ascoltami bene, perché lo sai benissimo come lo so io e lo sappiamo tutti, che per noi l'unico modo per cavarsela è avere un minimo di efficienza. Doppiamo sempre pensare bene a quello che stiamo facendo, dobbiamo sempre avere i piedi per terra! Noi due dobbiamo essere in sintonia, dobbiamo saper prevedere, riflettere, dobbiamo essere all'erta! Le cose devono essere tenute strette in pugno così, Toph, strette così! Non esiste eccezione a riguardo! Tutto stretto così, fratello, tutto al suo posto, così (stringendo prima una mano a pugno e poi come per testare un nodo).»

«Hai appena superato la nostra via.»

Lo lascio da Beth, osservandolo mentre entra nell'atrio rosso di casa sua, faccio un cenno a Beth in risposta al suo saluto, osservo la porta chiudersi e loro due che salgono le scale, ben sapendo che lui le dirà tutto.

Ma adesso non posso preoccuparmene.

Non mentre c'è Sari in città.

Non so esattamente cosa Sari voglia da me. Magari vuole vendicarsi. Potrebbe volermi restituire la carognata di avere sbeffeggiato il suo libro, facendomi salire nella sua camera d'albergo e facendomela trovare vuota. Oppure quando entro mi getterà addosso qualcosa. Che ne so, una torta di panna montata. Del catrame. Tutta questa storia di vedersi forse è un trucco. Una trappola. E me lo meriterei pure. Io merito di tutto, e nessun attacco mi coglierebbe di sorpresa. Ma vale la pena rischiare. Andare con una sessuologa! Saprà tutto dalla A alla Z, un sacco di trucchetti, idee, roba esplosiva, sarà capace di tirarmi fuori cose che mai in vita mia...

La chiamo dall'atrio dell'albergo.

«Stavo per andarmene. Devo prendere l'aereo tra due ore.»

«Eccomi.»

«Vengo giù.»

Sto aspettando la sessuologa. Sari. La sessuologa. Sari. Sessuologa. Ma che mostro sono? Ho un'amica in coma, Toph è da Beth, probabilmente in lacrime, certamente scosso – è la prima volta che mi ha visto davvero perdere la calma – ho perso la calma? Ma sì, sembravo loro...

E adesso sono qui ad aspettare questa donna che conosco in tutto da tre ore, l'ascensore si apre ed eccola lì con la sua valigia che si dirige verso di me, e quando mi è vicina ha così un buon profumo...

Decidiamo di saltare la cena e di andare direttamente a casa mia. Abbiamo un'ora buona prima del suo volo. Saliamo in auto e piove, e la zona del Tenderloin è rossa e smagliante, e sulla strada di casa troviamo tutti i semafori verdi e in un attimo siamo da soli in camera mia.

Sono con la sessuologa! Tutto è voluttà, adesso. Stiamo facendo progressi, abbiamo ancora i vestiti addosso ma stiamo facendo progressi – a letto con la sessuologa – a letto con la sessuologa, a letto con la sessuologa – che diavolo significa essere qui con la sessuologa? Non c'è nulla di meglio al mondo, giusto? Questa è la cosa giusta da fare, no? Non sono sposato e presto morirò, tre anni, forse cinque, e Shalini vorrebbe di certo che ci divertissimo, anche con... anzi *specialmente con* una sessuologa di New York, una possibilità su un milione, lo so bene, e lo sa anche Shal, e così facendo aggiungeremo gioia al mondo, mica gliela toglieremo. La privazione non fa bene a nessuno. Io aggiungerò qualcosa al mondo, questa esperienza e molto di più,

Sari e io ci compenetreremo ancora di più nel suo ordito, facendo cose nuove, qualunque cosa, è tutta una questione di intrecciarsi stretti stretti all'ordito del mondo.

Non c'è problema dunque se io scopo con la sessuologa mentre Shalini è in coma. *Come potremmo mai dire di no?* Il nostro stare insieme significa che qualcosa sta accadendo, e l'accadimento delle cose equivale a un bene morale che corrisponde a un bene inalienabile, vale a dire esistente = sfida = tentativo = sforzo = prova = fede = contatto + tenersi per mano = affermazione = nuotare fino allo scoglio e ritorno + tenendo il fiato sott'acqua per tutto il tempo = sostenere una lotta, piccola grande, fa lo stesso = il fatto di provare sempre a se stessi delle cose = negazione della marea montante = disprezzo della decadenza = forza-contenimento-trattenimento-moderazione-mangiarsi le unghie-dire di no + dare pugni al muro + alzare il volume + cambiare corsia + superare + segnalare con i fari + strillare + pretendere, insistere, stare, ricevere = sfida = impronte di mani e di piedi, indizi, prove = scuotere tronchi d'albero, tagliare reti divisorie + prendere + afferrare + rubare + correre = ingozzarsi = niente rimorsi = insonnia = sangue = essere zuppi di sangue e quello di cui Shalini ha bisogno è la connessione, il sentir pompare dentro di sé sangue nuovo, è il reticolo! Ha bisogno di sentire non solo che noi le siamo vicini, ma che siamo più vicini possibile non soltanto a lei ma anche gli uni con gli altri, che creiamo attrito, rumore, e se possibile che facciamo anche sesso tra di noi e proiettiamo su di lei tutta quell'energia e quell'esplosione d'amore: tutto si collega, alla fine! Ecco, *Shalini vorrebbe che noi facessimo sesso!* E poi, con Sari, a questo punto in pomiciata media, entrambi con gli occhi chiusi e il tonfo di scarpe vuote sul pavimento di legno, pensare a tutte le cose a cui si pensa con gli occhi chiusi mentre ci si tocca, ci si sistema in posizione e ci si strofina, come che ne so, i viaggi nello spazio. Immaginarsi di camminare su Marte in una tuta alla *2001: Odissea nello spazio* in un paesaggio rosso, polveroso. E poi le figure di un libro meravigliosamente illustrato che ho avuto tra le mani negli anni della mia adolescenza, e che trattava di come i viaggi spaziali potrebbero essere da qui a tremila anni, con le astronavi di dimensioni lunari, torri alte miglia sovrastanti pianeti ancora ignoti, e poi gli occhi di Shalini, chiusi e violetti, e il fatto che non hai un preservativo e che passerai l'Aids a Sari e tra un anno ti toccherà dirglielo, quando ti verrà diagnosticato e dovrai trovare il momento... No, ecco, lo farai per posta, dato che non te la sentirai di affrontarla direttamente, e a quel punto ti sarai trasferito nella Groenlandia di Franz Josef Land, oppure magari invece sarai qui e glielo dirai di persona, e le chiederai di sposarti, e insieme combatterete l'Aids, perché... ma no, stronzo, lei non vorrà mai più avere nulla a che fare con te...

Sento il portone che si apre e si richiude. Sento la porta del nostro appartamento che si apre e si richiude. La porta della camera da letto si schiude. Toph.

«Ooops» dice.

Esco con lui. È la prima volta che mi sorprende in una situazione del genere.

Lui è lì, in piedi. Se ne sta in piedi e guarda dentro il ripostiglio.

«Che cosa ci fai qui?» chiedo.

«Cosa vuol dire?»

«Non dovresti essere da Beth?»

«Non aveva niente da mangiare e mi ha detto di tornare qui.»

«Ascoltami bene, gira sui tacchi e torna lì. Dille di non fare la scema e di ordinare qualcosa. Vengo a prenderti tra un'ora.»

Se ne va.

Torno di là da Sari. Si è alzata in piedi, è pronta ad andare.

Ci dirigiamo all'aeroporto.

Silenzio. Poche chiacchiere senza significato.

Scesi dall'auto ci abbracciamo.

Supera le porte di vetro dell'aeroporto e io la osservo stolidamente. Non mi è chiaro che cosa sia successo tra di noi e se qualcosa in effetti è successo, se abbiamo rotto il ghiaccio, se abbiamo delle prove da fornire, a questo punto...

Decidiamo di unire all'intervista ad Adam Rich una foto a tutta pagina di lui sorridente. La didascalia recita: "Non ha temuto il Triste Mietitore". Il servizio è favoloso, perfetto fino all'ultimo dettaglio, le foto di Adam da bambino, quella con Brooke Shields che torreggia sopra di lui, anche una bizzarra immagine di lui a circa nove anni in compagnia della nuova ragazza di Moodie, Michelle (che andava alla stessa scuola dove andava lui). È tutto perfetto al millimetro, *tutto assolutamente credibile*. Sarà una bomba, lo pensiamo tutti.

«Sarà una bomba» diciamo tra di noi.

«Ah, sì che lo sarà» diciamo.

Le cose finalmente sembrano mettersi a posto, la situazione affitto sembra essersi stabilizzata, le inserzioni stanno più o meno aumentando, lo staff è al massimo, abbiamo di volta in volta sei, dieci, anche venti stagisti, e adesso abbiamo anche una persona che ci dà una mano nella East Coast, un'attrice cameriera ventiduenne di nome Skye Bassett, che Lance ha in qualche modo coinvolto perché corra in giro per New York a organizzare incontri per noi, una festa che abbiamo in programma di fare, e commissioni di ogni genere.

«Un'attrice?» diciamo.

«Sì, avete visto il film *Pensieri pericolosi*? Era una delle ragazza della classe. Un ruolo importante. È nei titoli di coda e tutto il resto.»

«E... che diavolo vuole avere a che fare con noi?»

Si tratta di una domanda di rito. Siamo sempre sospettosi verso coloro che si offrono di aiutarci e ci preoccupiamo tutte le volte che qualcuno lo fa per davvero. Ovviamente quelli che, come Zev, si trasferiscono dall'altra parte del paese e lo fanno gratis, be', altra storia...

Dopo un po' noleggio il film, e infatti, in mezzo ai ragazzi neri e latinoamericani – gente a rischio, come si sa – ecco una ragazzina bionda e caruccia. Una tipa tosta che si trucca troppo. Ha delle battute vere e proprie di copione e tutto il resto, e adesso corre su e giù per noi a New York. Fa la cameriera con un turno di trenta ore settimanali al Fashion Café, recita o fa audizioni per un'altra trentina, e nel tempo libero sbriga la nostra robaccia. Al telefono sembra un po' matta e terribilmente divertente, e ha la voce un po' roca. È una di noi, e con lei e con questa faccenda di Adam Rich mi sa proprio che siamo a un giro di boa, forse dovremmo davvero cercare di spingere, adesso, mettere davvero insieme un business plan, riuscire a tirare su qualche milionata di dollari, e imporci una volta per tutte, riuscendo a piazzare il nostro nome su ponti e scuole elementari, prenotarci per il primo volo con lo Space Shuttle, e forse anche Shalini raccatterà un po' di grana e tornerà tra noi e farà la sua parte, perché Shalini ormai è in coma da due settimane, quando io e Marny andiamo a farle visita in un giorno della settimana luminosissimo, intorno a mezzogiorno, ed entrando in camera sua notiamo che ha gli occhi aperti.

Cristodiddio.

Ci fermiamo, come congelati. Non ci era stato detto che aveva aperto gli occhi. Abbiamo l'impulso di correre a chiamare la famiglia.

Ha gli occhi aperti e non vacui, ma aperti, decisamente. E ci guarda! Mi sposto lievemente di lato per vedere se mi segue con lo sguardo e infatti lo fa, lentamente, lentamente, ma... come se...

«Ehi, Shal!» esclama Marny.

È sveglia!

Ci laviamo le mani e ci avviciniamo al letto – forse in effetti ci dimentichiamo di lavarcele – e ci chiniamo su di lei come al solito, toccandole un braccio, e per tutto il tempo i suoi occhi ci seguono, o meglio uno dei due. L'altro non si muove, ma non c'è dubbio che ci sta osservando, con quei suoi enormi occhioni, o uno soltanto, che sembrano così stupiti nel vederci, come gli occhi muti e attoniti dei neonati. E Dio se ha occhi grandi, il bianco sembra talmente grande, molto più di prima, il doppio di prima.

Il mondo è in boccio. È tornata, non l'abbiamo perduta, è tornata, è chiaro, e ci sente, e presto ci parlerà, e poi, magari tra qualche giorno, si alzerà e tornerà a lavorare, a chiacchierare, a creare, a darsi da fare e anche a somministrare quei suoi meravigliosi massaggi.

Uno dei suoi amici entra nella stanza. Lo guardiamo con occhi pieni di una sorta di urgenza, non per allarmare nessuno, ma come dire, Cristo!

Le chiediamo di muovere le dita del piede e lei le agita avanti e indietro.

È una cosa spettacolare.

È insieme Gesù, Lazzaro e il giorno di Natale.

Più tardi ci viene spiegato però da un dottore che, nonostante abbia gli occhi aperti e sembri cosciente, tecnicamente si trova ancora in uno stato di coma, e che non è infrequente che un comatoso si risvegli, si guardi intorno e sia in grado di reagire correttamente a dei comandi elementari. Non abbiamo la più pallida idea di che cosa significhi. Per noi è del tutto ovvio che Shalini è sveglia, è tornata, e che potremmo anche essere stati noi, io e Marny, la causa.

Ce ne andiamo in preda a una vertigine che ci rimescola. Le auto nel parcheggio risplendono, il cielo è pieno di colombe e di grassi cuccioli danzanti che cantano in coro le canzoni dei primi Beach Boys. Circondo le spalle di Marny con un braccio mentre ci dirigiamo verso la nostra macchina, e nell'istante in cui arriviamo alla portiera vengo folgorato da un'idea fantastica. E questa idea è: io e Marny dovremmo fare l'amore.

La mia testa si trova su un altro pianeta, un pianeta appena scoperto, pieno di flora e fauna sconosciute, cervi alati e serpenti canterini, e sono talmente fuori di me dalla gioia che quando saliamo in macchina tutto quello che riesco a fare è sorridere. A Marny. Siamo tutti e due vivi, e ci conosciamo da tutti questi anni, e siamo arrivati fin qui insieme, dopo così tanto tempo, e siamo in un certo senso così vecchi e stanchi e nessuno è riuscito a farci fuori, non siamo caduti da nessun ponte o da una balconata o da un terrazzo pericolante. Credo onestamente che il modo migliore per commemorare tutto ciò sia che io e Marny ci denudiamo l'un l'altro e facciamo una bella sudata. A casa sua, a casa mia, in macchina, non importa, alla spiaggia, al parco.

Ho bisogno di togliermi i vestiti. Non posso guidare. Siamo seduti nella nostra macchina in sosta nel parcheggio dell'ospedale. Non posso fare nient'altro. Non posso tornare al lavoro. Il sesso è la cosa giusta da fare.

«Ci osservava fissa» dico, pensando al sesso.

«Incredibile» dice Marny, non pensando assolutamente al sesso.

«Aveva un aspetto stupefacente, perfetto, proprio lei, con quegli occhioni che ci seguivano» dico, pensando prima agli occhi di Shalini e poi al sesso, e a quale dei nostri appartamenti è più vicino.

«Sì, era del tutto in lei, e completamente sveglia» dice Marny.

Faccio una pausa e guardo Marny, sperando che i miei pensieri, voglio dire quelli relativi al sesso, penetrino nel suo cervello, nel caso non vi si siano già insediati. Lei guarda lontano, oltre il parabrezza, nella speranza che io mi decida a mettere in moto. Quando si gira verso di me la sto ancora guardando con quel mio sorriso – non ho la più pallida idea di come affrontare l'argomento – forse appena più timido. Magari un sorriso timido funziona.

«So che la cosa potrà sembrarti strana» dico d'un fiato. «Ma in questo momento sono davvero arrapato.»

Segue una breve pausa di silenzio in cui è evidente che sta cercando di fare una diagnosi del mio stato confusionale nonché del fatto che non sto scherzando. Da parte mia sono incerto, perché per un minuto sono portato a pensare che anche lei si trovi sul mio pianeta che, tra parentesi, è pure dotato di favolosi scivoli d'acqua, ma alla fine salta fuori che in effetti non si trova affatto sul mio pianeta.

«Credo che sia meglio tornare in ufficio» dice. E ha ragione. È una brava ragazza. Non se la prende mai quando faccio queste cose. Che idea scema, persino un po' rivoltante. Tutto sbagliato. Male!

Le chiedo un amichevole abbraccio. Accetta. Mentre ci abbracciamo sono folgorato da un'altra grande idea, ossia che io e Marny dovremmo fare l'amore. Vado per le lunghe con l'abbraccio di traverso ai sedili dell'auto, pensando che magari la faccenda cominci a piacerle e che stia cambiando idea, il che ci permetterebbe di chiudere quel cerchio che...

Si sottrae al mio abbraccio e mi dà tre affettuosi e rapidi buffetti come si farebbe toccando un rettile. Va bene. Metto in moto, vado in retro ed esco dal parcheggio, quindi ci dirigiamo verso l'ufficio, la città è di fronte a noi, bianca e spigolosa, i grattacieli sono sorridenti, anzi qualcuno ridacchia pure, bel gruppetto di buontemponi. Capiscono la situazione.

Adam Rich insiste perché lo si vada a prendere all'aeroporto. Gli ho pagato il volo, di modo che possa essere presente alla festa di lancio del numero della rivista e possa fare qualche intervista alla radio. Gli ho gentilmente suggerito che le navette che fanno avanti e indietro dalla città all'aeroporto funzionano alla perfezione, oltre al fatto che costano pochissimo, figurati, io le prendo sempre, ma lui ha fatto una lunga pausa, dopo di che, come già era successo in altra occasione, mi ha ricordato che non è che stavo parlando al telefono con un compagno del liceo che veniva a fargli visita, bensì con un attore hollywoodiano di una certa fama il cui nome aveva già fatto il giro del mondo, un uomo fatto. Era Adam Rich, lui! Niente navetta per Adam Rich! Niente camera d'albergo del cazzo per Adam Rich! Siamo seri!

Forse che Adam stia cominciando a credere sul serio alla faccenda dell'autore, del genio al lavoro sul suo *Squatter Project*?

Vado a prenderlo con la mia Civic. Sono in ritardo. Corro lungo i corridoi moquettati del terminal, su per una scala mobile, fino al gate, quindi giù di nuovo all'area bagagli. Devo chiamarlo sul cercapersone. La cosa non gli piacerà.

«Sei tu?»

Mi giro.

«Adam.»

«Sei in ritardo.»

Ed eccolo di fronte a me. Adam Rich.

Sapevo che era un po' basso. Lo sapevo. Non mi mostrerò sorpreso. Ha un'abbronzatura perfetta, quasi lucida, capelli gellati, barbetta. Indossa esattamente gli stessi vestiti del servizio fotografico. Canottiera, pantaloncini da surfer, occhiali da sole. Ha un aspetto invidiabile.

Ci dirigiamo verso l'auto.

Quando entriamo a San Francisco, la prima cosa che vuole è un sigaro. Deve assolutamente avere un buon sigaro. Ha la passione dei sigari, mi assicura, da molto prima che diventasse una moda, e vuole che mi fermi in un posto che conosce lui su Market Street perché ne vuole acquistare alcuni di una certa marca, sai, non esattamente il genere che puoi trovare al 7-Eleven.

Ho prenotato una camera all'albergo su Van Ness. Non l'ho mai visto, l'ho trovato sulle pagine gialle.

«Ti piacerà» gli dico. «È vicino a... un sacco di roba.»

Non è vicino a un cazzo di niente. Ma era il posto più economico cui avessi chiamato, e poi la pubblicità sull'elenco era graziosa e c'erano le immagini più belle.

Parcheggiamo di fronte all'albergo. È una specie di motel, appena fuori dal traffico di Van Ness, accanto a una concessionaria di automobili, a circa tre isolati dal Tenderloin. Non c'è né aria condizionata né piscina.

Adam non è soddisfatto. Ha un'aria esasperata. Vuole stare vicino al mare, come mi ha detto chiaramente al telefono. Andiamo in auto fino al molo. Arrivati in zona, mi fermo a una cabina del telefono e do un'occhiata all'elenco. Lui aspetta in macchina con gli occhiali da sole sugli occhi. Dopo dieci minuti arrivo con una prenotazione al Best Western, aria condizionata, piscina, a cinque isolati dalla scogliera dei leoni marini. Lo lascio all'albergo e pago la camera. Per i due giorni seguenti farò tutto quello che mi chiede perché gli siamo debitori, perché il numero della sua morte, sulla cui copertina si legge:

Addio, amico gentile
Adam Rich, 1968-1996
I suoi ultimi giorni
La sua ultima intervista
La sua eredità

ha colpito e colpito duro, relativamente, si intende. Mentre il numero veniva distribuito nelle edicole abbiamo inviato dal nostro fax marca Brother 600 un unico comunicato stampa al «National Enquirer», con la piena intenzione di mentire riguardo alla veridicità dell'articolo. Allo scopo di evitare che qualunque genere di chiarimento venisse richiesto direttamente a noi, e così mantenere lo scherzo in vita il più a lungo possibile, abbiamo deciso di legare la storia e i fatti che la compongono al suo elusivo autore, l'inglese Christopher Pelham-Fence. Ogni richiesta di chiarimenti sarebbe dovuta essere indirizzata a lui, il quale sfortunatamente non sarebbe stato disponibile per una settimana, dal momento che era stato inviato, se non andavamo errati, in Romania.

Otto minuti dopo abbiamo ricevuto una chiamata affannosa da uno dei produttori del programma televisivo *Hard Copy*. Noi non abbiamo mandato nessun fax ad *Hard Copy*.

«Perché non sappiamo nulla di questa storia?» voleva sapere.

«Be', questa è proprio una bella domanda» abbiamo detto noi.

«Siete già in contatto con altri canali televisivi?»

«No, voi siete i primi.»
«Bene, bene. Potete rintracciare per noi la famiglia, o gli amici?»
«Ehm, ecco, credo, forse. Sì.»
La logistica della cosa si andava complicando a un ritmo inaspettato. Chi avrebbe fatto la parte della madre e del padre? E del negoziante all'angolo?
«Be', prima di tutto» abbiamo detto «dobbiamo metterci in contatto con il signor Pelham-Fence, ecco, dato che è lui ad avere tutti i dettagli.»
Siamo stati colti impreparati. Avevamo dato per scontato che ci avrebbero creduto. (*Be', se lo dice un'oscura e sgangherata rivista di San Francisco, sarà vero...*) Non abbiamo pensato che i produttori di *Hard Copy* facessero tanto i difficili sull'attendibilità dei fatti. Qualche minuto dopo il produttore ha richiamato.
«Il dipartimento di polizia di Los Angeles non sa nulla dell'omicidio.»
«Ah. Be'...»
«Non che avrebbero dovuto saperne nulla, ma...»
Era evidente che gli sarebbe piaciuto crederci quanto noi avremmo voluto che ci credessero.
«Ecco» abbiamo detto noi. «Ehm...»
Venti minuti dopo, altra chiamata.
«Non esiste traccia del fatto da nessuna parte, nella California meridionale. È lì che è accaduto, no?»
«Be', ecco, ehm, ci pare di sì.»
«Avete altre informazioni? Mi può ripetere quando è accaduto?»
«Ehm... (sfogliando nervosamente le pagine in cerca dell'articolo) se ricordo... bene... è stato... sa, veramente dovrebbe parlare con il signor Pelham-Fence. Certo, in questo momento si trova a Bucarest... e adesso lì sono più o meno le tre del mattino, e...»
Abbiamo riagganciato, cercando di elaborare una strategia. Abbiamo tentato di convincere Paul o Zev a fare Pelham-Fence. Ma entrambi si sono rifiutati.
«Non esiste.»
«Io non so fare l'accento inglese.»
Il produttore ha chiamato un'altra volta.
«Nessuno ha sentito parlare di questa storia. Abbiamo telefonato alla sua manager che è caduta dalle nuvole.»
Entro un'ora dal nostro fax la cosa è andata a puttane.
«Sentite, ragazzi, che cos'è questa storia?» vuole sapere il produttore.

A quel punto glielo abbiamo detto. Era una bufala. Tanto per ridere. Non ha riso. Era arrabbiato. Ha buttato giù il telefono.

Fine.

Non esattamente, però. Non per Adam, almeno, dal momento che la macchina si era messa in moto e ci sarebbero volute alcune settimane prima che si fermasse. Un reporter della Associated Press, evidentemente un po' tardo, aveva contattato il papà della *Famiglia Bradfrod* che vive da qualche parte in Missouri, chiedendogli un commento sulla morte prematura del suo figliolo televisivo. A quanto pare il poveretto era scoppiato a piangere. La faccenda poi ha invaso Internet. La gente ne parlava nelle chatroom e la maggior parte di coloro che sapevano che si era trattato di una falsa notizia erano furiosi. Altri non sapevano cosa pensare. Gli amici e le ex fidanzate di Adam avevano trascorso giorni e giorni in stato di shock, credendo che fosse davvero morto. Una ragazza, sicura che fosse morto, aveva chiamato casa sua per sentire per l'ultima volta la sua voce alla segreteria telefonica, e Adam aveva risposto. A momenti non ci rimaneva secca. Adam ci aveva chiamato, preso dal panico.

«Ragazzi, questa storia è andata fuori controllo. La mia famiglia sta impazzendo.»

Abbiamo inviato allora un altro comunicato stampa in cui spiegavamo il nostro scherzo buffissimo, affermando che ci pareva che la sua falsità dovesse apparire ovvia a chiunque (ben sapendo che non era vero) e che l'umorismo della cosa era altrettanto evidente (come no). Il comunicato era corredato anche da una nota di Adam che diceva a tutti, su nostra pressione, di "non dare peso alla cazzata".

A quel punto era arrivato il colpo di frusta. Tutti volevano il sangue del povero Adam. Un articolo sull'«Enquirer», un trafiletto sull'«American Journal» e su «E!», riferimenti alla storia su dozzine di giornali della Associated Press, un servizio sul «New York Post». La maggior parte delle storie, con qualsiasi scusa o motivo, scavavano nel suo passato, una mistura neanche troppo sordida di droga e furtarelli da poco, peraltro con scarsissimi risultati. E quasi tutte, dalla prima all'ultima, lo accusavano di usare questa faccenda della falsa morte – *il nostro piccolo capolavoro di manipolazione del sentimento pubblico* – come un mezzuccio per riguadagnare le pagine dei giornali.

La mattina dopo lo vado a prendere al Best Western per la prima delle due interviste.

«E allora, a che cosa stai lavorando attualmente?» gli chiede Peter Finch, il compassionevole DJ della radio KFOG.

«Ecco, sto mettendo insieme una sceneggiatura. Un dramma in costume.»

«Ehi, fantastico. E tu...»

«Sono regista e produttore.»

Adam è incredibile. Ero pronto alla catastrofe, mi aspettavo che gli ascoltatori avrebbero chiamato per farlo a pezzettini, che il DJ lo avrebbe preso per il culo, e invece tutto resta nei limiti, e Adam è composto, sicuro di sé, ha la parola pronta, pur sempre un attore, pur sempre nel pieno controllo della situazione.

Dopo di che viene in ufficio a firmare alcune copie della rivista. Ha una firma decisa, piena di linee forti e svolazzi. Zev e io portiamo una delle copie a Shalini.

Shalini è stata trasferita in un nuovo ospedale, proprio alla fine della via dove abitiamo io e Toph, in una stanza luminosa con vista su Nob Hill. È cosciente, ha avuto qualcosa come dieci o dodici operazioni alla testa e ne dovrà fare altre centomila. Facciamo divertire un po' lei e la mamma leggendo le sue lettere ad alta voce e raccontandole tutte le stupidaggini dell'ufficio. La sua memoria a breve termine fa cilecca, per cui non si ricorda molto bene di Zev, e spesso le dobbiamo spiegare chi sono parecchie delle persone di cui le parliamo.

«Lo sai chi c'è in città?» diciamo. «Questa ti piacerà.»

«Chi?»

«Adam Rich.»

«Oddio. E perché?»

«Be', sai, abbiamo deciso di uscire con questo numero della rivista in cui facevamo finta che fosse morto e...»

Penso che sia una storia davvero forte, ma nel bel mezzo del racconto lancio lo sguardo alla madre e mi accorgo che a lei la storia non sta piacendo affatto. Per forza non le piace. La sua piccola mamma è stata al capezzale di Shalini per tutti quei mesi e adesso arrivo io e dico queste cose...

Sono un idiota. Guardo Zev sperando in un aiuto, ma lui non si è accorto dello sguardo della mamma di Shal. Cambio rapidamente soggetto.

Ci fermiamo per un po'. Mi accorgo che hanno trasferito la maggior parte delle cose che c'erano nella vecchia stanza in questa. Le foto della famiglia e degli amici, i ritratti di Shalini in bianco e nero, gli animali di peluche, i fiori, il CD portatile, i libri. Non avevo intenzione di cercarlo, ma mi rendo conto che mi sto guardando in giro tentando di localizzarlo. Non è più adagiato tra il suo braccio e il fianco.

Non è sul tavolo accanto a lei né sul davanzale della finestra. Senza dare nell'occhio faccio un giro della stanza, pensando che magari si trova in un punto di particolare riguardo. Che so, in una bacheca di vetro.

Niente bacheca di vetro.

Niente orso.

Possibile che non mi si possa affidare niente?

La festa per Adam viene così così. Abbiamo sparso numeri della rivista per tutto il locale, e tutti i convitati ne hanno una copia in mano e la sfogliano, la faccia di Adam in copertina che guarda con occhi vitrei, già quasi un fantasma. Forse è per quello che quando mi metto a presentare Adam a destra e a sinistra, la gente si dimostra piuttosto confusa. Guardano la rivista, poi Adam, poi ancora la rivista. Non sanno come regolarsi, dato che lui è allo stesso tempo un'icona degli anni Settanta, un frammento della loro infanzia, e con ogni evidenza un cadavere. Ciascuno di questi fatti dovrebbe di per sé impedire che adesso lui passeggi tra di loro, teso nello sforzo di convincere le più piccole tra le donne presenti a fare una nuotata con lui nella piscina del Best Western. «Ho la sensazione che Adam Rich ci abbia appena provato con me» mi dice un'amica. «Ma è davvero lui?» chiedono tutti. «Che cosa ci fa qui?» Anche quando sale sulla piccola pedana per parlare, la gente fa ancora fatica a capire. *Ma in questa rivista satirica si dice che è morto. Com'è possibile che...?* Quelli che capiscono, d'altra parte, non sembrano così favorevolmente impressionati dall'operazione. Il fatto che lui sia presente alla festa data in suo onore da un'oscura rivistina in un locale del cazzo, significa evidentemente che anche lui, per logica associazione, è oscuro e un po' del cazzo. Farlo andare su e giù per questo piccolo club tutto velluti e banconi stondati non fa che dimostrare che è un tipo abbastanza disperato da volare da Los Angeles per lavorarsi della gente in quel buco di San Francisco, per ricordare a tutti chi era un tempo e che cosa potrebbe tornare a essere. Faccenda inquietante. O triste. Possibile che faccia tutto ciò per attirare l'attenzione? Possibile che stia cercando di spremere il proprio passato per riconquistare un pubblico da troppo tempo indifferente?

Ma no. Adam non è un tipo abbastanza calcolatore o cinico. Solo una specie di mostro tanto orrendo quanto sfigato potrebbe escogitare una cosa del genere. No, dico sul serio, che razza di persona metterebbe in piedi una montatura del genere?

X

OVVIO CHE FA FREDDO. Sapevo che avrebbe fatto freddo. Avrei dovuto sapere che avrebbe fatto freddo. E perché non dovrebbe fare freddo in dicembre, Dio santo? Normale che faccia freddo a Chicago in dicembre. Ho vissuto qui un secolo, lo so che fa freddo a Chicago in dicembre. E mi piaceva anche, il freddo, lo accoglievo felice, lo padroneggiavo. Ne ho fatte di corse con Pete giù al lago, ho passato ore a studiare stalattiti e muraglie di ghiaccio, le onde fermate in corsa dal gelo, ho litigato con gli stupidi e crudeli ragazzini che si divertivano a distruggere le formazioni azzurrine, ascoltandone il crollo. Portavo il walkman sotto il cappello, e ascoltando devotamente Echo and the Bunnymen lanciavo sassi sulla crosta dura del lago, osservandoli, ascoltandoli rimbalzare con il suono di gigantesche perline sul vetro opaco del ghiaccio che si alzava infinito e indistinguibile dal cielo, l'orizzonte ridotto a niente più che una riga incerta e sfumata. Conoscevo la neve, la differenza tra quella compatta e quella fine come cipria, sapevo mescolare quella fina con l'acqua, sapevo che se si irrora d'acqua una palla di neve e la si lascia riposare per un minuto, quello che si ottiene è una palla di ghiaccio che, se tirata con cura – d'accordo, forse troppa, a volte – è in grado di creare un livido grande come un pugno sulla guancia di tuo fratello Bill. Avevo esperienza delle pinne del naso fredde come i muri di una caverna sui fianchi di una montagna artica, delle dita dei piedi dure come ciottoli di fiume all'interno delle scarpe, solo vagamente correlate alla mia persona, e del morso del vento sulle gambe attraverso i jeans che sembravano di carta. Ho conosciuto tutto questo.

E allora perché cazzo non mi sono portato un cappotto? E, cosa ancor più triste, perché non ci ho nemmeno pensato? Perché in realtà non è che mi sono dimenticato, no, no. Non ci ho pensato nemmeno per un istante.

Il freddo mi assale appena sceso dall'aereo e ancora di più mentre percorro a passi pesanti lo stretto passaggio tra l'aereo e il terminal. Niente può scacciare un freddo simile. Sono già intirizzito. E non so più che farmene, oramai, del freddo: non tirerò fuori la slitta, non ha neppure nevicato. Il suo unico scopo è quello di fungere da forzata e ovvia metafora, da premonizione. Ma dentro di me spererei quasi che piovesse. È una notte gelida e grigia, qui a Chicago, e io indosso nient'altro che un golfino praticamente di cellophane.

Toph è a Los Angeles con Bill e io sono a Chicago. Noleggerò un'auto all'aeroporto e tornerò a casa a fare visita a Sarah Mulhern, nel cui letto sono finito poche settimane prima che mia madre morisse, vedrò gli amici di mio padre e il bar dove mio padre si recava (di nascosto), e forse andrò anche al suo ufficio e alle pompe funebri e alla mia vecchia casa, con i miei fantasmi in tasca, incontrerò l'oncologo dei miei genitori, andrò a trovare amici preoccupati e farò un salto alla spiaggia per cercare di ricordarmi com'è l'inverno da queste parti, e cercherò anche di vedere se riesco a rintracciare i loro corpi.

No, no, lo so che non troverò i loro corpi – sono stati cremati, a un certo punto – ma da parecchio tempo sogno, e lo racconto sia perché sono un tipo alquanto contorto sia perché mi sembra una storia interessante, di riuscire a trovarli, o perlomeno di individuare l'edificio dove sono stati trasportati, alla facoltà di Medicina... Sapete in realtà che cosa vorrei vedere? Voglio vedere la faccia del dottore o dello studente o dell'infermiera o chi diavolo era che ha usato i miei genitori come materiali da esperimento. Ho delle immagini, non nel senso di foto, ma di immagini mentali, di un enorme stanzone dal pavimento lucido punteggiato da tavoli in acciaio inossidabile, e ovunque strumenti con lunghi e sottili cavi elettrici, attrezzi per tagliare, trapanare, estrarre, e cinque studenti di medicina per tavolo, i tavoli sparsi per la stanza, forse un po' troppo radi, così da conferire all'ambiente un'aria poco accogliente, troppo spaziosa, in una specie di disposizione a griglia di un'inquietante rigidità. Dio solo sa che cosa riescano a fare con due corpi talmente devastati dal cancro, se li hanno usati come casi da studiare o se ne hanno prelevate le parti sane, che so, gambe, braccia, mani, ignorando quelle malate, come macchine che poi verranno abbandonate ad arrugginire in un angolo... Oddio, a questo proposito mi viene in mente uno scherzo che mio padre faceva con una mano, ad Halloween. Avevamo forse da dieci anni una mano di gomma dall'aria piuttosto realistica che saltava fuori puntuale ogni anno. Mio padre ritirava una mano dentro la manica e metteva al suo posto la mano di gomma. Quando arrivavano i ragazzini per fare "dolcetto o scherzetto", andava alla porta, apriva il sacchetto di carta che gli porgevano e ci buttava dentro prima le caramelle e poi la mano. Era uno scherzo favoloso.

Oddiosantissimo! gridava, agitando il braccio senza mano. *Oddiosantissimo!* I bambini lo guardavano ammutoliti, terrorizzati. Poi all'improvviso mio padre si ricomponeva, e frugava nuovamente nella borsa. *Scusate, vorrei riprendermela...*

E dunque ho deciso di trovare la facoltà di Medicina che ha ricevuto i loro corpi, ci andrò, rintraccerò il dottore che all'epoca si occupava dell'impiego dei cadaveri e busserò alla sua porta. Lo farò. Di solito non ho coraggio per questo genere di cose, ma in questo caso lo troverò, supererò la mia... Ecco che cosa dirò al dottore quando mi aprirà la porta, quando socchiuderà l'uscio per vedere chi ha bussato...

Non ho idea di che cosa dirò. Qualcosa che lo spaventi. Ma non sarò arrabbiato. Voglio solo guardarlo in faccia. Portargli i miei saluti. Voglio che sia più basso di me, intorno ai quaranta o ai cinquanta, fragile, calvo, con gli occhiali. Rimarrà di sale quando mi presenterò, avrà timore per la sua stessa vita, la mia ombra si staglierà contro di lui, e io mi farò vicino, con fare di rilassata confidenza e gli porrò delle domande, domande del tipo:

"E allora, mi dica un po'. Che aria aveva?"

"Mi scusi?" dirà.

"Aveva l'aspetto del caviale? Assomigliava a una piccola città con un unico grande occhio luccicante, o piuttosto con un migliaio di minuscoli occhi luccicanti? O magari era vuoto, come una zucca essiccata? Perché vede, ho sempre avuto l'idea che fosse come una zucca essiccata, vuoto e leggero, perché quando la sollevavo era talmente leggera, più leggera di quanto mi aspettassi. Quando si porta in braccio una persona, pensavo giusto questo, quando si porta in braccio una persona, perché è più facile se ti si attacca al collo? Perché in fondo, in un modo o nell'altro, ne porti sempre il peso. E allora com'è che se ti afferra il collo, improvvisamente tutto è più facile, come se fosse lei a tirarti su, quando in realtà sei tu a portare lei? Perché mai dovrebbe esserci differenza se loro afferrano te... Il punto è che a quel tempo, quando io la trasportavo di qua e di là, all'epoca in cui se ne stava tutto il giorno sul divano a guardare la tv, io pensavo che quella cosa nel suo stomaco dovesse essere incredibilmente pesante. Poi la sollevavo, ed era incredibile invece quanto fosse leggera! Il che mi pareva dovesse significare che si trattava di qualcosa di cavo, non il nido di vermi brulicante o la massa cavialiforme che mi ero sempre immaginato, ma qualcosa di secco e vuoto. E dunque, quale delle due è quella giusta? La zucca essiccata o la brulicante congrega di peduncoli viscidi?"

"Be', ecco..."

"Me lo chiedo da così tanti anni."

Lui me lo dirà. E allora finalmente saprò.

E sarò in pace, finalmente.

Sto scherzando, ovviamente, vi prendo in giro. Sul fatto di essere in pace, intendo. Questo viaggio si giustifica con il fatto che le cose a San Francisco vanno fin troppo lisce. Sto guadagnando dei soldi, Toph va bene a scuola... Insomma, la situazione si è fatta insostenibile. Di qui la decisione di tornare a casa e mettersi alla ricerca di cose spaventose, del caos. Voglio essere preso a pistolettate, voglio cadere in un buco, voglio essere trascinato fuori dalla macchina e pestato a sangue.

Inoltre, devo andare a un matrimonio.

Sono a Lincoln Park con Eric e Grant, due amici del liceo.

La sera del mio arrivo andiamo al bar dell'angolo.

Grant lavora ancora nella fabbrica di lampade alogene del padre, reparto spedizioni. Parliamo di quando suo padre, che forse lo sta tenendo con il guinzaglio un po' troppo corto, si deciderà a promuoverlo. Non ne è sicuro. Eric, invece, il nostro secchione del liceo, è un consulente d'azienda. Il suo ultimo lavoro l'ha costretto per un mese in un allevamento di maiali del Kentucky.

«E cosa ne sai tu di allevamenti di maiali?»

«Assolutamente nulla.»

Sta facendo un sacco di soldi. È padrone del condominio in cui vivono tutti e due, e Grant paga l'affitto per una stanza in quell'orrendo palazzone a tre piani di mattoni rossi, massiccio e squadrato.

Faccio notare quanto sia brutto quel palazzo.

«Sì, effettivamente» dice Eric. «Ma mettila così: se possiedi la casa più brutta della strada non ti tocca mai guardarla.»

Eric è bravo a trovare questo genere di aforismi. Non è chiaro dove li vada a pescare, ma sia lui sia Grant sono individui ricolmi di una sapida saggezza, la saggezza delle Praterie. Grant, per lungo tempo l'unico dei nostri amici ad avere genitori divorziati, ha da sempre un'aria da vecchio savio. Fin da bambino aveva una camminata lenta, sospirava prima di parlare. Era cresciuto in un complesso condominiale vicino alla scuola, e quando lo lasciavamo davanti alla porta diceva sempre: «Ragazzi, tirate su i finestrini e chiudete le portiere: qui siamo nel ghetto».

Giochiamo a biliardo. Dopo i vari aggiornamenti su Moodie e gli altri, affrontiamo i consueti argomenti:

1) Vince Vaughn, che tutti conosciamo dalla quinta elementare e che da sempre teniamo d'occhio con le dita incrociate, mettendoci nei suoi panni.

«L'avete visto in *Jurassic Park*?»

«Sì, non era male.»

«Be', non è che gli abbiano dato granché da fare.»

«No.»

«Avrebbe bisogno di un altro film tipo *Swingers*.»

«Giusto. Qualcosa di più comico.»

2) I capelli. Entrambi hanno notizie piuttosto interessanti riguardo ai propri capelli. Grant continua a perdere i suoi, imperterrito, mentre Eric ha finalmente smesso di mettersi lo spray che usava fin dai tempi del liceo e che lo faceva sembrare, nonostante la folta capigliatura di cui dispone, come uno che indossasse un parrucchino.

«Stai bene» dico, osservandolo.

«Grazie» dice.

«Sul serio, mi piace il modo i cui sono scalati, hanno un'aria naturale, leggera. Belli.»

«Grazie.»

Anche loro domani verranno al matrimonio di Polly, la sorella di Marny, che si sposa con un tizio che nessuno di noi conosce. Noi amici di Marny siamo stati invitati in una quindicina e stiamo sfruttando l'occasione del matrimonio per una rimpatriata. Ci saremo più o meno tutti, e la maggior parte arriva domani. Grant ed Eric sono curiosi di sapere perché mi fermo per cinque giorni, e io fornisco loro elementi sufficienti perché capiscano ma non al punto da farli preoccupare.

Quando torniamo a casa lasciamo le luci spente. Hanno spostato la panca per i pesi per fare spazio a un futon.

«Grazie» dico, ficcandomi sotto le coperte.

Temo che Grant voglia rimboccarmele.

«È bello rivederti» dice invece, dandomi un colpetto affettuoso sulla testa.

Al buio, sento Grant aprire un cassetto cigolante nella stanza accanto, e di sopra Eric, in bagno, che fa correre l'acqua.

Dormo come non dormivo da anni.

Al mattino mi metto all'opera. Ho preso in prestito un cappotto da Grant, e ho con me un registratore, un taccuino e una lista di cose che voglio fare mentre sono qui. È un elenco di una cinquantina di voci, battuto al computer e con aggiunte a penna fatte durante il volo. Comincia con le cose già menzionate:

Wenban (pompe funebri)

924 (indirizzo di casa mia)

Les (l'amico di mio padre)

Haid (il dottor Haid, l'oncologo dei miei)

Sarah (nel cui letto mi sono svegliato anni fa)

Bar (il bar nella cittadina vicina – so dov'è ma non mi ricordo il nome – in cui andava mio padre)

Spiaggia (un'area sabbiosa sul lago Michigan dove la gente va a passare insieme il tempo libero, a prendere il sole e fare il bagno).

La lista va avanti così. L'idea, immagino, è l'equivalente emotivo di un viaggio con la droga, il concentrare quanti più stimoli, differenti e incompatibili tra loro, in un breve lasso di tempo, in questo caso cinque giorni, che messi insieme vadano a costituire una sorta di sbronza archeologica sociofamiliare, per vedere cosa ne salta fuori, quanto può essere riesumato, ricordato, sfruttato, scusato, commiserato, reso noto o eternato. A ogni buon conto, non ho smesso un minuto, sull'aereo, a letto, di fare aggiunte alla mia lista, tangenziali o casuali, tipo telefonate o visite inaspettate a gente che non vedo da cinque, dieci anni, persone con cui non parlo praticamente mai, nel desiderio di gettare in questa situazione di per sé già incasinata qualunque cosa possa risultare potenzialmente provocatoria o brutale. Per esempio, ho scritto a margine:

Hussa (un amico delle elementari che per una qualche strana ragione è stato messo in collegio, ma che mi aveva scritto un biglietto di condoglianze molto carino, quell'inverno, anche se non ci parlavamo da qualcosa come sette anni, e adesso sto pensando di fare magari un'improvvisata a casa sua perché non gli ho mai risposto, e mi piacerebbe vedere come sta, farci due chiacchiere, e magari vedere sua mamma, che una sera in cui mi ero fermato per la notte e non riuscivo a dormire perché avevamo guardato *Grizzly*, che più o meno è come *Lo squalo* ma con la pelliccia, mi aveva scaldato un po' di latte in un pentolino e mi aveva sussurrato delle cose dolci, in cucina); Zia Jane (che vive a Cape Cod; una telefonata, magari?); Fox (Jim Fox, della Abramson & Fox, il vecchio capo di mio padre in completo gessato, un uomo acido e severo che qualche settimana dopo, mentre io e Beth stavamo ripulendo la sua scrivania, era entrato nell'ufficio e aveva detto, con le maniere che si potrebbe immaginare di usare con un ragazzino che si masturba troppo: «Be', tutti sapevamo che stava morendo»); il posto delle donazioni (l'organizzazione che raccoglie e distribuisce i cadaveri alle facoltà di Medicina); facoltà di Medicina (quella che è più probabile abbia usato i cadaveri dei miei genitori).

La lista continua. Altri amici, alcuni amici dei miei, i pochi compagni di college che sono venuti a uno o all'altro dei funerali, compagni delle elementari e insegnanti del liceo, il parco alla fine della nostra via con il laghetto ghiacciato, la signora Iwert a cui tagliavo l'erba e curavo il giardino (per vedere se è ancora viva), le amiche di mia madre, i colleghi e così via.

E infine: a lato della pagina contenente la lista, c'è una parola a grandi caratteri, scritta di traverso, malamente, come se fosse stata vergata con la mano sinistra. Se ne sta sulla pagina, in maiuscolo, accanto alla stampata del computer e le aggiunte a mano. Questa l'ho aggiunta a un telefono a gettoni all'aeroporto O'Hare mentre parlavo con Toph al telefono, subito dopo l'atterraggio. La parola è:

UBRIACO?

Che è poi la domanda che mi pongo riguardo allo stato in cui dovrei trovarmi mentre sbrigo tutte queste faccende a Chicago e dintorni. Mentre parlavo con Toph su quello che lui e Bill stavano facendo a Los Angeles – quel giorno erano andati prima in una gabbia di allenamento di baseball, poi al cinema (Bill è sempre quello divertente) – mi è venuto in mente con massima limpidezza che dovrei essere ubriaco per tutto il tempo. Mi pare che l'ubriachezza aggiungerebbe all'intera impresa un senso di mistero, senza contare la romantica scioltezza su cui potrei contare. Dovrei essere disperato, coperto di stracci, semincoerente, barcollante di luogo in luogo. Mi parrebbe molto più indicato che essere sobrio e in pieno controllo della situazione, ridurrebbe le cose al nocciolo, eliminando uno strato o due di rumore bianco di autocoscienza, oltre a permettermi di indulgere in atti e gesti anche del tutto scemi.

D'altro canto, lo stato di ubriachezza avrebbe un esito deleterio sulla documentazione. Sarei in grado di prendere appunti e registrare le cose in modo coerente, se fossi sbronzo fatto?

Ritiro la mia macchina a nolo, e mentre mi dirigo verso Lake Forest non ho ancora del tutto scartato l'ipotesi dell'ubriachezza perenne. Nonostante io non sia mai stato intossicato di qualcosa per più di tre ore senza cadere addormentato, e mi sia capitato assai di rado di essere ubriaco più di una volta a settimana, lascio aperte tutte le possibilità, e concludo che deciderò sul da farsi al matrimonio, dove di sicuro sarò zuppo di alcol e a quel punto potrò scegliere, se l'atmosfera è quella giusta, di protrarre la sbronza, fare rifornimento e tenermene sempre un po' a disposizione, che ne so, magari in un thermos.

Come la mettiamo però con la guida? Guidare sarebbe veramente dura.

Mi dirigo a nord verso Lake Forest. L'autostrada 41 e tutto l'hinterland di Chicago hanno l'aria vecchia e triste che dovrebbero avere. Niente neve, solo freddo grigio argento e fanghiglia nera.

Dopo una ventina di minuti mi trovo di fronte alla mia vecchia casa e non provo nulla. Sono a Lake Forest, nel mio quartiere, proprio dall'altra parte della strada rispetto alla mia casa. Sono in macchina, sto ascoltando una stazione radio universitaria di musica rock, e il dato che mi occupa la mente in maniera totale è lo stato del giardino del vicino. C'è qualcosa di diverso. Hanno tagliato degli alberi? Mi pare che abbiano tagliato degli alberi.

I finestrini della macchina si stanno appannando e io non sto piangendo. Girando l'angolo della mia via ero sicuro che vedendo la casa avrei avuto una reazione emotiva, parte di me sperava addirittura che non ci fosse più, che fosse stata buttata giù, portata via da un tornado. Oppure che i nuovi proprietari l'avessero demolita e ricostruita da zero. Ma poi, alla fine della strada, era stato evidente che la casa era sempre lì, è ancora lì. Il legno che noi avevamo lasciato grigio è dipinto in azzurro, ma a parte questo dettaglio il resto è identico. I cespugli, che io stesso avevo piantato per impedire a Toph piccolino di correre in strada, sono ancora là e non sono cresciuti.

Strappo un pezzo di carta dal mio taccuino e scrivo il seguente messaggio:

Gentile residente del 924 di Waveland,

sono il precedente proprietario di questa casa e ho vissuto qui per la maggior parte della mia vita. Mi piacerebbe moltissimo entrare a dare un'occhiata, ma non voglio venire senza essermi annunciato. Se la cosa non dovesse disturbarla, la pregherei di telefonarmi al 312... Sarò in città fino a sabato.

Quindi lo infilo nella cassetta delle lettere. Non che mi aspetti granché. Al loro posto non sono sicuro se mi inviterei. Forse farei finta di essere in vacanza o perderei la lettera.

Vado alla stazione a cercare un telefono a gettoni. Fa un freddo bastardo. Sto cercando Sarah, di cui non ho il numero. Non so nemmeno dove vive – l'ultima volta che l'ho vista era ancora a casa con i suoi genitori – e se abita ancora nella zona o nello stato. Provo con una Sarah Mulhern di Chicago.

«Pronto, Sarah?»

«Sì?»

«Sarah Mulhern?»

«Sì.»

«Sarah Mulhern di Lake Forest?»

«Ah, no.»

«Scusi.»

Riaggancio e mi soffio nelle mani per scaldarle. Sono un cretino. Qualcuno finirà con il vedermi qui alla stazione, di ritorno in città dopo anni, mentre chiamo da un telefono a gettoni. Nessuno usa questo telefono. Ma poi, ripensandoci, nessuno si sorprenderà. Si saranno aspettati qualcosa del genere da me – sanno quello che era accaduto – che abbia toccato il fondo e che sono senza casa o tossicodipendente. Un altro numero sbagliato e poi:

«Sarah?»

«Sì?»

«Sarah Mulhern?»

«Sì?»

«Sarah Mulhern di Lake Forest?»

Una pausa e poi, con voce incerta: «Sì...».

È da quattro anni che non ci vediamo, ma è carina con me fin dal primo momento. Parliamo dell'ultima volta che ci siamo visti, di quando fummo costretti a uscire di soppiatto da casa sua in modo che lei potesse portarmi a casa in macchina, e di come il padre mi avrebbe fatto fuori con le sue mani.

«È morto sai, l'anno scorso.»

«No, non lo sapevo, a dire il vero. Mi dispiace.»

Cristo. Non so cosa dire, a questo punto, ma poi le chiedo se per caso va anche lei domani al matrimonio di Polly, dato che erano in classe insieme. Mi dice di no. Le chiedo se ha tempo per mangiare qualcosa con me o per prendere un caffè, uno dei prossimi due giorni.

Mi dice che qualunque sera va bene.

Il matrimonio è meravigliosamente normale. Avevo disperatamente desiderato che si trattasse di un matrimonio del tutto privo di sorprese, quanto più compassato e tradizionale possibile. L'idea in sé del matrimonio mi ha sempre spaventato a sufficienza, ma la possibile deviazione dalla norma lo rende ai miei occhi ancora più assurdo. Non riesco a liberarmi dal ricordo del matrimonio di Beth, sei mesi prima. Lo sposo, James, era un simpatico giovanotto biondo e con la faccia da bambino, e il tutto si era svolto su un terrazzo in un villaggio di cottage a picco sul Pacifico, dalle parti di Santa Cruz.

Beth da sempre sognava un matrimonio sulla spiaggia, a piedi nudi, in bianco, sulla sabbia, col vento nei capelli e tutti noi di fronte alle onde sciabordanti dell'oceano al tramonto. Ma era stato impossibile ottenere il permesso, per cui alla fine si era dovuta accontentare di quel remoto gruppetto di case che comunque, con o senza spiaggia, era un posto meraviglioso, tutto di un verde tenero e di un bianco smagliante, anche se ovviamente io e Toph avevamo fatto appena in tempo ad arrivare.

Eravamo già in ritardo per conto nostro, perché eravamo andati a comprare un paio di pantaloni per Toph e stavamo attraversando San Francisco con la nostra automobilina rossa, su per la statale tutta curve, diretti verso casa per cambiarci. Ci eravamo fermati a un semaforo in cima alla collina. All'improvviso un urto terribile, un sobbalzo in avanti, uno schianto di vetri in frantumi. Eravamo stati centrati in pieno alle spalle da un camioncino o qualcosa del genere.

Una donna tra i quaranta e i cinquanta, in una Jeep Grand qualcosa, una macchina gigantesca. Nell'auto, oltre alla donna c'era la famiglia al completo, due ragazze adolescenti, il marito, tutti ben vestiti, normali. Ci osservarono dall'alto dei loro finestrini con un'aria di vaga preoccupazione. Il sole picchiava proprio sulle nostre teste. Per un minuto rimasi imbambolato sulla strada, davanti ai frammenti di vetro che scintillavano sull'asfalto. Ci spostammo poi sul bordo del marciapiede, confusi. Io mi sedetti, mentre Toph, in piedi di fronte a me, mi guardava.

«Tutto bene?»

«Fatti da parte, non riesco a vederti con il sole in faccia. Ecco, così va meglio. Tutto bene, tutto bene.»

«E adesso che facciamo?»

«Dobbiamo andare. Siamo in ritardo.»

Avevamo un'ora di tempo. La nostra auto era praticamente dimezzata. Non esistevano più il paraurti posteriore e il lunotto, il portellone era tutto storto e malandato e non si chiudeva più. Ci scambiammo le generalità e le informazioni del caso, e la donna si offrì di chiamare per noi un carro attrezzi, ma non avevamo tempo, e dato che quando tentai di metterla in moto la macchina si accese, decidemmo di ripartire. Tornati a casa, ci cambiammo d'abito, fiondandoci poi nuovamente in macchina giù per la collina e da lì in autostrada, col vento che fischiava dal lunotto aperto, in direzione sud, verso San José, all'aeroporto dove caricammo Bill il quale, seduto dietro con il vento che turbinava nell'abitacolo, parve trovare la cosa estremamente buffa, mentre io in cuor mio avevo una paura fottuta che ci potesse essere una perdita dal serbatoio e che i fumi di benzina presto si sarebbero infiammati facendoci esplodere in corsa, il che sarebbe stato fin troppo appropriato...

Procedevamo dunque così, patetici e fragorosi. La terra era bianca di nebbia, il verde era in realtà grigio, l'oceano invisibile. Io e Toph non possedevamo nulla che anche lontanamente si avvicinasse al concetto di abbigliamento elegante, per cui era andata a finire che entrambi ci eravamo infilati delle camicie bianche spiegazzate e delle cravatte sfilacciate appartenute a mio padre. Tutti capirono chi eravamo, che eravamo *quelli*.

Facemmo conoscenza con il reverendo, una lesbica agnostica, di nome Reverendo Jennifer Lovejoy, dalla lunga veste e dai lunghi capelli scarmigliati color dell'acciaio. Andammo quindi a salutare i rappresentanti della mia famiglia. Prima la cugina Susie, arrivata dalla campagna del Massachusetts e che, a testimonianza dello shopping fatto in paese, indossava un cappello di seconda mano alto trenta centimetri con quattro uccellini di paglia cuciti in cima. Poi c'era zia Connie, sorella di mio padre e musicista New Age (la sua musica porta la denominazione di Musica del Sacro Spazio) arrivata da Marin all'ultimo momento con grande sorpresa di tutti, anche se senza il suo pappagallo parlante o cacatua, che di solito le stava sempre posato su una spalla. A un certo punto chiuse in un angolo me e John, che era appena arrivato e che per tutta la strada si era fatto una birra dietro l'altra, e per una quindicina di minuti ci parlò diffusamente della possibilità che il governo occultasse alla gente le visite dagli alieni sulla terra. Ovviamente si trattava di qualcosa di cui aveva una diretta conoscenza, dato che da tempo riceveva messaggi dallo spazio sul suo computer. Le chiesi come faceva a sapere che i messaggi arrivassero dallo spazio e non, per esempio, da America On Line. Mi osservò con uno sguardo compassionevole, uno sguardo che diceva: "Be', se ti devo spiegare anche questo...".

Io e Bill dovevamo marciare, secondo tradizione, con la sposa, per consegnarla poi al marito. Era stata lei a chiedercelo, e noi ovviamente avevamo detto di sì, certo, sarebbe stato bello, anzi, un onore. Ma poi, mentre io e Bill eravamo lì in attesa nella nebbia che cominciava a diradarsi, Beth decise che, ripensandoci, non le piaceva questa storia, di "consegnare la sposa", con le sue allusioni patriarcali, e che avrebbe invece marciato da sola, in piena autonomia. Per cui io e Bill ci andammo a sedere in prima fila e aspettammo là il suo arrivo, mentre Connie si lamentava della qualità della musica prenuziale (Mark Isham, ipotizzò con un sospiro).

Ma la musica era destinata a cambiare ben presto. Quando Beth e James si unirono nella marcia nuziale, sotto un cielo finalmente immacolato, le prime note ci raggiunsero da alcuni altoparlanti piazzati sul patio, e non era la marcia nuziale, bensì... fui colto dal panico e lanciai un'occhiata ansiosa tra i convitati, perché quella canzone mi pareva, sì, era, oh no, era senz'altro...

Quella canzone era *Beth* dei Kiss.

Versione originale.

E Beth era a piedi nudi.

Pensava davvero che fosse divertente? Di certo non poteva aver pensato che...

C'era una rupe a poche decine di metri di distanza, e mi dissi che forse nessuno avrebbe notato se fossi sgusciato via in silenzio, mentre tutti assistevano all'ingresso della sposa, e mi fossi andato a buttare di sotto.

Per il matrimonio di Polly, il primo per me dopo quello di Beth, mi abbarbico dunque alla speranza di una cerimonia nuziale semplice, ordinaria, di una protestante sobrietà. Si svolge in una chiesa, la Prima Presbiteriana di Lake Forest, il che è già un buon segno, e ci è stato chiesto di indossare un abito formale, il che va anche meglio. Il ricevimento è allo Shore Acre, un club nella città vicina in cui Bill un'estate aveva lavorato come cameriere. Bel posto. Rispettabile.

Al ricevimento l'argomento di conversazione più popolare è l'operazione di cambiamento di sesso di Ken Kopriva. Il signor Kopriva, uno degli insegnanti di inglese nonché nostro indomito e ispirato allenatore di calcio, ha annunciato che dopo una primavera di cure ormonali e un'operazione chirurgica fatta nel corso dell'estate, tornerà in autunno come Karen. Non riusciamo a crederci. È la cosa più incredibile che ci sia capitata di sentire dai tempi di Mister T.

Quando l'argomento si è esaurito, arriva l'inevitabile:

«Come sta Toph?» chiede Megann.

«Arranca.»

«Quanti anni ha adesso?»

«Non riesco mai a ricordarmelo.»

«E dov'è?» Questa volta tocca ad Amy.

«Curioso che tu me lo chieda, dato che è da un po' di tempo ormai che è in giro in autostop e...»

La conversazione si dissolve e ci fissiamo l'un l'altro. Sanno che non sono come loro. Sono diverso, sono deforme, sono vecchio di cent'anni. Passerò tutto domani alla ricerca dei resti dei miei genitori.

«Come va la rivista?» chiede Barb.

«Non durerà a lungo.»

«Come mai?»

Illustro la situazione. Siamo tutti esausti, stanchi di dover fare altri lavori, di dover trovare finanziamenti, di essere costretti a spostarci a New York o chiudere la baracca. In realtà è l'ultima delle cose di cui vorrei parlare, a cui vorrei pensare. Non voglio parlare dei miei fallimenti, o dei loro. Forse siamo tutti degli sfigati. Che cosa ci sta succedendo di particolare? La celebrità della serata è un tizio, il ragazzo di una compagna di college di Marny, conduttore di un programma per bambini di Chicago, apparso, anche se con una sola battuta, in *Space Jam*, per non parlare poi del ben più significativo ruolo in un recente spot pubblicitario per una marca di cereali. È il nostro idolo.

La metà di noi parla di trasferirsi. Flagg si è trasferito a New York per andare a fare un dottorato, e anch'io ci sto pensando. Ma quello che in realtà desidero più di ogni altra cosa è di farmi un bel bagnetto caldo di amici, di fare un salto nel loro mucchio profumato di foglie secche e strusciarmi contro di loro, senza più parole addosso né vestiti.

Invece siamo tutti qui seduti a parlare e ad aggiornarci su questo o su quello. C'è una band di tre donne con i capelli cotonati che suona cover degli anni Cinquanta. La gente comincia ad andare fuori. Coppie anziane qua e là iniziano a ballare. Non mi piacciono queste coppie anziane che monopolizzano il matrimonio di due giovani, coppie anziane ovunque, intente in danze goffe, troppo lente o troppo veloci, come quella donna in lamé dorato che, mentre la band sta suonando i Beach Boys, si esibisce in una specie di tango, come se dovesse schiacciare intere file di formiche con i tacchi vertiginosi delle sue scarpe, in volto un'espressione alla "evvai!", "fico!", o...

Vorrei buttarmi contro la vetrata, uscire nel giardino del club e correre a gettarmi nel lago Michigan. O anche solo andare a fare due passi. Ma fa troppo freddo. E non ho le scarpe adatte. Potrei salire di sopra. Potrei prendere tutti con me e convincerli ad andarcene. Voglio tutti noi in un lettone, nudi. Va bene, anche non nudi...

Lo sposo e la sposa se ne vanno, se ne vanno anche le coppie anziane, e se ne va anche il tizio che in bagno mi ha stretto la mano con insistenza, mentre eravamo ognuno di fronte al proprio orinatoio, e che a un certo punto è stato buttato fuori perché aveva ingaggiato una specie di rissa con la propria fidanzata, e rimaniamo noi per ultimi, seduti in cerchio, il sudore secco sulla pelle, incerti sul da farsi, se andare a casa di qualcuno o in un bar, dopo tutto è solo mezzanotte, per poi finire tutti a casa di Megann a mangiare biscotti in cucina e a guardare le foto appese sul frigorifero, come abbiamo fatto migliaia di altre volte, stando attenti a non svegliare i suoi genitori che dormono al piano di sopra.

Ognuno si è trovato un letto vuoto e io al mattino mi sveglio in camera del fratello di Megann. Lui è all'università e la sua stanza è buia, il pavimento ricoperto di una spessa moquette, i muri occupati da mobili in mogano, trofei di hockey, foto di squadra. C'è anche una mazza autografata da Denis Savard.

Porto Marny a casa.

E mi rimetto al lavoro.

Un'ora dopo sto attraversando il giardino della mia vecchia casa. La cassetta delle lettere è nuova, hanno aggiustato quel palo rotto e hanno anche ridipinto la porta d'ingresso.

Sto già male per questa povera gente. Hanno commesso un errore permettendomi di entrare. Che cosa accadrà? Non avrebbero dovuto invitarmi. Se non mi avessero invitato avrei capito perfettamente. Invece il padre ha chiamato e ha detto che potevo andare, per cui eccomi qui. Sarà una brutta situazione. Succederanno cose. Farò qualche passo falso e dirò frasi che avrebbero preferito non sentire.

No, no, farò il bravo. Andrà tutto bene.

La porta si apre. Sono tutti lì. Ma vanno sempre ad aprire la porta in gruppo? Ci sono tre bambini piccoli, sotto i sette anni, due maschietti e una femminuccia, il padre, con uno spesso maglione e dei grandi baffi, e la madre con i capelli a caschetto. I bambini gli si nascondono dietro, facendo capolino da dietro le loro gambe. Stringo la mano all'uomo. Mi fanno entrare.

Non ha alcun senso che mi facciano entrare a vedere casa loro. La sola cosa che sanno di me è che una volta vivevo lì. Mi domando se in realtà sanno che cosa è accaduto in questa casa. Immagino di sì. Perlomeno i genitori. Non i bambini, così piccoli e perfetti. Non dirò nulla, io.

Ci dirigiamo immediatamente in cucina e... quanta luce! La stanza è inondata di luce. Mi guardo attorno rapidamente in cerca della fonte di tutta quella luce. I muri sono stati ridipinti, la perlinatura di legno è scomparsa, così come sono spariti anche dei muri. Hanno buttato giù dei muri! I pensili di cucina sono stati eliminati, spostati o sostituiti. C'è una finestra nuova, oppure l'hanno fatta più grande. Non sono sicuro. Non sono in grado di dire cosa ci sia di differente perché tutto è differente. E piccolo. Sembra una casa per gente piccola. Eppure sono persone di altezza media.

Facciamo il giro della casa. Chiamano il salotto tinello e viceversa. Hanno tolto la moquette, riportando alla luce i pavimenti di legno, e ovunque le pareti sono verniciate di fresco. I soffitti sono stuccati e ci sono anche dei lucernari! Parliamo, e io gli chiedo come hanno fatto questo e quello. Domande tecniche.

«Questa cornicetta è nuova?»

«Questo è cartongesso?»

E ben presto divento non l'ex abitante di questa casa, non una sorta di masochistica bizzarria, ma un amichevole vicino di casa con la passione del bricolage.

Al piano di sopra le camere da letto sono allegre, rosa, azzurre, per la bambina e i maschietti. Camera mia è irriconoscibile. La tappezzeria a foresta autunnale non c'è più, come non ci sono più i miei disegni. Anche la moquette è andata, come lo specchio sulla porta del ripostiglio. La porta rotta è stata sostituita.

Ogni cosa è ordinata, pulita, i giocattoli sono lucidi e rotondi. Il bagno dei bambini è decorato con motivi infantili, piccoli spazzolini da denti blu e rossi e gialli sono disposti sul lavandino. La camera da letto principale è quella con il lucernario. Non avevamo mai pensato a un lucernario. Buon Dio, un lucernario. Questa stanza adesso è talmente luminosa, e dove una volta c'era il ripostiglio con tutti gli abiti di mio padre, dove c'erano i suoi odori di cinture di pelle e tabacco e lucido da scarpe adesso c'è... c'è una Jacuzzi.

Chiedo loro come, come tutto questo...

«Ci abbiamo speso un sacco di tempo» dice il padre e sbuffa, con una sorta di fischio, come a sottolineare quanto lavoro avesse richiesto la casa.

«Sì» dico. «In effetti gli ultimi tempi l'avevamo lasciata un po' andare.

Torniamo al pianoterra, i bambini ci seguono. La lavanderia è stata tinteggiata, la moquette è nuova. Il bagno accanto al garage non ha più la tappezzeria con le scritte fiche. Attraverso la finestra alta e stretta del bagno il giardino ha l'aspetto di sempre, solo è bianco di neve e punteggiato di giocattoli colorati di plastica e slitte rosse.

Il cielo è bianco. Sono alla spiaggia. Sono alla spiaggia perché ho bisogno di un telefono, e mi rifiuto di sbrigare questo affare alla stazione ferroviaria, nel mezzo della città. Chiamo la segreteria di Eric e Grant per vedere se l'oncologo ha richiamato. Non ha richiamato. La spiaggia è vuota. Il freddo è terribile. Ci saranno venti gradi sotto zero.

Cammino dal parcheggio fino al sentiero lastricato in mattoncini osservando le panchine, ognuna donazione di qualcuno e recante una dedica. Decido che comprerò qualcuna di questa panchine per dedicarne una a mia madre e forse un'altra a lui, o forse una sola per tutti e due. Dipende dal costo. La maggior parte delle dediche consiste semplicemente nell'iscrizione di un nome, ma su una si legge:

Le rose sono rosse,
le viole sono blu
noi amiamo questa spiaggia
speriamo pure tu.

Cristo. Credo di poter fare di meglio.

Prenderò una panchina. Convincerò Beth e Bill a contribuire. Finalmente faremo qualcosa. Ce lo possiamo permettere. Glielo dobbiamo...

Il che mi fa venire in mente – e al ricordo mi sfugge un gemito – che il modulo di assistenza finanziaria per la scuola superiore di Toph va consegnato domani. Abbiamo fatto richiesta di iscrizione a cinque o sei scuole private e adesso dobbiamo inviare un modulo per la richiesta di borsa di studio a un centro nazionale che si occupa di queste cose. Non l'ho fatto prima di partire, perché dovevo precipitarmi a prendere l'aereo, e adesso eccomi qui, al lago, con tre ore a disposizione per raggiungere un Federal Express.

Vado in macchina a prendere il mio zaino, quindi sistemo il modulo su uno dei tavoli da picnic vicino alla guardiola del custode. Come sempre, vengo messo subito fuori combattimento dalle domande. Non so nulla o dimentico tutto immediatamente, in questo campo. Codici fiscali, numeri di conto corrente, ammontare dei nostri risparmi. Beth sa queste cose.

Telefono dall'apparecchio che si trova sotto la pensilina del bar, tutto bagnato dell'acqua dei ghiaccioli che lo sovrastano. Asciugo le piccole pozze che vi si sono formate – l'acqua è più calda di quanto mi aspettassi – e chiamo Beth a San Francisco. Beth sa perché mi trovo a Chicago, ma non capisce perché mi trovi giù al lago in dicembre.

«Non so perché. Sono qui e basta. C'è un telefono. Fa freddo.»

«Ti devo richiamare.»

«Beth, sto congelando.»

«Sono al telefono. Dammi il numero di dove ti trovi.»

«Beth, qui siamo sotto zero.»

«Siamo cosa?»

«Sotto zero, Beth»

«Ti richiamo tra dieci minuti.»

Le do il numero e mi siedo a uno dei tavoli. Cerco vari modi per tentare di conservare calore. Fa meno freddo stando immobili o muovendosi? Credo di sapere che si sta più caldi se ci si muove, ma per un minuto gioco con il pensiero di poter stare immobile e riuscire a regolare a piacimento la mia circolazione sanguigna. Tenendo gli occhi chiusi e facendo dei respiri profondi, cerco di far accelerare il sangue nelle mie vene, mi immagino intento a osservarlo, mi figuro convettori e cunicoli... per cinque minuti, forse dieci, è come se mi assopissi, pensando alla vita su altri pianeti.

Il telefono squilla. Beth è scocciata.

«Senti, dobbiamo farlo proprio adesso?»

«Sì.»

«Perché?»

«Perché la scadenza è domani.»

«E perché non l'hai fatto prima?»

«Direi che non importa saperlo, a questo punto.»

«...»

«Ascolta, sono sempre a un telefono a gettoni. Alla spiaggia. Di fronte al lago. Ed è inverno. L'inverno è freddo. Possiamo sbrigare una volta per tutte questa faccenda?»

«Va bene.»

Verifichiamo tutti i numeri.

«Grazie. Questo è tutto. Ciao.»

Per abitudine – di solito telefono a Bill subito dopo aver chiamato Beth – chiamo Bill e Toph a L.A. e trovo la segreteria. Senza dubbio saranno in spiaggia, una vera spiaggia calda, e staranno guardando le donne che giocano a pallavolo. Blatero qualcosa nella segreteria, riaggancio. Passano due uomini che fanno jogging, avvolti in maglioni dei Chicago Bears. Mentre mi passano accanto mi osservano, forse perché sono seduto a un tavolo da picnic con una penna in bocca, circondato di documenti. Finisco di riempire i moduli e li risistemo dentro lo zaino.

Tornando al parcheggio, dopo il baretto, premo la fronte contro la finestra della guardiola. All'interno, proprio dietro la scrivania di chiunque sia la persona che di lavoro fa il tizio seduto a una scrivania di fronte a una spiaggia, ci sono le foto di almeno una quindicina di bagnini, tutti in costume, tutti vestiti in arancione, tutti sorridenti, tutti con denti estremamente bianchi e con capelli estremamente biondi o argentei. Ce ne sono alcuni che riconosco. La foto deve essere di cinque o sei anni fa. E nell'ultima fila c'è Sarah Mulhern. È proprio come me la ricordo: abbronzata, occhi azzurri, tristi, capelli biondi, formosa. Sapevo che era una bagnina ma non l'avevo mai vista al lavoro, sarò stato in quella spiaggia centinaia di volte e non ho mai notato né lei né questa foto. E adesso...

Troppo strano. Prendo un appunto sul mio taccuino.

Arrivato in macchina butto lo zaino sul sedile posteriore e mi dirigo di nuovo al telefono per chiamare Beth.

«Ti devo fare una domanda.»

«Sì.»

«Riguardo alle ceneri.»

«Cosa?»

«Mi hai sentito.»

«Oh, no. Di chi?»

«Di tutti e due, dell'uno o dell'altro.»

«Cosa vuoi sapere?»

«Non le hai mai ricevute, giusto?»

«Giusto.»

«E non ti hanno mai chiamato per dirti di loro o roba del genere?»
«Sì che hanno chiamato.»
«Cosa vuoi dire?»
«Hanno chiamato circa un anno fa.»
«Hanno chiamato? E chi?»
«Ma te l'ho detto.»
«No che non me l'hai detto.»
«Sì, invece. Hanno chiamato e avevano le ceneri. Perlomeno quelle della mamma. Era da un sacco di tempo che cercavano di rintracciarci.»
«Dove?»
«A Chicago, a Berkeley, dappertutto.»
«E tu che cosa gli hai detto? Non te le sei fatte mandare?»
«No.»
«No? E dove sono adesso?»
«Gli ho detto che non le volevamo.»
«Non dirmelo.»
«Certo che gliel'ho detto. Che ci volevi fare con un mucchietto di stupide ceneri?»
«Ma hai fatto tutto questo senza consultare me o Bill? Ma tu proprio...»
Devo smettere di fare domande. Ogni volta che faccio una domanda, a Beth o a chiunque altro, aspettandomi che la risposta sia benevola o appena disturbante, succede invece che la risposta è assai più imprevista e spaventosa di quanto avrei mai potuto immaginare...
«Io proprio cosa?»
È arrabbiata.
Sono troppo debole per sostenere la situazione.
«Niente.»
Riaggancia.
Questa poi... Mi piaceva che la situazione fino a ora fosse stata così vaga. *Dove saranno?* Era una buona domanda. *Dove saranno sepolti?* Altra domanda interessante. Questa era l'aspetto fantastico dei modi di mio padre. Sapevamo che gli era stato diagnosticato un cancro, ma non sapevamo quanto fosse malato. Sapevamo che si trovava all'ospedale, ma non sapevamo che fosse così vicino alla fine. Ci sembrò sempre curiosamente appropriato il fatto – che peraltro in un certo senso completò la sua dipartita e quella di mia madre – che le sue ceneri non ci avessero mai raggiunto in California, e che noi ci fossimo trasferiti di qua e di là in un perenne vagabondare. A un cer-

to punto avevo dato per scontato che i resti fossero andati a finire chissà dove, e che la facoltà di Medicina o chi per essa fosse venuta meno ai propri obblighi, che qualcuno insomma avesse sbagliato, scordato. Ma adesso, sapendo che Beth sapeva, e che loro erano davvero spariti, gettati via, e che avremmo avuto una possibilità...

Ma adesso sapere...

Siamo dei mostri.

Mi fermo a un telefono a gettoni al 7-Eleven appena fuori città, che adesso è chiuso. Chiamo Les Blau. Risponde sua moglie.

«Oh, ciao!»

«Ciao.»

«Dove sei, a San Francisco?»

«A dire il vero sono a Chicago, Highwood per la precisione.»

«Ma non mi dire. Allora siete anche vicini, perché Les è da quelle parti in ospedale.»

«Oddio.»

«No, no, niente di grave, solo un'infezione. Sta bene. Una gamba. Fa spavento perché è tutta gonfia, ma andrà a posto in pochi giorni.»

«Ecco, a dire il vero volevo solo fare due chiacchiere con lui, o con tutti e due, per qualche minuto, ma richiamerò magari quando...»

«Ma no, vai pure a trovarlo. È all'Highland Park Hospital. Sono sicura che gli farà un gran piacere.»

Le dico di no, che non mi pare il caso, che mi sentirei a disagio...

«Non essere sciocco. Vacci.»

Dieci minuti dopo sono nel parcheggio dell'ospedale, dentro la macchina. Da qui posso vedere la camera dove avevano messo mia madre, la camera del compleanno. Esco e cammino intorno all'edificio, fino al pronto soccorso. Le porte si aprono con un fruscio. Voglio essere al pronto soccorso e voglio che accada qualcosa. Voglio essere lì la notte del sangue dal naso. L'avevano portata prima di tutto qui, per aumentarle il conteggio dei globuli bianchi e fermare l'emorragia.

La sala d'attesa sembra piccola, tutta rosa, pesca e malva, come una casa da villeggiatura della Florida. Mi siedo in una delle morbide e ampie poltrone.

Niente succede, niente ritorna.

Alla tv ci sono i 49ers che giocano.

L'infermiera al bancone mi sta osservando.

Fanculo.

Me ne vado e faccio nuovamente il giro dell'ospedale. Entro dall'ingresso principale, chiedo il numero della camera di Les e lo chiamo.

Mi chiede se sono in città e io dico di sì. Dice che dovrei andare a fargli visita, una di queste volte, che lui sarà all'ospedale solo per qualche giorno, ma quando sarà uscito, forse anche domani...

Gli dico che sono già lì.

«A Highland Park?»

«In realtà mi trovo qui all'ospedale, giù nell'atrio.»

«Ah. E come mai?»

Mento. «Mah, dovrei vedere un medico intorno alle cinque e mezzo, un oncologo, per cui pensavo...»

«Sono quasi le cinque e mezzo, adesso.»

«Ecco, non è che sia un appuntamento vero e proprio, posso anche vederlo dopo.»

«Vuoi fare un salto su?»

«Sì.»

«È la D-34.»

«Lo so.»

È al quarto piano. Lo stesso edificio che ha ospitato mia madre nelle sue varie emergenze, lo stesso ospedale dove mio padre è morto. Stesso piano. Probabilmente anche lo stesso piano.

L'ultima volta che vidi mio padre fu con mia madre, Beth e Toph. Attraversammo il corridoio, aprimmo la porta e fummo assaliti dall'odore. Fumo. Lo lasciavano fumare in ospedale. La camera era grigia, nebbiosa, e lui era lì seduto sul suo letto, le gambe incrociate, le mani intrecciate dietro la nuca. Un gran sorriso. Si stava divertendo un casino.

Spingo la porta pesante e silenziosa davanti a me, ed ecco Les Blau, il solo amico di mio padre di cui sia mai stato a conoscenza.

Nell'istante stesso in cui entro in camera vorrei andarmene. La stanza è scura e Les è a torso nudo. La sola luce accesa è sulla sua testa, un alone soffuso color ambra proprio sopra di lui.

Quant'è strano tutto ciò. Sembra parecchio più malato di quanto non dovrebbe essere. Perché è a torso nudo? Dio che strano. Forse anche lui sta morendo. Peluria grigia su tutto il suo corpo.

Ci stringiamo la mano. Si è fatto crescere la barba, grigia e ben curata.

Mi siedo nella penombra, ai piedi del letto, vicino ai suoi piedi.

Per un minuto rifletto tra me e me.

Gli chiedo della sua infezione La sua gamba è scolorita, infiammata, gonfia come quelle di Braccio di Ferro.

Non me la sento più di porre a Les le domande che avevo intenzione di fargli, e che stavo scrivendo sul mio taccuino non più di mezz'ora fa in macchina, nel parcheggio, mentre ascoltavo rock anni Ottanta alla radio. Mi obbligo a iniziare, rimanendo sul vago riguardo ai motivi per cui volevo vederlo, e chiedo alcune cose...

Le prime parole che Les dice sono:

«Be', non so quanto sarò in grado di illuminarti sull'animo di tuo padre.»

La sua voce è pacata, misurata. Tiene le braccia in grembo, immerso nella luce ocra della stanza, quella stanza che altrimenti sarebbe marrone.

Questo sarebbe il modo giusto di morire. Così è correttamente drammatico, così va bene, di sera, con questa luce. Il modo in cui è morto mio padre invece era stato tutto sbagliato, da solo, nel bel mezzo della giornata.

Era caduto nuovamente, questa volta nella doccia.

Chiamò Beth, che corse da lui e lo trascinò fino al letto. Poi l'ambulanza. Sarebbe dovuto rimanere per una settimana circa, tirarsi un po' su, cose che succedono. In fondo aveva ricevuto la sua diagnosi solo pochi mesi prima. Dopo una settimana invece il dottore aveva chiamato, aveva detto che le cose si mettevano male e che sarebbe potuto accadere in qualunque momento.

Mia madre ci fece su una risata, incredula. Andarono lei e Beth.

Rimasero per un po' sedute nella stanza, avvolte dal fumo.

«Tornate più tardi» disse lui. «Vorrei dormire un po'.»

Tornarono a casa in auto.

«Non se ne andrà oggi» disse mia madre, come divertita da tutto quel preoccuparsi. «Non se ne andrà oggi né domani né la prossima settimana. Semplicemente è entrato in ospedale.»

Dopo un'ora era già morto.

«Era il guidatore migliore che io abbia mai conosciuto» sta dicendo Les. «Il modo in cui si insinuava... era proprio la parola che usava lui, *insinuarsi*... "Guarda come mi insinuo in questa corsia..." diceva. Incredibile. Cambiava corsie, guidava sul ciglio della strada...»

Gli racconto di quando mio padre si era comprata quella macchina, la Nissan 280, l'unica macchina nuova che egli abbia mai avuto, e che la prima cosa che aveva fatto era stata quella di personalizzarla. Aveva messo un posacenere sulla portiera laterale e aveva tagliato le fasce diagonali delle cinture di sicurezza. Tutti noi sapevamo che non era un fan delle cinture di sicurezza, dato che pensava che la legge sulle cinture di sicurezza fosse una violazione dei diritti civili e un atto incostituzionale. Ma la cosa strana era che avesse tagliato non solo la sua ma anche quella del passeggero...

La porta si apre. È la signora Blau.

«Sei venuto, dunque.»

Levo lo sguardo sui di lei alzando le spalle.

«Vi lascio soli per qualche minuto» dice, ed esce nuovamente.

Il telefono squilla. Les prende il ricevitore.

«Oh, ciao. Ti posso richiamare?»

Arriva il pranzo. Mi offre del dolce.

«No, grazie.»

«Della zuppa?»

«No, grazie.»

Chiedo a Les se pensa che mio padre si sia sentito solo mentre moriva.

Il telefono squilla di nuovo. Questa volta parla più a lungo. Quando riaggancia, non torna alla mia domanda e io non la ripeto.

La signora Blau rientra, e tutti e tre chiacchieriamo per qualche minuto. Poi me ne vado. Nel parcheggio parlo per un po' dentro al microfono del mio registratore, dato che mi sono già dimenticato la gran parte delle cose che Les ha detto.

Al mattino, io, Grant ed Eric facciamo colazione in un caffè e osserviamo i passanti in jeans e giacche di pelle.

«E allora, che cosa hai fatto ieri?» chiede Grant.

«Niente di speciale. Sono andato a Lake Forest e ho girato un po'.»

Mi ricordo che ho visto sua madre. La mamma di Grant cammina per miglia e miglia ogni giorno, su Western Avenue. L'ho superata in macchina.

«Vi siete salutati?» chiede.

«No, non mi sono immediatamente reso conto che era lei.»

«Oh, peccato.»

«Già.»

«E oggi cosa farai?»

«Forse ritorno da quelle parti.»

«Per fare?»

«Non lo so. Non granché. Magari vado a scuola.»

Grant mi osserva per un secondo. Forse ha capito.

«Be', saluta anche per me la vecchia Scuola Superiore di Lake Forest.»

Il signor Iacabino, proprietario delle pompe funebri, non c'è. La persona presente in ufficio è più giovane di me e porta un paio di occhiali su un paio di occhi enormi e stupiti. Si chiama Chad. Entro scuotendo via la neve dalle scarpe. Gli dico che spero di recuperare dei documenti, che sto raccogliendo delle cose, che loro si sono occupati dei miei genitori, che sono in cerca di qualsiasi documento possano ancora avere.

«Mi faccia fare una telefonata» dice.

Scompare per andare a chiamare il signor Iacabino a casa, lasciandomi da solo. Nella stanza ci sono dodici bare in esposizione, ciascuna con un suo nome a seconda dello stile e della qualità. Essendo la città quella che è, le bare sono di un gusto eccessivo, ognuna più lucida e preziosa dell'altra. Una si chiama Ambassador. Un'altra sembra fatta d'acciaio. Mi scrivo alcuni dei nomi nel mio taccuino che di lì a poco perderò. Io non sarò sepolto. Lo giuro a me stesso. Io sparirò. O magari il giorno in cui io morirò esisteranno delle macchine che utilizzeranno tecnologie avanzatissime e fibre ottiche che faranno evaporare la gente poco dopo la morte, senza neppure bruciarle. Gli addetti a queste macchine entreranno nella stanza del morto, le monteranno – saranno macchinari portatili – e spingendo un paio di leve la persona scomparirà all'istante. Non ci saranno più corpi rinchiusi e trasportati in giro, niente più ispezioni, imbalsamazioni, vestizioni, acquisti di buchi nella terra, costruzione di elaborate scatole rinforzate, doppio strato...

O magari invece mi farò lanciare nello spazio. Oppure a quel punto la gente, cioè i morti, verranno sistemati in torri alte chilometri e chilometri sopra la terra. Perché non torri alte chilometri, piuttosto che buche profonde pochi metri? Certo, ci sarebbero delle difficoltà, per ingegneri e architetti, e poi ci sarebbe il problema dello spazio. Ma si potrebbe riservare dello spazio apposta. Per esempio la Groenlandia, che è grande e bianca come il paradiso...

«Qualcosa di suo gradimento?» chiede Chad, alle mie spalle.

Ridacchio. Buona, questa.

Ha una cartella con le ricevute. Ci sediamo insieme a un tavolo nero lucido, di solito usato per la pianificazione dei servizi funebri.

«Ecco quello che abbiamo.»

Nella cartelletta ci sono pagine che indicano che la Wenban Pompe Funebri ha ricevuto i due corpi, ha organizzato il servizio funebre per mio padre e ha supervisionato la donazione.

I moduli e le ricevute per il servizio funebre di mio padre recano la firma di Beth. Mi piacciono queste carte. Sono una prova, l'unica vera prova che abbiamo.

«E questo è tutto?» chiedo.

«Esatto.»

Chiedo se può farmi delle copie dei documenti. Mi dice che non vede perché no. Andrà a farmele al piano di sotto. Ci vorrà un secondo.

Le scale partono dal centro della stanza. Lo osservo sparire. Sul muro dietro di me c'è un display con delle offerte speciali sulle lapidi. Grandezza, materiali, stili differenti e vari generi di diciture. Le opzioni sono parecchie. Si può avere prima il nome o prima la data, o magari nessuna data del tutto. Oppure, prima del nome, un'espressione del tipo "Diletto" o "Per l'eternità". Forse dovrei acquistare una pietra tombale. Ecco, una pietra tombale sarebbe una buona cosa. Una pietra mi metterebbe in salvo, rimedierebbe a tutti i danni che abbiamo già commesso, a tutte le cose a cui abbiamo rinunciato o che abbiamo perso.

Chad sale le scale. Ha in mano una piccola scatola marroncina. Posa la piccola scatola marroncina sul tavolo proprio di fronte a me.

«Questa poi è strana» dice. «Ero al piano di sotto alla macchina fotocopiatrice, e giusto per scrupolo ho guardato negli scaffali, e guardi cosa ho visto.»

L'etichetta sulla scatola di cartone è scritta a mano:

Heidi Eggers

«Vuole dire che...»

«Sì, devono essere le sue ceneri. Probabilmente ci sono state rispedite. Non so come mai non vi sono state inviate...»

Tocco la scatola.

Dio Santo.

Chad è in piedi di fronte a me. «Torno giù a finire di fotocopiare questa roba.»

Se ne va di nuovo.

La scatola misura una trentina di centimetri per lato ed è sigillata con del nastro adesivo trasparente. È semplice, quadrata, marrone, come doveva essere quando ci era stata spedita. L'etichetta indica che era stata inviata dalla Associazione Donatori. *Da quanto tempo è qui?* Non riesco a distinguere il timbro postale.

Devo chiamare Beth. Non chiamo Bill. Bill non vorrà ascoltare questa storia. Ma Beth...

Non chiamerò neppure Beth. Beth si arrabbierebbe.

Chad fa ritorno con le fotocopie.

Lo ringrazio, metto insieme le carte sistemandole in una cartelletta all'interno del mio zaino, quindi mi alzo. Prendo la scatola e...

Non so esattamente quanto mi aspettassi che pesasse, ma è pesante. Un chilo e più.

Esco.

Il freddo è pazzesco. Do le spalle al vento, proteggendo la scatola. Cammino fino alla fiancata della macchina, facendo attenzione a non scivolare sul ghiaccio, quindi apro la portiera e salgo.

Mi giro verso la scatola.

La scatola è mia madre, solo più piccola.

La scatola non è mia madre.

È mia madre, quella scatola?

No.

Ma poi su quella scatola vedo il suo viso. La mia mente malata mi fa vedere il suo viso sulla scatola. La mia mente malata vuol peggiorare la situazione, facendola diventare spaventosa e intollerabile. Tento di reagire, di rendermi conto che è normale, che tutto ciò è normale, ma so di essere un mostro, so che non sarei mai dovuto venire fin qui, so che sono andato in cerca di cose malvagie e che puntualmente queste mi sono state date, e sono io che non mi sarei dovuto mettere a cercarle, e visto che da tempo voglio esattamente questo e anche peggio, mi verrà dato questo e anche peggio. Lo sguardo mi si offusca. Tremo. Vorrei mettere la scatola da qualche altra parte, che ne so, nel bagagliaio, ma non posso mettere la scatola nel bagagliaio. La scatola che non è mia madre non può essere messa nel bagagliaio perché se la mettessi nel bagagliaio si infurierebbe con me. Cazzo, mi ucciderebbe.

Di sera, sul tardi, torno da Grant ed Eric che stanno guardando un film in cui Al Pacino fa il cieco. Al Pacino è arrabbiato e parla con un accento indefinibile. Potrebbe essere canadese. Siamo tutti seduti in punti diversi della stanza. Eric è in una comoda poltrona, Grant in un'altra comoda poltrona e io sono sul divano tra loro due.

Guardiamo la tv, beviamo birra dalla bottiglia. Siamo tipi del tutto normali. Con Grant ed Eric, nel loro condominio di Lincoln Park, a Chicago, siamo tipi regolari. Io sono un tipo regolare. Tipi che reagiscono. Io so reagire. *Io sto reagendo.*

Cerco di non pensare alla scatola, al fatto che a un centinaio di metri, nella mia macchina a nolo, ai piedi del sedile laterale, c'è la scatola. Non posso portare la scatola in casa. E non ho detto della scatola a Eric e a Grant, né intendo farlo, per timore che uno dei due possa passare accanto alla macchina, vedere la scatola e fremere d'orrore e pensare che io sono un mostro, per cui l'ho anche coperta con un asciugamano.

Al Pacino indossa una complicata divisa militare e strilla contro un tizio in uniforme scolastica. Ho cominciato a vedere tardi il film per cui non mi è chiara la ragione per cui stia urlando. Sono in una specie di camera d'albergo di lusso.

«Perché grida?» chiedo.

«Shhh!» dice Grant.

«È cieco?»

«Zitto. È quasi finito.»

Il telefono squilla. Eric risponde, quindi me lo passa.

«Per te» dice.

«Chi è?»

«Meredith.»

Meredith. Panico.

«Ancora John?»

«Sì» dice.

«E...»

«No, sta bene, ma ha minacciato di farlo ancora. Sembra ubriaco.»

Porto il telefono di sopra, in bagno.

«Ha con se delle pillole? Di che tipo?»

«Non lo so. Non gliel'ho chiesto. Magari si vuole tagliare i polsi.»

«Ha accennato a qualcosa del genere?»

«No. Forse. Non lo so. Non mi ricordo. Ma devi chiamarlo. Sono stata al telefono con lui per un'ora, e a questo punto sto andando fuori. Dice che ha provato a chiamarti ma non eri a casa.»

«Sono a Chicago.»

«Lo so, scemo. Ti ho chiamato io.»

Chiamo John.

«Che problema c'è?»

«Niente.»

«Cosa vuol dire niente? Perché ti sto chiamando?»

«Non lo so. Perché mi stai chiamando?»

«Meredith mi ha detto che volevi parlarmi.»

«Ho provato a chiamarti.»

«Lo so. Sono a Chicago.»

«Come mai?»

«Un matrimonio.»
«Fuori!»
«Cosa?»
«Niente. Parlavo al gatto.»
«Parlavi al tuo cazzo di gatto? Ascolta, non ho tempo di...»
«D'accordo. Scusa se sono una tale scocciatura.»
«Va bene, allora, qual è il problema? Che cosa c'è? Ci si deve preoccupare?»
«È solo che ho avuto un paio di brutte giornate.»
«Adesso parli come un ubriaco. All'inizio non sembravi ubriaco. Sei ubriaco o no? Dammi dei parametri.»
«No, no, sono le medicine.»
«Un momento. Quali medicine? Che cosa significa? Hai già preso della roba? Che cosa? È quella?»
«Quella quale?»
«Hai già...?»
«Cristo, no. Ho solo un po' sonno. Ho bevuto una birra.»
«Lo sai che non dovresti bere. Non puoi bere e prendere antidepressivi, coglione. L'ultima volta che abbiamo parlato eri sobrio, giusto? Devi essere sobrio. Quanto è durato?»
«Una birretta. Non agitarti, fratello.»
Sento Eric e Grant salire le scale e andare a letto. Da sotto la porta riesco a vedere le luci spegnersi nell'appartamento.
Una parte di me sta cominciando a considerare l'idea della pistola. John ha progettato la cosa da tempo, sta facendo credere che sta bene e in qualunque momento potrebbe tirare il grilletto e farla finita con la certezza che io lo sentirò e saprò che è stata colpa mia. E io avrò un amico morto.
Ripensandoci però, in un certo senso è una fortuna. La tempistica, il fatto che John minacci di suicidarsi proprio lo stesso giorno in cui mi è stata data la scatola, nella settimana in cui mi sono messo alla ricerca di cose oscure... Che potenzialità ci sono in tutto ciò? Fantastico.
Sento bussare alla porta del bagno.
«Sì?»
«Tutto bene?» È Grant.
«Sì. Sono al telefono.»
«D'accordo. Ci vediamo domani.»
«Notte.»
«Con chi parlavi?»
«Era Grant. Adesso...»

«Ho attraversato di nuovo la fumeria di crack di corsa» dice.
«Che fumeria?»
«Quella vicino a San Pablo, dalle parti di Emeryville. Questa volta ci sono andato a piedi nudi.»
Lo ha già fatto, mi ha già detto una volta di questa faccenda della fumeria di crack. Vuole impressionarmi. Se l'ha fatto davvero, cosa di cui dubito, sono decisamente impressionato. Ma non glielo dirò.
«E perché?»
«Mi sentivo strano. Volevo vedere cosa sarebbe successo.»
«E?»
«Niente. La gente mi guardava e basta. Qualcuno ha detto: "Ehi tu, va' un po' a fare in culo". Tutto qua.»
«Capisco. E qual è il problema questa volta?» Voglio sapere perché diavolo dobbiamo ripetere questa scena. Voglio sapere se ha intenzione di farmi fare un'altra volta la predica. Mi rifiuto di fargli la predica.
«Non so. Sono uscito e poi, poi... non so, quando sono tornato a casa, mi sentivo di umore nero, cupo, non so. Non credo che abbia molto senso, ma mi sentivo proprio come se fossi preso in una rete o qualcosa del genere, voglio dire, è come se ogni tanto finissi dentro a delle buche... Merda, sono talmente stanco di tutta questa storia, è così... Ma cazzo, tu non puoi capire...»
«Io non posso cosa?!»
«Non puoi...»
«Non riesco a credere che tu possa dire delle cose del genere. Non posso capire? Ma lo sai che cosa ho fatto oggi? Dove sono stato questa sera? Lo sai che cosa c'è nella mia macchina?»
Gli racconto delle pompe funebri, della scatola.
«Cristo» dice.
Gli piace. D'improvviso sembra sobrio, animato.
È questo quello che vuole, adesso lo so. Ha un tono di voce più vivace, più sobrio. Quello che vuole è condividere delle storie, essere rassicurato sul fatto che per quanto lui possa stare male, e per quanto possa sentirsi spaventato e vergognoso di quello che gli passa per la testa, io sto di gran lunga peggio. Come sempre, sto al gioco. Gli racconto di come, dopo essere stato alle pompe funebri, ho trascorso la serata andando in giro in auto per il gelato e scalcagnato South Side di Chicago, sperando che accadesse qualcosa. Parlavo nel mio registratore, fissando un gruppetto di ragazzi che indossavano degli enormi giacconi, e avrei voluto, oh come avrei voluto uscire dall'auto

e correre verso di loro gridando: "Ehi, ragazzi, e allora?", per farmi riempire di botte o farmi dare un colpo in testa o essere inseguito, ecco quello che avrei voluto accadesse, ecco, essere inseguito. Ma faceva così freddo. Gli dico che ogni volta che mi fermavo a un semaforo mi aspettavo che una macchina mi venisse addosso dall'altra corsia, e che allora, senza nemmeno voltarmi, avrei saputo. Ci sarebbe stato uno schianto di vetri infranti e uno sprofondare giù nel verde della mia infanzia, e avrei visto il mio sangue spalmato sui finestrini. Oppure sarei stato fermo a un semaforo, e qualcuno di botto avrebbe aperto la portiera accanto a me, cioè, non chiunque ma un uomo di razza nera con una giacca militare, perché è così che mi sono sempre immaginato l'uomo che mi avrebbe ucciso, sempre e rigorosamente in giacca militare, e quell'uomo mi si sarebbe seduto accanto e io avrei dovuto spostare la scatola, ma dove avrei messo la scatola? Ah sì, ecco, sul sedile posteriore. E poi mi avrebbe fatto guidare fino al lago dalle parti dell'acquario, quindi mi avrebbe fatto uscire dalla macchina e camminare fino alla fine del parco, di fronte all'acqua. Mi avrebbe poi detto di inginocchiarmi e io l'avrei fatto, e infine, senza dire una parola, mi avrebbe sparato due colpi alla nuca.

«Strano» dice lui. «Anch'io mi immagino sempre che accada una cosa del genere in casa mia. Sono legato a una sedia e ho la bocca chiusa con il nastro adesivo, e quando vedo che mi punta contro la pistola non posso nemmeno muovermi, gridare, tutto quello che posso fare è cercare di fermare la pallottola con i miei occhi. Ho sempre avuto la bizzarra sensazione che in qualche modo potrei essere capace di fermare una pallottola con lo sguardo.»

«La sai la cosa buffa?» dico io. «La cosa di cui ero più preoccupato quando ero lì, nel South Side, a girare in auto e a parlare dentro al registratore? Ero preoccupato che dopo avermi sparato nei pressi del lago, l'assassino, che in realtà voleva solo la macchina, avrebbe per qualche ragione trovato il registratore, la cassetta dove descrivo la scena in cui mi immagino che qualcuno mi uccide, e tutta quell'altra roba sulla scatola e il resto, e avrebbe pensato di me che sono un razzista o cose del genere...»

«Ma Cristo!»

«Giuro che era esattamente quello di cui mi preoccupavo! Mi preoccupavo di cosa il tizio che mi avrebbe ammazzato avrebbe potuto pensare di me. Poi mi preoccupavo anche del fatto che i poliziotti, che prima o poi avrebbero trovato la macchina a Gary o a Muncie o chissà dove, avrebbero potuto trovare anche loro il registratore e anche loro avrebbero avuto orrore di me, sarebbero inorriditi e avrebbero riso, avrebbero fatto copie del nastro e le avrebbero distribuite agli amici...»

«No.» A questo punto non sono più in pensiero per le vaghe minacce di suicidio da parte di John. Non mi aspetto più di sentire uno sparo. Ha funzionato prima e continuerà a funzionare. Ormai lui è più preoccupato per me che per se stesso.

«E domani che cosa fai di bello?»

«Domani vedo Sarah.»

«Diavolo. Mi devi raccontare com'è andata, dopo.»

«Lo farò.»

Mi aspettavo di incontrarla all'ingresso di casa sua con addosso il cappotto o nel gesto di infilarsi il cappotto, ciao, come stai, un po' stanca. Invece è venuta alla porta senza cappotto e mi ha fatto entrare.

Sarah Mulhern. Sono venuto a prenderla. Andiamo fuori a cena. Sono in casa sua e lei emana luce.

Ci sediamo sul divano. Sposto un cuscino.

«Qualcosa da bere?» chiede alzandosi.

«Certo, grazie.»

«Una birra?»

«Benissimo.»

Va in cucina. Il suo appartamento è lindo. Le luci sono abbassate.

Torna e mette un disco di un tizio con cui andavamo a scuola. Il tizio in questione, dell'epoca di mio fratello maggiore, suona il pianoforte al Deerpath Inn, l'unico albergo della città, e per questo ha intitolato il disco *Deerpath*. Parliamo del fatto che forse dovrebbe cambiare aria per un po', per acquisire un minimo di prospettiva sulle cose. Parliamo del suo insegnamento (seconda media, in una scuola di un sobborgo a sud di Chicago), della carriera di Vince Vaughn.

Andiamo a cena, beviamo, descrivo le mie abitudini alimentari, ah ah ah, facciamo tardi. Parliamo della squadra di nuoto in cui eravamo entrambi, di quanto schifo facessi io e di quanto fosse brava lei, e di come il suo nome, proclamato attraverso il megafono gracchiante, per noi significasse grazia e potenza, di come non perdesse mai una gara e di come quel fatto avesse alimentato il mio prolungato innamoramento, e di quella volta in cui suo fratello minore mi aveva beccato nello spogliatoio proprio l'istante dopo in cui avevo pestato la merda di qualcuno.

«Mai sentita questa storia.»

«Ovviamente lui ha pensato che fosse la mia.»
«La merda.»
«Sì, da allora in poi per lui io ero il tizio che si cagava addosso nello spogliatoio. E non c'era davvero modo di convincerlo del contrario. Non potevo dirgli che entrando non avevo notato che c'erano degli escrementi proprio nel mezzo del pavimento...»
«Sarebbe stata una situazione ancora più difficile, probabilmente.»
«Eh, sì.»
Considero per un istante l'ipotesi di dirle che ho visto una sua foto giù alla spiaggia, ma poi voto contro quest'idea. Mi pare che le cose siano abbastanza strane così.

Andiamo in un bar e ci imbattiamo in un sacco di gente che conosciamo, e tutti sono chiaramente confusi nel vederci insieme. Nessuno ci ha mai visti insieme prima d'ora, abbiamo due anni di differenza, in più io manco da Chicago da anni e anni. Incontro Steve Fox, che conosco fin dall'asilo, un adulto con ancora la stessa faccia sorridente del bambino di otto anni delle mie fotografie, delle foto delle feste di compleanno al club dei lupetti. Parliamo per un minuto – da dove cominciare? Ci saremmo dovuti abbracciare? Forse è un po' ingrassato? Ma Sarah è a disagio. A Lincoln Park c'è troppa gente che conosciamo, siamo sopraffatti. Ce ne andiamo, troviamo un minuscolo, orrendo baretto, beviamo fino a che non ci sentiamo in vena di fare quello che entrambi ci saremmo aspettati di fare, quindi torniamo a piedi nel suo appartamento.

Mentre siamo sul divano, lei improvvisamente mi sospinge via da sé, facendomi stendere sulla schiena, poggiandomi le mani sul petto e lanciandomi un'occhiata un po' folle – quei suoi occhi talmente grandi, nell'oscurità, dal bianco talmente bianco! – al punto che sulle prime interpreto quello sguardo come un riconoscimento per averla totalmente sopraffatta con le mie superiori capacità baciatorie. Mi osserva per un secondo.

«Sembri più vecchio, tu» dice poi.

Immediatamente penso: simbolismo. *Sembro più vecchio.* È anche simbolico il fatto che, mentre noi siamo su questo divano, nella penombra, la luce che filtra dalle ampie finestre del suo appartamento, il debole alone di luce giallognolo dei lampioni le disegni improvvisamente suo padre sul viso. Io l'avevo incontrato solo poche volte, e non avevo mai notato una grande somiglianza, ma adesso, adesso i suoi occhi sono più scuri. Mi viene in mente che pure il fatto che fumi, proprio come quando eravamo al bar l'altra volta, è altamente simbolico. Deve significare qualcosa, il fatto che dica che sembro più vecchio, il fatto che ora assomigli a suo padre morto, il fatto che fumi come mio padre morto, il fatto che entrambi avviciniamo le nostre bocche spalancate l'uno all'altra anche se, a parte l'avere avuto una vita in un certo senso simile, avere percorso la medesima stradina dal parcheggio alla piscina del Lake Forest Club e di avere fatto il medesimo numero di vasche alla mattina presto, ci conosciamo appena. Che cosa significa?

Dopo pochi secondi torniamo a sciabolarci le lingue l'uno nella bocca dell'altra, inclinando la testa ora a destra e ora a sinistra. Ma che significato avrà avuto quello sguardo così strano? Ogni volta che apro gli occhi, i suoi sono aperti. È inquietante. Forse è lei a essere inquieta. Lo è. E io so anche perché.

Sa che tengo mia madre in una scatola, nell'abitacolo di un'auto a noleggio.

Ecco cos'è. Ha indovinato. Ha indovinato che io me ne vado in giro con quella roba, proprio sul sedile del passeggero, a volte anche per terra, accanto ai sacchetti di Burger's King, alle bottiglie vuote di succo di mela, come se stessimo facendo una specie di gita insieme. E ha indovinato che ieri stavo parlando al mio amico probabile aspirante suicida, e che mi sono chiesto se per caso io non desideravo che lo facesse, e sa che ieri mi sono fermato un momento a casa della famiglia di Ricky, e sa anche che un'ora dopo, mentre ero nella biblioteca comunale, mi sono imbattuto nella madre di Ricky che non mi ricordavo che lavorava lì, e la madre di Ricky mi aveva abbracciato e abbiamo parlato di Rick, del fatto che aveva una storia e tutto il resto, e io non ho detto granché d'altro perché se avessi parlato ancora lei avrebbe saputo che io volevo dire al mondo di suo marito, e avrebbe saputo, proprio come Sarah certamente sa, che mentre stavo attraversando in auto il cimitero di Lake Forest, quello vicino alla spiaggia, pieno di pozzanghere, sottili croste gelate, stavo ascoltando alla radio il *Danny Bonaduce Show*, quel tizio del telefilm *La famiglia Partridge*, il che è già una cosa abbastanza tremenda da fare mentre si attraversa un cimitero, se non che a un certo punto ho sentito alla radio una voce familiare che parlava di sesso, e chi era? Ma ovviamente era Sari Locker! Sari Locker era al *Danny Bonaduce Show* e spiegava alla radio come mettere un preservativo con la bocca... Sono rimasto talmente di stucco che ho fermato la macchina, per la sorpresa, e anche per sottolineare tale sorpresa a me stesso e a chiunque stesse eventualmente guardando la scena, benché in realtà non è che fossi davvero scioccato al punto di dover fermare la macchina. E Sari gli stava dicendo qualcosa di cattivo, qualcosa riguardo a un programma tv che lui avrebbe dovuto fare ma che poi era stato cancellato, e dopo la trasmissione di sicuro lui l'avrà assalita riempiendola di male parole, e a quel punto io mi stavo dirigendo verso il bar di Highwood, quello a cui mio padre si fermava ogni sera prima di venire a casa, ecco perché arrivava sempre alle sette e mezzo in punto, quale che fosse il traffico. Sarah sa che mentre io ero in quel bar, nel pomeriggio, a cercare di togliermi di dosso il freddo grigio e polveroso, mi sono seduto al bancone e ho ordinato una Sprite, e quando mi sono seduto non avevo la più pallida idea di che diavolo stessi facendo lì, e che cosa stessi cercando nel bar in cui andava mio padre. Forse mi aspettavo che ci fossero delle foto di lui alle pareti, il suo nome ancora vergato sulla lavagnetta accanto al tavolo da biliardo. Non lo sapevo. Aveva una scrittura talmente bella, mio padre... Guardavo le foto delle squadre di bowling appese alle pareti, come aspettandomi che ci fosse pure lui, anche se di sicuro non è che lui avesse mai giocato granché a bowling...

Stiamo ancora esplorandoci la bocca, e probabilmente i suoi occhi sono sempre aperti...

E poi mentre ero lì seduto, per un minuto avrei voluto avere a portata di mano una foto di mio papà per poterla mostrare alla barista, come un detective, per sentirmi dire: "Sì che lo conosco, veniva tutte le sere...". Invece me ne sono rimasto seduto. C'erano tazze da campionario ovunque. Un tavolo da biliardo. Il jukebox suonava *What a Feeling*. Era davvero *What a Feeling*!...

Apro gli occhi e gli occhi di Sarah sono sempre aperti. È come se stesse trattenendo il respiro. E chi può biasimarla? Lei sa, ha capito. Sa che dopo il bar sono andato a un telefono a gettoni e ho chiamato l'Associazione Organi e mi sono fatto dire dove va a finire la maggior parte dei corpi, che è poi la facoltà di Medicina della University of Illinois di Chicago, e allora ci sono andato, nella zona ovest della città, guidando per un'ora lì attorno e perdendomi nel bel mezzo di isolati diroccati, acri e acri di terreno schiantati come se ci fossero passati sopra dei giganti. E sa che alla fine ho trovato la facoltà di Medicina e l'edificio dove c'era il direttore del dipartimento di anatomia, e sa che ho parcheggiato in strada e che per entrare nell'edificio ho dovuto scavalcare una rete metallica di lavori in corso, e sa che una volta dentro ho avuto paura che mi scoprissero, che mi vedessero in faccia e che chiamassero le guardie, per cui ho evitato l'ascensore e sono andato su per le scale, ho aperto la pesante porta di metallo e...

Ci spostiamo di là, sul letto, slacciandoci i bottoni, liberandoci dei vestiti...

... Nella tromba delle scale ci sarà stata una temperatura di trenta gradi, forse trentacinque, da morire, e io dovevo andare fino al settimo piano, dove c'era il dottore, l'uomo che avrei affrontato per il fatto che aveva preso i miei genitori e aveva fatto tutte quelle cose sui loro corpi. Ma perché la tromba delle scale era così calda? Al quarto piano ero sudato fradicio. Alcuni dottori mi sono passati accanto, scendendo mentre io salivo, e ho dovuto comportarmi come se nulla fosse, normalmente: ero uno studente, dovevo avere l'aria di uno studente. Mi pareva di essere in una conduttura di aria calda, il caldo arrivava come un vento dal basso, e quando ho raggiunto il settimo piano mi sentivo svenire, allora ho spalancato la porta e un soffio di aria fresca mi ha invaso i polmoni come un canto...

Sarah sta dicendo no a qualcosa che sto cercando di fare. Sto giocherellando con il mezzo desiderio di portare quel qualcosa a compimento, ma mi sento talmente stanco e ho la testa talmente pesante...

E quando ho trovato il nome del dottore, compitato con quelle lettere bianche di plastica sulla lavagnetta nera, mi sono diretto al suo ufficio, e stavo per affrontare quell'uomo, o perlomeno l'avrei guardato in faccia e l'avrei costretto a fare qualcosa, dire qualcosa...

Mi sto addormentando, sono esausto, tiro verso di me Sarah e mi addormento...

E a quel punto ho aperto la porta del dottore. C'era un uomo nell'ufficio, un uomo di mezza età, seduto alla sua scrivania a pochi centimetri da me, ed era finalmente il momento in cui avrei potuto... e invece: «Oooops, mi scusi» ho detto e ho richiuso la porta. Ho preso l'ascensore per scendere, picchiettando con le dita le pareti, appoggiandomi alle porte e facendole vibrare, quindi sono uscito, ho saltato a due a due i gradini fin sulla strada, sono tornato ai lavori stradali, camminando di fretta, quasi di corsa, quindi sono salito in auto, la radio accesa a tutto volume, ho ripreso l'autostrada e sono tornato da Eric e Grant che stavano guardando la tv e ai quali non ho detto niente.

Al mattino dormo fin verso le nove, dieci, dieci e mezzo, senza svegliarmi fino al momento in cui Sarah fa dei rumori apposta, muovendosi per l'appartamento. La stanza è immersa in una luce bianca, il letto è ancora tiepido. Non ho un posto dove andare. Non vorrei andarmene mai. Non ho progetti. Avrei voglia di chiacchierare. Guardo l'annuario della sua scuola, le foto di lei e dei suoi studenti. Hanno davvero l'aria di adorarla, ed è una bella cosa che siamo qui di nuovo insieme, in un posto diverso ma ancora noi, insieme, dopo tutti questi anni, ed è perfetto, perché adesso stiamo nuovamente entrando in contatto, ed è un po' come un ponte che per lungo tempo è stato in abbandono ma adesso è stato restaurato, ridisegnato, ed è nuovo fiammante, come prima, meraviglioso. Tutto questo è fantastico, e noi rimarremo in contatto, adesso, e quando sono in città ci vedremo, e quando lei sarà a San Francisco...

Forse dovremmo uscire a mangiare qualco...

E poi, tutto a un tratto, sono sulla porta e me ne sto andando. Non so perché me ne sto andando. Qualcosa è accaduto. Mi dice che deve passare da scuola a fare certe cose, o che deve vedere un'amica a pranzo, o sua sorella, o sua madre. È tutto confuso. Mi infilo le scarpe davanti alla porta di ingresso, avvertendo uno spiffero gelato provenire da sotto mentre guardo in su verso di lei che mi sta dicendo qualcos'altro, del tipo "Buon anno", forse, e poi mi tiene la porta aperta mentre esco, dopo di che mi ritrovo sul marciapiede, diretto da Grant ed Eric.

Faccio il tragitto con le gambe irrigidite dal freddo, cercando di ricordarmi le parole che ha detto. Ripercorro mentalmente le nostre ultime battute. Allora: "Be', adesso che hai avuto quello che volevi...", oppure era: "Era questo che volevi?". Una cosa del genere. Che cosa intendeva dire? Tento di far funzionare quelle parole dentro di me, di farmele suonare familiari, di dare loro un senso. Avuto quel che volevi? È questo che ha detto, esattamente? Sì, avevo avuto quello che volevo, che era poi di essere di nuovo in contatto, dopo tutto questo tempo e...

Cazzo, non so assolutamente cosa volevo.

Tutto era di nuovo collegato, e poi, ecco. Non capisco. Siamo legati o no? Ho chiuso un cerchio solo perché si sciogliesse nuovamente.

Quando arrivo alla spiaggia di Lake Forest, la sera dopo, è ormai buio e sono circa le nove di sera. Devo lasciare Chicago domani. La scorsa notte, la sera di Capodanno, è stata priva
lenziosa. Siamo andati a una festa a pochi isolati
zata da un tizio che lavora con Eric, e siamo rim
mangiare gambi di sedano e carote. Ce ne siamo
mezzanotte, e pochi minuti dopo eravamo di nuo

re biscottini al cioccolato e guardare alla tv *Il professore matto*... Parcheggio proprio di fronte alla riva del lago. Esco dalla macchina e infilo il cappotto di Grant, quindi metto il registratore in una tasca. Nell'altra tasca ho una penna e un taccuino. Apro la portiera di dietro e prendo la scatola. Richiudo la portiera e poso la scatola sul cofano.

Lo farò adesso. Ha senso. È la cosa giusta.

Non voglio vedere che cosa c'è dentro. Controllo per assicurarmi che non ci siano macchine in arrivo dalla strada lungo la riva. Ma certo che voglio sapere cosa c'è dentro. Uso le chiavi della macchina per tagliare il nastro adesivo trasparente sul coperchio superiore della scatola. Sto attento a non tagliare troppo in profondità per paura di bucare il sacchetto che mi immagino contenga le ceneri, e nonostante la cura che ci metto, mi aspetto che della cenere fuoriesca comunque, essendo leggera come polvere, per cui strizzo gli occhi e trattengo il respiro per evitare di inalare. Apro la scatola, strappandone i lembi come se fosse pelle. Nessuna traccia di ceneri all'interno.

All'interno c'è qualcosa di dorato. Un recipiente color oro, della forma e della grandezza di un contenitore da cucina, di quelli che si usano per i biscotti o per lo zucchero. Sono sopraffatto dal senso di sollievo. Questo oggetto è meglio di una scatola di cartone, mi pare più adatto, anche se non è oro, ma volgare latta. Ripensandoci però, c'è anche qualcosa di sinistramente evocativo in questo recipiente dorato, che ricorda l'arca dell'alleanza di quel film, contenente le ceneri, e tutte le cose terribili che succedono a quel tizio che si trastulla con l'arca e ne disturba il contenuto... E se..

Cristo non sono un cazzo di nazi, io!

Eppure guardate cosa sto facendo, con il mio registratore e il mio taccuino, qui alla spiaggia, con questa scatola, così calcolatore, manipolatorio, freddo, profittatore.

Vaffanculo.

Apro il recipiente. Il coperchio si schiude lentamente, sento come un rumore aspirato provenire dall'interno. Tolgo il coperchio. Dentro il recipiente c'è un sacchetto di una materia che sembra sabbietta per gatti.

Cazzo. Qualcuno ha scambiato le ceneri con questa cazzo di sabbietta per gatti. Non è quello che cercavo. Rimetto la scatola sul cofa-
[illegible] dell'auto per guardare meglio. Vedo delle pietruzze, dei sassolini,
[illegible] tipo crusca, bianca, grigia e nera. Apro il sacchetto. E all'improv-
[illegible]o sbuffo di polvere si alza, appena un po', e solo per un secon-
[illegible]hetto esala un alito che manda un odore... sono terrorizzato

all'idea di respirare quell'alito, di avere paura della morte, di avvertire una traccia pur vaga dell'odore di lei... Invece odora di polvere, è solo un odore di polvere.

E poi la sento che mi guarda. Non sono un tipo che fa spesso di queste cose, voglio dire, che ha (o si sottopone a?) visioni di lei magari seduta in cima a una nuvola, intenta a guardare giù, un po' come in quel fumetto che si intitola *Family Circus*, avvolta in un qualche strano accappatoio, con l'aria beata e disegnata con una linea tratteggiata, ma in questo momento all'improvviso io la vedo che mi osserva, e non da una nuvola, ma proprio da lì, a mezza altezza, come sovrimposta al cielo nero e blu proprio sopra di me, e scuote la testa con un'aria di disgusto e disappunto.

Ma non è colpa sua, del resto? Certo che è colpa sua. Non sono stati i suoi occhi a rendermi così? Il modo in cui guardava, fissava con aria di approvazione o disapprovazione? Oh, quegli occhi. Fessure, raggi laser, aghi di vergogna, colpevolezza, giudizio... Aveva a che vedere col fatto che era cattolica, o era semplicemente lei? Di sicuro ha a che vedere col fatto che io non mi sono masturbato fino a che non sono andato al college. Me ne sono reso conto proprio poco tempo fa.

Il sacchetto aperto lascia intravedere meglio la forma e i colori delle pietruzze all'interno. Ce ne sono almeno di sei colori differenti – nere, bianche, grigio chiaro, grigio scuro, grigio giallino, giallino grigio, crema – tutte di forma differente, alcune più grandi altre più piccole, perlopiù rotonde, alcune oblunghe, altre decisamente allungate, come piccole zanne, del tutto diverse dalla grigia uniformità che mi aspettavo e che avrei desiderato: oh, tutto ciò è infinitamente più orribile. Che cosa sarà il bianco? Le ossa? E le pietruzze nere saranno il cancro, o solo le parti che sono bruciate meglio? E che cosa usano, a proposito? Un forno? Sì, un forno, giusto? Se ne deduce perciò che alcune zone del forno sono più calde di altre? Il bianco chiaramente devono essere le ossa. Ma non dovrebbe essere tutto ossa? Che altro potrebbe resistere a quel caldo? Niente, assolutamente niente, a meno che alcune parti, questo o quell'organo, non si riducano a dei frammenti, come il carbone. Il carbone dopo tutto è materiale organico. Il nero deve essere il cancro.

E il grigio allora cos'è?

Vado fino all'acqua, attraverso la sabbia, che è per la gran parte artificiale, non sabbia vera, ma – all'improvviso vedo la correlazione – anch'essa un po' come sabbietta per gatti, dato che, adesso che ci penso, era proprio così che l'avevamo chiamata da ragazzi, quando la spiaggia decrepita e ormai erosa era stata sostituita con un fronte sabbioso da un sacco di milioni di dollari, con tanto di passeggiata e barriere protettive. Sabbietta per gatti, così chiamavamo quella spiaggia, e la detestavamo perché dopo averci camminato sopra o dopo averci giocato a pallavolo ti ritrovavi con i piedi a pezzi, come se li avessi passati sulla carta vetrata. Cammino dunque sulla sabbietta per gatti con le scarpe che scricchiolano come sulla ghiaia, rumorosamente, e da lì fino al molo, un affare largo una trentina di centimetri di acciaio arrugginito che si protende nel lago per una dozzina di metri, fino a incontrarsi con una muraglia di granito bianco formata da un cumulo di roccioni giganteschi disposti in semicerchio per proteggere la riva dalle onde. Tengo il recipiente dorato tra le mani, con le braccia distese, come se si trattasse di un'offerta. Non so perché lo tengo in quel modo.

Salto su un paio di rocce fino a trovarmi sul lato esterno della muraglia. È tutto umido grigio e blu, un po' nebbioso, acqua e cielo confusi l'una nell'altro a pochi metri di distanza, l'acqua ha un mormorio tranquillo, nella sua profondità, che anche così vicino a riva come sono sembra...

Scivolerò, cadrò, picchierò la testa e sverrò cadendo nel lago e morendo annegato. Cose di questo genere succedono. Non c'è nessuno intorno, e nessuno potrà mai venirmi in aiuto, e io me ne andrò così. Poi troveranno un'auto a nolo abbandonata, e infine me...

Almeno i miei nastri andranno distrutti, sommersi dall'acqua, e con essi il mio taccuino.

Questa faccenda è proprio idiota, l'idea di gettare i resti nel lago Michigan. Il lago Michigan? E assolutamente ridicolo, meschino, kitsch. E perché un lago, poi? Certo è un gran bel lago, ma... Dovrei essere sull'Atlantico. Dovrei essere a Cape Cod. Quella sì che sarebbe un'idea. Potrei guidare fino a Cape Cod. Una macchina ce l'ho. Potrei guidare fino all'ultima casa che abbiamo preso in affitto da quelle parti, assieme a zia Ruth, prima che lei morisse, quella volta che l'ho vista, Ruth, da una fessura della porta del bagno, senza la parrucca, senza i suoi capelli rossi fiammeggianti... Dovrei chiamare la compagnia per avere conferma che posso prolungare il noleggio e posso lasciare lì la macchina alla fine... Potrei guidare fino a Cape Cod e poi volare a San Francisco, quanto ci metterei in auto? L'abbiamo fatto dozzine di volte, da Chicago a Cape Cod, quando eravamo piccoli, la mamma guidava otto ore al giorno... cazzo, mi ci vorrebbero almeno due giorni, e devo incontrarmi con Toph all'aeroporto domani, perché arriva da L.A., e abbiamo organizzato le cose in modo tale da essere all'aeroporto insieme. Cazzo, non posso andare a Cape Cod. Magari se chiamassi Bill... Ma no, cazzo, a quel punto gli dovrei dire tutto, e lui resterebbe turbato e... Cazzo. Ha senso qui, ha senso fare questa cosa qui e ora, ha senso. Va bene così. In fondo è il primo dell'anno.

Cristo.

È il suo compleanno, porca di una troia. Non ci posso credere che stia accadendo un'altra volta. Ma perché io non collego le cose? Perché so che il suo compleanno si sta avvicinando ma non ricordo mai il giorno esatto, e non me lo ricordo fino a che non mi trovo su un molo che si inoltra nel lago, assieme a lei? È chiaro. Adesso, certo, è un segno. Fanculo, vuol dire che va bene così, non c'è dubbio. Lei adorava la spiaggia, era il suo posto preferito, adorava venire qui, piazzarsi su una sdraio vicino all'acqua con gli occhi chiusi e prendere il sole, mentre io me ne stavo dietro di lei, sotto la sua ombra al fresco, con la coperta e il biberon...

Metto una mano nella scatola e ne estraggo una manciata. Così leggera! Non so cosa mi aspettavo, esattamente, ma non questa leggerezza che non riesco nemmeno a credere di riuscire a tenere in mano e che sta cominciando a darmi la nausea.

Lancio. In aria la polvere si sparge con un'ampia traiettoria diagonale, e cade sulla superficie mormorante del lago con un sottile picchiettio. Lancio un'altra volta. Me ne cade un po'. Non dovrei lasciarne cadere. Invece ne è caduta un po', proprio vicino al mio piede sinistro, otto minuscole particelle. Le sto calpestando! Certo che le sto calpestando! Chiaro che le sto calpestando, davvero appropriato! Bravo davvero, pezzo di merda che non sei altro! Mi chino a raccogliere le particelle, ma ne ho già una mano piena per cui nell'istante in cui mi piego me ne cadono un altro po', questa volta alla mia destra. Ma Cristodiddio! *Possibile che non riesca a fare nulla come si deve?*

Mi rialzo e lancio nuovamente, e questa volta alcune mi restano incollate alle mani, ora coperte da un velo di sudore. Cazzo! Cerco di allontanare le particelle col piede fino a spingerle nell'acqua, all'interno delle fessure tra le rocce... Se solo avessi dell'acqua...

Ma poi, è il caso che io mi trovi qui a prendere a calci le ceneri di mia madre? Cerco nuovamente di raccoglierle ma sono troppe, troppo sottili e allora mi chino di nuovo e... cazzo, magari è pure illegale. Ho sentito dire che non si può fare, che per gettare le ceneri ci vuole un permesso speciale o che si può fare solo in mare aperto... Mi giro per vedere se qualcuno mi sta guardando. No, no, non ci sono macchine nei paraggi. Ma qualcuno verrà qui domani e le troverà e lo dirà alla polizia e collegheranno la cosa a me perché Chad, il tizio delle pompe funebri, starà ascoltando il suo CB sulla frequenza della polizia...

Con il dorso della mano spingo le particelle rimaste negli interstizi tra le rocce, e all'improvviso mi ricordo di come mia mamma puliva un parabrezza appannato, con il palmo della mano, in modo brusco, quasi violento, gli anelli che picchiettavano contro il vetro, mentre guidavamo dentro e fuori da questo o quel temporale improvviso, tutti noi nella vecchia Pinto, diretti da qualche parte, al centro commerciale o a Cape Cod o in Florida. E per un secondo mi chiedo se nel sacchetto potrebbero esserci i suoi anelli. Oh, merda. I suoi anelli saranno là dentro, mezzi fusi, come una sorpresa nella scatola dei cereali. No, un momento. Non li ha Beth, gli anelli? Ma sì, li ha Beth, Certo.

Quanto è trito tutto ciò, quanto è piccino, quanto è terribile. Oppure invece è bello. Non riesco a decidere se quello che sto facendo è bello e nobile e giusto oppure meschino e disgustoso. Vorrei fare qualcosa di bello, ma ho paura che invece tutto ciò sia piccolo, troppo piccolo, che questo mio gesto sia infimo. Che sia una roba da barboni? Ecco cos'è! È che noi, per la cittadina in cui vivevamo, eravamo talmente dei barboni, con i nostri problemi e le nostre orrende macchine usate, le nostre Pinto e le Malibu e le Camaro e la nostra carta da parati anni Settanta e i nostri divani quadrettati e l'acne e le scuole pubbliche... e adesso questo gettare ceneri funebri da una scatola in un lago? Oddio, è una cosa talmente banale, sgraziata, patetica...

Oppure bella, amorevole e gloriosa! Ebbene sì, bella, amorevole e gloriosa!

Ma anche se le cose stanno così, anche se tutto ciò è bello, amorevole e glorioso, e lei ora sta piangendo commossa nel vedermi, tanto è fiera di me, come quella volta che me l'ha detto, quando aveva avuto il sangue dal naso e l'ho portata io in braccio, e lei mi ha detto che era così orgogliosa di me, che non pensava che ci sarei riuscito, che sarei stato capace di sollevarla, portarla fino alla macchina e dalla macchina in ospedale, parole che mi sono rimaste in testa e che da allora ho sempre in testa, pensava che non ce la facessi e invece certo che ce l'ho fatta! Sapevo allora di potercela fare, e adesso so questo, so cosa sto facendo, so che sto facendo qualcosa di bello e allo stesso tempo di orribile, perché sto distruggendo la sua bellezza con la consapevolezza che potrebbe essere una cosa bella, perché so che se so che una cosa è bella, allora non è più bella. Ho paura che se anche è bella in astratto, il fatto che io la faccia sapendo che è una cosa bella e, peggio ancora, sapendo che presto ne darò documentazione, che nella mia tasca c'è un registratore infilato specificamente all'uopo, tutto questo rende quest'atto di potenziale bellezza in un certo senso orrendo. Sono un mostro. La mia povera mamma. Lei lo farebbe senza starci a pensare, senza stare a pensare al pensiero che...

Oh cazzo. Ne lancio un'altra manciata, il più in fretta possibile. Ficco le mani nel sacchetto e afferro pugni e pugni delle minuscole pietruzze. Estraggo le mani e dalle dita me ne sfuggono un po', qua e là. Sollevo il braccio e altre mi sfuggono andando a cadere tra le grosse rocce bianche sotto di me. Lancio. Le pietruzze si spargono fanno tdtdtdtdtdtdtd nell'acqua. Mi soffermo a pensare ai dettagli. Dovrei lanciare nello stesso punto o dovrei invece scegliere una direzione differente ogni volta? Dovrei tenerne un po' per dopo, conservandola altrove? Sì, Sì. Questa è l'idea migliore... Potrei tenermene un po', magari anche metà, e gettare il resto altrove... Sì, a Cape Cod! A Milton! Potrei spargerne un po' in giro per il paese, in ognuno dei suoi posti prediletti. Potrei spargerle per tutto il mondo! L'Atlantico, il Pacifico! Ma poi come si fa sull'aereo, all'aeroporto, dovrei portarmela a bordo, dovrei spiegare il contenuto della scatola ai tizi della security e dovrei mettere la scatola sul nastro trasportatore e poi... chissà se le ceneri si vedono in quelle macchine a raggi X dove fanno passare la roba? Forse mi chiederebbero di aprire la scatola e di mostrare loro il contenuto, un po' come fanno con i computer portatili. Potrebbe assomigliare a polvere da sparo? Forse sì. Forse potrei fare il cheeck-in delle ceneri al terminal. No, no, pessima idea. Sarebbe ancora peggio.

Raccolgo nuovamente e lancio. Va bene così. Va abbastanza bene così. Anzi, è la soluzione migliore, perfetta. Questo è il posto dove ha passato gli ultimi anni della sua vita, vicino a queste acque. Comincio a lanciare sempre più rapidamente, afferro e lancio, c'è polvere ovunque. Ho il cappotto tutto pieno di quella polvere. Lei sarà allibita. E io sono patetico. Ecco cosa ho fatto. Ecco ciò a cui alla fine tutto si riduce, a un lancio di ceneri in un lago. Ma no, non mi sta guardando. Lei è morta. Lei ha una vita dopo la morte, ma io non l'avrò, perché non credo. Sarò annichilito, per allora, completamente. Sono distrutto anche adesso, sono così stanco. Salterò nel lago. Non per uccidermi, ma così, per effetto drammatico! Non sopravviverò. Se mi togliessi i vestiti magari ce la potrei fare. Ma con i vestiti addosso annegherei. Il mio cuore si fermerebbe e andrei a fondo. Potrei anche fare di meglio, qualcosa di ancora più drammatico, tipo buttare anche la macchina in acqua. Magari non con me dentro.

E lancio e lancio dentro al grigio. So che prima o poi scivolerò e cadrò nel lago e morirò. Che ironia! Proprio come quella donna che stava gettando le ceneri del marito da una scogliera ed è arrivata un'onda e se l'è portata via. O forse era la sorella. Qui onde non ce ne sono. Quanto a me, semplicemente scivolerò e capitombolerò nel lago. Devo scuotere il sacchetto per farne cadere gli ultimi rimasugli. Forse dovrei conservarne un pochino, come souvenir... Souvenir! Che razza di stronzo che sei! Che testa di cazzo malata di mente, a pensare ai souvenir. Scuoto il sacchetto. Non mi piace dovere scuotere il sacchetto come quando si deve fare uscire un pesce rosso dalla sua bustina di plastica. Le ceneri galleggiano? Si sciolgono? Ho finito e mi siedo, e il mio fiato, corto e rapido, è visibile perché fa un freddo del cazzo e io ho smesso di muovermi. L'acqua si muove lentamente nelle sue centinaia di metri di profondità, con i suoi milioni di pesci sotto di me che divorano le ceneri. Non c'è differenza fra il lago e il cielo, e riesco a sentire l'acqua che sale tutt'intorno a me e io sono già sott'acqua, e tutta quell'acqua è qualcosa di più grande, dentro, e io mi guardo i piedi per farmi coraggio perché sono all'interno di qualcosa che vive.

Vado fino alla chiesa, a pochi minuti dalla spiaggia, attraversato il centro della cittadina, dopo la biblioteca e il barbiere.

Parcheggio e mi dirigo là. L'aria è umida e fredda.

La porta è aperta. Sono circa le undici. Socchiudo un battente e lancio un'occhiata all'interno, sicuro che deve trattarsi di un errore e che la chiesa non può essere aperta a quell'ora.

All'interno le luci sono accese, anche se abbassate. Entro a passo lento. La chiesa è deserta. Mi fermo al di qua dell'area circondata da vetrate, riservata ai ritardatari e ai bambini piangenti.

La chiesa è inondata di luce rossa. La navata centrale è alta e bianca e appeso al centro vi è un Cristo crocifisso, quasi a grandezza naturale, in oro, sospeso a dei fili. Quante volte mi è capitato di preoccuparmi per quel Gesù, nel timore che quei fili cedessero, facendolo rovinare sul prete e sui chierichetti. Ero molto più tranquillo quando il prete si spostava a lato dell'altare, durante la lettura di un salmo o della liturgia. Ma quando se ne stava al centro per la consacrazione, proprio sotto il crocifisso, e alzava quel calice sopra la testa, a quel punto mi aspettavo sempre che piombasse giù, appeso com'era in quel modo assurdamente precario a due fili e nient'altro.

La chiesa è piccolissima. Lancio un'occhiata al di là delle panche ed è davvero minuscola. Le panche sono basse e ce ne sono solo poche file. Non è mai stata così piccola. Avanzo sul tappeto rosso lungo la navata principale.

Mi fermo alla prima fila, dove mi sono seduto l'ultima volta che ci ho messo piede. Ero seduto lì davanti e di tanto in tanto mi giravo per fare un cenno di saluto alle persone che arrivavano. Ero con Toph e Kirsten e Bill e Beth. Eravamo stretti sulla stessa panca. Eravamo stati in quella chiesa, prima d'allora, ma non ci eravamo mai seduti così vicini all'altare. Mia madre in genere ci faceva sedere nel mezzo, o verso il fondo, e noi le eravamo grati perché in quel modo il prete e tutti gli altri sull'altare non potevano capire se sapevamo le parole della liturgia.

Io mi sedetti al mio posto sulla panca, stringendo la mano di Kirsten e giocherellando con Toph, in preda a un senso di vertigine, con il mio blazer blu, in attesa della fine della cerimonia, in tutta la sua gloria. Sapevo da mesi ormai come sarebbe andata, mi ero immaginato tutta la scena. Ci sarebbe stata luce. Sarebbe successo di giorno. Luce attraverso le vetrate colorate, prismi di luce, anzi no, luce diretta, limpida, diffusa, dorata. Ci sarebbe stata una folla immensa, la chiesa piena come a Natale o a Pasqua, le navate laterali colme di gente, quasi tutta la città sarebbe convenuta, tutti i parenti, i fratelli e le sorelle di mia madre dall'est, i cugini, la numerosissima famiglia di mio padre dalla California, tutti gli ex studenti di mia madre, tutti gli altri insegnanti, quelli di Bill, quelli di Beth, quelli del liceo, delle medie, quelli di Toph, i genitori dei ragazzini, i tizi del supermercato, le infermiere, e poi sconosciuti, ammiratori, tutti chiusi in un soprabito scuro, silenziosi e riverenti, la chiesa intasata di gente anche agli ingressi laterali. Sì, e ci sarebbero state anche tutte le persone fuori della chiesa, un centinaio solo sui gradini e nello spiazzo antistante l'edificio, e poi tutt'intorno e giù in strada almeno un altro migliaio, in attesa di... di sapere semplicemente che c'erano, di poter dare una conferma, una prova... In chiesa la cerimonia sarebbe iniziata ma nessun prete sarebbe riuscito ad andare avanti, sopraffatto dalla commozione, e uno dopo l'altro sarebbero tornati alle loro sedie di velluto rosso, lasciando il podio a un altro e abbandonandosi a un pianto rotto e disperato, il viso nascosto dentro alle lunghe mani, e noi saremmo stati lì, in prima fila, i belli e tragici Eggers, ancora grondanti di sangue ma stoici, mentre in centinaia si sarebbero succeduti di fronte a noi per parlarci di lei, di tutti i doni che ci aveva fatto, e la sua vita sarebbe stata raccontata in tutti i suoi più splendidi dettagli, ogni singolo istante, tutti i suoi sforzi per tenerci uniti, e i sacrifici e...

E poi il soffitto si sarebbe spalancato. La volta a botte si sarebbe sollevata e l'intero tetto della chiesa si sarebbe silenziosamente scardinato per sollevarsi in cielo e scomparire alla vista, e l'enorme travatura a croce si sarebbe alzata in volo, diventando in pochi istanti minuscola nel cielo blu, per poi trasformarsi in uno stormo di uccelli. La chiesa sarebbe diventata grande il doppio, anzi il triplo, lo spazio si sarebbe espanso, permettendo così di fare posto a tutti quelli in attesa fuori, e poi sarebbe diventata ancora più grande accogliendo un numero di persone mai visto, milioni di persone, ciascuno con il proprio cuore tra le mani da donare a lei. Sarebbero arrivati anche gli angeli, a migliaia, agili, alati e sottili, sarebbero discesi su di noi volando in cerchio, gli occhi piccoli e taglienti, e avrebbero riso, le braccia piene di mirto, perché no?, sarebbe stata un'occasione gioiosa, gioiosa. E mia madre sarebbe stata là. Niente bara, niente spoglie, ma semplicemente lei, effimera, gigantesca, la testa grande come la navata centrale coronata di angeli, così piccoli in confronto a lei, e i suoi capelli, i suoi veri capelli, cotonati per bene come piacevano a lei, prima che li perdesse, prima che fossero rimpiazzati da quegli altri ricci così fitti e scuri. E avrebbe avuto quel suo sorriso tirato, con le piccole rughe attorno agli occhi, al vederci lì, ben sapendo che tutti quelli che lei aveva in qualche modo toccato adesso erano presenti, come segno minimo di riconoscenza nei suoi confronti. Che festa sarebbe stata. E noi e tutti gli altri saremmo stati felici nel vederla non come una cosa imbalsamata, gommosa e orrenda, ma come un volto gigantesco e luminoso, pieno di luce, sopra di noi, e lei dapprima avrebbe fatto il suo sorriso a labbra strette, poi avrebbe disteso il volto in un sorriso più ampio, mostrandoci la fila dei suoi piccoli denti, e infine si sarebbe spalancata in una sonora risata, perché qualcuno avrebbe detto qualcosa di divertente e lei si sarebbe messa a ridere di quella sua risata silenziosa, assurda, senza fiato, questa era davvero divertente, ma chi è che l'ha detta? Chi? E forse sarei stato io, io, proprio io a farla ridere in quel modo, nel modo in cui noi talvolta eravamo capaci di farla ridere, a crepapelle, al punto che sembrava che ci rimanesse secca, gli occhi che faticavano a rimanere aperti, perché quando rideva le si riempivano immediatamente di lacrime e doveva asciugarseli con la punta delle dita... Era in quei momenti che sapevi di aver detto qualcosa di veramente divertente, quando piangeva dal ridere e si asciugava gli occhi, allora sì che l'avevi conquistata, e ne godevi, non c'era altra impresa più grande o più importante, più commovente, e magari provavi anche a darti un tono facendo finta di nulla, ma in realtà eri gongolante e orgoglioso nel guardarla, e avresti voluto che ti implorasse basta! basta!, perché eri così buffo ma invece tu continuavi perché volevi che ridesse un altro po', che ridesse fino a che non ce l'avrebbe fatta più, mezza collassata sul piano della cucina mentre tu eri seduto al tavolo, dopo la scuola. Oh sei tremendo! diceva. Piantala! Ma per vederla ridere avresti dato qualunque cosa, anche perché lei era il tipo che apprezzava una bella risata alle spalle di qualcuno, di Bill, di Beth, delle tue, delle sue, e in quei momenti tutto il resto scompariva, tutte le volte che avevi avuto paura di lei, tutte le volte che saresti voluto scappare, tutte le volte che ti eri chiesto come facesse a vivere con lui, a proteggerlo, e tutto quello che desideravi era solo che ridesse con te come ogni tanto faceva al telefono con le amiche – Sì! strillava. Sì! Precisamente! – dopo di che faceva un sospirone, prendeva fiato e diceva: Che buffo, oddio com'è buffo. È così che diceva, e qualcosa del genere avrebbe detto mentre i muri della chiesa sarebbero scomparsi e la navata centrale sarebbe come evaporata e gli angeli avrebbero volato più veloci, in traiettoria ellittica intorno a lei, e tutti noi avremmo avvertito le vibrazioni di quel volo, o magari si sarebbero messi a volare anche dentro di noi, con quelle ellissi, attraverso il flusso del nostro sangue, e ci sarebbe stata anche della musica, che so, la Electric Light Orchestra o forse *Xanadu* – le piaceva davvero o la sopportava per farci piacere? Avrebbe canticchiato anche lei per un po' muovendo le dita avanti e indietro a tempo, oh, ci saremmo davvero divertiti un mondo! E poi sarebbe venuto per lei il momento di andare. Se ne sarebbe andata, a quel punto, ma non prima di avere salutato tutti quanti con un *Ci vediamooooooo!* Così avrebbe detto, toccando una nota alta sull'ultima sillaba, come ad affettare un tono di finta formalità girandosi per sfiorare la piccola guancia del Gesù d'oro, sofferente e crocifisso, sospeso in aria – mentre la navata se ne sarebbe volata via anch'essa e avrebbe galleggiato nel vuoto, tutta d'oro – e lei avrebbe toccato quella guancia con il dorso della sua mano abbronzata e inanellata, che fortunaccia, dopo di che si sarebbe dileguata, e tutti noi saremmo svenuti dove ci trovavamo, all'interno della chiesa squadernata, e avremmo dormito per settimane e settimane, sognando di lei. Sissignore, sarebbe stato un vero avvenimento, qualcosa di adatto a lei, di adeguato, di opportuno, di meraviglioso, e di cui a lungo ci sarebbe stata memoria.

Mi alzo e vado verso il podio – allora lontano duecento passi, oggi solo due. Stringevo tra le mani un pezzo di carta che avevo portato con me, quello che avevo messo sotto il divano. Avevo provato a ricopiarlo su un foglio più bello, ma poi non c'era stato il tempo, e allora avevo sistemato il pezzo di carta sul leggio e avevo levato lo sguardo e...

Ma dov'erano tutti? Non c'era la folla che ci doveva essere. Poche persone, una qui e una là. Tutti la adoravano, e adesso dov'erano? Tutti ovviamente conoscevano e amavano mia madre, tutti, ma dov'erano, adesso? Non era possibile, una vita intera, e adesso quella quarantina scarsa di persone? Dov'è Laura, la donna che le tagliava sempre i capelli? Era lì? E qui? E tutte le donne della squadra di pallavolo? Sono venute? Ce n'è una, Candy, ma... e la sua famiglia? Dove sono le sorelle? C'è solo zio Dan, venuto, per usare le sue parole, per "rappresentare la famiglia". E i cugini? E gli amici? Qualcuno c'è, ma mio Dio, erano talmente più numerosi! Questo è lo stesso numero di persone che c'era al funerale di *mio padre*. E non dovrebbe essere così, non ci dovrebbe essere la stessa quantità di persone. Non erano identiche, queste due esistenze. Dov'è la gente della città? Dove sono i genitori dei suoi studenti? Dove sono i miei amici? Dov'è la gente giunta da ogni parte del mondo a onorare la sua scomparsa? È forse troppo orribile da sostenere? Siamo troppo volgari? Che cosa succede? Con tutto quello che ci ha messo, tutto quello che ha dato per voi, ha dato praticamente tutto per voi e questa è... ha lottato così a lungo per tutti voi, quotidianamente, ha lottato contro tutto e tutti, ha lottato per ogni suo respiro fino all'ultimo, ha aspirato fino a che ha potuto l'aria di quel tinello marrone, boccheggiando ancora e ancora, era incredibile, sì, fino all'ultimo si è aggrappata all'aria da respirare, per noi e per voi, e adesso dove siete?

Dove siete, dannati figli di puttana?

XI

BLACKSANDS BEACH È A SOLI DIECI MINUTI DA SAN FRANCISCO. Dipende ovviamente da dove partite, ma dalle parti del Golden Gate occorrono dieci, al massimo quindici minuti, che è poi strano se si considera quanto quel posto sembri selvaggio e lontano da tutto, persino esotico, con quella spiaggia nera per davvero, lunga circa cinquecento metri da una scogliera all'altra.

Sul ponte, Toph fa il verso della mucca alla gente che passa, e ci fa ridere fino alle lacrime. Si sporge fuori dal finestrino e fa mu.

«Muuuuu.»

Il finestrino è completamente abbassato.

«Muuuuuuuuu.»

I turisti non sentono, a quanto pare, perché il vento proveniente dal Pacifico si scaglia sul ponte come sempre forte e travolgente e i turisti, coppie o intere famiglie, sono sistematicamente vestiti in modo non adeguato, in maglietta e pantaloncini, e sono troppo occupati a difendersi dalle folate che li sbatacchiano qua e là, riuscendo a stento a stare in piedi.

«Muuuuuuuuuuuuu.»

Toph non tenta nemmeno di far sembrare il suo un verso di animale. In pratica si limita a dire la parola, come uno che semplicemente dice mu. Ogni tanto lo fa anche come se abbaiasse in tono arrabbiato, seppur monotono

«Mu! Mu!»

È difficile spiegare cosa ci sia di così buffo. Forse non è nemmeno buffo, ma noi stiamo schiattando dal ridere. Non riesco neanche a tenere gli occhi aperti, stiamo morendo. Tento di guidare diritto, mentre mi asciugo le lacrime. Sopra le nostre teste corrono nuvole lanose, come cotone strappato a brandelli da dei bambini. Per l'ultimo gruppo di turisti Toph si esibisce in una piccola performance a base di muggiti.

«Io dico, dico, dico, dico» dice. «Dico, dico, dico». Breve pausa di pochi secondi, quindi sbotta in un rapido: «Uuuuu» e poi:

«Muuuuuuuuuuuuuuuuuuu.»

Il ponte finisce, le nuvolette sfilacciate si dileguano, e d'un tratto tutto è limpido, blu cobalto, ci troviamo sulla 101 ma solo per pochi secondi. Dopo due uscite ci siamo, prendiamo Alexander, e poi di nuovo sotto la 101 e su per le Headlands. Mentre arranchiamo per la salita, proprio sopra il Golden Gate, all'improvviso le nuvole si fanno sotto di noi, rotolano attraverso il ponte, come lana premuta contro una gigantesca arpa.

Non siamo andati al test. Un'ora fa abbiamo saltato il test obbligatorio per l'iscrizione alla scuola superiore, quello che Toph avrebbe dovuto fare se avesse avuto intenzione di frequentare la Lowell, che passa per la miglior scuola superiore pubblica di San Francisco. Una settimana fa siamo andati agli uffici amministrativi della scuola, una sorta di colosso bianco su Van Ness, per iscriverlo.

«So che siamo in ritardo, ma speravamo proprio di riuscire a iscriverlo al test...»

«Lei chi è?»

«Sono il fratello, il tutore.»

«Ha dei documenti che comprovino la tutela?»

«Documenti che...»

«Sì, qualcosa che provi che lei è il tutore.»

«No, non ho mai fatto nessun documento.»

Avevano bisogno di qualcosa.

«Per esempio?»

«Per esempio un certificato di tutela.»

«Non esiste un certificato di tutela.»

Stavo tirando a indovinare.

La donna aveva fatto un sospiro.

«Be', secondo lei come possiamo sapere se lei è il suo tutore?»

«Lo sono e basta. Come posso provarvelo?»

«Ha un testamento?»

«Come?»

«Un testamento.»

«Un testamento?»

«Sì, un testamento.»
«Oh, Cristo, questa poi è da non credere.»
Mi ero messo a pensarci su. Beth aveva il testamento.
«Il testamento non stabilisce nulla» dico, ancora mentendo. Il problema era che nel testamento io non ero neppure nominato come tutore, mentre lo era Beth. Si trattava di una questione formale, qualcosa che avevamo deciso insieme quell'inverno. Beth e Bill sarebbero stati gli esecutori testamentari e sarebbero apparsi ufficialmente, e così io non sarei stato coinvolto in questioni burocratiche e finanziarie. Non era la prima volta che questo problema saltava fuori, della tutela, delle prove – *dove sono le prove?* – e avevo sempre avuto paura di essere scoperto. Una truffa, per tutto quel tempo!
«Senza certificato di tutela o copia del testamento non c'è nulla che possiamo fare.»
Avevo portato con me tutti quei documenti scolastici, lettere degli insegnanti, lettere che provavano la nostra residenza, con entrambi i nostri nomi sugli indirizzi. *Siamo un team. Siamo da anni una coppia fissa...* La donna non era parsa per nulla impressionata.
«Ma perché dovrei raccontarle delle bugie?»
«Guardi, un sacco di gente che non è della città vuole mandare i propri figli alla Lowell.»
«Mi sta prendendo in giro? Così io sarei venuto qui a inventarmi la morte di entrambi i nostri genitori per fare in modo di iscrivere mio fratello a questo dannato test?»
Altro sospiro.
«Ascolti» mi aveva detto. «Come facciamo noi a sapere anche solo che sono morti?»
«Ma perché ci sono io qui che glielo sto dicendo.»
«Ha dei certificati di morte?»
«Senta, è una cosa disgustosa» dico. E poi mentendo: «No».
«Nessun avviso, nessun necrologio?»
«Vuole che le porti dei necrologi?»
«Sì, dovrebbe essere sufficiente. Almeno credo. Aspetti un secondo.» Si gira e si consulta con un tizio dietro di lei seduto a una scrivania, poi si rivolge nuovamente a noi.
«Sì, va bene. Mi porti un necrologio.»
«Ma non avrò il tempo di...»
«Un necrologio a testa.»
Tutte le volte dover fornire delle prove! Sempre qualcosa che rammenti, anche solo con poche parole sparse qua e là in una conversa-

zione, questa cazzo di storia... Ecco perché ogni volta mento, ecco perché mi invento cose, ecco perché a questo punto, quando prendo un appuntamento con il dentista o chissà chi, al telefono lo chiamo "mio figlio", per quanto crudele questa parola mi sembri ogni volta che la pronuncio...

Avevo chiamato Beth da un telefono a gettoni. Avevamo venti minuti prima che l'ufficio chiudesse. Beth era arrivata con entrambi i necrologi, due trafiletti su ognuno dei nostri genitori apparsi nel «Lake Forester», e in più una copia del testamento, a due minuti dalla chiusura.

E adesso, una settimana dopo, il giorno del test, mentre centinaia di ragazzi stanno facendo il test, noi stiamo guidando attraverso le Headlands, diretti alla spiaggia. Ce ne eravamo resi conto solo pochi secondi prima...

«Oh Cristo» ho detto.

«Cosa?» ha detto.

«Il test!»

Toph si è messo entrambe le mani davanti alla bocca, aspettandosi che facessi inversione a U e che mi precipitassi, come è nostro costume, inventando scuse e giustificazioni; a questo punto si è talmente abituato alle corse all'ultimo momento, alle mie manate isteriche sullo sterzo quando ci troviamo incastrati nel traffico, alle imprecazioni lanciate al parabrezza, al bussare agli sportelli fuori orario, alla richiesta di eccezioni...

«Lascia perdere» ho detto. «Ormai non ha importanza.»

E non ce l'ha.

Perché ce ne stiamo andando.

Due giorni fa abbiamo deciso che non abbiamo intenzione di rimanere a San Francisco, per cui non faremo l'iscrizione alla Lowell, non avremo bisogno di quella scuola, né di nient'altro qui, perché noi ce ne andiamo, lasciamo la città, lasciamo lo stato, ad agosto tireremo su le nostre cose e voleremo via dalla California, a casa, anzi a Chicago, e di lì a New York. Siamo di nuovo in partenza, tra schiocchi di lingua e teste scosse in segno di disapprovazione, dobbiamo andarcene, anche se questo significa vedere meno Bill e Beth, ce ne andremo di nuovo. «Credo che sia una buona idea quella di muoversi spesso, di vedere roba nuova, di non rimanere incastrati» dice Toph, e io lo amo per avere detto questa frase. Sapeva che avevo bisogno che lo dicesse, e non esiste possibilità al mondo che io gli chieda se diceva sul serio.

San Francisco cominciava a starci stretta, qui tutti stanno morendo.

Le estati sono più fredde e l'autunno non è più come una volta. I ragazzi di Haight sono sempre più giovani e sempre più numerosi, seduti giorno e notte tra Haight e Masonic, con i loro bastoncelli e le palle di stoffa colorata con cui fare acrobazie, e nessun posto dove andare, con quei loro stupidi berretti da rasta. E il tragitto fino al lavoro mi è diventato insostenibile, la ripetizione dei gesti è troppo triste, ormai, specie la sera, quando, dopo aver messo Toph a letto e avere chiuso la porta, torno in ufficio e il viaggio in auto è una tormentosa routine, al punto che tento nuovi percorsi, e avevo cominciato ad andare giù per Geary fino alla fine della strada, superando tutte le prostitute, per cambiare ritmo, e per una settimana circa è stato anche divertente, le macchine che rallentavano e si fermavano, i poliziotti in caccia, che ridevano, ma poi anche quello è diventato abitudine, e perciò ce ne dobbiamo andare, perché la gente ha preso a pisciare per la strada e caga lungo Market Street in pieno giorno, e mi sto stufando di tutte queste colline, sempre colline, di tutte quelle manovre per parcheggiare, e la pulizia delle strade, e quei cazzo di bus attaccati ai fili o cavi o come si chiamano che si rompono sempre, e quegli stronzi di autisti che escono e strattonano il cavo, e quegli stupidi bus che se ne stanno lì inerti in mezzo alla strada, e tutto che si ferma lì in mezzo alla strada...

Ogni cosa appare sempre più bizzarra, gli estremi sempre più distanti, i contrasti ormai troppo forti.

Io e Toph continuiamo a salire perché bisogna arrivare in cima alla collina per giungere a Black Sands, prima diritto fino in cima lungo la strada che si snoda di qua e di là, superando tutti i turisti fermi a godersi il panorama, intenti a guardare giù il Golden Gate, e ogni volta che rivolgiamo il muso dell'auto verso il ponte, ecco che quella vista biblica si ripresenta, e si vedono Treasure Island, Alcatraz, e poi tutta Richmond, El Cerrito, Berkeley e Oakland, e poi il Bay Bridge, e i frammenti appuntiti di conchiglia bianca che formano il centro città, il Golden Gate rosso sangue, e la città intera, il Presidio, i vialoni...

Ma noi proseguiamo, curva dopo curva, e le macchine gradualmente diminuiscono, e proprio in cima alla collina, che poi è quasi una montagna, ci sono ormai pochissimi turisti e anche quelli girano per tornare sui propri passi, per voltare poi a destra a quel tunnel dei tempi della Seconda guerra mondiale in cima, dato che davvero si ha l'impressione che la strada finisca lì, in cima alla collina...

Ma invece la strada continua e c'è una cancellata di metallo sgangherata, proprio lì, aperta, e probabilmente è sempre aperta. Continuiamo senza rallentare io e Toph, procediamo fin dopo l'area di parcheggio, attraverso il cancello, e due giovani turisti, probabilmente olandesi, con i calzerotti scuri di rito e i pantaloncini, allibiscono nel vederci, perché non sanno che cosa stiamo facendo, dato che siamo una specie di coppia di supereroi in una fantastica navicella spaziale, non costretti dalle leggi locali o della fisica.

La strada, adesso a senso unico, va diretta fino all'acqua, e per una ventina di metri sembra quasi che ci finiremo dentro, per qualche secondo hai proprio quella sensazione – cosa che se poi succedesse davvero ci troverebbe pronti come sempre: faremmo quella cosa in cui ci gettiamo dalla macchina esattamente nello stesso istante, ognuno dalla sua parte, e poi ci tufferemmo in perfetta sincronia – per cui a quel punto rallentiamo, e dopo poco la strada prende a destra e quindi scende, e un secondo più tardi stiamo procedendo esattamente paralleli all'acqua, ovviamente a un centinaio di metri di altezza, e per un po' senza avere neppure un ostacolo visibile alla nostra sinistra, nient'altro che il vuoto, ed ecco che all'improvviso vediamo le Headlands tutte intere, morbide e verdi colline di mohair, velluto color ocra, leoni dormienti, e lontano sulla sinistra il faro, incredibile pensare che siamo solo a dieci minuti dalla città e c'è tutta questa ondulata estensione di terra, sembra l'Irlanda o la Scozia o le Falkland o chissà cosa, e noi scendiamo a serpentina lungo la strada che si allontana e si avvicina al precipizio, e Toph come sempre non guarda giù, il che è comprensibile, visto che non apprezza la mia guida senza mani, usando per un po' solo le ginocchia, guarda un po' qui, guarda che figata ah ah ah!

«Testa di cazzo, non fare così.»

«Cosa?»

«Usa le mani.»

«Non puoi chiamarmi in quel modo.»

«Va bene. Testa di cavolo.»

E per quanto preoccupante possa essere udire la sua prima parolaccia nei miei confronti – perlomeno è la prima volta che gliene sento usare una – è anche abbastanza emozionante. Meravigliosamente emozionante. Sentirgli esprimere della rabbia è un vero sollievo. Mi sono sempre preoccupato della sua mancanza di rabbia, del fatto che io e lui andassimo troppo d'accordo, del fatto che forse non gli avevo dato sufficienti occasioni di conflitto. Avrebbe bisogno di conflitti, avevo cominciato a dirmi. Dopo tanti anni di armonia e coccole, era giunto il momento di dare al ragazzo qualcosa di cui potesse incazzarsi. Altrimenti come ce l'avrebbe fatta nella vita? Da dove avrebbe attinto motivazione, se non dal desiderio di farmi a pezzetti? Fino a quel momento non c'era stata che mutua devozione e complicità e quei suoi occhioni gentili e quella sua saggezza pura da bambino... ma adesso! Sono un testa di cazzo! Che sollievo. Una via d'uscita, finalmente la verità, infine, limpida e inevitabile! E forse avrei dovuto notarne i segni premonitori. Quando avevamo fatto la lotta, poco prima sul pavimento di casa, e qualche giorno fa al campo da tennis quando gli avevo tirato a forza le mutande su per il culo, non aveva reagito combattendo con insolita convinzione? Non aveva raggiunto in effetti una buona presa, e non l'aveva mantenuta per un po' con inedita tenacia, molto più a lungo di quanto solitamente gli sarebbe stato possibile? Il suo corpo non si era teso in modo nuovo, la stretta delle sue mani non si era rafforzata, i suoi occhi non hanno ora un non so che di abbandono, non tradiscono una certa rabbia che arriva da chissà quali luoghi lontani? Sì, sì! Ormai siamo onnipotenti.

Finalmente!

«Non puoi dirmi nemmeno testa di cavolo.»

«Va bene.»

«Testa di cavolo è persino peggio di testa di cazzo.»

«Va bene. Stronzo.»

«Stronzo va benissimo.»

A «Might» c'era stata un'infinita teoria di pranzi di lavoro, del tutto infruttuosi, con una serie di persone danarose trovate da Lance, gente in qualche modo interessata a darci una mano. Sistematicamente si trattava di gente intorno alla trentina che aveva fatto abbastanza soldi da avere voglia di buttarne un po' di qua e di là. «Va bene» diceva Lance usando le sue mani a mo' di parentesi, «questa tipa è l'erede del tizio che ha inventato il nastro biadesivo e...», oppure: «Ragazzi questo tizio ha incassato da Microsoft, e adesso ha trecento milioni da investire in nuovi media...». Ci incontravamo per bere qualcosa o a pranzo nella sala sul retro dell'Infusion 555 o a un tavolo da picnic a South Park, e parlavamo, illustrando i nostri progetti, facendo vaghi accenni alle nostre speranze, facendo del nostro meglio per spiegare che desideravamo avere successo senza essere percepiti come gente di successo davvero di successo, che volevamo continuare a fare quello che facevamo, mantenendo però l'opzione di chiamarci fuori se ci fossimo stufati, e che volevamo conquistare il mondo in modo tale che nessuno sarebbe mai stato in grado di dire che era proprio quello che volevamo fare, tentando di non palesare quanto fossimo stanchi, quanto fossimo insicuri di voler davvero andare avanti a fare quello che stavamo facendo...

E nel corso dell'incontro il potenziale benefattore finiva sistematicamente con lo spiegarci, mentre giocherellava con la cannuccia e i cubi di ghiaccio dentro il suo bicchiere, che ne avrebbe dovuto parlare con i suoi genitori o con il suo tutore o con i suoi avvocati e..

Andava bene lo stesso. Detestavamo quei meeting, finivamo con il detestarci noi stessi, detestavamo dovere andare in ufficio ogni giorno, chiedendoci perché diavolo continuassimo a farlo.

Ci era arrivata un'ingiunzione di sfratto entro un mese. Avevamo già avuto una proroga, e ogni mese imploravamo di poter rimanere un altro mese, affermando che stavolta eravamo davvero vicini a ricevere dei finanziamenti e che avevamo solo bisogno di qualche soldo per organizzare la nuova sede, oppure che ci saremmo trasferiti nella sede di questa o quella compagnia che aveva deciso di darci una mano. Per cui Lance partì per New York in un viaggio della speranza, finendo per parlare con gente o troppo o troppo poco importante per noi. Ogni giorno chiamava per dire che non c'erano novità. Stava da Skye, come del resto tutti noi ogni volta che andavamo a New York. Avevamo pensato di fare un festone e Skye aveva organizzato tutto, la roba da bere, il DJ, ed era anche andata a stare dal suo ragazzo di modo che potessimo dormire tutti quanti sul pavimento di casa sua, quattro in camera, su sacchi a pelo e cuscini, e quando alla festa era arrivata la polizia per farci sbaraccare, erano state Skye e sua mamma, la mamma di tutti, in visita in quei giorni dal Nebraska, a implorare la polizia di lasciar correre perché, per usare le parole della mamma: «Sono bravi ragazzi, e si sono dati talmente da fare per mettere in piedi questa festa», o qualcosa del genere, e accanto c'era Skye con lo sguardo triste che sbatteva gli occhioni, e alla fine la polizia ci aveva permesso di andare avanti.

Lance aveva chiamato da casa di Skye il giorno in cui sarebbe dovuto rientrare, dicendo che si sarebbe fermato un giorno in più. Skye era all'ospedale con la febbre alta, forse un avvelenamento alimentare.

«Oppure una faccenda virale» aveva detto.

Moodie e io ci incontrammo con i fondatori di «Wired», e andammo con l'idea di metterci sotto la loro ala, facendogli capire quanto sarebbe stata perfetta la combinazione di noi e loro, nonostante tutte le volte che li avevamo presi per il culo, e ci aspettavamo un incontro informale, rilassato, parco di dettagli e a passo disteso. E ovviamente ci sbagliavamo. Ci trovammo vergognosamente impreparati. Quello che cercavamo erano un po' di soldi per buttare fuori il prossimo numero e una qualunque specie di sistemazione logistica, che ne so, un angolo del loro spazio, avevamo ancora qualche settimana per sloggiare, e qualunque posto andava benone, sul serio, raga...

Loro invece volevano numeri e proiezioni. Seduti intorno al loro lucido tavolo nero, ci arrabattammo e la gettammo sul ridere, e facemmo del nostro meglio per sembrare fiduciosi, ambiziosi, cercando di nascondere la nostra stanchezza, e incoraggiandoci tra noi con gesti delle mani...

No, scusa, finisci pure...

No, scusa tu, stavi dicendo...

... E dicemmo che certo, ovviamente avevamo in mente un nuovo reparto grafico e una migliore redazione, e sì, avevamo intenzione di piantarla una buona volta di prendere per il culo gli inserzionisti, e che sì, noi ci siamo dentro al cento per cento, e che il piano così e i programmi televisivi cosà e ovviamente, certo, un sito web, è chiaro, qualche concessione nelle copertine, magari anche qualche faccia familiare, anche delle celebrità di tanto in tanto, se sono le facce giuste e rappresentate nel modo giusto, chiaro, è ovvio, qualche profilo, e ce la metteremo tutta per ampliare il nostro pubblico, certo lo staff resta ridotto, come sempre, e ce ne staremo qui, e verremo a stare con voi, oppure ci sposteremo a New York, l'una cosa o l'altra, sarà fantastico...

Dopo esserci stretti la mano uscimmo, oltre le postazioni di lavoro, le file e file di computer, il loro calore, le matasse di cavi, il cucinino e la reception con le pareti di un color arancione fluorescente, e la ragazza vestita praticamente nello stesso modo, e di là nell'ascensore e poi fuori sulla Terza Strada, dove facemmo il punto:

Ti pare che sia andata bene?

Sì, sì, figurati, ci hanno adorato...

Ma sapevamo benissimo entrambi che era finita, e la cosa più grave e più curiosa era che a nessuno dei due importava. Oh, certo che ci importava, ma eravamo pronti. Io volevo farla finita, e Moodie lo desiderava anche più di me, e anche Marny era più che stanca, e anche Paul. Zev e Lance ce la mettevano ancora tutta e sentivano che valeva la pena continuare, ma anche loro si rendevano conto, ormai – li avevamo preparati da tempo – che lo spazio poteva esaurirsi in qualunque momento e che era nato per dare luogo a qualcos'altro. Ed eccoci a quel punto, adesso, ben coscienti del fatto che quei tre o quattro anni, tutte quelle centinaia e migliaia di ore stavano per andarsene senza che avessimo messo nulla da parte...

Che cosa era stato conquistato?

Chi era cambiato?

Niente posto prenotato sullo Space Shuttle e tutto il resto; che cosa era successo esattamente? Si era trattato di qualcosa che dovevamo fare, di un piccolo, minuscolo argomento da sostenere. E lo avevamo sostenuto, nel nostro piccolo, e andava bene così... Io e Moodie camminavamo per South Park in un'impeccabile giornata di luglio, e il parco era gremito di gente nuova, tutti bellissimi, intelligenti e giovani, ma noi eravamo stanchi, e camminammo in mezzo a loro diretti in ufficio. Andava bene così. Finalmente lo strano senso di benessere che veniva dal vedere la fine, con i suoi parametri e i suoi termini. Ci restavano due settimane per chiudere l'ultimo numero prima di dover lasciare definitivamente l'ufficio, per cui mettemmo insieme tutto il materiale già deciso. In copertina: "I neri sono più cool dei bianchi?" e qua e là, ovunque, riferimenti alla chiusura della rivista, alla morte, alla sconfitta.

Il saggio di apertura:

La morte, come tanti bei film, è triste.

I giovani si fingono immuni dalla morte. E perché non dovrebbero? A volte la vita può apparire infinita, piena di risate e di farfalle, gioia e passione, e birra gelata di qualità.

Ovviamente con il passare degli anni sopraggiunge la dura comprensione che "sempre" non è che una parola. Le stagioni si susseguono, l'amore appassisce, i migliori muoiono giovani. Si tratta di verità dure, dolorose, ineludibili, ma, così ci viene detto, inevitabili. L'inverno lascia il passo alla primavera, la notte si dilegua nell'alba, e la perdita scava il solco al rinnovamento. È facile dire queste cose, proprio come è facile, tanto per dire, guardare un sacco di televisione.

Ma, facile o no, noi confidiamo in questo sentimento. Altrimenti sarebbe come saltare senza alcuna speranza dentro un abisso nero e senza fine, cadere in un vuoto che tutto avvolge per l'eternità. Sul serio, che si guadagna dicendo che la notte può solo diventare più scura e che la speranza giace schiacciata dallo stivale oppressivo del malvagio? Che genere di risposta otteniamo quando giungiamo alla irriducibile comprensione che in vita non c'è salvezza, che presto o tardi, malgrado le nostre migliori speranze e i nostri sogni più cari, non importa quanto nobili siano state le nostre azioni e sincere le nostre virtù, non importa quanto abbiamo lottato per i nostri disparati ideali di immortalità, inevitabilmente a un certo punto il mare ribollirà e il male calpesterà la terra, e il pianeta intero non sarà altro che un campo giochi abbandonato, adatto solo ai parassiti e agli scarafaggi?

C'è un detto, caro a sacerdoti e vecchi atleti. Prega che piova. Ma perché pregare che arrivi la pioggia quando dal cielo cade sangue caldo e velenoso?

E poi, pochi giorni dopo, riguardammo il pezzo, e sperammo che non suonasse troppo facile, insensibile, dato che Lance era appena tornato da New York da tutti i suoi giri assieme a Skye in cerca di soldi, di qualunque segnale di soldi potesse provenire da quelle parti. Volevamo sapere com'era andata, anche se era tutto accademico, oramai, ma eravamo lo stesso curiosi, magari in un modo un po' morboso. Volevamo sentire buffe storie di rifiuti, racconti di indifferenza, e non ricordo come mai ci trovassimo tutti in ufficio in pieno giorno, ma Lance arrivò e posò il suo zaino su una poltrona e si abbandonò sulla sua sedia. Poi si alzò nuovamente. Per qualche minuto camminò avanti e indietro. Si fermò quindi accanto al raccoglitore vicino alla scrivania di Marny. Aveva un'espressione sul viso, un'espressione quasi sorridente, la bocca quasi atteggiata a un sorriso ma allo stesso tempo appena tremante, gli occhi concentrati su qualcosa di molto piccolo sul pavimento tra di noi. Si teneva la mano sulla bocca, come per nasconderla. *Sorrideva?* Sì, sorrideva. La testa inclinata. C'era qualcosa di buffo. Stava per dirne una buona.

«Skye è morta.»

«Cosa?» disse qualcuno.

«È morta» disse.

«Che stai dicendo? Chi?» esclamammo tutti insieme.

«È morta.»

«Chi?»

«Skye.»

«No.»

«E vaffanculo, testa di cazzo che non sei altro. Credi che sia divertente?»

«Guarda che parla sul serio. Parli sul serio?»

«Non fa ridere.»

«No, ascoltatemi, è morta. Morta.»

«No.»

«Cosa significa?»

«Come?»

«Era un virus che le ha attaccato il cuore. È stata in ospedale solo pochi giorni. Non sono riusciti a...»

«No.»

«Oh, cazzo.»

«Cristo.»

«No.»

Marny e io guidammo fuori città, appena oltre il Golden Gate, non lontano da dove si gira per andare alla Black Sands Beach, per scattare una foto per l'ultima pagina dell'ultimo numero. Eravamo alla ricerca di qualcosa che potesse esprimere tutto quanto, una singola immagine, e avevamo optato per il tunnel sulla Route 1 che porta a Sausalito, scavato attraverso le Headlands di mohair. Era un semplice tunnel, a semicerchio, scuro, l'estremità invisibile, l'ingresso adorno di un sottile arcobaleno dipinto parecchio tempo fa. Avevamo parcheggiato e ci eravamo incamminati, e Marny aveva controllato che non arrivassero delle auto mentre io mi ero sistemato nel mezzo della strada per scattare la foto, che poi alla fine non è venuta neanche granché, con l'arcobaleno smunto e sfocato, e il tunnel non abbastanza buio.

Ma a quel punto c'eravamo, quella era l'ultima immagine. O quella o la lettera promozionale che Paul aveva aperto qualche giorno prima, mentre già stavamo sbaraccando, inviata dal tizio delle lotterie, Ed McMahon, sulla quale era scritto in grossi caratteri:

MIGHT MAGAZINE HA VINTO
DA 1.000.000
A 11.000.000 DI DOLLARI!

Ovviamente dedicammo il numero a lei, a Skye. Piccolo, triste gesto. Cazzo, dicevamo a tutti, avreste dovuto vedere Skye. E in realtà è ancora possibile. Andate a noleggiare quel film, *Pensieri pericolosi*. C'è lei, che cammina e parla. Non ha scritto lei le sue battute, e a quel tempo avrà avuto diciannove o vent'anni, ma eccola lì, per sempre, che cammina e che parla, e mastica gomma. Che tipa che era.

La camminata fino a Black Sands è lunga e ripida, ma la vista, con tutti i fiori selvatici e l'oceano, è da togliere il fiato. Mentre io e Toph scendiamo, vediamo degli uomini che salgono a due a due, col fiatone, si fermano, riprendono. Risalire è mille volte più pesante che scendere. Mentre scendiamo l'uno di fianco all'altro divento cosciente di quanto siamo vicini, io e Toph, e sono preoccupato che qualcuno si faccia idee sbagliate. Ormai è alto quasi quanto me, potrebbe essere facilmente presa per una situazione alla North American Man/Boy Love, e se la persona sbagliata ci dovesse vedere insieme, particolarmente in questa spiaggia, di sicuro ci denuncerebbe, e allora arriverebbero i Servizi sociali e allora lo ficcherebbero in un orfanotrofio, e dovrei farlo evadere, e da quel momento in poi saremmo costretti a diventare dei fuggitivi, a nasconderci, a mangiare cose orribili...

Questa spiaggia ha un'aria così remota. I frequentatori di Black Sands sono perlopiù gay nudisti, alcuni etero nudi, alcune donne etero nude, e un misto di gente varia e vestita tipo noi, più l'occasionale pescatore cinese. Piazziamo la nostra roba al centro della spiaggia, dove in genere si sistemano le famiglie quando hanno il fegato di scendere fin quaggiù... Ci togliamo le scarpe e la camicia, perlustriamo la spiaggia con lo sguardo a destra e a sinistra. Toph ha un'idea.

«Lo sai cosa penso?»

«No.»

«Penso che tutti, una volta nella vita, dovrebbero poter far vivere un oggetto inanimato e farselo amico.»

Urge una pausa di riflessione. Dovrei incoraggiarlo?

«Per esempio?» chiedo, impensierito.

«Non so, un'arancia.»

Si gratta il mento, come fa tutte le volte che rimugina questo genere di pensieri.

«O un martello.»

John era in picchiata, arrancava sui gomiti, era a pezzi. Era stato in un programma di riabilitazione per un po', poi l'aveva lasciato e si era messo a vivere con una donna di almeno quarantacinque anni a Santa Cruz, una tipa che aveva incontrato alla Narcotics Anonimous. Avevo smesso di cercare di stargli dietro, e non gli chiesi perché fosse in terapia, non sapevo che avesse problemi che rendessero necessario la Narcotics Anonimous. Le cose stavano precipitando, e lui evidentemente stava cercando di concentrare al massimo i problemi nel minor tempo possibile. Mi chiedevo se non fosse impegnato in una sorta di esperimento o di performance artistica. Se lo era, allora la cosa avrebbe avuto il mio rispetto, sarebbe stata una trovata abbastanza figa, ma purtroppo non si trattava di nulla di così calcolato.

Andammo insieme a vedere un analista, e dopo averci parlato io lo feci entrare, e l'analista mi definì un "facilitatore", dopo di che ce ne andammo, e lui si addormentò sul divano, e dopo stava un po' meglio. Spariva per settimane, poi si faceva vivo da una biblioteca dell'Oregon, aveva fatto fuori tutto quello che aveva ereditato e gli servivano duecento dollari per pagare la camera dove stava, *questi tizi del Red Rooof sono completamente fuori di zucca, cazzo*, e poi finalmente, dopo essersi fatto prendere a cazzotti in testa al Covered Wagon da un tizio che per giunta conosceva, decise che voleva tornare in riabilitazione.

Io e Meredith ci dividemmo i costi di un posto privato, un programma di tre settimane, dal momento che non aveva assicurazione medica e non si sarebbe rivolto alle strutture pubbliche, se avesse dovuto farlo c'era il caso che facesse una pazzia, non sarebbe stato assolutamente in grado di reggere tutta quella merda, non scherziamo, e così qualche giorno prima di entrare in questa clinica andai a prenderlo in macchina in un posto sulle colline di Oakland, a casa di una donna con cui si stava vedendo, con tanto di bambini, due, alla finestra.

«Amico, grazie davvero per avere tirato fuori i soldi. Voglio dirti che apprezzo davvero tutto quello che fai per me. È una cosa impareggiabile. Quell'altro posto, quello pubblico, era pieno di drogati e prostitute. Non ce l'avrei fatta, giuro, non ce l'avrei mai fatta.»

Apro il finestrino.

Non ho niente da dirgli.

«C'è una parte di me» dico «che vorrebbe semplicemente farti scendere e lasciarti su questo cazzo di ponte.»

Un minuto di silenzio.

Accendo la radio.

«E allora fammi scendere.»

«Lo vorrei fare sul serio, pezzo di merda.»

«E allora fammi scendere.»

«Voglio dire, stai cercando di battere qualche record, per caso? Adesso sei lì seduto, tranquillo, con la mani posate in grembo e tutto il resto, ma poi chissà quand'è la prossima volta che indosserai il vestitino da pazzoide? Per quando è fissato? Voglio dire...»

Sta facendo scattare avanti e indietro il pomo del vano portaoggetti.

«Piantala.»

Smette.

«Voglio dire, perché cazzo non puoi...» vorrei dire "darti una calmata", ma non è la parola giusta.

«... darti una calmata? Perché cazzo non riesci a darti una calmata?»
Ricomincia a giocherellare con il vano portaoggetti.
«Ho detto di piantarla.»
La pianta.
«Voglio dire, sta diventando una gran rottura di coglioni.»
«...»
«Una vera rottura di coglioni. Per un po' è stato anche divertente vederti eseguire tutte queste cagate da talk show, ma adesso basta. E da un po' che ha stufato.»
«Mi spiace, amico, mi spiace di averti annoiato.»
«Infatti. Tutto quell'assurdo lamentarsi, l'incertezza, il caracollare...»
«Fammi il favore. Senti chi parla. Sei tu quello che parla sempre di persistere sulle stesse stronzate, la tua famiglia e tutto il resto. Sei tu quello che...»
«Non stiamo parlando di me.»
«Certo che sì. Si sta sempre parlando di te, in un modo o nell'altro. Non è evidente?»
«Senti, vedi un po' di andare affanculo. Non avevo bisogno di venire fin qui.»
«E allora non avresti dovuto farlo.»
«Guarda che ti butto fuori dal finestrino.»
«Fallo. Avanti, fallo.»
«Dovrei.»
«Voglio dire, quanto ti interessa veramente di me, al di fuori della mia utilità in quanto sorta di racconto edificante, sostituto di qualcun altro, di tuo padre, di tutta la gente che in qualche modo ti delude...»
«Sei proprio come lui.»
«Vaffanculo. Io non sono lui.»
«Ma sei come lui.»
«Fammi scendere.»
«No.»
«Io non sono così. Non posso essere ridotto così.»
«Hai fatto tutto da solo.»
«Sono più di così.»
«Ah sì?»
«Non posso essere usato per tornare a tuo padre. Tuo padre non è una lezione. E non lo sono neppure io. E tu non sei un insegnante.»
«Sei tu che l'hai voluto. Sei tu che desideravi attenzione.»
«Come vuoi. Ma io non sono altro che uno di quelli con una tra-

gedia personale da adattare al tuo messaggio complessivo. A te in realtà non te ne frega niente della gente con cui vai d'accordo e con cui non hai problemi, dico bene? Questa gente non ci sta nella tua storia, vero?»

C'è un camion accanto a noi, con tre ragazzi a bordo. Passerà anche questa.

«E tutto per aiutarti a sostenere certe affermazioni. Voglio dire, non è strano che qualcuno come Shalini, per esempio, che in effetti non era una delle tue amiche più intime, diventi all'improvviso una delle presenze più significative? E perché? Perché gli altri tuoi amici avevano la disgrazia di non essere disgraziati. Gli unici che hanno avuto dei ruoli significativi, sono quelli che hanno avuto un'esistenza travolta dal caos...»

«Lo posso fare.»

«No.»

«Lo posso fare perché...»

«E invece no. Povero Toph, tra l'altro. Mi chiedo quanta voce abbia avuto in tutto ciò. Tu ovviamente dirai che ha dato la sua piena approvazione, che ha pensato che fosse un'idea fantastica, da morir dal ridere eccetera eccetera, e può anche darsi che l'abbia fatto, ma quanto credi che ne sia contento? Tutta questa storia è disgustosa.»

«È troppo difficile per te da capire. Non sai nulla di nulla di noi.»

«Oh, piantala.»

«Si tratta di illuminazione, ispirazione. È una prova.»

«No. Lo sai di che cosa si tratta? Di *entertainment*. Se fai un paio di passi indietro, ti accorgerai come tutto sia diventato uno show. Sei cresciuto con tutti i comfort, senza pericoli, e adesso questi pericoli te li devi cercare, fabbricare su misura o, cosa ancora peggiore, devi sfruttare le sventure di amici e conoscenti per aggiungere drammaticità alla tua intera esistenza. Ma il punto è che non puoi muovere le persone come pedine in questo modo, mettergli gambe e braccia in posizione, vestirle, farle parlare...»

«Lo posso fare, io.»

«No che non puoi.»

«Sono in credito.»

«E invece no, sai? Proprio no. Tu sei come... come un cannibale o qualcosa del genere. Non vedi che stai divorando carne umana? Che stai... stai fabbricando paralumi con la pelle della gen...»

«Oh Cristo.»

«Fammi scendere.»

«Non posso farti scendere qui.»
«Ho detto di farmi scendere. Non voglio essere io il tuo carburante, il tuo cibo.»
«Io per te lo farei.»
«Come no.»
«Io mi farei divorare da te.»
«Io non voglio che tu ti faccia divorare da me. E non voglio divorarti. Non voglio usarti come carburante. Non voglio niente da te. Tu credi che per il fatto che ti sono state sottratte delle cose nella vita, puoi prendere e prendere, tutto quanto. Ma sai, non è che tutti sentano il desiderio di divorarsi costantemente l'un l'altro, non è che tutti vogliano...»
«Tutti ci divoriamo l'un l'altro, costantemente, ogni giorno.»
«No.»
«E invece sì. È quello che facciamo in quanto esseri umani.»
«Per te ovunque è sangue e vendetta, ma c'è molto di più, o piuttosto molto di meno, in tutto ciò. Non tutti sono talmente arrabbiati e così disperatamente affamati...»
«Puoi mangiarmi.»
«Che schifo. No.»
«Ti renderò più forte.»
«Ne ho abbastanza, di te.»
«E invece no. Tornerai. Avrai sempre bisogno di me. Avrai sempre bisogno di qualcuno su cui sanguinare. Perché tu sei un essere incompleto, John, e...»
«Hai appena superato l'uscita.»

La festa di Shalini fu una cosa gigantesca. Era trascorso ormai un anno dalla caduta, e ormai era uscita dall'ospedale, era tornata a casa sua a L.A. per vivere con la madre e la sorella. Migliorava giorno dopo giorno, era in grado di fare pressoché tutto, anche se la sua memoria a breve termine era ancora discontinua, inaffidabile. Tutto quello che era accaduto nell'ultimo anno era sparito. Spesso non riusciva a ricordare che cosa fosse successo il giorno prima, o addirittura l'ora prima. Doveva essere informata dell'incidente quasi ogni giorno, e ogni volta che le veniva raccontato rimaneva allibita. «Accidenti» diceva, come se la storia non la riguardasse. Ma comunque stava lavorando parecchio su questa faccenda della memoria, aveva sempre con sé delle schedine, un diario su cui prendeva appunti relativi agli eventi della giornata, una sorta di memoria cartacea per le cose accadute nel passato. Era arrivata fino a quel punto e la prognosi era ottimista, e per il suo ventiseiesimo compleanno la sua famiglia decise di organizzare una grandissima festa a casa loro, con ogni genere di roba da mangiare, un DJ, danze, torce intorno alla piscina, un centinaio di persone e anche più.

Io e Toph andammo in macchina. Non sapevo che cosa portare in regalo, per cui mi regolai come al solito in situazioni analoghe: chiesi a Toph di farle qualcosa. Di recente aveva modellato delle figurine di Gesù in plastilina colorata – Gesù in smoking e bastone da passeggio con la bocca aperta nel gesto di cantare ("Gesù in versione spettacolo"), Gesù vestito da donna con un caschetto biondo ("Gesù-Hillary"), e Gesù in un sacco a pelo con un motivo a forma di croce ("Gesù che si ferma a dormire"), con tanto di minuscolo barattolo di polvere pruriginosa. Erano di un realismo impressionante, ed erano in genere grandemente apprezzate da chi le riceveva, e tuttavia Toph disse che non aveva tempo di mettersi a fare doni per i miei amici. E venne a cadere anche la mia seconda idea quando si rifiutò di cedermi il *Libro di Mormon* che aveva appena ricevuto ordinandolo a un numero verde. Evvabbè.

Quando arrivammo a L.A. lo lasciai con Bill a Manhattan Beach e andai da Shalini, fermandomi lungo la strada a un centro commerciale dove le acquistai un calendario dei gatti, un libro su Menudo e un fermacarte: $ 54 per pochi minuti di risate. Trovai la sua casa, alta su una collina, lungo una strada larga e buia. Su entrambi i lati c'erano auto parcheggiate e fui costretto a lasciare la macchina a vari isolati di distanza. Da fuori si sentiva la musica e si intravedevano le luci in giardino. Ero terrorizzato. Non vedevo Shalini da mesi, e non sapevo che cosa aspettarmi.

Bussai all'enorme porta d'ingresso, e quando venni fatto entrare vidi che c'era gente ovunque, regali ammucchiati sui tavoli, sul pavimento, regali enormi, bellissimi, e c'era gente in salotto e nel tinello e anche in sala da pranzo, un'intera folla di gente intenta a fare questo e quello, e poi forse un'altra cinquantina di persone fuori in giardino, sul patio intorno alla piscina, circondata da torce accese che inondavano tutto di una luce crudele. Sua madre mi disse che Shalini era al piano di sopra a riposare. Salii le rampe di scale moquettate e seguii le voci provenienti dal corridoio. La trovai in una stanza che dava sulla piscina, seduta sul letto; aveva un aspetto vivace e luminoso, tale e quale come me la ricordavo.

«Ciao, caaarrrrrrro!»

Ci abbracciammo. Era molto elegante, con una camicetta di seta e una minigonna.

Le spiegai che la mia auto era andata in panne per strada – vero – e che avevo dovuto prendere quella di Bill in prestito, e le dissi che la festa mi sembrava favolosa con tutte quelle torce e la gente in giardino e la piscina...

Lei guardò dalla finestra in direzione della piscina che splendeva come un cielo, attorniata dalle silhouette delle persone che vi si riflettevano.

«Sì, fantastico, ma perché c'è tutta questa gente?»

Non sapeva perché fossimo tutti lì. Era evidente che stava frugando nella memoria alla ricerca di una ragione senza però riuscire a trovarvi nulla.

«È il tuo compleanno» spiegai.

Io e sua sorella Anuja le spiegammo che cos'è una festa di compleanno.

«Ma perché tutta questa scena? Voglio dire, mi rendo conto di essere estremamente popolare eccetera, ma questo mi sembra perfino troppo!» esclamò con una risatina.

Io e Anuja allora le raccontammo un po' la faccenda stando il più possibile sul vago, facendo riferimento a una caduta e al coma e al suo formidabile recupero. E come sempre, quando finimmo di raccontarle come stavano le cose, Shalini parve profondamente stupita.

«Questa poi è incredibile» disse.

«Già» dicemmo noi. «Sei stata fortunata.» Nessuno di noi accennò all'altra sua amica, che invece era morta.

«Voglio dire, grazie a Dio!» disse con quel suo accento losangelino, alzando gli occhi al cielo.

A un certo punto scese al piano di sotto e per un po' ballò sulla pista di legno sistemata in giardino per l'occasione. Poi ci fu il momento dei regali e la cena, e c'erano anche Carla e Mark e tutti gli altri del tempo dell'ospedale. Il panorama e il vento tiepido dall'oceano resero la festa euforica come doveva essere. La gente aveva le lacrime agli occhi, specialmente la madre di Shalini, che avevo sempre visto così, da quando l'avevo conosciuta la prima volta. Poi la festa cominciò a scemare, Shalini tornò di sopra a riposare, e io andai alla porta con sua madre.

«Sa che ho cercato il padrone di casa?»

«Che cosa intende dire?»

«Il padrone di casa, il proprietario dell'edificio.» Le spiegai allora di come sui giornali avevo seguito tutto il processo intentato contro il padrone di casa responsabile della terrazza pericolante, e di come ero andato in tribunale almeno una mezza dozzina di volte a cercarlo, dato che volevo seguire l'udienza e volevo vederlo in faccia. Mi ero immaginato quello che gli avrei fatto se fossi riuscito a passare un minuto da solo con lui, e di come, se mi fosse stata data l'occasione di stare in sua compagnia in un angolo buio, gli avrei trapassato la testa con un pugno.

«Hai visto il processo?» mi chiese.

«No, ogni volta andavo nella sala sbagliata, oppure erano loro a spostare l'udienza. Sarà successo non so quante volte. E io mi ritrovavo sempre ad attendere nel posto sbagliato... Dica a Shal che dovevo proprio andare.»

Me ne uscii sapendo che forse non sarei più tornato. Dissi che mi sarei fatto vivo, forse alla prossima festa del Ringraziamento, ma sapevo che stavamo per lasciare la California, io e Toph, perché ci sentivamo stanchi, tallonati...

Tutti del resto se n'erano andati o stavano per andarsene. Flagg si era trasferito a New York per proseguire gli studi, Moodie aveva trovato lavoro da quelle parti, poi fu la volta di Zev, poi Kirsten andò a Harvard con il suo nuovo fidanzato – lui un futuro avvocato, lei sul punto di completare un master in economia, una bella coppia, una coppia senza casini, e mi sorpresi alquanto nello scoprirmi incondizionatamente felice per lei – e anche noi ce la stiamo filando, perché andare al lavoro ogni giorno mi sta pian piano distruggendo, ogni giorno quello stupido tragitto, ogni giorno le stesse strade e le stesse colline, e io che ancora non ho un'assicurazione medica, e siamo stufi marci di quel minuscolo appartamento, e di vivere accanto a quella gentaglia così rumorosa che non capisce, che dovrebbe essere come noi e comprendere, e invece non comprende proprio un cazzo di niente, e poi non ne posso più di vivere di fronte a quella specie di ospizio, di dovermi svegliare e avere quei vecchi di fronte, doverli vedere cazzeggiare sul portico mentre si vestono per andare al centro sociale, indossare le cuffie di plastica per la piscina...

Ci sono troppi stupidi echi, qui, ovunque. Anche una spiaggia come Black Sands riporta alla memoria lei, quando negli ultimi sei mesi ci osservava dalla macchina. Alle partite di football di Toph, io e Beth ce ne stavamo ai margini del campo a tifare e a fare commenti salaci all'indirizzo dell'allenatore, mente lei stava in macchina, parcheggiata nell'area antistante il campo da gioco. Riuscivamo a vederla, appoggiata al volante, gli occhi strizzati nello sforzo di seguire l'azione.

La salutavamo con la mano. *Ciao mamma!*

E lei rispondeva al saluto.

Non ce la faceva più a camminare fino al campo, non ce la faceva più nemmeno a scendere in spiaggia, l'ultima volta che ci eravamo andati tutti insieme, quando Beth si era laureata e io ero venuto in aereo e dopo la cerimonia di consegna decidemmo di andare tutti sulla costa, io, lei, Beth e Toph, giù per Monterey, e quando arrivammo alla spiaggia di Carmel le dicemmo che saremmo tornati subito e corremmo giù per le dune gigantesche, Toph allora aveva solo sette anni, ed era la prima volta che vedeva la California. Io e Beth facemmo finta di volerlo buttare in acqua e ci colpimmo con dei lunghi nastri di alghe marroni. Guardavamo su verso di lei e salutavamo.

Lei ripose al saluto, là in cima alla spiaggia, sopra di noi. E dopo avere corso un altro po' e avere riempito la testa di Toph di sabbia e avere costretto Beth a baciare una medusa morta, tornammo alla macchina, consci del fatto che nostra madre ci aveva guardato e che era fiera di noi, ma quando arrivammo in cima alla duna e fummo vicini all'auto, ci parve che stesse dormendo.

Stava dormendo, le mani posate in grembo. Non aveva risposto al nostro saluto.

E insomma, oggi il vento è perfetto. Quasi calma piatta. Questa spiaggia di solito ha sempre un po' di brezza che arriva dal mare e che rovina tutto, mandando il frisbee tra le onde gelide, costringendomi a entrarci in calzoncini per recuperarlo, congelandomi. Ma oggi praticamente non c'è vento, e la spiaggia è quasi deserta, il che significa che abbiamo la spiaggia, o almeno una buona parte, tutta per noi, e questo è fantastico, anche se magari solo per un'ora.

Siamo migliorati enormemente. Voglio dire, avevamo cominciano già alla grande, quando Toph era più piccolo, la prima volta che eravamo venuti qui, dato che comunque lui era anni luce avanti ai suoi coetanei ed era il dominatore assoluto dei giochi del suo campo estivo, e tutti gli altri ragazzini lo adoravano. Avreste dovuto vedere come tutti lo circondavano, e quando si toglieva il berretto da baseball lasciandosi ricadere sulle spalle i capelli biondi. Una volta un amico arrivò a dirgli: «Non dovresti tenere il berretto, hai dei capelli talmente belli!». Quel ragazzino, mi ricordo benissimo, alla festa dei genitori. E comunque, quanto a portata di tiro, Toph non era come adesso, e ora sa anche un sacco di trucchetti, e anch'io ho sempre avuto un repertorio di trucchi, tipo quando corro incontro al frisbee fino a che è a livello del petto, e quando l'ho quasi raggiunto faccio un salto di circa 180 gradi in aria – a dire il vero deve trattarsi di 360 gradi, ripensandoci, perché... – e comunque io mi avvito a mezz'aria incontro al fresbee, e quando sono perfettamente allineato e mi ritrovo a dare le spalle al fresbee proprio a metà del salto, a quel punto io lo afferro, per cui in pratica è come una presa dietro la schiena ma in volo, e in realtà, con l'avvitamento e tutto quanto, io in pratica atterro con il fresbee in mano – meraviglia – di fronte a Toph. Sì, è un 360 gradi. Ed è un giochino di un certo effetto, quando riesce, il che a dire il vero non accade tanto spesso, anche se, cazzo, sono bravissimo... Insomma, il punto è che Toph adesso lo sa fare anche lui, ed è decisamente più costante di quanto non lo sia io. Intendiamoci, fa ancora cazzate a ripetizione, sbatacchia il fresbee di qua e di là, il che mi fa rabbrividire, dato che negli ultimi mesi ne avremo cambiati almeno due, ma va sempre così, gli dà un colpo che spacca il fresbee esattamente nel mezzo, e succede sempre quando siamo in spiaggia o in un altro posto. E dire che sono i fresbee più solidi, dato che noi compriamo solo quelli di plastica pesante...

Ma a ogni modo, adesso sa fare quel trucco, che è davvero forte da vedere, anche se lui continua a preferire altri stupidi giochini del cazzo, trucchetti che in realtà non sono affatto trucchetti, ma sono delle cazzate qualunque, e del resto è sempre stato un tipo più interessato a cagate senza nessun significato piuttosto che alle cose normali come tenere il punteggio e roba del genere. Per esempio, fa un numero in cui, mentre il fresbee sta arrivando, lui si stende sullo stomaco il più a lungo possibile, e poi all'ultimo momento si alza e... fa qualche passo e afferra il fresbee. Ecco tutto. Bella stronzata, no? Voglio dire, non ha senso alcuno, se ci pensate, è la cosa meno spettacolare del mondo, ma a lui piace un casino, sul serio. Ride come un idiota tutte le volte.

La morfina la stava sopraffacendo ma il suo respiro era ancora forte. Non era più regolare, ma avreste dovuto sentirlo, quando arrivava, quanto era forte, prepotente, una specie di strattone. I suoi arti non si muovevano più e lei stava immobile, la testa rovesciata, e nient'altro che quel respiro irregolare, rumoroso. Sempre più un rantolo, un digrignare, un boccheggiare. Stavamo all'erta notte e giorno perché non si sapeva mai. Accanto al letto avevamo messo delle poltrone in cui ci raggomitolavamo per dormire, le tenevamo la mano, e presto la marea arrivò. Cominciò con un respiro dal suono diverso, più rotondo, liquido, quasi un gorgoglio, ogni volta più faticoso, come se aspirasse aria e delle bolle – ma cos'era quel suono? – e io e Beth eravamo lì, ognuno a un lato del letto, e quei respiri erano come strattoni a una barca ancora legata al molo, il motore pronto, ma ancora non si parte, non si parte. E lei strattonava, con quei respiri. E il gorgoglio, il rumore come di bolle si fece più intenso, quasi che dentro di lei stesse risalendo una vasca piena d'acqua, un lago, un mare, un oceano che avanzava, e quell'acqua continuava a salire, la marea dentro di lei sempre più alta, sempre più alta, e i suoi respiri sempre più corti, come se qualcuno venisse riempito d'acqua sempre di più sempre di più e alla fine non c'è più spazio per... Eppure c'era ancora passione, in quel respiro, e c'era intelligenza, c'era tutto quanto, potevamo tenere quel respiro per mano, sedergli in grembo mentre guardavamo la tv, ora più breve ora più veloce, ora più breve ora più veloce, poi appena troppo corto, e in quei momenti l'amavo più che mai e mi sembrava di conoscerla come pensavo di conoscerla solo io... Era andata, ormai, era già da una settimana sotto morfina, e sarebbe potuta morire in qualsiasi minuto, il suo organismo era a pezzi, nessuno di noi aveva idea di cosa la tenesse ancora in vita ma ancora si ostinava a succhiare l'aria; respirava in modo talmente irregolare e debole, e ogni respiro le rubava tutte le poche forze che rimanevano in quel suo piccolo corpo dalla pelle abbronzata, così bella, lucida, e io e Beth, raccolti attorno a lei, non sapevamo quando... Ma lei continuava a respirare, ancora e ancora, all'improvviso, con ansia, ostinazione... E io spero solo che non fosse rimpianto, il suo, che non vi fosse rimpianto in quel respiro, anche se ero sicuro che c'era, quando ascoltavo quel respiro potevo sentire la rabbia. Non riusciva a credere, cazzo, che stava davvero *accadendo a lei*. Anche mentre era completamente sedata dalla morfina e noi non facevamo altro che aspettare, di tanto in tanto saltava su, tirandosi e sedere e dicendo qualcosa, un grido, un incubo, forse – furente per tutta quella merda che le stava accadendo, furente di doverci lasciare, e Toph, poi... Non era pronta, nemmeno lontanamente, non era risolta, rassegnata, non era pronta, no...

E mentre facciamo i nostri lanci ci si avvicina un tizio nudo, dapprima lo vedo quando mi passa accanto, tra me e il bagnasciuga; è alto all'incirca quanto me, magro, pallido, col culo ossuto, e cammina lungo la spiaggia in direzione di Toph. Sulle prime sono preoccupato dal fatto che Toph debba vedere quell'uomo, e non solo il suo culo ma tutto il paesaggio frontale in azione, di quest'uomo che cammina con fare sciolto, persino fiero, verso Toph, e per una buona ventina di metri, intanto che cammina, io osservo Toph, lo guardo per vedere se sta guardando, se ride o se è disgustato da questo spettacolo di nudità così pallida e disadorna, patetica e sciocca, forse anche disperata, forse in cerca di qualcosa, in cerca dello sguardo degli astanti – e Dio solo sa che razza di occhiata lancerà quel tizio a Toph passando, il genere di occhiate allarmanti che lanciano i tizi nudi – ma poi guardo la faccia di Toph, e lui non sta degnando l'uomo nemmeno di un'occhiata. Sta facendo del suo meglio per evitare di guardarlo, concentrandosi al massimo sul lancio, un'espressione seria sul volto, come se questo lancio fosse di un'importanza tale che nessun uomo nudo potrebbe mai turbarlo – buffo, davvero incredibile, a dire il vero – e dopo qualche secondo l'uomo lo ha superato, diretto verso la fine della spiaggia, verso quella scogliera inquietante che si getta contro le onde che vi si infrangono, e Toph non dovrà più vedere l'uomo nudo...

E noi saremo pronti, alla fine di ogni giorno saremo pronti, non diremo di no a niente, cercheremo di stare svegli mentre tutti dormono, non dormiremo; staremo svegli a fabbricare scarpe assieme agli elfi, e respireremo a fondo, respireremo tutta l'aria piena di vetro e unghie e sangue, la respireremo e la berremo, così densa, e quando sarà il momento non avremo rabbia, saremo sereni, stanchi abbastanza per lasciarci andare, con gratitudine; stringeremo le mani a tutti quanti, addio, addio, e poi faremo lo zaino, una merenda, ed entreremo nel vulcano...

Toph fa un altro dei suoi giochini in cui, ecco, prima io gli lancio il frisbee e lui lo prende normalmente. Poi, con metodica lentezza, si mette il fresbee in bocca tipo cane, e tenendolo tra i denti, fa un saltello, come quello che ha fatto per afferrarlo pochi secondi prima. Lo prende, lo mette in bocca, fa un saltello. Davvero questo non fa ridere neanche un po', è solo scemo, fa pietà. E il bello è che lo fa davanti ad altra gente, il che è davvero tragico, dato che lui pensa che la gente rida. E ha ragione, perché la gente in effetti ride e anche lui ride, gli piace un sacco, quello scherzo. Ma comunque non riesce – non so nemmeno se ci ha mai provato – a fare il mio trucco speciale, quello in cui faccio la ruota e afferro il frisbee mentre sono a testa in giù. Questo sì che è un numero favoloso, da fare impazzire le folle, ma lui non lo ha mai tentato e non capisco perché. Comunque lo lancia bene, e occorre essere buoni lanciatori per fare il trucco della ruota, perché si deve lanciare basso, tipo a sessanta centimetri da terra, non troppo forte, non troppo piano, un lancio dolce e preciso. E deve essere anche lanciato alla mia destra, perché non riesco a farlo se il frisbee mi arriva da sinistra. Per cui, anche se non sa fare il trucco, è però essenziale alla mia prestazione, perché lui è l'unico che sa lanciare come si deve e con una certa costanza, perciò per ora va bene così, però sono sicuro che presto anche lui sarà capace, perché impara tutto anche prima di quanto io non abbia imparato qualunque cosa, mi batte in qualunque sport, a basket non riesco più a fare nemmeno un tiro perché mi tornano tutti in faccia e lui ci gode come un pazzo; lancia urla di trionfo, ormai è alto quasi quanto me, un buon dieci centimetri più alto di come ero io alla sua età, e nel giro di un anno mi avrà superato.

Non è mai troppo ventosa, questa spiaggia, c'è giusto quella brezzolina piacevole, quel movimento d'aria morbido e leggero che ti fa chiedere perché diavolo tutti vadano a Ocean Beach che è sempre ventosissima, lì non si può fare nulla, nemmeno nuotare, e il vento distrugge sul nascere qualunque lancio, a meno di non piazzarsi a distanza di pochi metri e lanciarsi il frisbee come un paio di femminucce. Per lanciare divertendosi anche solo un po' occorre calma, perché dobbiamo *dare le ali* a quel cazzo di coso. E ovviamente la gente si ferma a guardarci, dato che siamo così dannatamente bravi. Gente anziana e giovani, intere famiglie si raccolgono e ohhhh, ahhhh, migliaia di persone con tanto di picnic e binocoli.

Non che siamo dei veri fanatici del frisbee: non indossiamo fasce elastiche intorno alla fronte e cazzate del genere... È che siamo bravi, semplicemente molto bravi. Lanciamo alto e lontano. Ci distanziamo il più possibile... E così abbiamo mandato dei fiori, e Lance, che le era sempre stato vicino, avrebbe voluto esserci al funerale ma era appena tornato da New York... E così abbiamo spedito una corona da parte di tutti noi e non ci è mai toccato di vederla fredda e imbalsamata, potevamo solo immaginarla... E tutto quello che pareva possibile a ventiquattro, venticinque anni, adesso sembra nulla più che uno scherzo, una finzione ridicola, ogni compleanno un'atrocità... E adesso teniamo la scatola di latta dorata sul piano della cucina con dentro i biglietti da visita di mio padre, un minuscolo maglione fatto all'uncinetto da mia madre per un orsacchiotto, qualche spicciolo, due o tre penne e un cappuccio di qualcosa, forse di un obiettivo fotografico che non siamo stati in grado di combinare con nulla e...

Oh cazzo, stavo per dire: adesso Toph sta per fare quell'altro trucco in cui prende il frisbee normalmente... io glielo lancio, un lancio regolarissimo, e dopo che lui l'ha preso fa qualche passo in avanti e si esibisce in una capriola tenendosi il frisbee sulla testa, come se l'avesse afferrato durante il salto. Dovreste vederlo, adesso, è diventato talmente alto, all'improvviso, sicuramente diventerà una specie di gigante, due, tre metri come minimo, di sicuro il maschio più alto che ci sia mai stato nella nostra famiglia...

Diamo il nostro meglio nei lanci lunghi, tipo quando fai quattro cinque passi e poi parti, quasi come nel lancio del peso, quattro o cinque passetti rapidi, uno in fila all'altro, un po' di lato, e poi una frustata al figlio di puttana, in un gesto di grande violenza, il lancio di quell'affare bianco, prima raccoglierlo al petto e poi scagliarlo, il figlio di puttana, più forte che puoi, sforzandoti allo stesso tempo di mantenerlo diritto e bilanciato ma comunque mettendoci tutto quello che hai dentro dai una frustata al figlio di puttana quasi che avesse delle lame tutt'intorno e dovesse arrivare a squarciare il cielo come fosse uno schermo blu, aprendo una ferita attraverso cui coli sangue e lo spazio nero. Oh John, non sarò io a guarire né te né voialtri. Ci ho provato milioni di volte a salvarti, ma era talmente sbagliato per me desiderare di salvarti perché in realtà volevo mangiarti per rendermi più forte, volevo solo divorarvi tutti, io ero un cancro... Oh, ma lo faccio per voi. Non vedete che lo faccio per voi? Ho fatto tutto questo per voi. Faccio finta che non sia così ma l'ho fatto per voi. Vi divoro per salvarvi. Vi bevo per farvi nuovi. Mi ingozzo di tutti voi e resto in piedi, gocciolante, le mani chiuse a pugno, le spalle che si alzano e si abbassano... E sembrerò un idiota, striscerò, grondante di sangue e di merda, e... Oh, guarda quegli uccelli, lassù, sulle loro zampette rigide e sottili... Non c'è un posto in cui io mi fermo e cominciate voi. Sono esausto. Sono in piedi di fronte a voi, 47 milioni, 54, 32 quanti siete, non so, capite che cosa intendo dire... e dov'è il mio reticolo? Non sono sicuro che voi siate il mio reticolo. A volte so che ci siete e a volte non ci siete e a volte quando sono sotto la doccia e mi sto grattando la testa con entrambe le mani penso a tutti voi, ai vostri milioni di gambe e di braccia sotto milioni di edifici che trascinate e muovete, spezzate, creando nuovi edifici, e in quel momento io sono con voi, quando siete sotto a quel cazzo di edificio, voi scolopendre e tutto il resto voi figli di puttana... E quando Toph lo afferra, si flette con furia, i muscoli come elastici tesi, la bocca aperta, i denti serrati forte gli uni contro gli altri. E quando sono io a prenderlo, anch'io faccio così, mi fletto e grido mentre vibro il colpo. Riuscite a vederlo? Cazzo, l'avete visto quel lancio, avete visto Toph lanciare quel cazzo di frisbee, la traiettoria di quel figlio di puttana? Mi sta superando, ma io posso corrergli dietro, sono a piedi nudi e corro come un indiano, tanto che mi giro e sta ancora arrivando, e posso vedere Toph laggiù, biondo e perfetto – ed è lassù e ancora si sta alzando, Cristo, è così piccolo ormai ma poi si ferma lassù, rallenta e si ferma proprio lassù in cima e per un attimo macchia il sole, e poi gli si spezza il cuore e cade... E adesso scende e il cielo è tutto bianco di sole e anche il frisbee è bianco ma riesco a vederlo, riesco a vedere quel figlio di puttana e a farmigli sotto, lo so dove sta volando quel bastardo, gli correrò sotto e lo supererò, quel figlio di puttana, e gli sarò sotto e lo osserverò galleggiare lentamente, nella discesa ti ho battuto figlio di puttana e sono già lì mentre mi cade tra le mani, le mani tese in avanti, i pollici come ali, perché io sono lì, pronto a cullarlo tra le mani nell'istante in cui scende e gira per un secondo ancora e poi si ferma. Io sono lì. Io ero lì. Non sapete che sono legato a tutti voi? Non sapete che sto cercando di pompare sangue dentro di voi, che tutto questo è per voi, e che vi odio tutti quanti, tutti voi figli di puttana... Quando vi addormentate vorrei che non vi svegliaste più, così tanti quanti siete voglio che ve ne andiate nel sonno perché tutto quello che vorrei è che voi correste con me come indiani su questa sabbia ma se invece avete intenzione di dormire tutto il giorno allora andate a fare in culo brutti figli di puttana oh quando dormite tutti quanti siete immersi nel sonno io sono qui invece su una qualche stupida e pericolante impalcatura e sto cercando di attirare la vostra cazzo di attenzione sto cercando di mostrarvi tutto questo, sto solo cercando di mostrarvelo... Che cazzo vi ci vuole a voi figli di puttana che cosa cazzo ci vuole che cosa volete quanto volete, perché io ci sto e me ne starò di fronte a voi e alzerò le braccia in segno di resa e vi offrirò il petto e la gola e aspetterò, è da così tanto di quel tempo che sono vecchio, ormai, per voi, per voi, voglio una cosa rapida che mi trapassi da parte a parte... Coraggio, avanti, fatelo, fatelo; figli di puttana, fatelo, fatelo una buona volta, finalmente finalmente, finalmente.